Ik krijg je wel

Sophie Kinsella

Ik krijg je wel

the house of books

Oorspronkelijke titel
Wedding Night
Uitgave
Bantam Press, London
First published in Great Britain in 2013 by Bantam Press, an imprint of Transworld Publishers
Copyright © 2013 by Sophie Kinsella
Copyright voor het Nederlandse taalgebied © 2013 by The House of Books, Vianen/Antwerpen

Vertaling
Mariëtte van Gelder
Omslagontwerp
marliesvisser.nl
Omslagillustratie
Denise Boomkens/Plainpicture/HH
Opmaak binnenwerk
ZetSpiegel, Best

ISBN 978 90 443 3859 1
ISBN 978 90 443 3860 7 (e-book)
D/2013/8899/102
NUR 302

www.thehouseofbooks.com
www.sophiekinsella.nl
www.madeleinewickham.nl

Voor Sybella

Aan iedereen die heeft geholpen:
dank je wel.

Proloog

Arthur

Jonge mensen! Altijd maar haasten en piekeren, en ze willen op alles antwoord, nú. Ze maken me doodmoe, die arme, gekwelde wezens.

Niet terugkomen, zeg ik altijd tegen ze. *Kom niet terug.*

Je jeugd is nog waar je hem hebt achtergelaten, en daar hoort hij te blijven. Alles wat het waard was om mee te nemen op je levensreis heb je al meegenomen.

Ik zeg het al twintig jaar, maar denk je dat ze luisteren? Mooi niet. Daar komt er weer een. Hijgend en puffend bereikt hij de top van het klif. Achter in de dertig, schat ik. Best aantrekkelijk, zo afgetekend tegen de blauwe lucht. Hij heeft iets van een politicus. Meen ik dat? Misschien een filmster.

Ik herinner me zijn gezicht niet van vroeger. Niet dat dat iets zegt. Ik herken mijn eigen gezicht tegenwoordig amper wanneer ik er een glimp van opvang in de spiegel. Ik zie zijn blik over de omgeving glijden en dan ziet hij mij zitten, op mijn stoel onder mijn geliefde olijfboom.

'Ben jij Arthur?' vraagt hij bruusk.

'Ik beken.'

Ik neem hem taxerend op. Hij zit er zo te zien warmpjes bij. Hij heeft zo'n polo met een duur logo aan. Waarschijnlijk goed voor een paar dubbele whisky's.

'Je zult wel aan een borrel toe zijn,' zeg ik joviaal. Het is altijd handig om het gesprek bijtijds in de richting van de bar te sturen.

'Ik hoef geen borrel,' zegt hij. 'Ik wil weten wat er is gebeurd.'

Ik moet wel een geeuw bedwingen. Zó voorspelbaar. Hij wil weten wat er is gebeurd. Weer een handelsbankier met een midlifecrisis die terugkeert naar het toneel van zijn jeugd. De plek van het misdrijf. Laat het toch waar het was, wil ik zeggen. Draai je om. Ga terug naar je problematische volwassen leven, want hier vind je geen oplossing.

Maar hij zou me toch niet geloven. Dat doen ze nooit.

'Beste jongen,' zeg ik beminnelijk, 'je bent volwassen geworden. Dát is er gebeurd.'

'Nee,' zegt hij ongeduldig en hij veegt het zweet van zijn voorhoofd. 'Je begrijpt het niet. Ik ben hier niet zomaar. Luister naar me.' Hij doet een paar stappen in mijn richting, een imposant lange, brede gestalte tussen mij en de zon, met een vastberaden uitdrukking op zijn knappe gezicht. 'Ik ben hier niet zomaar,' zegt hij nog eens. 'Ik wilde er niet bij betrokken raken, maar ik kan het niet helpen. Ik moet dit doen. Ik wil precies weten *wat er is gebeurd...*'

1

Lottie

Twintig dagen eerder

Ik heb een verlovingsring voor hem gekocht. Was dat een vergissing?

Ik bedoel, het is geen meisjesachtige ring. Het is een simpele gouden ring, en de verkoper heeft me overgehaald er een met een heel klein diamantje te nemen. Als Richard dat niet mooi vindt, kan hij de ring altijd nog met de gladde kant boven dragen.

Of hem helemaal niet dragen. Hem op zijn nachtkastje leggen of in een doosje bewaren of zoiets.

Of ik kan hem terugbrengen en mijn mond erover houden. Eigenlijk heb ik met de minuut minder fiducie in die ring, maar het leek me zo zielig dat Richard niets kreeg. Mannen trekken aan het kortste eind als het om een aanzoek gaat. Zij moeten voor de gelegenheid zorgen, zij moeten knielen, zij moeten de vraag stellen én ze moeten de ring kopen. En wat moeten wij doen? Alleen maar ja zeggen.

Of nee, natuurlijk.

Ik vraag me af hoeveel procent van de aanzoeken met ja wordt beantwoord en hoeveel met nee. Ik doe mijn mond al open om het aan Richard voor te leggen – en klap hem haastig weer dicht. *Idioot.*

'Sorry?' Richard kijkt op.

'Niets!' zeg ik met een stralende lach. 'Gewoon... lekkere dingen op de kaart!'

Ik vraag me af of hij al een ring heeft gekocht. Het maakt mij niets uit. Aan de ene kant is het onwijs romantisch als hij het al heeft gedaan, maar aan de andere kant is het onwijs romantisch om er samen een uit te kiezen.

Een win-winsituatie.

Ik neem een slokje water en glimlach liefdevol naar Richard. We zitten aan een hoektafeltje met uitzicht over de rivier. Het is een nieuw restaurant aan de Strand, een stukje voorbij het Savoy. Een en al zwart-wit geblokt marmer, antieke kroonluchters en lichtgrijze gecapitonneerde stoelen. Het is elegant, maar niet protserig. De perfecte plek voor een lunchaanzoek. Ik draag een chique eenvoudige, witte aanstaande-bruidjesblouse op een rok met print en ik ben me te buiten gegaan aan hold-upkousen voor het geval we besluiten de verloving na de lunch kracht bij te zetten. Ik heb nog nooit hold-upkousen gedragen, maar ik heb ook nog nooit een aanzoek gekregen.

O, misschien heeft hij wel een kamer in het Savoy geboekt!

Nee. Zo poenerig is Richard niet. Hij zou nooit een bespottelijk, buitenproportioneel gebaar maken. Een lekkere lunch, ja; een veel te dure hotelkamer, nee. Waar ik respect voor heb.

Hij maakt een nerveuze indruk. Hij prutst aan zijn manchetknopen, kijkt naar zijn telefoon en laat het water in zijn glas draaien. Hij ziet dat ik naar hem kijk en beantwoordt mijn glimlach.

'Dus.'

'Dus.'

Het is alsof we in geheimtaal om de echte vraag heen draaien. Ik speel met mijn servet en ga verzitten. Het wachten is ondraaglijk. Waarom vraagt hij het niet? Dan hebben we het maar gehad.

Nee, dat laatste bedoelde ik niet zo. Natuurlijk niet. Het is geen inenting. Het is... Ja, wat is het eigenlijk? Een begin. Een eerste stap. Waarmee we samen een fantastisch avontuur aangaan. Omdat we het leven tegemoet willen treden als een team. Omdat we niet zouden weten met wie we die reis liever zouden maken. Omdat ik van hem hou en hij van mij.

Mijn ogen worden nu al vochtig. Dit is hopeloos. Ik ben al dagen zo, al sinds ik begreep wat hij van plan was.

Hij is best zwaar op de hand, Richard. Op een goede, sympathieke manier, bedoel ik. Hij is direct, zegt waar het op staat en speelt geen spelletjes (goddank). Hij zal je ook niet overrompelen met een grote verrassing. Bij mijn vorige verjaardag liet hij dagen van tevoren al doorschemeren dat ik een verrassingsuitstapje van hem zou krijgen, wat ideaal was, want zo wist ik dat ik mijn weekendtas tevoorschijn moest halen en een paar dingen inpakken.

Hoewel hij me uiteindelijk toch nog verraste, want ik kreeg geen weekendje weg, zoals ik had gedacht, maar een treinkaartje naar Stroud dat hij onverwacht op mijn werk liet bezorgen, op mijn verjaardag midden in de week. Hij bleek stiekem twee vrije dagen voor me te hebben geregeld bij mijn chef, en toen ik eindelijk in Stroud aankwam, stond er een auto voor me klaar en werd ik naar een snoezig vakantiehuisje gebracht, waar Richard me opwachtte bij een brandend haardvuur waar een schapenvacht voor lag. (Hmm. Laten we zeggen dat er niets gaat boven seks bij een knapperend haardvuur. Behalve toen die stomme vonk me een brandwond op mijn dij bezorgde. Geeft niets. Een kleinigheidje.)

Toen hij deze keer hints begon te geven, waren ze ook niet al te subtiel. Het waren meer enorme borden midden op de weg: IK GA JE BINNENKORT TEN HUWELIJK VRAGEN. Eerst maakte hij deze afspraak voor wat hij een 'speciale lunch' noemde. Toen liet hij iets vallen over een 'grote vraag' die hij me moest stellen en knipoogde half (al deed ik uiteraard alsof ik niets doorhad). Toen plaagde hij me door te vragen wat ik van zijn achternaam vond, die Finch is. (Die vind ik best mooi, toevallig. Niet dat ik het niet zal missen om Lottie Graveney te heten, maar ik wil met het grootste genoegen mevrouw Finch worden.)

Ik vind het bijna jammer dat hij er niet meer omheen heeft gedraaid, dan zou het echt een verrassing zijn, maar goed, ik wist tenminste dat ik naar de nagelsalon moest.

'En, Lottie, weet je het al?' Richard kijkt naar me op met die warme glimlach van hem en mijn maag maakt een zweefduik. Ik dacht heel even dat hij superslim deed en dat dit zijn aanzoek al wás.

'Eh...' Ik sla mijn ogen neer om mijn verwarring te verbergen.

Natuurlijk is het antwoord ja. Een volmondig, blij ja. Ik kan nog steeds amper geloven dat het nu zover is. Trouwen. Ik bedoel, trouwen! In de drie jaar dat Richard en ik samen zijn, heb ik welbewust met geen woord gerept over een huwelijk, trouw en alles wat eraan vastzit (kinderen, huizen, bankstellen, potjes met kruiden). We wonen zo'n beetje samen bij hem thuis, maar ik heb mijn eigen flat nog. We zijn een stel, maar met Kerstmis gaan we ieder naar onze eigen ouders. Zo staat het ervoor.

Na ongeveer een jaar wist ik dat we goed bij elkaar pasten. Ik wist dat ik van hem hield. Ik had hem op zijn best gezien (het verrassingsuitje voor mijn verjaardag en die keer dat ik per ongeluk over zijn voet reed en hij me niet uitfoeterde) en op zijn slechtst (toen hij koppig weigerde de weg te vragen, helemaal naar Norfolk, met een kapotte gps. We hebben er zes uur over gedaan). En ik wil nog steeds met hem samen zijn. Ik snáp hem. Hij is geen patser, Richard. Hij is afgemeten en weloverwogen. Soms denk je dat hij niet eens luistert – maar dan komt hij opeens tot leven en besef je dat hij de hele tijd waakzaam is geweest. Als een leeuw die onder een boom ligt te soezen, maar klaar is om zijn prooi te bespringen. Terwijl ik meer een gazelle ben die wat rondhupst. We vullen elkaar aan. Het is de Natuur.

(Niet in de zin van de voedselketen, natuurlijk. In overdrachtelijke zin.)

Na een jaar wist ik dus dat hij de Ware was, maar ik wist ook wat er zou gebeuren als ik me versprak. De ervaring heeft me geleerd dat het woord 'trouwen' net een enzym is. Het veroorzaakt allerlei reacties binnen een relatie, en de meeste zijn van de afbrekende soort.

Kijk maar hoe het ging met Jamie, mijn eerste echte vriendje. We waren vier jaar gelukkig samen toen ik me liet ontvallen dat mijn ouders net zo oud waren als wij (zesentwintig en drieëntwintig) toen ze trouwden. Dat was genoeg. Eén losse opmerking. Waarop hij flipte en zei dat we even 'vakantie' moesten nemen. Vakantie van wat? Tot dat moment was er geen vuiltje aan de lucht geweest. Hij had dus duidelijk vakantie nodig van het risico dat hij het woord 'trouwen' nog eens moest horen. Het was kennelijk zo zorgwekkend dat hij me niet eens meer kon zien uit angst dat mijn mond het woord nog eens zou vormen.

Voordat de 'vakantie' voorbij was, had hij al wat met die rooie. Ik zat er niet mee, want toen kende ik Seamus al. Seamus, met zijn sexy zangerige Ierse stem. En ik zou niet eens weten hoe dat op de klippen is gelopen. We waren ongeveer een jaar smoorverliefd – zo'n krankzinnige verliefdheid met nachtenlange seks alsof verder niets ertoe doet – tot we opeens elke avond ruzie hadden in plaats van te vrijen. Binnen vierentwintig uur gingen we van opwekkend naar uitputtend. Het was slopend. Te veel gesprekken met van die troonredethema's als 'waar moet dat met ons naartoe?' en 'wat willen we van deze relatie?' en we werden er allebei bekaf van. We kreupelden nog een jaar door en als ik er nu op terugkijk, lijkt dat tweede jaar een ellendig groot zwart gat in mijn leven.

Toen kwam Julian. Dat duurde ook twee jaar, maar het pákte nooit. Het was als een skelet van een relatie. Ik denk dat we allebei veel te hard werkten. Ik was net overgestapt naar Blay Pharmaceuticals en reisde het hele land door. Hij probeerde vennoot te worden van het accountantsbedrijf waar hij werkte. Ik weet niet eens of we het wel fatsoenlijk hebben uitgemaakt – het verwaterde gewoon. We zien elkaar nog wel eens, als vrienden, en voor ons allebei geldt dat we niet goed weten wat er mis is gegaan. Hij vroeg zelfs of ik met hem uit wilde, ongeveer een jaar geleden, maar ik moest hem vertellen dat ik echt gelukkig was met iemand anders. En dat was Richard. De man van wie ik echt hou. De man die tegenover me zit met een ring in zijn zak (misschien).

Richard ziet er beslist beter uit dan al mijn eerdere vriendjes (misschien ben ik bevooroordeeld, maar ik vind hem prachtig). Hij werkt hard als media-analist, maar hij is niet bezeten van zijn werk. Hij is minder rijk dan Julian, maar wat maakt het uit? Hij is energiek en geestig en hij heeft een bulderende lach die me altijd opvrolijkt, hoe ik me ook voel. Sinds ik tijdens een picknick een ketting van madeliefjes voor hem maakte, noemt hij me 'Madelief'. Hij kan wel eens opvliegend zijn, maar dat geeft niet. Geen mens is volmaakt. Wanneer ik op onze relatie terugkijk, zie ik geen zwart gat, zoals met Seamus, of een leegte, zoals met Julian. Ik zie een sentimentele clip. Een montage vol blauwe luchten en glimlachjes. Geluksmomenten. Intimiteit. Vrolijkheid.

En nu komen we bij de climax van die montage. De scène waarin hij knielt, diep ademhaalt...

Ik voel me heel nerveus namens hem. Ik wil dat dit op rolletjes loopt. Ik wil tegen onze kinderen zeggen dat ik weer helemaal opnieuw verliefd werd op hun vader op de dag dat hij me vroeg.

Onze kinderen. Ons huis. Ons leven.

Ik zie het in gedachten voor me en voel me bevrijd. Ik ben hieraan toe. Ik ben drieëndertig en ik ben er klaar voor. Mijn hele volwassen leven heb ik het onderwerp 'trouwen' gemeden. Mijn vriendinnen zijn net zo. Het is alsof het hele gebied is afgezet met politielint: NIET BETREDEN. Je begint er gewoon niet over, want dan verpest je het en maakt je vriendje het uit.

13

Maar nu valt er niets te verpesten. Ik voel de liefde tussen ons gewoon stromen, over de tafel heen. Ik wil Richards handen pakken. Ik wil hem in mijn armen nemen. Wat is hij toch een geweldige, heerlijke man. Wat ben ik toch een bofkont. Misschien dat we over veertig jaar, als we allebei gerimpeld en grijs zijn, hand in hand over de Strand lopen, aan vandaag denken en de hemel danken dat we elkaar hebben gevonden. Ik bedoel, hoe groot is die kans in deze wereld die krioelt van de onbekenden? De liefde is zo'n grabbelton. Zó toevallig. Het is eigenlijk een wonder...

O, god, ik knipper met mijn ogen...

'Lottie?' Richard heeft mijn vochtige ogen gezien. 'Hé, lief-Madelief. Gaat het? Wat is er?'

Hoewel ik tegen Richard eerlijker ben dan tegen al mijn vroegere vriendjes, is het waarschijnlijk geen goed idee om mijn hele gedachtegang aan hem prijs te geven. Fliss, mijn grote zus, zegt dat ik in Hollywood Technicolor denk en dat ik er rekening mee moet houden dat andere mensen de aanzwellende vioolklanken niet horen.

'Sorry.' Ik bet mijn ogen. 'Niets. Ik zou alleen willen dat je niet weg hoefde.'

Richard vliegt vanavond voor zijn werk naar San Francisco. Voor drie maanden – het kan erger – maar ik zal hem verschrikkelijk missen. Het enige wat me een beetje afleidt, is de gedachte dat ik een bruiloft moet voorbereiden.

'Lieverd, niet huilen. Daar kan ik niet tegen.' Hij pakt mijn handen en geeft er een kneepje in. 'We gaan elke dag skypen.'

'Weet ik.' Ik knijp terug. 'Ik wacht op je.'

'Al zou je er misschien om moeten denken dat als ik op kantoor ben, iedereen kan horen wat je zegt. Ook mijn baas.'

Alleen een piepkleine twinkeling in zijn ogen verraadt dat hij me maar wat plaagt. De laatste keer dat we skypeten toen hij weg was, gaf ik hem advies over hoe hij met zijn helse baas moest omgaan, waarbij ik even vergat dat Richard in een open kantoor zat en de helse baas elk moment langs kon lopen (wat hij gelukkig niet deed).

'Bedankt voor de tip,' zeg ik schouderophalend, net zo droog als hij.

'Ze kunnen je ook zien. Dus misschien wil je niet helemáál naakt in beeld.'

'Niet helemáál,' zeg ik instemmend. 'Misschien alleen een door-kijkbeha en -slipje. Om het simpel te houden.'

Richard grinnikt en omklemt mijn handen iets steviger. 'Ik hou van je.' Zijn stem is diep, warm en smeltend. Ik zal er nooit, maar dan ook nooit genoeg van krijgen hem dat te horen zeggen.

'Ik ook van jou.'

'Trouwens, Lottie...' Hij schraapt zijn keel. 'Ik moet je iets vragen...'

Ik heb het gevoel dat ik op knappen sta. Mijn gezicht staat strak van verwachting terwijl mijn gedachten als gekken over elkaar heen buitelen. *O, god... Nu gaat hij het doen... Mijn hele leven neemt een nieuwe wending... Concentreer je, Lottie, geniet van het moment... Shit! Wat voel ik aan mijn been?*

Ik kijk er vol afgrijzen naar.

Degene die die 'hold-up'-kousen heeft gemaakt is een leugenaar en zal naar de hel gaan, want een van die kousen heeft zichzelf verdomme níét opgehouden. Hij is om mijn knie gezakt en er bungelt een echt walgelijke plastic 'plak'-strook om mijn kuit. Het is weerzinwekkend.

Zo kan ik me niet ten huwelijk laten vragen. Ik kan niet de rest van mijn leven als ik hierop terugkijk denken: *wat een romantisch moment was dat; jammer van die kous.*

'Sorry, Richard,' onderbreek ik hem. 'Momentje.'

Ik reik steels naar beneden en trek de kous omhoog, maar het flinterdunne weefsel scheurt in mijn hand. Joepie. Nu heb ik niet alleen bungelend plastic, maar ook flarden nylon om mijn been hangen. Ongelooflijk, dat mijn huwelijksaanzoek wordt getorpe-deerd door mijn beenbekleding. Ik had voor blote benen moeten gaan.

'Is er iets?' Ik kom met mijn hoofd onder de tafel vandaan en zie Richard verwonderd naar me kijken.

'Ik moet even naar de wc,' prevel ik. 'Sorry. Het spijt we. Kun-nen we dit even in de wacht zetten? Eén nanoseconde maar?'

'Gaat het wel goed met je?'

'Prima.' Ik zie rood van gêne. 'Ik heb een... ongelukje op kle-dinggebied gehad. Ik wil niet dat je het ziet. Kun je de andere kant op kijken?'

Richard draait gehoorzaam zijn hoofd om. Ik schuif mijn stoel naar achteren en haast me door de zaal, de blikken van andere lunchende mensen mijdend. Het proberen te verdoezelen heeft geen zin. Het is een bungelkous.

Ik klap door de deur van de dames-wc's, schop mijn schoen uit, stroop die stomme kous af en kijk met bonzend hart in de spiegel. Niet te geloven dat ik zojuist mijn huwelijksaanzoek heb uitgesteld.

Het voelt alsof de tijd stilstaat. Alsof we in een sciencefictionfilm zitten en Richard schijndood is en ik alle tijd van de wereld heb om erover na te denken of ik wel met hem wil trouwen.

Wat natuurlijk niet nodig is, want het antwoord is ja.

Een blond meisje met een hoofdband met pailletten draait zich met haar lippotlood in de hand naar me om. Ik zal er wel een beetje raar uitzien, zoals ik daar bewegingloos met een schoen en een kous in mijn hand sta.

'Daar is een afvalbak.' Ze knikt ernaar. 'Gaat het?'

'Ja. Dank je.' Opeens voel ik de drang over deze gedenkwaardige gelegenheid te vertellen. 'Mijn vriend zit midden in een huwelijksaanzoek!'

'Dat méén je niet.' Alle vrouwen voor de spiegels draaien zich om en gapen me aan.

Een dun, in het roze gekleed meisje met rood haar fronst haar wenkbrauwen. 'Hoe bedoel je, "midden in"?' vraagt ze. 'Wat heeft hij gezegd, "wil je…"?'

'Hij wilde net beginnen, maar toen kreeg ik kousenpech.' Ik wuif met de kous. 'Hij staat dus even op pauze.'

'Op páúze?' zegt iemand ongelovig.

'Nou, ik zou maar snel teruggaan,' zegt de rooie. 'Geef hem geen kans om zich te bedenken.'

'Wat spannend!' zegt het blondje. 'Mogen we kijken? Mag ik jullie filmen?'

'We kunnen het op YouTube zetten!' zegt haar vriendin. 'Heeft hij een flashmob gehuurd of zoiets?'

'Ik dénk het niet…'

'Hoe werkt dat ding?' roept een oude vrouw met staalgrijs haar gebiedend door ons gesprek heen. Ze zwaait bozig met haar handen onder de automatische zeepdispenser. 'Waarom vinden ze zulke machines uit? Wat is er mis met een stuk zeep?'

'Kijk, tante Dee, zo,' zegt het meisje met het rode haar sussend. 'U houdt uw handen te hoog.'

Ik trek mijn andere schoen en kous uit en nu ik er toch ben, reik ik naar de handlotion om mijn blote benen in te smeren. Ik wil niet later als ik terugkijk denken: *wat een romantisch moment was dat; jammer van die schubbige schenen.* Dan pak ik mijn telefoon. Dit móét ik aan Fliss vertellen. Ik tik snel: *Hij doet het!*

Even later zie ik haar antwoord op mijn scherm: *Zeg nou niet dat je door een aanzoek heen zit te sms'en!*

Op de Dames. Even alleen zijn.

Spannend!!! Jullie zijn een geweldig stel. Geef hem een zoen van me. xxx

Doe ik! Tot gauw xxx

'Wie is het?' vraagt het blonde meisje als ik mijn telefoon opberg. 'Ik ga kijken!' Ze schiet de wc's uit en komt een paar seconden later alweer terug. 'O, ik heb hem gezien. Die met dat donkere haar in de hoek? Hij is super. Hé, je mascara is doorgelopen.' Ze geeft me een make-upremover pen. 'Wil je het even snel bijwerken?'

'Dank je.' Ik glimlach vriendelijk naar haar en begin de zwarte veegjes onder mijn ogen weg te werken. Mijn golvende kastanjebruine haar is hoog opgestoken en opeens vraag ik me af of ik het niet los moet maken, zodat het op het moment suprême over mijn schouders valt.

Nee. Te goedkoop. Ik trek er alleen een paar lokjes uit die ik om mijn gezicht schik terwijl ik de rest kritisch opneem. Lippenstift: mooie koraalkleur. Oogschaduw: glinsterend grijs om mijn blauwe ogen beter te laten uitkomen. Blusher: hoeft hopelijk niet ververst te worden aangezien ik zal blozen van opwinding.

'Deed míjn vriendje maar eens een aanzoek,' zegt een langharig meisje in zwarte kleren quasizielig. 'Wat is je geheim?'

'Weet niet,' antwoord ik, al had ik het haar graag verteld. 'We zijn al een tijdje samen, denk ik, we weten dat we bij elkaar passen, we houden van elkaar...'

'Maar dat gaat ook allemaal op voor mijn vriend en mij! We wonen samen, de seks is geweldig, alles is geweldig...'

'Je moet hem niet onder druk zetten,' zegt het blonde meisje verstandig.

'Ik begin er hooguit één keer per jáár over,' zegt het meisje met het lange haar verdrietig. 'En dan wordt hij nerveus en houden we erover op. Wat moet ik doen? Bij hem weggaan? We zijn nu zes jaar samen...'

'Zes jáár?' De oude vrouw kijkt op van haar handen onder de droger. 'Wat mankeert jou?'

Het meisje met het lange haar bloost. 'Ik mankeer niets,' zegt ze. 'Ik voerde een privégesprek.'

'Privé, ammehoela.' De oude vrouw gebaart om zich heen. 'Iedereen luistert mee.'

'Tante Dee!' zegt het meisje met het rode haar gegeneerd. 'Sst!'

'Waag het niet mij de mond te snoeren, Amy!' De oude vrouw werpt het meisje met het lange haar een vermanende blik toe. 'Mannen zijn oerwoudwezens. Zodra ze hun prooi hebben gevonden, verslinden ze hem en dan vallen ze in slaap. Nou, jij hebt hem zijn buit op een presenteerblaadje aangeboden, hè?'

'Zo simpel is het niet,' zegt het meisje met het lange haar gepikeerd.

'In mijn tijd trouwden de mannen omdat ze seks wilden. Dat was pas een goede aansporing!' De oude vrouw lacht blaffend. 'Jullie slapen eerst met elkaar, gaan meteen samenwonen en dán pas willen jullie een verlovingsring. Jullie doen het helemaal verkeerd om.' Ze pakt haar tas. 'Kom mee, Amy. Waar wacht je nog op?'

Amy werpt ons een vertwijfelde blik van verontschuldiging toe en loopt met haar tante mee de wc's uit. We kijken elkaar allemaal met opgetrokken wenkbrauwen aan. Wat een maf mens.

'Wees maar niet bang,' zeg ik geruststellend, en ik geef het meisje een kneepje in haar arm. 'Het komt vast wel goed.' Ik wil de blijdschap delen. Ik gun iedereen het geluk dat Richard en ik hebben gehad: de ideale partner vinden en het weten.

'Ja.' Ze doet zichtbaar moeite om zich te vermannen. 'Laten we het hopen. Nou, dan wens ik jullie nog een heel gelukkig leven samen.'

'Dank je wel!' Ik geef het blonde meisje de removerpen terug. 'Daar ga ik! Wens me sterkte!'

Ik loop de wc's uit en kijk de bedrijvige eetzaal in met het gevoel dat ik net op PLAY heb gedrukt. Daar zit Richard, in nog precies dezelfde houding als toen ik wegliep. Hij kijkt niet eens naar zijn telefoon. Hij moet net zo op dit moment gefocust zijn als ik. Het bijzonderste moment van ons leven.

'Sorry.' Ik schuif op mijn stoel en werp hem mijn liefdevolste, ontvankelijkste glimlach toe. 'Waar waren we gebleven?'

Richard glimlacht terug, maar ik zie aan hem dat hij er niet meer helemaal bij is. Misschien moeten we geleidelijk aan weer in de stemming zien te komen.

'Wat een bijzondere dag,' zeg ik bemoedigend. 'Voel jij dat ook niet?'

'Absoluut.' Hij knikt.

'Wat is het hier heerlijk.' Ik gebaar om me heen. 'De perfecte plek voor een... een belangrijk gesprek.'

Ik heb mijn handen achteloos op tafel gelegd, en Richard pakt ze in de zijne, zoals mijn bedoeling was. Hij haalt diep adem en fronst zijn voorhoofd.

'Nu we het er toch over hebben, Lottie, ik wil je iets vragen.' We kijken elkaar in de ogen en hij krijgt lachrimpeltjes rond de zijne. 'Dit zal wel niet als een enórme verrassing komen...'

O god, o god, daar komt het dan.

'Ja?' kwaak ik nerveus.

'Brood voor de tafel?'

Richard schrikt en mijn hoofd schiet omhoog. De ober is zo stilletjes aan komen lopen dat we hem geen van beiden hebben opgemerkt. Voordat ik het goed en wel besef heeft Richard mijn handen losgelaten en praat hij over bruin sodabrood. Ik voel me zo gefrustreerd dat ik die hele mand wel van de tafel kan meppen. Zág die ober dan niets? Leren ze niet bedacht te zijn op naderende aanzoeken?

Ik zie dat Richard ook van zijn à propos is. Stomme, stómme ober. Hoe durft hij het grote moment van mijn vriend te bederven?

'Zo,' zeg ik bemoedigend zodra de ober weg is. 'Je wilde me iets vragen?'

'Nou. Ja.' Hij kijkt me aan en haalt diep adem – en dan verandert zijn gezichtsuitdrukking weer. Ik kijk verbaasd om en zie dat er nóg zo'n ellendige ober is opgedoken. Tja, eerlijk is eerlijk, dat kun je wel verwachten in een restaurant.

We bestellen allebei iets – ik ben me er nauwelijks van bewust wat – en de ober verdwijnt, maar er kan er elk moment weer een komen opdagen. Ik heb meer medelijden met Richard dan ooit. Hoe kan hij onder deze omstandigheden een aanzoek doen? Hoe dóén mannen dat?

Ik glimlach hoofdschuddend naar hem. 'Je hebt je dag niet.'

'Niet echt, nee.'

'De sommelier kan elk moment komen,' merk ik op.

'Het is hier net het centraal station.' Hij wendt spijtig zijn blik ten hemel en ik krijg een warm gevoel van verbondenheid. We zitten in hetzelfde schuitje. Wat maakt het uit wanneer hij me vraagt? Wat maakt het uit of het geen perfect, in scène gezet moment is? 'Zullen we een glaasje champagne nemen?' vervolgt hij.

Ik glimlach veelbetekenend naar hem. 'Vind je dat niet een beetje... voorbarig?'

'Tja, dat hangt ervan af.' Hij trekt zijn wenkbrauwen op. 'Zeg jij het maar.'

Het is zo duidelijk wat hij bedoelt dat ik niet weet of ik wil lachen of hem knuffelen.

'Tja, in dat geval...' Ik wacht verrukkelijk lang om het moment voor ons allebei te rekken. 'Ja. Ik zou ja zeggen.'

De frons verdwijnt en ik zie de spanning uit hem wegvloeien. Dacht hij echt dat ik nee zou kunnen zeggen? Wat is hij toch bescheiden. Zo'n schat van een man. O, god. We gaan trouwen!

'Met hart en ziel, Richard, ja,' voeg ik er nadrukkelijk aan toe met een stem die opeens beeft. 'Je moet weten hoeveel dit voor me betekent. Het is... Ik weet niet wat ik zeggen moet.'

Zijn vingers knijpen in de mijne en het is alsof we een stilzwijgende verstandhouding hebben. Ik krijg bijna medelijden met andere stellen, die alles aan elkaar moeten uitleggen. Zij hebben niet zo'n band als wij.

We zwijgen even. Ik voel een wolk van geluk om ons heen hangen. Ik wil dat die wolk daar eeuwig blijft. Ik kan ons nu in de toekomst zien, een huis schilderend, een kinderwagen duwend, een kerstboom optuigend met onze peuters... Misschien willen zijn ouders met Kerstmis komen logeren en dat is prima, want ik ben dol op zijn ouders. Het eerste wat ik ga doen wanneer dit bekend is gemaakt, is zijn moeder in Sussex opzoeken. Ze zal het enig vinden om met de bruiloft te helpen, en ik heb niet bepaald een eigen moeder die me kan bijstaan.

Al die mogelijkheden. Al die plannen. Zo'n lang, luisterrijk leven om samen te leiden.

'Zo,' zeg ik uiteindelijk en ik wrijf zacht over zijn vingers. 'Tevreden? Blij?'

'Zo blij als het maar kan.' Hij streelt mijn hand.

'Hier heb ik een eeuwigheid op gewacht,' verzucht ik voldaan, 'maar ik had nooit gedacht... Je weet het gewoon niet, hè? Je hebt iets van... hoe zou het zijn? Hoe zou het voelen?'

'Ja, dat heb ik ook.' Hij knikt.

'Ik zal dit restaurant nooit vergeten. Ik zal nooit vergeten hoe je er nu uitziet.' Ik knijp nog harder in zijn hand.

'Ik ook niet,' zegt hij alleen maar.

Wat ik zo fijn vind aan Richard is dat hij zoveel kan overbrengen door een simpele zijdelingse blik of door zijn hoofd iets schuin te houden. Hij hoeft niet veel te zeggen, want hij is een open boek voor me.

Ik zie het meisje met het lange haar door de zaal naar ons kijken en moet wel naar haar glimlachen. (Niet triomfantelijk, want dat zou bot zijn. Een nederige, dankbare glimlach.)

'Een glaasje wijn aan tafel, monsieur? Mademoiselle?' De sommelier komt naar ons toe en ik kijk hem stralend aan.

'Ik denk dat we champagne nodig hebben.'

'*Absolument.*' Hij beantwoordt mijn glimlach. 'De champagne van het huis? We hebben ook een mooie Ruinart voor een speciale gelegenheid...'

'De Ruinart, denk ik.' Ik kan de verleiding niet weerstaan hem deelgenoot te maken van ons geluk. 'Het is een heel bijzondere dag! We hebben ons net verloofd!'

'Mademoiselle!' Het gezicht van de sommelier plooit zich in een glimlach. '*Félicitations*! Monsieur! Van harte!' We kijken allebei naar Richard – maar tot mijn verbazing deelt hij niet in de feestvreugde. Hij kijkt me aan alsof hij een spook ziet. Waarom kijkt hij zo geschrokken? Wat is er aan de hand?

'Wat...' Zijn stem klinkt verstikt. 'Wat bedoel je?'

Opeens besef ik waarom hij van streek is. Natuurlijk. Net iets voor mij om alles te bederven met mijn grote mond.

'Richard, wat spijt me dat. Had je het eerst aan je ouders willen vertellen?' Ik geef een kneepje in zijn hand. 'Ik begrijp het volkomen. Ik zal het verder aan niemand vertellen, ik beloof het.'

'Wat zul je niet vertellen?' Hij staart me met grote ogen aan. 'Lottie, we zijn niet verloofd.'

'Maar...' Ik kijk hem onzeker aan. 'Je hebt me zojuist een aanzoek gedaan. En ik heb ja gezegd.'

'Nee, niet waar!' Hij trekt zijn hand uit de mijne.

Oké, een van ons beiden is gek aan het worden. De sommelier heeft zich tactvol teruggetrokken en ik zie dat hij de ober die weer naar ons toe wilde komen met het mandje brood, wegstuurt.

'Lottie, het spijt me, maar ik heb geen idee waar je het over hebt.' Richard haalt zijn handen door zijn haar. 'Ik heb niets over een huwelijk of een verloving of wat dan ook gezegd.'

'Maar... maar dat bedoelde je wel! Toen je champagne bestelde en zei: "Zeg jij het maar", en ik zei: "Met hart en ziel, ja." Het was subtiel! Het was prachtig!'

Ik kijk hem aan en hoop dat hij het met me eens zal zijn, dat hij hetzelfde voelt als ik, maar hij kijkt alleen maar perplex terug en opeens voel ik een steek van angst.

'Dat was... níét wat je bedoelde?' Mijn keel wordt zo stevig dichtgeknepen dat ik amper een woord kan uitbrengen. Ik kan niet geloven dat dit echt gebeurt. 'Je wilde me geen aanzoek doen?'

'Lottie, ik héb je geen aanzoek gedaan!' zegt hij met klem. 'Punt uit!'

Moet hij dat zo hard roepen? Overal schieten hoofden geboeid omhoog.

'Oké! Ik snap het!' Ik wrijf met mijn servet over mijn neus. 'Je hoeft het niet aan de hele zaal te vertellen.'

Ik word overspoeld door vernedering. Ik sta stijf van ellende. Hoe heb ik me zo kunnen vergissen?

En als hij me geen aanzoek deed, waaróm deed hij me dan geen aanzoek?

'Ik snap er niets van,' zegt Richard bijna in zichzelf. 'Ik heb nooit iets gezegd, we hebben het er nooit over gehad...'

'Je hebt genoeg gezegd!' barst ik uit, gekwetst en verontwaardigd. 'Je zei dat het een "speciale lunch" was.'

'Dat is het ook!' schiet hij in de verdediging. 'Ik ga morgen naar San Francisco.'

'En je vroeg wat ik van je achternaam vond! Je *achternaam*, Richard!'

'We hielden een steekproef op kantoor, voor de grap!' zegt Richard verbijsterd. 'Het stelde niets voor!'

'En je zei dat je me een "grote vraag" wilde stellen.'

'Geen grote vraag,' zegt hij hoofdschuddend. 'Een vraag.'

'Ik hoorde anders "grote vraag".'

Er valt een akelige stilte tussen ons. De wolk van geluk is vervlogen. De Hollywood Technicolor en aanzwellende violen zijn weg. De sommelier legt tactvol een wijnkaart op de hoek van de tafel en maakt zich snel uit de voeten.

'Wat was het dan?' zeg ik uiteindelijk. 'Die echt belangrijke, niet al te grote vraag?'

Richard lijkt zich in het nauw gedreven te voelen. 'Het doet er niet toe. Laat maar.'

'Kom op, zeg het!'

'Nou, goed dan,' geeft hij toe. 'Ik wilde je vragen wat ik met mijn airmiles moest doen. Ik dacht dat we misschien een reisje konden boeken.'

'Je airmiles?' schiet ik uit mijn slof. 'Je hebt een speciaal tafeltje gereserveerd en champagne besteld om het over je *airmiles* te hebben?'

'Nee! Ik bedoel...' Richard grimast. 'Lottie, ik voel me vreselijk. Ik had absoluut geen flauw idee...'

'Maar we hebben verdomme net een heel verlovingsgesprek gevoerd!' Ik voel de tranen weer opwellen. 'Ik streelde je hand en zei dat ik zo blij was en dat ik hier een eeuwigheid op had gewacht. En je zei dat het voor jou net zo was! Waar dacht je dan dat ik het over had?'

Richards ogen flitsen heen en weer alsof hij naar een uitweg zoekt. 'Ik dacht dat je... nou ja. Maar wat bazelde.'

'"Wat bazelde"?' Ik gaap hem aan. 'Hoe bedoel je, "maar wat bazelde"?'

Richard lijkt nu echt radeloos. 'Eerlijk gezegd kan ik je niet altijd even goed volgen,' biecht hij op. 'Dus soms... knik ik maar gewoon.'

Hij knikt maar gewoon?

Ik kijk hem onthutst aan. Ik dacht dat we een speciale, unieke, stilzwijgende verstandhouding hadden. Ik dacht dat we onze eigen geheimtaal hadden. En al die tijd knikte hij maar gewoon.

Twee obers zetten onze voorgerechten voor ons neer en haasten zich weg alsof ze aanvoelen dat we niet in de stemming zijn voor een praatje. Ik pak mijn vork en leg hem weer neer. Richard lijkt zijn bord niet eens te hebben gezien.

'Ik had een verlovingsring voor je gekocht,' doorbreek ik de stilte.

'O, god.' Hij slaat zijn handen voor zijn gezicht.

'Het geeft niet. Ik breng hem wel terug.'

'Lottie...' Hij kijkt me gekweld aan. 'Moeten we echt... Ik ga morgen weg. Kunnen we het onderwerp niet gewoon laten rusten?'

'Wil je wel ooit trouwen?' Terwijl ik het vraag, voel ik een stekende pijn. Een minuut geleden dacht ik nog dat ik verloofd was. Ik had de marathon gelopen. Ik ging opgetogen door de finish, met mijn armen triomfantelijk in de lucht. Nu sta ik weer in de startblokken mijn veters te strikken en me af te vragen of de wedstrijd wel doorgaat.

'Ik... God, Lottie, ik weet het niet.' Hij klinkt wanhopig. 'Ik bedoel, ja. Ik denk het wel.' Zijn ogen flitsen steeds angstiger heen en weer. 'Misschien. Je weet wel. Ooit.'

Hm. Duidelijker kan niet. Misschien wil hij met een ander trouwen, ooit, maar niet met mij.

Opeens daalt er een grauwe moedeloosheid over me neer. Ik geloofde heilig dat hij de Ware was. Hoe heb ik me zo kunnen vergissen? Ik heb het gevoel dat ik mezelf totaal niet meer kan vertrouwen.

'Op zo'n manier.' Ik kijk even naar mijn salade, naar de blaadjes sla, de plakken avocado en de granaatappelpitten in een poging mijn gedachten op een rijtje te zetten. 'Weet je, Richard, ik wil wél trouwen. Ik wil trouwen, een gezin stichten, een huis... het hele plaatje. En dat wilde ik met jou samen, maar een huwelijk is iets wat van twee kanten moet komen.' Ik zwijg. Ik adem moeizaam, maar ik ben vastbesloten beheerst te blijven. 'Het lijkt me dus goed dat ik nu hoor hoe het zit en niet later. Daar wil ik je in elk geval voor bedanken.'

'Lottie!' roept Richard geschrokken uit. 'Wacht! Dit verandert niets...'

'Het verandert alles. Ik ben te oud om op een wachtlijst te staan. Als het er met jou niet in zit, hoor ik het liever nu, dan kan ik door, snap je?' Ik probeer te glimlachen, maar ik krijg mijn mondhoeken niet meer omhoog. 'Veel plezier in San Francisco. Ik kan nu maar beter gaan, geloof ik.' Tranen wurmen zich tussen mijn wimpers door. Ik moet echt snel weg hier. Ik ga terug naar kantoor, mijn presentatie voor morgen nakijken. Ik had de hele middag vrijgenomen, maar wat heeft het voor zin? Ik hoef bij nader inzien toch niet al mijn vriendinnen te bellen met het vreugdevolle nieuws.

Op weg naar buiten voel ik opeens een hand om mijn arm. Ik kijk geschrokken om en zie het blonde meisje met de hoofdband naar me opkijken.

'Hoe is het gegaan?' vraagt ze opgewonden. 'Heeft hij je een ring gegeven?'

Haar vraag is als een dolksteek in mijn hart. Hij heeft me geen ring gegeven en hij is mijn vriend niet eens meer, maar ik ga liever dood dan dat toe te geven.

'Toevallig...' Ik steek trots mijn kin in de lucht. 'Toevallig heeft hij me gevraagd, maar ik heb nee gezegd.'

'O!' Haar hand vliegt naar haar mond.

'Inderdaad.' Ik zie het meisje met het lange haar schaamteloos meeluisteren aan haar tafeltje vlakbij. 'Ik heb nee gezegd.'

'Je hebt néé gezegd?' Ze kijkt me zo ongelovig aan dat ik me verbolgen ga voelen.

'Ja!' Ik kijk haar opstandig aan. 'Ik heb nee gezegd. We pasten toch niet goed bij elkaar, dus heb ik besloten het uit te maken. Al wilde hij dolgraag met me trouwen en kinderen krijgen en een hond nemen en alles...'

Ik voel nieuwsgierige ogen in mijn rug, draai me om en zie nog meer mensen ademloos luisteren. Bemoeit het hele restaurant zich er nu mee?

'Ik heb nee gezegd!' zeg ik met een stem die uitschiet van ellende. 'Nee. Néé!' roep ik luid naar Richard, die nog altijd sprakeloos op zijn stoel zit. 'Sorry, Richard. Ik weet dat je van me houdt en dat ik je hart breek, maar mijn antwoord is nee!'

Dan been ik met een sprankje opluchting het restaurant uit.

Terug op mijn werk zie ik dat mijn bureau bezaaid is met gele plakkers. De telefoon moet roodgloeiend hebben gestaan tijdens mijn afwezigheid. Ik zak op mijn stoel en slaak een lange, beverige zucht. Dan hoor ik een kuchje en zie Kayla, mijn stagiaire, afwachtend bij de deur van mijn piepkleine kantoorkamer staan. Kayla staat vaak afwachtend bij mijn deur. Ik heb nog nooit zo'n ijverige stagiaire gezien. Ze heeft me op twee kantjes van een kerstkaart geschreven dat ik zo'n inspirerend voorbeeld voor haar was en dat ze alleen stage is gaan lopen bij Blay Pharmaceuticals door mijn praatje op Bristol University. (Het was ook best een goed praatje, moet ik toegeven. Voor een wervende speech van een farmaceutisch bedrijf.)

'Hoe was je lunch?' Haar ogen twinkelen.

Mijn hart maakt een duik. Waarom heb ik haar in vredesnaam verteld dat Richard me een aanzoek zou gaan doen? Ik wist het zo zeker. Het gaf me een kick om haar opwinding te zien. Ik voelde me in alle opzichten een supervrouw.

'Leuk. Goed. Mooi restaurant.' Ik blader in de papieren op mijn bureau alsof ik naar essentiële informatie zoek.

'En, ben je nu verloofd?'

Haar woorden zijn als citroensap in een open wond. Heeft ze dan geen greintje tact? Je vraagt je baas niet botweg of ze verloofd is. Zeker niet als ze geen enorme, fonkelnieuwe ring draagt, wat ik duidelijk niet doe. Ik zou het in mijn evaluatieverslag kunnen noemen. *Kayla heeft een probleempje met de grenzen van het fatsoen.*

'Hm.' Ik klop mijn jasje af om tijd te winnen en slik het brok in mijn keel weg. 'Eigenlijk niet, nee. Ik heb toevallig besloten ervan af te zien.'

'Echt?' vraagt ze verwonderd.

'Ja.' Ik knik een paar keer. 'Absoluut. Ik heb besloten dat het in deze fase van mijn leven, op dit punt in mijn carrière, geen slimme zet was.'

Kayla kijkt me perplex aan. 'Maar... jullie waren zo'n fantastisch stel.'

'Tja, zulke dingen zijn niet zo simpel als ze lijken, Kayla.' Ik blader sneller door de papieren.

'Hij zal er wel kapot van zijn geweest.'

'Best wel,' zeg ik na een korte stilte. 'Ja. Verpletterd. Hij... huilde zelfs.'

Ik kan zeggen wat ik wil. Ze krijgt Richard toch nooit meer te zien. Ik krijg hem zélf waarschijnlijk nooit meer te zien. En dan, als een stomp in mijn maag, dringt de waarheid weer in volle omvang tot me door. Het is allemaal afgelopen. Weg. Alles. Ik zal nooit meer met hem vrijen. Ik zal nooit meer naast hem wakker worden. Ik zal hem nooit meer knuffelen. Dat laatste maakt op de een of andere manier, meer dan al het andere, dat ik wel kan janken.

'God, Lottie, je bent zo'n inspiratie.' Kayla's ogen glanzen. 'Weten dat iets niet goed is voor je carrière en de moed hebben in het geweer te komen, te zeggen: "Nee! Ik doe níét wat iedereen van me verwacht."'

'Precies,' zeg ik radeloos knikkend. 'Ik ben in het geweer gekomen voor alle vrouwen.'

Mijn onderlip trilt. Ik moet dit gesprek nu afsluiten, voordat het gruwelijk misgaat op het gebied van in tranen uitbarsten waar je stagiaire bij staat.

'Dus, nog belangrijke berichten?' Ik kijk naar de gele plakkers zonder ze echt te zien.

'Steve heeft gebeld over de presentatie van morgen en er heeft een zekere Ben gebeld.'

'Ben wie?'

'Gewoon Ben. Hij zei dat je hem wel kende.'

Geen mens noemt zichzelf 'gewoon Ben'. Het zal wel een brutale student zijn die ik tijdens een werving heb ontmoet en die probeert een voet tussen de deur te krijgen. Ik heb er nu echt geen zin in.

'Oké. Goed. Nou, ik ga mijn presentatie doornemen. Dus.' Ik klik verwoed en in het wilde weg met mijn muis tot ze weggaat. Diep ademhalen. Kiezen op elkaar. Doorgaan. Doorgaan, doorgaan, doorgaan.

De telefoon gaat en ik neem met een weids, gezaghebbend gebaar op. 'Charlotte Graveney.'

'Lottie! Met mij!'

Ik vecht tegen de neiging de hoorn meteen weer op de haak te gooien.

'O, hoi, Fliss.' Ik slik. 'Hallo.'

'Dus... Hoe ís het?'

Ik hoor het plagerige ondertoontje en vervloek mezelf hart-grondig. Ik had haar nooit moeten sms'en vanuit het restaurant.

Het zet me onder druk. Al die afgrijselijke druk. Waarom heb ik mijn zus ooit over mijn liefdesleven verteld? Waarom heb ik haar zelfs maar verteld dat ik iets met Richard had? Laat staan dat ik hem aan haar heb voorgesteld. Laat staan dat ik over een aanzoek ben begonnen.

De volgende keer dat ik een man leer kennen, zeg ik niets, tegen niemand. Niks. Nul. Pas als we tien jaar dolgelukkig getrouwd zijn, drie kinderen hebben en net onze trouwgeloften opnieuw hebben afgelegd. Dan, en niet eerder, stuur ik Fliss een sms'je: *Raad eens? Ik heb een man ontmoet! Hij lijkt leuk!*

'O, goed.' Ik slaag erin een luchtige, achteloze toon aan te slaan. 'En hoe is het met jou?'

'Hier alles goed. En...?'

Ze laat de vraag in de lucht hangen. Ik weet precies wat ze be-doelt. Ze bedoelt: *En, heb je nu een ring met een knots van een diamant en zit je in een ongelooflijke hotelsuite een glas Bollinger op jezelf te drinken terwijl Richard aan je tenen sabbelt?*

Ik voel weer een felle steek. Ik kan er niet over praten. Ik kan haar medeleven niet over me heen laten komen. Zoek een ander onderwerp. Maakt niet uit wat. Snel.

'Dus. Enfin.' Ik probeer opgewekt en nonchalant te klinken. 'Maar goed. Hm. Ik zat eigenlijk net te denken dat ik echt eens die master in bedrijfskunde moet gaan halen. Je weet dat ik dat altijd al van plan ben geweest. Ik bedoel, waar wacht ik nog op? Ik kan me bij Birkbeck aanmelden, ik kan het in mijn vrije tijd doen... Wat vind jij?'

2

Fliss

O, god. Ik kan wel janken. Het is in de soep gelopen. Ik weet niet hoe, maar het is in de soep gelopen.

Als een relatie van Lottie op de klippen loopt, begint ze altijd meteen over een master. Het is net een pavlovreactie.

'Misschien kan ik daarna zelfs promoveren, toch?' zegt ze met maar een klein bibbertje in haar stem. 'Misschien kan ik onderzoek doen in het buitenland?'

Ieder ander zou erin kunnen trappen, maar ik niet. Haar eigen zus. Ze is er slecht aan toe.

'Juist,' zeg ik. 'Ja. Promotieonderzoek in het buitenland. Goed idee!'

Het heeft geen nut om haar uit te horen of botweg te vragen wat er is gebeurd. Lottie heeft haar eigen vastomlijnde manier om een beëindigde relatie te verwerken. Je mag haar niet opjagen en je mag al helemaal niet met haar meeleven. Dat heb ik door schade en schande geleerd.

Zoals die keer toen het uit was met Seamus. Ze kwam bij me aanzetten met een bak ijs en bloeddoorlopen ogen en ik beging de elementaire vergissing te vragen wat er aan de hand was. Waarop ze ontplofte als een granaat: 'Jezus, Fliss! Kan ik niet gewoon ijs komen eten met mijn zus zonder aan een kruisverhoor te worden onderworpen? Misschien wil ik gewoon even bij mijn eigen zus zijn. Misschien draait het leven niet alleen om vriendjes. Misschien wil ik gewoon... mijn leven herevalueren. Een master gaan doen.'

Dan was er nog die keer toen Jamie haar had gedumpt en ik de fout maakte te zeggen: 'O, god, Lottie, arme jij.'

Ze hakte me aan mootjes. 'Arme ik? Hoe bedoel je, arme ik? Wat nou, Fliss, beklaag je me omdat ik geen vent heb? Ik dacht dat jij zo feministisch was.' Ze reageerde al haar verdriet op mij af in een lange tirade, en tegen het eind was ik zo ongeveer aan een oortransplantatie toe.

Ik luister nu dus zwijgend terwijl zij vertelt dat ze al tíjden van plan is de meer academische kant van zichzelf te verkennen, en dat veel mensen niet begrijpen wat een verstandsmens ze is, en dat haar studiebegeleider haar destijds had opgegeven voor een academische prijs, wist ik dat wel? (Ja, dat wist ik: daar begon ze meteen na de breuk met Jamie over.)

Dan valt ze eindelijk stil. Ik hou mijn adem in. Ik geloof dat we nu tot de kern van de zaak kunnen komen.

'O, trouwens, Richard en ik zijn geen stel meer,' zegt ze zo achteloos alsof het haar net te binnen schiet.

'O, nee?' zeg ik net zo achteloos. We zouden het over een ondergeschikte plot van wat bijrollen in *EastEnders* kunnen hebben.

'Nee, we zijn uit elkaar.'

'Aha.'

'Het zat niet goed.'

'Juist. Goh. Dat is heel...' Ik begin door mijn nietszeggende woorden van één lettergreep heen te raken. 'Ik bedoel, dat is...'

'Ja. Jammer.' Ze zwijgt even. 'In zekere zin.'

'Zo. Dus, had hij...' Ik loop nu op eieren. 'Ik bedoel, zouden jullie niet...'

Wat is er in godsnaam gebeurd? Een uur geleden zat hij toch nog midden in een aanzoek, godbetert? Dát zou ik willen vragen.

Ik geloof Lotties verhalen niet altijd. Ze heeft soms een te roze bril op. Ze ziet soms wat ze wil zien. Maar ik kan met mijn hand op mijn hart zeggen dat ik er net zo vast van overtuigd was als zij dat Richard van plan was haar ten huwelijk te vragen.

En nu zijn ze niet alleen niet verloofd, maar is het ook nog eens úít? Ik voel me diep geschokt, of ik wil of niet. Ik heb Richard vrij goed leren kennen, en hij deugt. Hij was de beste van al haar vriendjes, als je 't mij vraagt. (Wat ze heeft gedaan, keer op keer, vaak midden in de nacht als ze dronken was en me voordat ik was uitgepraat onderbrak om te zeggen dat ze toch van hem hield, wat ik er ook van vond.) Hij is degelijk, vriendelijk en geslaagd. Niet lichtgeraakt, geen bagage. Aantrekkelijk, maar niet ijdel. En hij houdt van haar. Dat is het belangrijkste. Dat is zelfs het enige. Ze hebben die uitstraling van een goed stel. Die band. Hoe ze met elkaar praten, hoe ze grapjes maken en hoe ze bij elkaar zitten, hij altijd met zijn arm losjes om haar schouders, spelend met haar

haar. Hoe ze dezelfde dingen lijken te willen, of het nu afhaalsushi is of een vakantie in Canada. Ze vormen een eenheid. Je ziet het gewoon. Ik wel, tenminste.

Correctie: ik zág het. Waarom hij dan niet?

Rotzak, stommeling. Wat zoekt hij eigenlijk in een partner? Wat mankeert er eigenlijk aan mijn zusje? Denkt hij dat ze hem afhoudt van een geweldige romance met een supermodel van twee meter?

Ik blaas stoom af door een vel papier dat ik tot een prop heb verfrommeld agressief in mijn prullenbak te mikken. Een seconde later besef ik dat ik dat papier nodig heb. Godver.

Het blijft stil aan de andere kant van de lijn, maar ik voel Lotties verdriet mijn kant op stromen. O, god, ik kan dit niet. Het kan me niet schelen hoe stekelig ze doet, ik móét meer weten. Dit is waanzin. Het ene moment gaan ze trouwen, het andere zitten we in Fase Eén van Lotties Verwerkingsproces, ga niet langs Start.

'Ik dacht dat je zei dat hij een "grote vraag" had?' zeg ik zo tactvol mogelijk.

'Ja. Nou ja. Hij kwam met een ander verhaal,' zegt ze met een vastberaden onverschilligheid. 'Hij zei dat het geen "grote vraag" was, maar gewoon een vraag.'

Ik krimp in elkaar. Dat is erg. Een 'grote vraag' is geen variatie op 'een vraag'. Het is niet eens een deelverzameling.

'Wat was die vraag dan?'

'Iets over airmiles, toevallig,' zegt ze effen.

Airmiles? Au. Ik kan me voorstellen hoe dát is aangekomen. Opeens zie ik Ian Aylward achter het raam van mijn kantoor. Hij gebaart energiek. Ik weet wat hij wil. De toespraak voor de prijsuitreiking van vanavond.

'Klaar,' zeg ik geluidloos, een flagrante leugen, en ik wijs naar mijn computer om duidelijk te maken dat alleen de technologie de aankomst van de toespraak nog tegenhoudt. 'Ik mail hem je. Ik zal hem *mailen*.'

Hij loopt eindelijk door. Ik kijk op mijn horloge en mijn hart gaat iets sneller slaan. Ik heb nog welgeteld tien minuten om bemoedigend naar Lottie te luisteren, de rest van mijn toespraak te schrijven en mijn make-up bij te werken.

Nee, negenenhalve minuut.

Ik voel weer wrok opkomen, regelrecht op Richard gericht. Als hij dan echt het hart van mijn zus moest breken, had hij dan geen andere dag kunnen kiezen dan mijn meest krankzinnig drukke werkdag van het jaar? Ik roep gejaagd het document met mijn toespraak op en begin te typen.

Tot slot wil ik alle aanwezigen hier vanavond bedanken, zowel de prijswinnaars als degenen die woedend met hun tanden zitten te knarsen. Ik zie het wel! (Pauze voor gelach.)

'Lottie, je weet dat we vanavond onze grote prijsuitreiking hebben,' zeg ik schuldbewust. 'Ik moet zo weg. Als ik langs kon komen, kwam ik meteen, dat weet je...'

Ik besef te laat dat ik een gruwelijke fout heb begaan. Ik heb mijn medeleven uitgesproken. En ja, hoor, ze keert zich tegen me.

'Langskomen?' zegt ze met een vernietigend sarcasme. 'Je hoeft helemaal niet langs te komen! Wat, denk je dat ik van streek ben vanwege Richard? Denk je dat mijn hele leven om één man draait? Ik dácht niet eens aan hem. Ik vertel je alleen maar dat ik een master wil gaan doen. En dat is alles.'

'Weet ik wel,' krabbel ik terug. 'Natuurlijk.'

'Misschien kijk ik wel of er een uitwisselingsprogramma met Amerika is. Misschien ga ik kijken hoe het op Stanford is...'

Ze praat door en ik ga steeds sneller typen. Ik heb die toespraak al zes keer gehouden. Het zijn gewoon dezelfde afgezaagde woorden, elk jaar weer, maar in een andere volgorde.

Het hotelwezen blijft innoveren en inspireren. Ik sta versteld van de prestaties en vernieuwingen die we in onze branche zien.

Nee. Waardeloos. Ik wis het hele stuk en probeer het nog eens.

Ik sta versteld van de prestaties en de ontwikkelingen waar mijn team recensenten en ik overal op de wereld getuige van zijn geweest.

Ja. 'Getuige geweest' geeft een mooi plechtig tintje aan het gebeuren. Je zou bijna denken dat we het afgelopen jaar hebben doorgebracht met een reeks heilige profeten, niet met gebruinde pr-meiden op stiletto's die ons de nieuwste technologische snufjes op het gebied van handdoekkoeling bij het zwembad wilden demonstreren.

Ik ben Bradley Rose mijn dank verschuldigd, zoals altijd...

Moet ik Brad als eerste bedanken? Of Megan? Of Michael? Ik ga iemand vergeten. Ik weet het gewoon. Dat is de wet van het dankwoord. Je ziet een cruciaal iemand over het hoofd, rent terug naar de microfoon en roept zijn naam met schrille stem, maar er luistert al niemand meer. Dan moet je hem gaan zoeken en hem een afgrijselijk halfuur lang persoonlijk bedanken terwijl jullie allebei glimlachen, maar in het wolkje boven zijn hoofd zweven de woorden: *je was mijn bestaan vergeten.*

Mijn dank gaat uit naar iedereen die deze prijsuitreiking heeft georganiseerd, iedereen die deze prijsuitreiking niet heeft georganiseerd, mijn voltallige personeel, al uw personeel, al onze families, alle zeven miljard mensen op deze planeet, God/Allah/ Overige...

'... zie ik dit eigenlijk als iets positiefs. Echt waar, Fliss. Dit is mijn kans om mijn leven opnieuw in te richten, snap je? Ik bedoel, dit had ik net nódig.'

Ik sleur mijn aandacht terug naar de telefoon. Lotties weigering toe te geven dat er iets niet goed is, is een van haar aandoenlijkste eigenschappen. Haar resolute kranigheid is zo hartverscheurend dat ik haar in mijn armen wil nemen.

Maar ik krijg ook een beetje zin om de haren uit mijn hoofd te rukken. Ik zou willen gillen: *Hou eens op over die stomme master! Geef nou gewoon toe dat je gekwetst bent!*

Ik weet hoe dit gaat. Ik heb vaker met dit bijltje gehakt. Elke breuk is hetzelfde. Ze begint helemaal moedig en positief. Ze weigert toe te geven dat er iets aan de hand is. Ze gaat dagen, misschien zelfs weken door zonder te bezwijken, met een glimlach op haar gezicht geplakt, en mensen die haar niet kennen, zeggen: 'Wauw, wat heeft Lottie die breuk goed verwerkt.'

Tot de vertraagde reactie optreedt. Wat strijk-en-zet gebeurt. In de vorm van een ondoordachte, krankzinnige, compleet achterlijke actie die haar een minuut of vijf een euforisch gevoel bezorgt. Het is elke keer iets anders. Een tatoeage op haar enkel, een extreem kapsel of een te dure flat in Borough die ze vervolgens met verlies moet verkopen. Lid worden van een sekte. Een piercing op een 'intieme plek' die gaat ontsteken. Dat was het ergst.

Nee, ik neem het terug, die sekte was het ergst. Ze hadden haar zeshonderd pond afgetroggeld en nog had ze het over 'verlichting'. Stelletje boosaardige uitzuigers. Volgens mij doorkruisen ze heel Londen met hun fijne neus voor mensen die net gedumpt zijn.

Pas na die euforie knapt Lottie eindelijk echt. En dán beginnen de huilbuien, de dagen dat ze niet naar haar werk kan en: 'Fliss, waarom heb je me niet tegengehouden?' En: 'Fliss, ik baal van die tatoeage!' En: 'Fliss, daar kan ik toch niet mee naar mijn huisarts! Ik schaam me kapot! Wat moet ik nou-hou?'

Ik noem die onbezonnen acties na een breuk stiekem haar Betreurenswaardige Keuzes, een uitdrukking die onze moeder bij haar leven vaak gebruikte. Ze kon er alles mee bedoelen, van de verkeerde schoenen van iemand op een etentje tot mijn vaders uiteindelijke beslissing in te trekken bij een Zuid-Afrikaanse schoonheidskoningin. 'Betreurenswaardige keuze,' prevelde ze met die ijzige blik, en dan rilden wij kinderen en dankten ons gelukkige gesternte dat wíj geen Betreurenswaardige Keuze hadden gemaakt.

Ik mis mijn moeder zelden, maar soms zou ik het fijn vinden als er nog een familielid was dat me kon helpen de brokstukken van Lotties leven weer te lijmen. Mijn vader telt niet. Ten eerste woont hij in Johannesburg en ten tweede luistert hij alleen als je over paarden praat of hem een glas whisky aanbiedt.

Nu, terwijl ik naar Lotties gewauwel over studieverlof luister, slaat de angst me om het hart. Ik voel weer een Betreurenswaardige Keuze aankomen. Hij ligt ergens op de loer. Ik voel me alsof ik met een hand boven mijn ogen de horizon aftuur en me afvraag waar de haai op zal duiken om zich in haar voet vast te bijten.

Kon ze maar gewoon vloeken en tieren en met dingen smijten. Dan kon ik gerust zijn; ze zou de gekte eruit werken. Na de breuk met Daniel heb ik twee weken achter elkaar gevloekt als een ketter. Het was niet fraai, maar ik ben tenminste niet bij een sekte gegaan.

'Lottie...' Ik wrijf over mijn voorhoofd. 'Je weet toch dat ik morgen met vakantie ga en dat ik twee weken wegblijf?'

'Ja, hoor.'

'Red je het wel?'

'Natuurlijk réd ik het wel.' Ze klinkt weer vernietigend. 'Vanavond neem ik een pizza met een lekkere fles wijn. Dat wilde ik eigenlijk al heel lang een keer doen.'

'Nou, geniet ervan. Als je je verdriet maar niet verdrinkt.'

Ook zo'n gevleugelde uitspraak van onze moeder. Opeens zie ik haar voor me in haar broekpak met sigarettenpijpen en haar groene glitteroogschaduw. 'Ik verdrink mijn verdriet, schatten.' Ze zat aan de bar in dat huis van ons in Hongkong met een cocktailglas in haar hand terwijl Lottie en ik toekeken in onze identieke, uit Engeland overgevlogen roze badjasjes.

Na haar overlijden bleven we het tegen elkaar zeggen, als een soort bezwering. Ik dacht dat het een gewone heildronk was, zoiets als 'op je gezondheid', en choqueerde jaren later een schoolvriendin tijdens een lunch bij haar ouders door mijn glas te heffen en te zeggen: 'Nou, verdrink het verdriet maar, mensen.'

Tegenwoordig gebruiken we het als afkorting voor 'je op een gênante manier een stuk in je kraag zuipen'.

'Ik ga het verdriet níét verdrinken, dank je feestelijk,' dient Lottie me beledigd van repliek. 'Trouwens, dat moet jij nodig zeggen, Fliss.'

Ik zou een paar glazen wodka te veel kunnen hebben gedronken na de breuk met Daniel, en het zou kunnen dat ik toen een lange toespraak heb gehouden voor een publiek van curry etende restaurantgasten. Daar zegt ze iets.

'Ja, nou ja,' verzucht ik. 'Tot gauw.'

Ik leg de telefoon neer, doe mijn ogen dicht en gun mijn brein een seconde of tien om te herstarten en weer scherp te worden. Ik moet Lotties liefdesleven uit mijn hoofd zetten. Ik moet mijn hoofd bij de prijsuitreiking houden. Ik moet die toespraak afmaken. Nu. Hop.

Ik doe mijn ogen weer open en typ snel een reeks namen van mensen die ik moet bedanken. Het zijn tien regels, maar ik kan beter het zekere voor het onzekere nemen. Ik mail alles naar Ian onder de kop *Toespraak! Dringend!* en spring op van mijn bureau.

'Fliss!' Net als ik mijn kamer uit kom, word ik door Celia aangeklampt. Ze is een van onze productiefste freelancers en ze heeft de kraaienpootjes die het handelsmerk zijn van de beroepsrecensent van wellnesshotels. Je zou denken dat de schoonheidsbehandelingen tegen de schade van de zon zouden opwegen, maar de ervaring heeft me geleerd dat het andersom werkt. Ze zouden echt eens moeten ophouden met wellnesshotels in Thailand neerzetten. Ze zouden ze in noordelijke, winterse landen moeten poten, waar nooit daglicht is.

Hm. Zit daar een stuk in?

Ik typ snel: *Wellnesshotel zonder daglicht?* in mijn BlackBerry en kijk op. 'Alles goed?'

'De Gruffalo is er. Hij is ziedend, zo te zien.' Ze slikt. 'Misschien kan ik beter weggaan.'

Gunter Bachmeier wordt in onze branche de Gruffalo genoemd. Hij heeft een keten van tien luxe hotels, woont in Zwitserland en heeft een tailleomvang van een meter. Ik wist wel dat hij voor vanavond was uitgenodigd, maar ik ging ervan uit dat hij zich niet zou laten zien. Niet na onze recensie van zijn nieuwe wellnesshotel in Dubai, het Palm Stellar.

'Welnee. Maak je niet druk.'

'Niet zeggen dat ik het was.' Celia's stem beeft waarachtig.

'Celia.' Ik pak haar bij haar schouders. 'Je staat toch achter je recensies?'

'Ja.'

'Nou dan.' Ik probeer haar wat kracht in te stralen, maar ze ziet er doodsbang uit. Ongelooflijk dat iemand die zulke venijnige, afbrekende, gevatte teksten kan schrijven in het echt zo zachtaardig en gevoelig kan zijn.

Hm. Zit daar een stuk in?

Ik typ: *Kennismaking met onze recensenten? Profielen?*

Dan wis ik het weer. Onze lezers willen de recensenten niet ontmoeten. Ze willen niet weten dat 'CBD' in Hackney woont en naast haar werk voor ons een begenadigd dichteres is. Ze willen alleen maar weten dat hun gigantische zak met geld ze alle zon/sneeuw, witte stranden/bergen, afzondering/mooie mensen, lakens van Egyptische katoen/hangmatten, culinaire hoogstandjes/dure sandwiches zal opleveren die ze verwachten van een vijfsterrenvakantie.

'Niemand weet wie "CBD" is. Je hebt niets te vrezen.' Ik geef een klopje op haar arm. 'Ik moet rennen.' Ik loop alweer met grote passen door de gang. Ik koers op het centrale atrium af en kijk om me heen. Het is een grote, lichte hal van dubbele hoogte, de enige indrukwekkende ruimte bij Pincher International, en elk jaar doen onze bureauredacteuren, die als haringen in een ton zitten, het voorstel er kantoorruimte van te maken, maar het is de uitgelezen plek voor de prijsuitreiking. Ik kijk om me heen en vink in mijn hoofd dingen af. Enorme geglaceerde taart, bedrukt met omslag van het tijdschrift, waar niemand een hap van zal eten: present. Cateraars die glazen neerzetten: present. Tafel met prijzen: present. Ian van de IT-afdeling zit op zijn knieën bij het podium aan de autocue te prutsen.

'Alles goed?' Ik haast me naar hem toe.

'Prima.' Hij springt overeind. 'Ik heb de toespraak erin gezet. Wil je het geluid testen?'

Ik stap het podium op, zet de microfoon aan en tuur naar de autocue.

'Goedenavond!' zeg ik met stemverheffing. 'Ik ben Felicity Graveney, de hoofdredacteur van *Pincher Travel Review*, en ik heet u van harte welkom bij de drieëntwintigste editie van onze jaarlijkse prijsuitreiking. En het was me het jaartje wel.'

Ik zie aan Ians sardonisch opgetrokken wenkbrauw dat ik het enthousiasme er iets dikker op moet leggen.

'Kop dicht,' zeg ik, en hij grinnikt. 'Ik heb achttien prijzen uit te reiken...'

Wat veel te veel is. We hebben elk jaar slaande ruzie over de prijzen die we willen schrappen, en uiteindelijk houden we ze allemaal.

'Bla, bla... Oké, in orde.' Ik zet de microfoon uit. 'Ik zie je straks.'

Als ik de gang weer in ren, zie ik Gavin, onze uitgever, aan het eind. Hij loodst iemand met een middel van onmiskenbaar een meter omtrek de lift in. Terwijl ik kijk, draait de Gruffalo zich om en werpt me een dreigende antiglimlach toe. Hij steekt vier worstvingers op en blijft ze ophouden tot de liftdeur zich achter hem sluit.

Ik weet wat hij bedoelt, en ik laat me er niet door intimideren. Dan heeft zijn nieuwe hotel maar vier sterren van ons gekregen in plaats van vijf. Had hij maar een beter hotel moeten maken. Hij had in iets meer zand moeten investeren voor op de betonnen onderlaag van zijn 'onderscheidingen winnende, door mensen-handen gemaakte strand' en hij had iets minder arrogant perso-neel moeten inhuren.

Ik loop de wc-ruimte in, zie mijn gezicht in de spiegel en krimp in elkaar. Soms schrik ik echt van de versie van mezelf in de spie-gel. Lijk ik echt zó weinig op Angelina Jolie? Sinds wanneer heb ik van die donkere kringen onder mijn ogen? Alles aan mij is te donker, stel ik opeens vast. Mijn haar, mijn wenkbrauwen, mijn vale huid. Ik moet iets laten bleken. Of misschien alles tegelijk. Er moet toch ergens een beautycentrum zijn met een alles-in-een-bleektank. Eén keer snel kopje-onder; mond openhouden voor de tandenbleekoptie.

Hm. Zit daar een stuk in? Ik typ *Bleken?* in mijn BlackBerry en val op mezelf aan met borstels en kwastjes. Ik besluit met een gulle laag Red Lizard-lippenstift van NARS. Lippenstift kan ik ver-domd goed hebben, dat dan weer wel. Misschien zetten ze het op mijn grafsteen. HIER RUST FELICITY GRAVENEY. ZE KON VERDOMD GOED LIPPENSTIFT HEBBEN.

Ik loop de wc's uit, kijk op mijn horloge en kies onder het lopen Daniels nummer. Hij weet dat ik hem rond deze tijd bel, we heb-ben het erover gehad, hij neemt wel op, hij moet opnemen... Toe dan, Daniel, neem op... Waar zit je...?

Voicemail.

Klootzak.

Als het om Daniel gaat, ben ik best in staat om binnen twee se-conden van sereen naar ziedend op te trekken.

De piep klinkt en ik adem in.

'Je bent er niet,' zeg ik met een kalmte die me veel moeite kost terwijl ik naar mijn kantoor loop. 'Jammer, want ik moet zo naar die prijsuitreiking, zoals je weet, want we hebben het erover gehad. Meer dan eens.'

Mijn stem beeft. Ik mag niet toestaan dat hij me zo raakt. Laat het los, Fliss. Echtscheiding is een proces en dit is een proces en we maken allemaal deel uit van de tao. Of van de zen. Weet ik veel. Waar ze het maar over hebben in al die boeken met het woord 'scheiding' voorop boven een cirkel of een boom.

'Maar goed.' Ik haal diep adem. 'Misschien kun je Noah dit be-richt laten horen? Alvast bedankt.'

Ik doe mijn ogen even dicht en wijs mezelf erop dat ik het niet meer tegen Daniel heb. Ik moet zijn walgelijke kop uit mijn gedachten zetten. Ik heb het nu tegen het gezichtje dat het licht in mijn leven is. Het gezichtje dat – tegen alle verwachtingen in – zorgt dat de wereld gewoon doordraait. Ik zie zijn warrige pony voor me, zijn enorme grijze ogen en zijn schoolsokken, die om zijn enkels hangen. Opgekruld op de bank bij Daniel thuis, met Apie onder zijn arm.

'Schattebout, ik hoop dat je het heel fijn hebt bij pappie. Ik zie je gauw weer, oké? Ik zal proberen je later nog te bellen, maar als het niet lukt, welterusten en veel liefs.'

Ik ben nu bijna bij mijn deur. Ik moet van alles doen, maar tegen wil en dank blijf ik zo lang mogelijk praten, tot de piep me duidelijk maakt dat ik zelf eens iets moet beleven.

'Slaap lekker, liever.' Ik druk de telefoon tegen mijn wang. 'Lekker dromen, hè? Welterusten…'

'Welterusten,' antwoordt een vertrouwd stemmetje, en ik struikel bijna over mijn feest-Manolo's.

Wat was dat? Hallucineer ik? Praat hij door de voicemail heen? Ik tuur voor de zekerheid naar mijn telefoon, tik er even mee tegen mijn handpalm en luister weer.

'Hallo?' zeg ik waakzaam.

'Hallo! Hallodelodelo…'

O, mijn god. Die stem komt niet uit de telefoon. Die komt uit…

Ik ren de hoek om en mijn kantoor in en daar zit hij dan. Mijn zoontje van zeven. Op de bezoekersfauteuil.

'Mammie!' roept hij opgetogen.

'Wauw.' Ik ben er stil van. 'Noah. Jij hier. Op mijn kantoor. Wat vind ik dat… Daniel?' Ik richt me tot mijn ex-man, die bij het raam in een oud nummer van het tijdschrift staat te bladeren. 'Wat stelt dit voor? Ik dacht dat Noah nu aan zijn avondeten zou zitten? Bij jóú thuis,' zeg ik nadrukkelijk. 'Zoals afgesproken.'

'Maar daar zit ik niet,' zegt Noah triomfantelijk.

'Nee, dat zie ik, liever! Dus… Daniel?' Mijn glimlach beslaat zo langzamerhand mijn hele gezicht. De vuistregel is: hoe breder ik naar Daniel glimlach, hoe meer zin ik heb om hem neer te steken.

Onwillekeurig laat ik mijn oog kritisch over zijn verschijning glijden, al heb ik niets meer met hem te maken. Hij is een paar pondjes aangekomen. Een nieuw overhemd met een fijn streepje. Niets in zijn haar. Dat is een vergissing; zijn haar ziet er nu te slap en slierterig uit. Misschien vindt Trudy het mooi.

'Daniel?' probeer ik nog eens.

Daniel zegt niets, maar haalt onverstoorbaar zijn schouders op, alsof alles vanzelf spreekt en woorden overbodig zijn. Dat is een nieuw gebaar. Het is een post-mij-schouderophalen. Toen we nog samen waren, had hij permanent kromme schouders. Nu haalt hij ze op. Hij draagt een kabbala-armbandje onder zijn manchet. Hij kaatst mijn aanval terug alsof hij van rubber is. Zijn gevoel voor humor is vervangen door de overtuiging dat hij in zijn recht staat. Hij maakt geen grapjes meer; hij verordonneert.

Ik kan er met mijn hoofd niet bij dat wij met elkaar sliepen. Ik kan er met mijn hoofd niet bij dat wij Noah samen hebben gemaakt. Misschien zit ik in *The Matrix* en word ik straks wakker in een situatie die stukken logischer is; misschien blijkt dan dat ik de hele tijd met elektroden beplakt in een tank heb gelegen.

'Daniel?' Mijn glimlach verstart. 'We hadden afgesproken dat jij Noah vandaag zou nemen.'

Hij haalt zijn schouders weer op.

'Wát?' Ik kijk hem perplex aan. 'Nee, echt niet. Het is jouw dag.'

'Ik moet vanavond naar Frankfurt. Ik heb je gemaild.'

'Nee, dat heb je niet.'

'Wel waar.'

'Nietes! Je hebt me níét gemaild.'

'We hadden afgesproken dat ik Noah hier zou afzetten.'

Daniel is zo volmaakt kalm als alleen hij kan zijn. Ik daarentegen sta op het punt een zenuwinzinking te krijgen.

'Daniel.' Mijn stem beeft, zoveel moeite kost het me zijn hoofd niet in te beuken. 'Waarom zou ik met je afspreken dat Noah bij mij komt als ik een prijsuitreiking moet presenteren? Waarom zou ik dat doen?'

Daniel haalt zijn schouders weer op. 'Ik moet zo naar het vliegveld. Hij heeft al iets gegeten. Hier is zijn logeertas.' Hij laat Noahs rugzak op de vloer vallen. 'Oké, Noah? Je mag vanavond bij mama blijven; boft zij even?'

Er is geen ontkomen aan.

'Super!' Ik glimlach naar Noah, die ons allebei gespannen opneemt. Het breekt mijn hart om de angst in die grote ogen te zien.
Kinderen van die leeftijd mogen helemaal niet bang zijn, voor wat
dan ook. 'Wat een fijne verrassing!' Ik woel geruststellend door
zijn haar. 'Neem me niet kwalijk, ik ben zo terug...'

Ik loop door de gang naar de wc's. Er is niemand, en maar goed
ook, want ik kan me niet meer inhouden.

'Hij heeft me verdomme niet gemaild!' Mijn stem weerkaatst
loeihard door de betegelde ruimte. Ik kijk hijgend naar mijn eigen
ogen in de spiegel. Ik voel me zo'n tien procent beter. Genoeg om
de avond door te komen.

Ik loop bedaard terug naar mijn kantoor, waar Daniel zich net
in zijn jas hijst.

'Nou, goede reis dan maar of weet ik veel.' Ik ga zitten, draai
de dop van mijn vulpen en schrijf *Gefeliciteerd!* op het kaartje bij
het boeket voor de grote winnaar (dat nieuwe wellnessresort in
Marrakesh). *Met de beste wensen van Felicity Graveney en het
hele team.*

Daniel is nog in mijn kantoor. Ik voel hem wachten. Hij wil nog
iets zeggen.

'Ben je nog niet weg?' Ik kijk op.

'Nog één ding.' Hij kijkt me weer aan alsof hij het recht aan zijn
kant heeft. 'Ik wil nog een paar punten ter sprake brengen met betrekking tot het echtscheidingsconvenant.'

Even ben ik met stomheid geslagen.

'Wa... wát?' kan ik uiteindelijk stamelend uitbrengen.

Hij kan geen punten meer ter sprake brengen. We zijn klaar met
het ter sprake brengen van punten. We zijn klaar. Het is afgerond.
Na een rechtszaak, twee keer hoger beroep en een miljoen brie-
ven van advocaten zit het erop.

'Ik heb het er met Trudy over gehad.' Hij steekt een hand op.
'Ze noemde een paar boeiende kwesties.'

Echt niet. Ik wil hem een mep verkopen. Hij mág onze scheiding niet met Trudy bespreken. Het is ónze scheiding. Als Trudy
wil scheiden, trouwt ze eerst maar met hem. Kijken hoe leuk ze
dat vindt.

'Een paar dingetjes maar.' Hij legt een stapel papieren op het
bureau. 'Lees maar.'

Lees maar. Alsof hij me een goede thriller aanbeveelt.

'Daniel...' Ik kook bijna over. 'Je kunt nu geen nieuwe dingen meer inbrengen. De scheiding is rond. We hebben alles al uitgevochten.'

'Is het niet belangrijker dat we het goed doen?'

Hij klinkt verwijtend, alsof ik voorstel voor een slordige, slecht voorbereide scheiding te gaan. Eentje waar geen vakmanschap aan te pas is gekomen. In elkaar geflanst met een lijmpistool in plaats van met de hand genaaid.

'Ik ben blij met wat we hebben afgesproken,' zeg ik afgemeten, hoewel 'blij' de lading niet bepaald dekt. Ik was 'blij' geweest als ik zijn kladversies van liefdesbrieven aan een andere vrouw níét in zijn koffertje had gevonden, waar iedereen op zoek naar kauwgom ze had kunnen zien.

Liefdesbrieven. Ik bedoel maar, liefdesbrieven! Ik kan nog steeds niet geloven dat hij een andere vrouw liefdesbrieven heeft geschreven, niet zijn eigen vrouw. Ik kan niet geloven dat hij expliciet seksuele gedichten heeft geschreven, geïllustreerd met grappige tekeningetjes. Ik was oprecht gechoqueerd. Als hij die gedichten voor mij had geschreven, was alles misschien anders gelopen. Misschien had ik dan beseft wat een narcistische mafkees hij was vóórdat we gingen trouwen.

'Tja.' Hij haalt zijn schouders weer op. 'Misschien heb ik meer een langetermijnvisie. Misschien zit jij er te dicht op.'

Te dicht? Hoe kan ik te dicht op mijn eigen scheiding zitten? Wie is die bekkentrekkende, emotioneel onvolgroeide idioot en hoe is hij in mijn leven gekomen? Ik adem zo jachtig van de frustratie dat ik het gevoel heb dat ik, als ik nu opspring, Usain Bolt het nakijken kan geven.

En dan gebeurt het. Ik wil het niet echt, maar mijn pols maakt een snelle draai en het is al gebeurd: een spoor van zes inktvlekjes op zijn overhemd en opborrelende blijdschap in mijn borst.

'Wat was dat?' Daniel kijkt naar zijn overhemd en dan weer onthutst naar mij. 'Is dat inkt? Heb jij me met je pen bespat?'

Ik kijk naar Noah, bang dat hij heeft gezien hoe zijn moeder zich tot infantiel gedrag verlaagde, maar die gaat op in de veel volwassener wereld van *Kapitein Onderbroek*.

'Ik schoot uit,' zeg ik schijnheilig.

'Je schoot uit. Hoe oud ben jij, vijf?' Hij krijgt een boze, afkeurende frons op zijn voorhoofd en bet zijn overhemd, zodat een van de inktspatjes een veeg wordt. 'Hier zou ik mijn advocaat over kunnen bellen.'

'Je zou het over ouderlijke verantwoordelijkheid kunnen hebben, jouw favoriete onderwerp.'

'Leuk.'

'Nee.' Opeens kom ik bij zinnen. Ik ben het gejijbak zat. 'Het is niet leuk.' Ik kijk naar onze zoon, die over zijn boek gebogen zit te schateren om iets. Zijn korte broek is opgekropen en op zijn ene knie is met balpen een gezichtje getekend waar een pijl naartoe wijst met in beverige letters IK BEN EEN SUPERHELD eronder. Hoe kan Daniel hem zo in de steek laten? Hij heeft hem twee weken niet gezien; hij belt nooit om even met hem te praten. Het is alsof Noah een hobby is waar hij alle benodigdheden voor heeft aangeschaft en waar hij de basisvaardigheden van beheerst – waarna hij heeft besloten dat hij er uiteindelijk toch niet zoveel aan vindt; misschien had hij toch beter voor wandklimmen kunnen gaan.

'Het is echt niet leuk,' zeg ik nog eens. 'Je kunt maar beter gaan.'

Ik kijk niet eens op om hem te zien vertrekken. Ik trek zijn stomme berg papieren naar me toe, blader erin, te woest om een woord te kunnen lezen, open een document op mijn computer en typ als een razende:

D arriveert op kantoor en dropt N zonder enige waarschuwing, tegen de afspraken in. Stelt zich niet behulpzaam op. Wil meer punten m.b.t. echtscheidingsconvenant inbrengen. Weigert redelijk te overleggen.

Ik haak mijn USB-stick van zijn plekje aan een ketting om mijn nek en zet het bijgewerkte bestand erop. Mijn USB-stick is mijn steun en toeverlaat. Het hele dossier staat erop: het hele ellendige Daniel-verhaal. Ik hang hem weer om mijn nek en bel Barnaby, mijn advocaat.

'Barnaby, dit geloof je niet,' zeg ik zodra ik zijn voicemail krijg. 'Daniel wil het convenant wéér herzien. Bel je me?'

Dan kijk ik bezorgd naar Noah om te zien of hij me heeft gehoord, maar hij zit te proesten om iets in zijn boek. Ik zal hem aan mijn personal assistant moeten overdragen; ze heeft me wel vaker geholpen als ik crisisopvang voor mijn kind nodig had.

'Kom op.' Ik sta op en woel door zijn haar. 'We gaan Elise zoeken.'

Mensen mijden op een feestje is een koud kunstje als je de gastvrouw bent. Je hebt altijd een excuus om het gesprek af te breken zodra je een roze gestreept overhemd met een omtrek van een meter op je af ziet komen. ('Sorry, sorry, maar ik moet de marketingmanager van het Mandarin Oriental even begroeten, ik ben zo terug...')

Het feest is nu een halfuur bezig en tot nog toe is het me gelukt de Gruffalo te ontlopen. Wat helpt is dat hij zo enorm is, en het atrium zo vol. Het is me gelukt het compleet natuurlijk te laten overkomen dat ik telkens wanneer hij me tot op drie passen nadert de andere kant op loop, of helemaal de zaal uit loop, of in mijn wanhoop de wc in duik...

Shit. Als ik uit de wc kom, staat hij me op te wachten. Gunter Bachmeier staat warempel in de gang de deur van de dames-wc's in de gaten te houden.

'O, hallo, Gunter,' zeg ik gladjes. 'Wat leuk je te zien. Ik wilde even bijpraten...'

'Je mait mai,' zegt hij verwijtend met zijn Duitse accent.

'Welnee! Hoe vind je het feest?' Ik dwing mezelf een hand op zijn vlezige onderarm te leggen.

'Je hebt main noiwe hotel beschimpt.'

Hij zegt het met een 'j'. 'Besjiempt'. Maar ik vind het al heel wat dat hij het woord kent. Ik zou in elk geval niet weten wat het in het Duits moet zijn. Mijn Duits reikt niet verder dan: 'Taxi, *bitte*?'

'Gunter, je overdrijft.' Ik glimlach beminnelijk. 'Een beoordeling met vier sterren is niet bepaald... schimpig.' Schimpzaam? Schimpesk? 'Het spijt me dat mijn recensent je geen vijf sterren kon toekennen...'

'Je hebt main hotel niecht selb beoordeeld,' valt hij driftig uit. 'Je hebt een amateur gesjtuurd. Je hebt kain respect voor mai!'

'Nain, dat heb ik wohl!' ga ik ertegenin voordat ik me kan bedwingen. 'Ik bedoel... nee. Wel.' Mijn gezicht gloeit. 'Dat heb ik wel, bedoel ik.'

Het was geen opzet; ik ben gewoon een verschrikkelijke papegaai. Ik boots stemmen en accenten na zonder het zelf te willen. Gunter kijkt nog kwader naar me.

'Alles goed, Felicity?' Gavin, onze uitgever, haast zich naar ons toe. Ik zie de piepjes op zijn radar en ik weet waarom. Vorig jaar heeft de Gruffalo vierentwintig dubbele pagina's gekocht. De Gruffalo houdt ons op de been. Maar ik kan zijn hotel niet domweg vijf sterren geven omdat hij advertentieruimte heeft gekocht. Een beoordeling met vijf sterren in *Pincher Travel Review* is geen kattenpis.

'Ik legde Gunter net uit dat ik een van onze beste recensenten naar zijn hotel had gestuurd,' zeg ik. 'Het spijt me dat hij er niet blij mee was, maar...'

'Je had selb moeten gaan,' zegt Gunter minachtend. 'Waar is je geloofwaardigkait, Felicity? Waar is je goete naam?'

Hij beent weg en stiekem voel ik me een beetje van streek. Ik kijk met bonzend hart op naar Gavin.

'Goh!' Ik probeer luchtig te klinken. 'Schiet die even uit zijn slof.'

'Waarom heb jij het Palm Stellar niet besproken?' zegt Gavin met gefronste wenkbrauwen. 'Jij doet alle grote openingen. Dat is altijd de afspraak geweest.'

'Ik besloot Celia Davidson te sturen,' omzeil ik de vraag opgewekt. 'Ze schrijft fantastisch.'

'Waarom heb jij het Palm Stellar niet besproken?' herhaalt hij, alsof hij me niet heeft gehoord.

'Ik had wat andere dingen aan mijn hoofd, zoals...' Ik schraap mijn keel om het woord niet te hoeven zeggen. 'In de privésfeer.'

Ik zie het muntje opeens vallen bij Gavin. 'Je scheiding?'

Ik kan het niet opbrengen antwoord te geven. Ik draai mijn horloge om mijn pols rond alsof ik het opeens heel boeiend vind.

'Je scheiding?' herhaalt hij met een onheilspellend scherpe stem. 'Alwééér?'

Mijn wangen gloeien van schaamte. Ik weet dat mijn scheiding epische, In-de-Ban-van-de-ring-achtige proporties heeft aangeno-

men. Ik weet dat er meer werktijd door is opgeslokt dan had ge-
mogen. Ik weet dat ik Gavin maar blijf bezweren dat het allemaal
in kannen en kruiken is.

Maar ik heb het niet bepaald voor het zeggen. En het is niet bepaald léúk.

'Ik was in overleg met een gespecialiseerde advocaat in Edinburgh,' geef ik schoorvoetend toe. 'Ik moest erheen vliegen; hij zat
heel krap in zijn tijd...'

'Felicity.' Gavin wenkt me naar een stil hoekje van de gang en
bij het zien van zijn verbeten glimlach keert mijn maag zich bijna
om. Het is de glimlach die hij opzet als hij op salarissen en bud-
getten bezuinigt en tegen mensen zegt dat hun tijdschrift helaas is
opgeheven, en willen ze het pand alstublieft verlaten? 'Felicity,
niemand kan meer begrip opbrengen voor je situatie dan ik, dat
weet je.'

Liegbeest. Wat weet hij van echtscheidingen? Hij heeft een vrouw
en een minnares, en die twee schijnen zich niets van elkaar aan te
trekken.

'Dank je, Gavin,' voel ik me verplicht te zeggen.

'Maar je mag niet toestaan dat je scheiding je werk of de reputatie van Pincher International nadelig beïnvloedt,' zegt hij vermanend. 'Begrepen?'

Opeens, voor het eerst, word ik bloednerveus. De ervaring heeft
me geleerd dat Gavin de 'reputatie van Pincher International'
erbij sleept wanneer hij overweegt iemand te ontslaan. Het is een
waarschuwing.

De ervaring heeft me ook geleerd dat je maar één ding kunt
doen als hij zo begint: glashard ontkennen.

'Gavin.' Ik maak me zo lang mogelijk en meet me een waardige
houding aan. 'Laat me één ding heel duidelijk stellen.' Ik laat een
korte stilte vallen, alsof ik de premier tijdens het vragenuurtje
ben, en vervolg: 'Héél duidelijk. Als er iets is wat ik nooit, maar
dan ook nooit doe, is het wel mijn privéleven vóór mijn werk
laten gaan. Het is zelfs zo...'

'Pioew!' Ik word afgekapt door een oorverdovende kreet. 'Laser-
aanval!'

Het bloed stolt in mijn aderen. Dat is toch niet...

O, nee toch?

Een vertrouwd *rattatat*-geluid belaagt mijn trommelvliezen. Oranje plastic kogels schieten door de lucht, raken mensen in hun gezicht en plonzen in glazen champagne. Noah rent door de gang naar het atrium, schaterlachend en om zich heen schietend met zijn Nerf-mitrailleur. Shit. Waarom heb ik zijn rugzak niet geïnspecteerd?

'Hou op!' Ik duik boven op Noah, pak hem bij de lurven en gris het plastic geweertje uit zijn handen. 'Hou daarmee op!' Ik richt me tot Gavin. 'Gavin, het spijt me ontzettend,' zeg ik. 'Daniel zou vanavond op Noah passen, maar hij heeft me voor het blok gezet en... Shit! Argh!'

Ik heb in mijn zenuwen op een knop van het Nerf-geweer gedrukt en het begint weer kogels te sproeien, als iets uit *Reservoir Dogs*, tegen Gavins borst. *Ik slacht mijn baas af met een automatisch wapen*, flitst het door mijn hoofd. *Dit zal niet voor me pleiten tijdens mijn evaluatiegesprek.* De kogelregen bereikt zijn gezicht en hij maakt sputterende, ontzette geluiden.

'Sorry!' Ik laat het geweer op de vloer vallen. 'Ik wilde niet...'

Dan zie ik Gunter op drie meter afstand staan en huiver. Er zitten drie oranje Nerf-kogels in zijn toefjes zilverwit haar en een in zijn glas.

'Gavin.' Ik slik. 'Gavin, ik heb er geen woorden voor...'

'Mijn schuld,' onderbreekt Elise me gehaast. 'Ik moest op Noah passen.'

'Maar hij had niet op kantoor mogen zijn,' merk ik op. 'Dus is het míjn schuld.'

We kijken naar Gavin alsof we op zijn oordeel wachten. Hij kijkt alleen maar hoofdschuddend om zich heen.

'Privéleven. Baan.' Hij verstrengelt zijn vingers. 'Fliss, je moet je zaakjes op orde zien te krijgen.'

Met een gezicht dat gloeit van schaamte sleep ik een tegenstribbelende Noah terug naar mijn kantoor.

'Maar ik wón!' blijft hij aanvoeren.

'Sorry.' Elise grijpt naar haar hoofd. 'Hij zei dat het zijn lievelingsspelletje was.'

'Geen punt.' Ik glimlach naar haar. 'Noah, in mammies kantoor wordt niet met Nerf-geweren gespeeld. Nóóit.'

'Ik ga iets te eten voor hem opscharrelen,' zegt Elise. 'Fliss, terug naar het feest, en vlug een beetje. Ga. Nu. Het komt allemaal goed. Noah, kom mee.'

Ze loodst Noah de kamer uit en ik voel elke cel van mijn lichaam inzakken.

Ze heeft gelijk. Ik moet me terug naar het feest haasten, de Nerfkogels bij elkaar rapen, mijn verontschuldigingen aanbieden, charmant zijn en deze avond weer omtoveren in het gelikte professionele gebeuren dat het altijd is.

Alleen ben ik zo *moe*. Ik zou ter plekke in slaap kunnen vallen. De beenruimte onder mijn bureau ziet eruit als de ideale plek om in weg te kruipen.

Net als ik me op mijn stoel laat ploffen, gaat de telefoon. Ik neem deze ene keer op. Misschien is het een nieuwtje dat me op kan beuren.

Ik neem op. 'Hallo?'

'Felicity? Met Barnaby.'

'O, Barnaby.' Ik ga rechtop zitten, op slag weer energiek. 'Fijn dat je terugbelt. Je gelooft gewoon niet wat Daniel me nu weer heeft geflikt. We hadden afgesproken dat hij Noah vanavond zou nemen, en toen heeft hij me gewoon laten zitten. En nu zegt hij dat hij het convenant wil herzien! Straks staan we weer voor de rechter!'

'Fliss, kalm een beetje. Relax,' komt Barnaby's ongehaaste, noordelijke stem me tegemoet. Ik zou vaak willen dat Barnaby iets sneller praatte. Vooral omdat ik hem per uur betaal. 'We lossen het wel op. Maak je niet druk.'

'Het is zo frustrerend.'

'Ik snap het, maar je moet je niet zo laten stangen. Probeer het te vergeten.'

Maakt hij een grapje?

'Ik heb het incident opgetekend. Ik kan het je mailen.' Ik voel aan het stickje aan mijn ketting. 'Zal ik dat nu even doen?'

'Fliss, ik heb al eerder gezegd dat je geen dossier van elk wissewasje hoeft bij te houden.'

'Maar ik wil het! Ik bedoel, over "onredelijk gedrag" gesproken. Als we dit allemaal inbrengen, als de rechter eens wíst hoe hij is...'

'De rechter weet wel hoe hij is.'

'Maar...'

'Fliss, je leeft in de Echtscheidingsfantasie,' zegt Barnaby. 'Wat heb ik je verteld over de Echtscheidingsfantasie?'

Het blijft stil. Ik baal ervan hoe Barnaby mijn gedachten kan lezen. Ik ken hem al vanaf mijn studietijd en hoewel hij zelfs voor een vriendenprijsje een smak geld kost, ben ik nooit op het idee gekomen een andere advocaat te nemen. Nu wacht hij op mijn antwoord, als een leraar voor de klas.

'De Echtscheidingsfantasie zal nooit werkelijkheid worden,' mompel ik uiteindelijk kijkend naar mijn nagels.

'De Echtscheidingsfantasie zal nóóit werkelijkheid worden,' herhaalt hij nadrukkelijk. 'De rechter zal nooit een dossier van tweehonderd pagina's over Daniels tekortkomingen hardop voorlezen in de rechtszaal terwijl een woedende meute je ex-man uitjouwt. Hij zal zijn resumé nooit beginnen met de woorden: "Mevrouw Graveney, u moet wel een heilige zijn dat u het hebt volgehouden met dat boosaardige stuk tuig en derhalve wijs ik u alles toe wat u maar hebben wilt."'

Ik bloos tegen wil en dank. Dat is wel zo'n beetje mijn Echtscheidingsfantasie. Alleen gooit de meute in mijn versie ook flessen naar Daniels hoofd.

'Daniel zal nooit toegeven dat hij fout zit,' gaat Barnaby genadeloos door. 'Hij zal nooit huilend voor de rechter staan en zeggen: "Fliss, vergeef me alsjeblieft." De kranten zullen je scheiding nooit melden onder de kop: GROTE KLOOTZAK BEKENT KLOTERIGHEID VOOR DE RECHTBANK.'

Ik moet wel proesten van het lachen. 'Dat weet ik ook wel.'

'Echt waar, Fliss?' zegt Barnaby sceptisch. 'Weet je dat zeker? Of denk je nog steeds dat hij op een dag tot inkeer zal komen en zal beseffen wat hij allemaal fout heeft gedaan? Want je moet wel begrijpen dat Daniel nooit tot inkeer zal komen. Hij zal nooit toegeven dat hij een verschrikkelijk mens is. Al spendeer ik duizend uur aan deze zaak, dan zit het er nog niet in.'

'Maar het is zo oneerlijk.' Ik voel een brok frustratie in mijn maag. 'Hij is echt een verschrikkelijk mens.'

'Weet ik. Hij is een eikel. Verspil dus geen tijd meer aan hem. Gum hem uit je leven. Weg ermee.'

'Zo makkelijk is dat niet,' prevel ik. 'Hij is wel de vader van mijn kind.'

'Dat weet ik wel,' zegt Barnaby iets toegeeflijker. 'Ik heb niet gezegd dat het makkelijk zou zijn.'

Het blijft een tijdje stil. Ik kijk naar mijn kantoorklok en zie de goedkope plastic wijzer zijn rondjes maken. Uiteindelijk zak ik naar voren en leg mijn hoofd op mijn gebogen arm.

'God, scheiden.'

'Scheiden, ja,' zegt Barnaby. 'De grootste uitvinding van de mensheid.'

'Kon ik maar gewoon... Weet ik veel.' Ik zucht diep. 'Met een toverstokje zwaaien en dan was ons huwelijk er nooit geweest. Op Noah na. Ik zou Noah houden en de rest was allemaal een boze droom.'

'Je wilt een nietigverklaring, dat wil je,' zegt Barnaby opgewekt.

'Een nietigverklaring?' Ik kijk wantrouwig naar de telefoon. 'Bestaat dat echt?'

'Nou en of. Het wil zeggen dat het huwelijk wordt geacht nooit te hebben bestaan. De huwelijksovereenkomst was niet geldig. Je zou er versteld van staan hoeveel cliënten dat willen.'

'Kan ik dat ook krijgen?'

Het idee bevalt me. Misschien is er een goedkope, makkelijke manier om dit gedoe te omzeilen die me is ontgaan. 'Nietigverklaring'. Niets en tenietgedaan. Dat klinkt me als muziek in de oren. Waarom heeft Barnaby daar niet eerder iets over gezegd?

'Alleen als Daniel bigamist was,' zegt Barnaby. 'Of jou heeft gedwongen met hem te trouwen. Of als het huwelijk niet is geconsummeerd. Of als een van jullie destijds niet toerekeningsvatbaar was.'

'Ik!' hap ik meteen. 'Ik moet wel gek geweest zijn om zelfs maar te overwegen met hem te trouwen.'

'Dat zeggen ze allemaal.' Hij lacht. 'Dat vliegertje zal niet opgaan, jammer genoeg.'

Mijn sprankje hoop vervliegt. Shit. Nu vind ik het jammer dat Daniel geen bigamist was. Kwam er maar een andere vrouw met zo'n mormoons hoedje op uit het niets die zei: 'Ik was eerst!' Het zou me een hoop ellende besparen.

'Dan zullen we verder moeten met de scheiding,' concludeer ik.

'Bedankt, Barnaby. Laat ik maar ophangen, voordat je weer dertigduizend pond bij me declareert omdat je even hallo tegen me hebt gezegd.'

'Gelijk heb je.' Barnaby lijkt zich nooit beledigd te voelen, wat ik ook zeg. 'Maar voor je ophangt, je gaat toch nog steeds naar Frankrijk, hè?'

'Ja, morgen.'

Noah en ik gaan twee weken naar de Côte d'Azur. Wat hem betreft is het onze paasvakantie. Wat mij betreft moet ik drie hotels, zes restaurants en een themapark beoordelen. Ik zal elke avond tot laat op mijn laptop moeten werken, maar mij hoor je niet klagen.

'Ik heb mijn ouwe maatje Nathan Forrester gesproken. Ik had je toch over hem verteld? Hij zit in Antibes. Jullie zouden elkaar moeten zien als je daar toch bent, samen iets drinken.'

'O.' Ik voel dat ik vrolijker word. 'Oké. Klinkt leuk.'

'Ik zal je zijn contactgegevens mailen. Het is een goeie vent. Hij pokert te veel, maar reken het hem niet aan.'

Een pokerende inwoner van het zuiden van Frankrijk. Het klinkt fascinerend. 'Ik zal het door de vingers zien. Bedankt, Barnaby.'

'Het genoegen was geheel aan mijn kant. Tot ziens, Fliss.'

Zodra ik heb opgehangen, gaat de telefoon weer. Barnaby is zeker iets vergeten.

'Ja, Barnaby?'

Het blijft stil aan de andere kant, op wat snel, nogal zwaar geadem na. Hm. Heeft Barnaby per ongeluk de herhaaltoets ingedrukt terwijl hij met zijn secretaresse bezig is? Maar ik heb het nog niet gedacht of ik weet al wie het echt is. Ik ken die ademhaling. En ik hoor 'I Try' van Macy Gray zacht op de achtergrond: een klassieke begeleiding van Lotties liefdesverdriet.

'Hallo?' probeer ik nog eens. 'Lottie? Ben jij het?'

Weer die zware ademhaling, nu schraperig.

'Lottie? Lotje?'

'O, Fliss…' Er ontsnapt haar een enorme snik. 'Ik dacht echt dat hij me ging vra-ha-hagen…'

'O, god. O, Lottie.' Ik omklem de telefoon, maar zou willen dat zij het was. 'Lottie, lieverd…'

51

'Ik heb drie volle jaren met hem doorgebracht en ik dacht dat hij van me hield en ki-hi-hinderen met me wou... Maar dat wou hij niet! Dat wou hij niet.' Ze blèrt nu net zo ongeremd als Noah wanneer hij een gat in zijn knie valt. 'En wat moet ik nu? Ik ben drieënde-he-hertig...' Ze hikt.

'Drieëndertig is niks,' zeg ik snel. 'Niks! En je bent mooi en lief...'

'Ik had zelfs een ri-hi-hing voor hem gekocht.'

Heeft ze een ring voor hem gekocht? Ik kijk verwonderd naar de telefoon. Heb ik dat goed gehoord? Heeft zíj een ring voor hém gekocht?

'Wat voor ring?' vraag ik tegen wil en dank. Ik stel me voor dat ze Richard een doosje aanbiedt met een flonkerende saffier erin.

Zeg alsjeblieft niet dat ze hem een doosje met een flonkerende saffier erin heeft aangeboden.

'Gewoon, je weet wel.' Ze snottert afwerend. 'Een ring. Een mannelijke verlovingsring.'

Een mannelijke verlovingsring? Nee. O, nee. Bestaat niet.

'Lotje,' begin ik tactvol. 'Weet je zeker dat Richard het type is voor een verlovingsring? Ik bedoel, zou hij dáárop afgeknapt kunnen zijn?'

'Het had niets met die ring te maken!' Ze barst weer in snikken uit. 'Hij heeft die ring niet eens gezien! Had ik dat rotding maar nooit gekocht! Maar ik dacht dat het eerlijk was! Want ik dacht dat hij er ook een voor mij-hij-hij had gekocht!'

'Oké,' zeg ik snel. 'Sorry!'

'Geeft niet.' Ze kalmeert een beetje. 'Ik zou sorry moeten zeggen. Ik was niet van plan in te storten...'

'Doe niet zo gek. Daar ben ik toch voor?'

Het is vreselijk om haar zo overstuur te horen. Natuurlijk. Verschrikkelijk. Maar stiekem voel ik me ook een beetje opgelucht. Het masker is af. Haar pantser van ontkenning is gebarsten. Dit is góéd. Dit is vooruítgang.

'Maar goed, ik heb een besluit genomen, en ik voel me al een stuk beter. Alles is op zijn plek gevallen, Fliss.' Ze snuit rumoerig haar neus. 'Het voelt alsof ik een doel heb. Een plan. Iets om me op te richten.'

Mijn haren gaan overeind staan. O-o. Een 'doel'. Dat is een van mijn eigen alarmbelwoorden als er een relatie is verbroken. Samen met 'project', 'nieuwe koers' en 'geweldige nieuwe vriend'.

'Juist,' zeg ik behoedzaam. 'Wat goed! Dus, eh... wat is je doel?'

In gedachten neem ik de mogelijkheden al door. Laat het alsjeblieft geen nieuwe piercing zijn. Of weer een krankzinnige vastgoedaanschaf. Ik heb haar zo vaak omgepraat als ze ontslag wilde nemen dat dát het toch niet weer kan zijn?

Alsjeblieft, emigreer niet naar Australië.

Alsjeblieft, laat het niet 'zes kilo afvallen' zijn. Want 1) ze is al dun en 2) de laatste keer dat ze op dieet ging, maakte ze mij haar 'buddy' en droeg ze me op haar elk halfuur op te bellen en te zeggen: 'Hou je aan je dieet, vetklep,' en toen ik dat vertikte, werd ze boos.

'Dus, wat is het?' zet ik haar zo voorzichtig mogelijk onder druk terwijl mijn hele lijf strak staat van de angstige spanning.

'Ik ga met het eerste vliegtuig dat ik kan krijgen naar San Francisco, Richard verrassen en hem een aanzoek doen!'

'Wát?' Ik laat de telefoon bijna vallen. 'Nee! Slecht plan!'

Wat wil ze doen, zijn kantoor binnenstormen? Op zijn stoep gaan zitten wachten? Voor hem knielen en hem die zogenaamd mannelijke verlovingsring aanbieden? Dit kan ik niet toestaan. Het draait uit op een totale vernedering en dan is ze kapot en mag ík de scherven weer lijmen.

'Maar ik hou van hem!' Ze klinkt helemaal hyper. 'Ik hou zielsveel van hem! En als hij niet inziet dat we zijn voorbestemd om samen te zijn, moet ik het hem toch zeker bewijzen? Dan moet ík toch degene zijn die het initiatief neemt? Ik zit nu op de website van Virgin Atlantic. Zal ik premium economy vliegen? Kun jij korting voor me ritselen?'

'Nee! Géén ticket naar San Francisco boeken!' zeg ik zo resoluut en gezaghebbend als ik maar kan. 'Zet je computer uit. Ga van internet af.'

'Maar...'

'Lottie, zie het onder ogen,' zeg ik vriendelijker. 'Richard heeft zijn kans gehad. Als hij had willen trouwen, gingen jullie nu trouwen.'

Ik weet dat het hard klinkt, maar het is niet anders. Mannen die

53

willen trouwen, doen een aanzoek. Je hoeft de tekenen niet te herkennen. Ze doen een aanzoek, dát is het teken.

'Maar hij beséft gewoon niet dat hij wil trouwen!' zegt ze vurig. 'Hij moet alleen over de streep worden getrokken. Als ik hem een zetje geef...'

Een zetje? Een loeiharde elleboog tussen zijn ribben, zul je bedoelen.

Opeens zie ik voor me hoe Lottie Richard aan zijn haren naar het altaar sleept en ik krimp in elkaar. Ik weet precies waar dat verhaal eindigt. Het eindigt op kantoor bij Barnaby Rees, echtscheidingsadvocaat, vijfhonderd pond voor het eerste gesprek.

'Lottie, luister,' zeg ik streng. 'En luister goed. Je wilt niet in een huwelijk stappen als het niet meer dan tweehonderd procent zeker is dat het goed uitpakt. Nee, laten we daar zéshonderd procent van maken.' Ik werp een sombere blik op Daniels nieuwste echtscheidingseisen. 'Geloof mij nou maar. Het is het niet waard. Ik heb het zelf meegemaakt en het is... Nou ja, het is afgrijselijk.'

Het blijft stil aan de andere kant. Ik ken Lottie door en door. Ik kan bijna zíen hoe haar hartjes-en-bloemetjesbeeld van een aanzoek aan Richard op de Golden Gate-brug vervliegt.

'Denk er in elk geval nog even over na,' zeg ik. 'Doe geen overhaaste dingen. Een paar weken maken geen verschil.'

Ik hou mijn adem in en doe een schietgebedje.

'Oké,' zegt Lottie ten slotte troosteloos. 'Ik zal erover nadenken.'

Ik knipper verbaasd met mijn ogen. Ik heb het voor elkaar! Voor het eerst in mijn leven heb ik een Betreurenswaardige Keuze van Lottie de kop ingedrukt voordat ze hem ten uitvoer kan brengen. Ik heb de ziekte in de kiem gesmoord.

Misschien wordt ze verstandiger op haar oude dag.

'Laten we gaan lunchen,' opper ik om haar op te beuren. 'Ik trakteer. Zodra ik terug ben van vakantie.'

'Ja, leuk,' zegt Lottie met een klein stemmetje. 'Dank je wel, Fliss.'

'Hou je haaks. Tot gauw.'

We nemen afscheid en ik kreun mijn frustratie van me af, al weet ik niet wie me meer frustreert. Richard? Daniel? Gavin? Gunter? Alle mannen? Nee, niet álle mannen. Misschien alle mannen met een paar eerzame uitzonderingen, namelijk: Barnaby; mijn schat van een melkboer, Neville; de dalai lama, uiteraard...

Opeens stellen mijn ogen scherp op mijn weerspiegeling in het computerscherm en ik leun vol afgrijzen naar voren. Er zit een Nerf-kogel in mijn haar.

Dat kan er ook wel bij.

3

Lottie

Ik heb vannacht geen oog dichtgedaan.

Mensen die dat zeggen, bedoelen: ik ben een paar keer wakker geworden, heb een kop thee gedronken en ben weer naar bed gegaan. Maar ik heb écht de hele nacht wakker gelegen. Ik heb elk uur dat verstreek geteld.

Om één uur besloot ik dat Fliss er volkomen naast zat. Om halftwee had ik een vlucht naar San Francisco gevonden. Om twee uur had ik de perfecte, liefdevolle en hartstochtelijke aanzoektoespraak geschreven, compleet met citaten van Shakespeare, Richard Curtis en Take That. Om drie uur had ik mezelf op video gezet terwijl ik mijn toespraak hield (het moest tien keer over). Om vier uur had ik de video gezien en drong de gruwelijke waarheid tot me door: Fliss heeft gelijk. Richard zal nooit ja zeggen. Hij zou alleen maar flippen. Zeker als ik die toespraak hield. Om vijf uur had ik een hele bak Pralines & Cream-ijs op. Om zes uur een hele bak Phish Food-ijs. En nu hang ik op een plastic stoel, misselijk en met spijt van de hele nacht.

Ergens vraag ik me nog steeds af of ik niet de fout van mijn leven heb gemaakt door Richard te laten zitten. Als ik had volgehouden, me had verbeten en niets meer over trouwen had gezegd, was het dan misschien nog iets geworden tussen ons? Op de een of andere manier?

Verder zie ik het echter rationeler. Ze zeggen dat vrouwen intuïtief handelen en mannen op hun verstand afgaan, maar dat is onzin. Ik heb logica gehad op de universiteit, hoor. Ik weet hoe het zit. A = B, B = C, dus A = C. En wat kan er logischer zijn dan de volgende objectieve, beknopte redenering?

Aanname één: Richard is niet van plan me ten huwelijk te vragen; dat heeft hij vrij duidelijk gemaakt.

Aanname twee: ik wil een huwelijk, vastigheid en hopelijk ooit een kind.

Conclusie: ik ben dus niet voorbestemd voor een leven met Richard. Ik hoor dus bij iemand anders.

Nog een conclusie: dus heb ik er goed aan gedaan met hem te breken.

Volgende conclusie: ik moet dus een andere man zoeken, eentje die wél een bestaan met me wil opbouwen en níét van die grote staarogen krijgt zodra het woord 'huwelijk' valt, alsof het zo'n angstaanjagend idee is. Eentje die beseft dat als iemand drie jaar met je doorbrengt, die iemand misschien wel degelijk denkt aan vastigheid en kinderen en een hond en... en... samen de kerstboom optuigen... En wat is daar zo verkeerd aan? Waarom is dat zo totaal en absoluut niet aan de orde en taboe? Als iedereen zegt dat we zo'n fantastisch stel zijn en we zo gelukkig zijn samen en zelfs je eigen moeder erop zinspeelde dat we misschien wel bij je ouders in de buurt zouden komen wonen, Richard?

Oké, misschien niet zo heel beknopt. Of objectief.

Ik neem een slokje koffie in een poging mijn zenuwen te kalmeren. Laten we zeggen dat ik zo rustig en rationeel ben als je mag verwachten gezien de omstandigheden, die zijn dat ik de trein van negen over zeven naar Birmingham moest halen op nul komma nul slaap en de *Metro*'s al op waren. En ik moet zo een wervend praatje houden voor honderd studenten in een zaal die naar bloemkool met kaassaus ruikt.

Ik zit met mijn collega Steve in de 'kleedkamer' opzij van de zaal, en hij zit over zijn koffie gebogen en ziet er ongeveer net zo kwiek uit als ik me voel. We houden veel van die praatjes samen, Steve en ik; we zijn een prima duo. Hij doet de wetenschappelijke kant; ik de algemene dingen. Het idee is dat hij de studenten overdondert door te vertellen hoe geavanceerd onze afdeling R&D is, waarna ik ze geruststel door te zeggen dat er goed voor ze gezorgd zal worden, dat ze een opwindende carrière voor de boeg hebben en dat ze hun idealen niet verloochenen door bij ons te komen.

'Koekje?' Steve biedt me een crèmekoekje aan.

'Nee, dank je,' zeg ik huiverend. Ik heb al genoeg transvetten en additieven in mijn lijf gestouwd.

Misschien moet ik naar een keihard bootcamp gaan. Iedereen zegt dat hardlopen je leven verandert en je een nieuwe kijk op het leven krijgt. Ik zou naar een afgelegen plek moeten gaan waar je niets anders doet dan hardlopen en sportdrankjes drinken. In de bergen. Of in de woestijn. Het moet echt zwaar en uitdagend zijn. Of ik ga de triatlon doen. *Yes.*

Ik reik naar mijn BlackBerry en net als ik *keihard hardloopkamp triatlon* wil googelen, kijkt de decaan om de hoek van de deur. We zijn niet eerder op deze faculteit geweest, dus ik ken Deborah niet. Eerlijk gezegd vind ik haar vreemd. Ik heb nog nooit iemand gezien die zo gespannen en schrikachtig is.

'Alles goed? We beginnen over een minuut of tien. Ik zou het kort houden als ik jullie was.' Ze knikt nerveus. 'Vrij kort. Lekker kort.'

'We willen met alle plezier na afloop met de studenten praten,' zeg ik terwijl ik een zware stapel *Waarom bij Blay Pharmaceuticals werken?*-brochures uit mijn canvas tas pak.

'O.' Haar ogen flitsen heen en weer. 'Tja... zoals ik al zei, ik zou het lekker kort houden.'

Ik kom in de verleiding haar toe te bijten: 'We zijn hier helemaal voor uit Londen gekomen!' Godsamme. De meeste decanen vinden het geweldig dat we vragen willen beantwoorden.

'Dus, de normale volgorde?' zeg ik tegen Steve. 'Ik, jij, filmpje, ik, jij, filmpje twee, vragen?' Hij knikt en ik geef de dvd aan Deborah. 'Ik sein je wel in. Het spreekt eigenlijk vanzelf.'

De dvd is het ergste onderdeel van onze presentatie. De filmpjes zijn opgenomen als clips uit de jaren tachtig, met een beroerde belichting, beroerde elektronische muziek en mensen met beroerde kapsels die schutterig doen alsof ze vergaderen. Maar hij heeft wel een ton gekost, dus we moeten hem gebruiken.

Deborah loopt weg om de dvd-speler klaar te zetten en ik leun achterover in mijn stoel en probeer me te ontspannen, maar onwillekeurig blijf ik mijn handen wringen. Ik weet niet wat ik heb. Het lijkt allemaal zo waardeloos. Waar ga ik naartoe met mijn leven? Waar stuur ik op aan? Waar ben ik mee bezig?

En het heeft níéts met Richard te maken, toevallig. Absoluut niet. Het gaat gewoon om mijn leven. Ik ben toe aan... Ik weet het niet. Een nieuwe wending. Een ander soort energie.

Op een stoel vlak bij me ligt een boek en ik reik ernaar. Het heet: *Het omkeerprincipe: verander uw bedrijfsstrategie definitief.* Er is een sticker met 10 MILJOEN EXEMPLAREN VERKOCHT!! op geplakt.

Ik word zo moe van mezelf. Waarom lees ik niet meer boeken

over bedrijfskunde? Zó is het misgelopen met mijn leven. Ik heb niet genoeg moeite gedaan voor mijn carrière. Ik blader het boek door en probeer de informatie zo snel mogelijk in me op te nemen. Er staan veel diagrammen in met pijlen die de ene kant op wijzen, omklappen en de andere kant op wijzen. De boodschap is duidelijk: draai de pijl om. Nou, dat heb ik in een paar seconden door. Ik moet een natuurtalent zijn.

Misschien moet ik al die boeken lezen en een expert worden. Misschien moet ik naar de Harvard Business School. Opeens zie ik mezelf in een bibliotheek blokken op bedrijfskundige principes. Ik ga terug naar Engeland en kom aan het hoofd van een bedrijf dat in de FTSE100 staat. Mijn wereld zou er een van ideeën en strategieën zijn. Cerebraal, denken op hoog niveau.

Net als ik *Harvard buitenlandse studenten* wil googelen, komt Deborah terug.

'Zo, de studenten zouden er nu moeten zijn,' zegt ze op een toon alsof het huilen haar nader staat dan het lachen.

'O, goed.' Ik maak me los van mijn BlackBerry. Wat heeft dat mens toch? Misschien is ze nieuw. Misschien is dit haar allereerste wervingspresentatie en is ze daarom zo zenuwachtig.

Ik ververs mijn lipgloss, waarbij ik mijn best doe om niet naar mijn bloeddoorlopen ogen te kijken. Deborah loopt door de dubbele deur naar het podium alsof het het schavot is. Ik hoor haar stem vaag boven het geroezemoes uit. Dan wordt er geapplaudisseerd en ik geef Steve een porretje. Hij heeft net zijn tanden in een croissant gezet. Echt iets voor hem.

'Kom op! We moeten!'

Ik been het podium op, zie ons publiek en schrik me rot.

Als je voor een farmaceutisch bedrijf werft, raak je gewend aan studenten die ongeschoren, met wallen onder hun ogen en met ongewassen haar binnen komen sjokken, maar dit stel is oogverblindend. Voorin zit een groep beeldschone, onberispelijk opgemaakte meiden met lang, glanzend haar en gemanicuurde nagels. Daarachter zit een rij superfitte jongens met T-shirts die over hun spieren spannen. Ik ben met stomheid geslagen. Wat hebben ze hier voor labs? Zijn ze uitgerust met loopbanden?

'Wat zien ze er goed uit,' fluister ik bemoedigend naar Deborah. 'Allemaal een tien voor hun presentatie.'

'Tja… we adviseren ze wel hun best te doen,' zegt ze blozend, en dan haast ze zich weg. Ik werp een blik op Steve, die naar de mooie meiden kijkt alsof hij zijn ogen niet gelooft.

'Welkom, mensen.' Ik loop naar het midden van het podium. 'Fijn dat jullie zijn gekomen. Ik ben Lottie Graveney, en ik kom jullie vertellen hoe je carrière eruit zou zien bij Blay Pharmaceuticals. Jullie zullen ons vooral kennen van het assortiment wereldwijde merken dat we zonder recept verkopen, van onze Placidus-serie pijnstillers tot onze Sincero-babycrème, een bestseller. Maar een carrière bij ons is zoveel meer dan dat…'

'Het is een opwindende carrière,' zegt Steve, die me zo ongeveer opzij duwt. 'Ja, het is een uitdaging, maar je zult het spánnend vinden. Wij zijn pioniers op onderzoeksgebied en we willen jou meenemen in die achtbaan.'

Ik kijk hem kwaad aan. Hij is gewoon sneu. Ten eerste stond dat niet in het draaiboek. Ten tweede: waar komt die gekunstelde 'sexy' stem vandaan? Ten derde stroopt hij nu ook nog eens zijn mouwen op alsof hij een soort ruige, farmaceutische-researchversie is van Indiana Jones. Dat had hij beter niet kunnen doen. Zijn onderarmen zijn wit en dooraderd.

'Als je een avontuurlijk leven wilt…' Hij zwijgt even voor het dramatische effect en grauwt dan zo ongeveer: '… dan is dit de plek om te beginnen.'

Hij richt zich tot een meisje op de voorste rij met een open geknoopte witte blouse die een diep, gebruind decolleté bloot laat. Ze heeft lang blond haar en grote blauwe ogen en ze lijkt elk woord dat hij zegt neer te pennen.

'Zullen we de dvd laten zien, Steve?' zeg ik opgewekt en ik sleep hem weg voordat hij over het meisje heen begint te kwijlen. De lichten worden gedimd en het eerste filmpje start op het scherm achter ons.

'Slim stel,' fluistert Steve, die naast me komt zitten. 'Ik ben onder de indruk.'

Waarvan? Haar cupmaat?

'Je weet nog niet of ze slim zijn,' wijs ik hem terecht. 'We hebben nog niemand gesproken.'

'Je ziet het aan hun ogen,' zegt Steve luchtig. 'Ik doe dit lang genoeg om het potentieel eruit te pikken. Dat blonde meisje vooraan ziet er veelbelovend uit. Héél veelbelovend. We zouden haar over ons beursprogramma moeten vertellen. Haar binnenhalen voordat de concurrentie haar voor onze neus wegkaapt.'

Hou op, zeg. Straks biedt hij haar nog een salaris met vijf nullen aan.

'We vertellen iederéén over het beursprogramma,' zeg ik streng. 'En kun je misschien proberen niet alleen tegen haar tieten te praten?'

Het licht gaat weer aan en Steve loopt met grote passen het podium op, waarbij hij zijn mouwen nog hoger opstroopt, alsof hij op het punt staat wat hout te kloven en er eigenhandig een blokhut van te bouwen.

'Ik zal jullie vertellen over een paar van onze nieuwste ontdekkingen en wat we in de toekomst hopen te ontwikkelen. Misschien met jullie hulp.' Hij kijkt ondeugend naar het blonde meisje, dat beleefd naar hem glimlacht.

Op het scherm verschijnt een tekening van een gecompliceerde molecule.

'Jullie zijn vast allemaal bekend met onium-poly waterstoffluoriden...' Steve gebaart met een aanwijsstok naar het scherm en zwijgt even. 'Voordat ik verderga, is het handig als jullie me vertellen wat jullie studeren.' Hij kijkt de zaal in. 'Er zullen hier uiteraard biochemici zitten...'

'Het doet er niet toe wat ze studeren!' kapt Deborah hem bits af voordat iemand iets kan zeggen. Tot mijn verbazing is ze van haar stoel gesprongen en loopt ze nu naar het podium. 'Het doet er toch niet toe wat ze studeren?'

Ze staat zo strak als een veer. Wat is er toch?

'Het is gewoon handig om te weten,' zegt Steve. 'Willen alle biochemici hun hand opsteken?'

'Maar jullie nemen studenten uit alle vakgebieden aan,' onderbreekt ze hem weer. 'Dat staat in jullie brochures. Dan doet het er toch niet toe?'

Ze ziet er panisch uit. Ik wíst dat er iets niet klopte.

'Geen biochemici?' Steve kijkt verwonderd de muisstille zaal in. Meestal bestaat minstens de helft van ons publiek uit biochemici.

Deborah is wit weggetrokken. 'Kan ik jullie even spreken?' zegt ze, en ze wenkt ons wanhopig naar de coulissen. 'Ik ben bang...'

Haar stem beeft. 'Het is een vergissing. Ik heb de e-mail naar de verkeerde groep studenten gestuurd.'

Dus zo zit dat. Ze is de biochemici vergeten. Wat een oen. Maar ze lijkt het zich zo aan te trekken dat ik besluit vriendelijk te blijven.

'We zijn heel ruimdenkend,' zeg ik geruststellend. 'We zijn niet alleen geïnteresseerd in biochemici. We werven ook studenten natuurkunde, biologie, bedrijfskunde... Wat studeren deze mensen?'

Het blijft stil. Deborah bijt op haar onderlip.

'Ze doen de opleiding schoonheidsspecialist,' mompelt ze ten slotte. 'De meesten willen visagist worden. En er zitten een paar dansers tussen.'

Visagisten en dansers?

Ik sta zo perplex dat ik geen woord kan uitbrengen. Geen wonder dat ze allemaal zo mooi en fit zijn. Ik kijk even naar Steve, die zo diep teleurgesteld is dat ik opeens wil giechelen.

'Wat jammer,' zeg ik poeslief. 'Steve dacht nog wel dat het een veelbelovend stel was. Hij wilde iedereen een beurs voor wetenschappelijk onderzoek aanbieden, hè, Steve?'

Steve werpt me een vernietigende blik toe en valt dan tegen Deborah uit. 'Wat moet dit voorstellen, verdomme? Waarom geven wij voorlichting over een carrière als onderzoeker in de farmaceutische industrie voor een zaal vol visagisten en dansers?'

'Het spijt me!' Deborah ziet eruit of ze wel kan janken. 'Toen ik in de gaten kreeg wat ik had gedaan, was het al te laat. Ik moet meer grote, gevestigde bedrijven binnenhalen en dat van jullie is zo prestigieus dat ik het niet over mijn hart kon verkrijgen jullie af te zeggen...'

'Wil íemand van jullie farmaceutisch onderzoek doen?' vraagt Steve aan de zaal.

Niemand steekt zijn hand op. Ik weet niet of ik moet lachen of huilen. Ben ik daar om zes uur voor opgestaan? Niet dat ik heb geslapen, maar toch.

'Wat dóén jullie dan hier?' Steve klinkt alsof hij bijna uit zijn vel springt van woede.

'We moeten naar tien beroepsvoorlichtingen om onze punten voor beroepskeuze te krijgen,' zegt een meisje met een dansende paardenstaart.

'Jezus christus.' Steve pakt zijn jasje van zijn stoel. 'Hier heb ik geen zin in.' Hij beent de zaal uit en ik heb zin om met hem mee te lopen. Ik heb nog nooit van mijn leven iemand gezien die zo incompetent is als Deborah.

Anderzijds zit er nog wel een zaal vol studenten naar me te kijken. Ze zullen allemaal een baan moeten vinden, al is het dan niet in het farmaceutische onderzoek. En ik ben helemaal uit Londen gekomen. Ik ga niet regelrecht weer naar huis.

'Oké.' Ik neem de afstandsbediening van Deborah over, zet de dvd-speler uit en loop naar het midden van het podium. 'Laten we opnieuw beginnen. Ik werk niet in de schoonheids- of danswereld, dus op dat gebied heb ik geen tips voor jullie, maar ik neem wél mensen aan, dus zal ik jullie wat advies in het algemeen geven? Wil iemand me iets vragen?'

Het blijft stil. Dan steekt een meisje met een leren jack aan weifelend haar hand op.

'Wilt u naar mijn cv kijken en zeggen of u het goed vindt?'

'Natuurlijk. Goed idee. Willen meer mensen dat ik naar hun cv kijk?'

Er gaat een woud aan armen omhoog. Ik heb nog nooit zoveel goed gemanicuurde handen bij elkaar gezien.

'Oké. Doen we. Ga in een rij staan.'

Twee uur later heb ik de cv's van een stuk of dertig studenten bekeken. (Als Deborah hun cv-adviseur is, moet ze ontslagen worden. Meer zeg ik niet.) Ik heb een vraag- en antwoordsessie over pensioenen, belastingformulieren en regelingen voor kleine zelfstandigen gehouden. Ik heb die mensen al het advies gegeven waarmee ik ze dacht te kunnen helpen, en in ruil daarvoor heb ik veel informatie opgedaan over dingen waar ik absoluut niets van wist, zoals: 1) hoe je iemand in een film er gewond uit laat zien; 2) welke actrice die momenteel opnames heeft in Londen een schatje lijkt, maar een kreng is tegen haar visagiste en 3) hoe je een *grand jeté* doet (het is me niet gelukt).

Nu mogen ze van mij vragen wat ze willen, en een bleek meisje met roze strepen in haar haar vertelt hoe duur professionele nagellak is en hoe moeilijk het is winst te maken als je je eigen nagelsalon wilt openen. Ik luister en probeer nuttige tips te geven, maar mijn aandacht wordt telkens naar een ander meisje getrokken. Ze zit op de tweede rij, met roodomrande ogen, en ze heeft nog geen woord gezegd, maar doet niet anders dan aan haar telefoon prutsen, haar neus snuiten en haar ogen betten met een tissue.

Tijdens de vraag- en antwoordsessie had ik op een gegeven moment zelf ook wel een tissue kunnen gebruiken. Ik had het over vakantiedagen en opeens werd ik weer overspoeld door verdriet. Ik had zelf vakantiedagen gespaard. Drie weken. Ik dacht dat ik ze nodig zou hebben voor de huwelijksreis. Ik had zelfs een ongelooflijk hotel op Saint Lucia gevonden...

Nee, Lottie. Niet doen. Ga door met je leven. Ga door, ga door. Ik knipper mijn tranen weg en richt mijn aandacht weer op het meisje met het roze haar.

'... of vindt u dat ik me in wenkbrauwen moet specialiseren?' vraagt ze me gespannen.

O, god, ik heb niet goed geluisterd. Hoe zijn we op wenkbrauwen gekomen? Net als ik haar wil vragen een korte samenvatting te geven voor de hele zaal (altijd een goede truc) ontsnapt er een enorme snik aan het meisje op de tweede rij. Ik kan haar niet langer negeren.

'Hallo,' zeg ik vriendelijk, en ik wuif naar haar om haar aandacht te trekken. 'Neem me niet kwalijk. Gaat het wel?'

'Cindy's verkering is uit.' Haar vriendin slaat beschermend een arm om haar heen. 'Mag ze weg?'

'Natuurlijk!' zeg ik. 'Absoluut!'

'Krijgt ze haar studiepunten dan wel?' vraagt een andere vriendin bezorgd. 'Want ze is al voor een module gezakt.'

'Het is allemaal zíjn schuld,' zegt de eerste vriendin hatelijk, en een stuk of tien meisjes knikken instemmend en prevelen dingen als 'nou en of', en 'rukker' en 'hij kan niet eens smoky eyes maken'.

'We zijn twee jaar samen geweest.' Het bleke meisje snikt weer. 'Twee hele jaren. Ik deed de helft van zijn studiewerk voor hem. En nu heeft hij iets van: "Ik moet me op mijn carrière richten." Ik dacht dat hij bij mij wilde zij-hijn...' Ze barst in huilen uit en ik kijk naar haar en voel mijn eigen tranen opwellen. Ik ken haar verdriet. Ik kén het.

'Natuurlijk krijg je je studiepunten,' zeg ik hartelijk. 'Ik zal zelfs speciaal vermelden dat je bent gekomen terwijl je duidelijk in psychische nood verkeert.'

'Echt?' Cindy glimlacht huilerig naar me. 'Doet u dat echt?'

'Maar dan moet je wel naar me luisteren, goed? Je moet naar me luisteren.'

De drang om van het onderwerp af te dwalen wordt steeds sterker. Om een universele waarheid te verkondigen, niet over pensioenen, niet over aftrekposten, maar over de liefde. Of de niet-liefde. Of in wat voor schemergebied we ook maar allebei zitten. Ik weet dat het niet mijn taak is, maar dit meisje moet het weten. Ze móét het weten. Mijn hart klopt krachtig. Ik voel me nobel en inspirerend, als Helen Mirren of Michelle Obama.

'Laat ik je één ding zeggen,' begin ik. 'Van vrouw tot vrouw. Van deskundige tot deskundige. Van mens tot mens.' Ik kijk haar indringend aan. 'Laat je leven niet verwoesten door een mislukte relatie.' Ik voel me opgezweept. Ik voel me zeker van mezelf. Mijn boodschap maakt me vurig. 'Je bent sterk.' Ik tel op mijn vingers af. 'Je bent onafhankelijk. Je hebt je eigen leven en je hebt hem niet nodig. Oké?'

Ik wacht tot ze 'oké' fluistert.

'We hebben allemaal wel eens liefdesverdriet gehad,' zeg ik met stemverheffing tegen de hele zaal. 'Huilen is niet de oplossing. Chocola eten of op wraak zinnen is niet de oplossing. Je moet doorgaan met je leven. Weet je wat ik altijd doe als mijn verkering uit is? Dan geef ik mijn leven een nieuwe wending. Ik zoek een spannend nieuw project. Ik verander mijn uiterlijk. Ik ga verhuizen. Want ík ben de baas over mijn leven, toevallig.' Ik stomp met mijn vuist in mijn handpalm. 'Niet zo'n gastje dat niet eens smoky eyes kan maken.'

Een paar meisjes applaudisseren spontaan en Cindy's vriendin valt me bij met een juichkreet. 'Dat zei ik ook al! Hij neemt alleen maar ruimte in!'

'Níét meer huilen,' zeg ik met klem. 'Weg met die tissues. Niet meer telkens kijken of hij heeft gebeld. Prop je niet meer vol met chocola. Ga verder met je leven. Nieuwe vergezichten. Als ik het kan, kun jij het ook.'

Cindy gaapt me aan alsof ik haar gedachten kan lezen.

'Maar u bent sterk,' zegt ze uiteindelijk. 'U bent geweldig. Ik ben niet zoals u. Zo word ik ook nooit, zelfs niet als ik zo oud ben als u.'

Ze kijkt met zoveel bewondering naar me op dat ik me wel ontroerd moet voelen, al hoeft ze niet te doen alsof ik een dinosaurus ben. Ik bedoel, ik ben pas drieëndertig, geen honderd.

'Natuurlijk wel,' zeg ik zelfverzekerd. 'Weet je, ik ben net als jij geweest. Ik was bedeesd. Ik had geen idee wat ik zou worden of wat ik kon. Ik was een meisje van achttien dat maar wat ronddobberde.' Ik voel mijn Motiveringstoespraak voor elke Gelegenheid opkomen. Heb ik er tijd voor? Ik kijk op mijn horloge. Nog net. De korte versie. 'Ik was de weg kwijt. Net als jij nu. Maar toen onderbrak ik mijn studie een jaar.'

Ik heb dit verhaal al heel vaak verteld. Op studentenbijeenkomsten, op seminars om de teamgeest te verbeteren, tijdens voorbereidende gesprekken voor personeelsleden die een jaar verlof opnamen. Het verveelt me nooit, en er trekt altijd een tinteling door me heen als ik het vertel.

'Ik onderbrak mijn studie dus,' herhaal ik, 'en toen veranderde mijn hele leven. Ik werd een ander mens. In één cruciale nacht werd ik getransformeerd.' Ik zet een paar stappen naar voren en kijk Cindy recht aan. 'Weet je wat mijn levenstheorie is? We kennen allemaal speciale, bepalende momenten die ons richting geven. Mijn grootste bepalende moment was in dat jaar. Je moet gewoon je eigen grote moment beleven. En dat zul je beleven.'

'Wat gebeurde er?' vraagt ze vol verwachting en de anderen zitten ook op hete kolen. Ik zie zelfs iemand haar iPod uitzetten.

'Ik logeerde in een pension op Ikonos,' vertel ik. 'Een Grieks eiland. Het zat er bomvol studenten en ik bleef de hele zomer. Het was er magisch.'

Telkens wanneer ik dit verhaal vertel, roept het dezelfde herinneringen op. Elke ochtend wakker worden door de Griekse zon die mijn oogleden kietelt. Het gevoel van zeewater op zonverbrande huid. Bikini's die over houten luiken met bladderende verf te drogen hangen. Zand in mijn afgetrapte espadrilles. Verse sardines roosteren op het strand. Elke avond muziek maken en dansen.

'Maar goed. Op een nacht brak er brand uit.' Ik dwing mezelf terug naar het heden. 'Het was verschrikkelijk. Het pension zat vol mensen. Ik bedoel, ze zaten als ratten in de val. Iedereen kwam naar het balkon boven, maar niemand kon eraf; iedereen schreeuwde, er waren niet eens brandblussers...'

Telkens wanneer ik aan die nacht terugdenk, krijg ik dezelfde flashback: het moment dat het dak instortte. Ik hoor het donderende geraas en de kreten. Ik ruik de rook.

Het is muisstil in de zaal.

'Ik kon alles zien. Ik zat in het boomhuis. Ik zag waar de mensen naartoe zouden moeten gaan. Je kon van de zijkant van het balkon op een geitenhok springen, alleen had niemand dat door. Iedereen was in paniek. Ik nam dus het heft in handen. Ik stuurde mensen de goede kant op. Ik moest schreeuwen om me verstaanbaar te maken, en met mijn armen zwaaien, en als een gek op en neer springen, maar uiteindelijk zag iemand me en toen luisterden ze allemaal. Ze deden wat ik zei. Ze sprongen een voor een van het balkon op het geitenhok, en ze waren allemaal ongedeerd. Het was voor het eerst in mijn leven dat ik besefte dat ik een leider kon zijn. Dat ik mijn steentje kon bijdragen.'

Je kunt een speld horen vallen.

'O, mijn god,' verzucht Cindy uiteindelijk. 'Hoeveel mensen?'

'Tien?' zeg ik schouderophalend. 'Twaalf?'

'Hebt u twaalf levens gered?' zegt ze vol ontzag.

'Tja, wie zal het zeggen?' probeer ik de sfeer iets luchtiger te maken. 'Zonder mij waren ze vast ook wel gered. Waar het om gaat is dat ik iets over mezélf leerde.' Ik druk mijn handen tegen mijn borst. 'Vanaf dat moment had ik het zelfvertrouwen om te gaan voor wat ik wilde. Ik veranderde van koers, ik stelde al mijn ideeën bij. Ik kan oprecht zeggen dat alles toen begonnen is. Dat was mijn grote, bepalende moment. Dat was het moment waarop ik werd wie ik ben. En jullie krijgen ook allemaal je eigen moment. Ik weet het zeker.'

Wanneer ik dat verhaal vertel, beleef ik het altijd opnieuw en voel ik me een beetje overweldigd. Het was zo beangstigend. Dat is wat ik er nooit bij vertel: hoe bang en panisch ik zelf was terwijl ik door het gebrul heen gilde in een wanhopige poging gehoord te worden, in het besef dat het allemaal op mij aankwam. Ik snuit mijn neus en glimlach naar alle stille gezichten. *Ik heb mijn steentje bijgedragen.* Die mantra is al die jaren bij me gebleven. *Ik heb mijn steentje bijgedragen.* Wat ik verder ook voor waardeloze en stomme dingen doe, *ik heb mijn steentje bijgedragen.*

Het is stil in de zaal. Dan gaat het blonde meisje op de voorste rij staan.

'U bent de beste beroepskeuzeadviseur die we ooit hebben gehad. Ja, toch?' Tot mijn verbijstering zet ze een applaus in. Een paar meiden juichen zelfs.

'Vast niet,' zeg ik snel.

'O, jawel,' houdt ze vol. 'U bent een toppertje. Mogen we u op gepaste wijze bedanken?'

'Ik heb het echt graag gedaan.' Ik glimlach beleefd. 'Het was me een genoegen hier te zijn, en veel succes met jullie loopbaan...'

'Dat bedoel ik niet.' Ze loopt zwaaiend met een enorme zwarte rol vol kwasten op me af. 'Ik ben Jo. Zin in een make-over?'

'O.' Ik aarzel en kijk op mijn horloge. 'Dat kan ik niet aannemen. Ik bedoel, het is heel vriendelijk aangeboden...'

'U moet het niet persoonlijk opvatten,' zegt Jo vriendelijk, 'maar u hebt het nodig. Uw ogen zijn hartstikke gezwollen. Hebt u wel genoeg geslapen vannacht?'

'O,' zeg ik koeltjes. 'Ja. Ja hoor, dank je wel. Slaap genoeg. Bergen slaap.'

'Nou, dan moet u andere oogcrème gebruiken. Wat u nu gebruikt, werkt niet echt.' Ze tuurt nu van dichtbij naar mijn gezicht. 'En u hebt een rode neus. U hebt toch niet... gehuild?'

'Gehuild?' Ik probeer niet al te afwerend te klinken. 'Welnee!'

Jo heeft me naar een plastic stoel geloodst en klopt nu zachtjes op de huid rond mijn ogen. Ze zuigt lucht in haar longen als een aannemer die het slordige stuukwerk van iemand anders beoordeelt.

'Sorry, maar uw huid is er verschrikkelijk aan toe.' Ze wenkt een paar vriendinnen, die net zo ontzet kijken als zij bij de aanblik van mijn ogen.

'O, pijnlijk.'

'Uw oogwit is helemaal roze!'

'Nou, ik heb geen idee hoe dat komt.' Ik mik op een ongedwongen glimlach. 'Geen enkel idee. Helemaal niet.'

Jo krijgt een inval. 'U moet ergens allergisch voor zijn!'

'Ja.' Dit is mijn redding. 'Dat moet het zijn. Een allergie.'

'Wat voor make-up gebruikt u? Mag ik het zien?'

Ik pak mijn tas en trek aan de rits, maar hij blijft steken.

'Geef maar,' zegt Jo en voordat ik haar kan tegenhouden, reikt ze al naar de tas. Shit. Ik zit er niet echt op te wachten dat iemand de enorme reep chocola ziet die ik vanochtend op het station heb gekocht en half heb opgegeten terwijl ik op Steve wachtte (zwak moment).

'Ik doe het wel,' zeg ik en ik gris de tas terug, maar ze wrikt de rits al open en op de een of andere manier wordt het rukken en trekken, en voordat ik het goed en wel besef, is de halve reep uit de tas gevallen, samen met een bijna leeg miniatuurflesje witte wijn (nog een zwak moment). En de snippers van een verscheurde foto van Richard (nog zwakker moment).

'Sorry!' zegt Jo geschrokken en ze raapt de snippers bij elkaar. 'Het spijt me ontzettend! Wat...' Ze kijkt nog eens goed naar de snippers. 'Is dat een foto? Wat is ermee gebeurd?'

'Hier is uw chocola,' zegt een ander meisje gedienstig, en ze steekt me de reep toe.

'En is dit een oude valentijnskaart?' zegt haar vriendin, die behoedzaam een verkoolde flard van een kaart met glitters opraapt. 'Maar zo te zien is hij... verbrand?'

Dat heb ik bij Costa gedaan, met een lucifer in een koffiekop, tot ze zeiden dat ik ermee op moest houden (ultiem zwak moment).

Richards oog kijkt me aan vanaf een stukje foto en ik voel het plotselinge verdriet in mijn borst opzwellen. Ik zie de meisjes een paar veelbetekenende blikken wisselen, maar ik kan geen woorden vinden. Hier kan ik me niet met een nobele, inspirerende smoes uit draaien. Jo kijkt nog eens naar mijn bloeddoorlopen ogen. Dan komt ze in actie en propt alles weer in mijn tas.

'Hoe dan ook,' zegt ze kordaat, 'het allerbelangrijkste is dat u er fantastisch uit komt te zien. Dat zal... weet ik veel wie leren.' Ze knipoogt naar me. 'Of weet ik veel wat. Het kan even duren. Bent u er klaar voor?'

Dit is het antwoord. Ik weet niet wat de vraag is, maar dít is het antwoord. Ik zit in een bijna gelukzalige toestand met mijn ogen dicht op een stoel terwijl mijn gezicht met kwasten en potloden wordt bewerkt door mijn nieuwe beste vriendin Jo en haar medestudenten. Ze hebben mijn gezicht met foundation bespoten, krulspelden in mijn haar gedraaid en zich keer op keer bedacht met betrekking tot mijn oogmake-up, maar ik hoor het amper. Ik ben in trance. Het kan me niet schelen of ik te laat terugkom op kantoor. Ik ben weggezweefd. Ik blijf maar in slaap soezen en half wakker worden en mijn geest is een werveling van dromen, kleuren en gedachten.

Telkens wanneer ik merk dat ik aan Richard denk, sleur ik mijn geest een andere kant op. Doorgaan. Ga door, ga door, ik red me wel, met mij komt het helemaal goed. Ik hoef alleen mijn eigen raad maar op te volgen. Zoek een nieuwe missie. Een nieuw spoor. Iets om me op te concentreren.

Misschien kan ik mijn flat opknappen. Of misschien weer oosterse vechtsporten gaan beoefenen. Ik kan een intensieve trainingscursus volgen en superfit worden. Al mijn haar eraf knippen en enorme biceps krijgen, als Hilary Swank.

Ik kan ook een piercing in mijn navel nemen. Richard heeft de pest aan navelpiercings. Dat moet ik doen.

Of misschien moet ik gaan reizen. Waarom reis ik zo weinig?

Mijn gedachten dwalen telkens weer af naar Ikonos. Het was echt een geweldige zomer, tot de brand uitbrak en de politie kwam en alles in één grote chaos uit elkaar spatte. Wat was ik nog jong. Wat was ik nog dún. Ik leefde in een afgeknipte spijkerbroek en een bikinitopje met spaghettibandjes. Ik had kralen in mijn haar. En natuurlijk had ik Ben, mijn eerste echte vriendje. Mijn eerste relatie. Zwart haar, blauwe ogen met lachrimpeltjes en de geur van zweet, zout en Aramis. God, hoe vaak deden we het wel niet? Minstens drie keer per dag. En als we het niet deden, dachten we er wel aan. Het was krankzinnig. Het was als een drug. Hij was de eerste die me zo opwond dat ik wilde…

Wacht. Wacht eens even.

Ben?

Mijn ogen vliegen open en Jo roept ontdaan: 'Niet bewegen!'

Dat kan niet. Nee toch.

'Sorry.' Ik knipper met mijn ogen en probeer kalm te blijven. 'Trouwens… kunnen we even pauzeren? Ik moet iemand bellen.'

Ik wend me af, rommel in mijn tas en bel Kayla, maar ik houd mezelf voor dat ik stom doe. Het kan hem niet zijn. Het is hem niet.

Natuurlijk is het hem niet.

'Ha, Lottie,' klinkt Kayla's stem. 'Alles goed?'

Waarom zou hij me na al die tijd bellen? Het is vijftien jaar geleden, godsamme. We hebben elkaar niet meer gezien sinds... Hm. Sinds toen.

'Hé, Kayla, ik wilde het nummer van die Ben hebben.' Ik probeer relaxed te klinken. 'Die gisteren had gebeld toen ik er niet was, weet je nog?'

Waarom bal ik mijn vuisten?

'O, ja. Wacht even... Daar is het.' Ze leest een mobiel nummer op. 'Wie is dat?'

'Ik... weet het niet zeker. Heeft hij echt zijn achternaam niet gezegd?'

'Nee, alleen dat hij Ben heette.'

Ik verbreek de verbinding en kijk naar het nummer. Gewoon Ben. *Gewoon Ben.*

Het is een brutale student die op een baan uit is, roep ik mezelf streng tot de orde. Het is een beroepskeuzeadviseur die denkt dat we elkaar kunnen tutoyeren. Het is Ben Jones, mijn buurman, die me om de een of andere reden op mijn werk heeft gebeld. Hoeveel mensen zijn er die Ben heten? Een stuk of vijf ziljoen. Precies.

Gewoon Ben.

Maar dat is het 'm juist. Dat is waarom ik een beetje amechtig ben en in een reflex mijn rug recht om aantrekkelijker te lijken. Wie anders dan mijn vriendje van vroeger zou zichzelf *gewoon Ben* noemen?

Ik toets het nummer in, knijp mijn ogen dicht en wacht. Ik hoor de verbindingstoon. Nog een keer. En nog een keer.

'Benedict Parr.' Het blijft even stil. 'Hallo? Met Benedict Parr. Is daar iemand?'

Ik kan niet praten. Mijn buik doet een dansje.

Het is 'm.

4

Lottie

Het eerste wat me van het hart moet is dat ik er fantastisch uitzie.

Het tweede is dat ik niet met hem naar bed ga.

O, nee. Echt niet. Nee, dat ga ik niet doen.

Ook al denk ik er al de hele dag aan. Ook al bruis ik zachtjes bij de herinnering. Hij. Hoe het was. Hoe wij waren. Ik voel me onwezenlijk, een beetje licht in mijn hoofd. Ongelooflijk dat ik hem ga zien. Na al die tijd. Ben. Ik bedoel, *Ben.*

Toen ik zijn stem hoorde, was het alsof ik een reis door de tijd maakte. Opeens zat ik tegenover hem aan dat gammele tafeltje dat we 's avonds altijd inpikten. Omringd door olijfbomen. Mijn blote voeten op zijn schoot. Een ijskoud blikje Sprite. Tot dat moment was ik mijn Sprite-verslaving helemaal vergeten.

De herinneringen en beelden blijven maar bovenkomen, soms vaag en soms haarscherp. Zijn ogen. Zijn geur. Hij was altijd zo in het moment. Dat is me vooral bijgebleven. Hoe hij in het moment opging. Hij gaf me het gevoel dat we de sterren in onze eigen film waren, alsof niets anders ertoe deed dan hij en ik en het nu. Het ging allemaal om de beleving. Hoe ik hem beleefde. Zon en zweet. Zee en zand. Huid op huid. Alles was heet en heftig en... ongelooflijk.

En dit, vijftien jaar later, dit is... nou ja. Bizar. Ik werp een blik op mijn horloge en sidder van verwachting. Genoeg langs etalages gedreuteld. Het is tijd.

We hebben afgesproken bij een nieuw visrestaurant in Clerkenwell dat goede beoordelingen heeft gekregen. Ben schijnt vlakbij te werken als het een of ander – ik heb het niet gevraagd, wat stom is, dus toen ik eindelijk weer op kantoor kwam, moest ik hem haastig googelen. Ik kon hem niet op Facebook vinden, maar ik kwam op een website over een bedrijf in papier waar hij de directeur van schijnt te zijn. Het verbaasde me nogal – toen wij samen waren, wilde hij acteur worden, maar dat zal wel niet gelukt zijn. Of misschien heeft hij zich bedacht. We praatten destijds niet veel over carrières of banen. We waren eigenlijk alleen maar geïnteresseerd in seks en hoe we de wereld gingen verbeteren.

Ik herinner me wél veel nachtelijke gesprekken over Brecht, die hij las, en Tsjechov, die ik las. En over het broeikaseffect. En over filantropie. En over politiek. En over euthanasie. We leken wel een debatclubje van de middelbare school, nu ik erop terugkijk. Zo ernstig. Maar goed, we kwamen ook net van de middelbare school.

Ik loop een beetje wiebelig op mijn nieuwe hakken naar het restaurant. Ik voel mijn haar om mijn schouders dansen en kijk nog eens vol bewondering naar mijn onberispelijke nagels. Toen Jo en haar vriendinnen hoorden dat ik een date had met een ex-vriendje, besloten ze extra uit te pakken. Ze deden mijn nagels. Ze verfden mijn wenkbrauwen. Ze boden zelfs aan mijn bikinilijn te waxen.

Dat hoefde natuurlijk niet. Ik had mijn bikinilijn drie dagen eerder al laten waxen in afwachting van de hete, vreugdevolle postaanzoekseks met Richard, die dus niet doorging. Weggegooid geld.

Ik voel een pijnlijke steek van vernedering. Ik zou hem de rekening van het waxen moeten sturen. Ik zou die rekening naar San Francisco moeten sturen, samen met een waardige brief waarin alleen staat: *Beste Richard, wanneer je deze brief krijgt...*

Nee. Niet doen, Lottie. Níét aan Richard denken. Géén waardige brief opstellen. Doorgaan. Ga door, ga door.

Ik omklem mijn enveloptasje wat steviger en spreek mezelf moed in. Het is allemaal voorbestemd. Het verloopt allemaal volgens een patroon. Het ene moment kan ik me niet slechter voelen – het andere zoekt Ben contact met me. Het is karma. Het is het lot.

Hoewel ik níét met hem naar bed ga.

Nee. Echt niet.

Bij de ingang van het restaurant haal ik mijn spiegeltje uit mijn tas en inspecteer mezelf een laatste keer. Jemig. Ik vergeet telkens hoe geweldig ik eruitzie. Mijn huid straalt. Ik heb waanzinnige nieuwe jukbeenderen, die Jo op de een of andere manier met blusher en highlighter naar boven heeft gehaald. Mijn lippen zien er fris en zinnelijk uit. Kortom: ik ben beeldschoon.

Dit is het tegenovergestelde van dat nachtmerriescenario waarin je je ex-vriendje tegen het lijf loopt, slechts gehuld in een pyjama en met een kater. Dit is het droomscenario. Ik heb er nog nooit van mijn leven zo goed uitgezien, en ik ben er vrij zeker van dat ik er ook nooit meer zo goed uit zal zien, tenzij ik tien visagisten inhuur. Dit is mijn piekmoment, wat uiterlijk betreft.

In een plotselinge uitbarsting van zelfvertrouwen duw ik de deur van het restaurant open en word begroet door de warme, uitnodigende geur van knoflook en zeevruchten. Ik zie leren bankjes, een gigantische kroonluchter en precies de juiste mate van bedrijvigheid. Niet aanstootgevend protserig, maar beschaafd vriendelijk. Een mixoloog staat aan de bar een cocktail te shaken en ik krijg op slag het pavloviaanse verlangen naar een mojito.

Ik ga niet dronken worden, neem ik me haastig voor. Ik ga niet met hem naar bed én ik ga niet dronken worden.

De gerant komt naar me toe. Daar gaan we dan.

'Ik heb afgesproken met een... vriend. Hij heeft een tafel gereserveerd. Benedict Parr?'

'Natuurlijk.' De gerant gaat me voor door de zaal, tussen een stuk of tien tafels door zigzaggend waaraan mannen met afgewend gezicht zitten en die Ben zouden kunnen zijn. Ik voel elke keer een knoop in mijn maag. Is dat hem? Is dat hem? Alsjeblieft, laat dát hem niet zijn...

O, god! Ik slaak bijna een gilletje. Daar is hij dan, omhoogkomend uit zijn stoel. Beheers je. Glimlach. Dit is zo ontzettend onwezenlijk.

Mijn over hem heen glijdende ogen nemen op topsnelheid details waar, alsof ik voor goud ga in de categorie 'Evalueer Je Ex'. Een overhemd met een beetje een raar dessin; wat heeft dat te betekenen? Hij is langer dan ik me herinner. Dunner. Zijn gezicht is beslist smaller, en zijn zwarte, golvende haar is nu kort. Je zou niet vermoeden dat híj ooit de lokken van een Griekse god had. Op de plek waar zijn oorring zat, zit nog een heel klein gaatje in zijn oorlel.

'Goh... hallo,' begroet ik hem.

Ik ben voldaan over mijn onderkoelde toon. Helemaal omdat er, nu ik hem eens goed heb bekeken, opwinding in me opborrelt. Moet je hem zien! Hij is fantastisch! Net als vroeger, maar dan beter. Volwassener. Minder slungelig.

Hij leunt naar me over voor een zoen. Een volwassen, beschaafde begroetingszoen op beide wangen. Dan richt hij zich op en bekijkt me.

'Lottie. Je ziet er... ongelooflijk uit.'

'Je mag er zelf ook best wezen.'

'Je bent geen spat veranderd!'

'Jij ook niet!'

We kijken elkaar stralend van een soort perplexe blijdschap aan, als iemand die een loterij heeft gewonnen, de doos inferieure bonbons komt ophalen die hij heeft gewonnen en dan hoort dat het in feite een bedrag van duizend pond is. Ongelooflijk, wat een bof.

Ik bedoel, laten we eerlijk zijn, het uiterlijk van een man kan enorm veranderen tussen zijn twintigste en zijn dertigste. Het was niet te voorspellen hoe Ben eruit zou zien. Hij had kaal kunnen zijn. Hij had een buikje en kromme schouders kunnen hebben. Hij had de een of andere irritante tic kunnen ontwikkelen.

En terwijl hij naar mij kijkt, denkt hij waarschijnlijk: *goddank heeft ze geen opgespoten lippen/grijs haar/dertig kilo overgewicht.*

'Zo.' Hij gebaart charmant naar mijn stoel en ik ga zitten. 'Hoe is het met je gegaan, de afgelopen vijftien jaar?'

'Goed, dank je.' Ik lach. 'En met jou?'

'Ik mag niet klagen.' Hij kijkt me aan met diezelfde ondeugende glimlach van vroeger. 'Oké, we hebben bijgepraat. Wil je iets drinken? Zeg nou niet dat je geheelonthouder bent geworden.'

'Ben je gek?' Ik sla tintelend van verwachting de cocktailkaart open. Het wordt een fantastische avond, dat weet ik nu al. 'Eens zien wat ze hebben.'

Twee uur later verkeer ik in een roes. Ik ben euforisch. Ik voel me als een sporter in een flow. Ik voel me als een bekeerling die zijn godsdienst heeft gevonden. Dit is het. *Dit is het.* Ben en ik zijn ongelooflijk samen.

Goed, ik heb me niet aan mijn voornemen ten aanzien van alcohol gehouden, maar dat was een bespottelijk, kortzichtig, stom voornemen. Een etentje met een ex kan een gespannen, lastige toestand zijn. Dit had gênant kunnen worden, maar nu ik een paar cocktails achter de kiezen heb, is het de leukste avond van mijn leven.

Het waanzinnige is dat Ben en ik zo'n klik hebben. Het is alsof we gewoon zijn doorgegaan waar we gebleven waren, alsof er geen vijftien jaar tussen zit. We zijn weer achttien. We zijn jong en naïef. We delen wilde plannen en malle grapjes en we willen alles proeven wat de wereld te bieden heeft. Ben begon me onmiddellijk te vertellen over een toneelstuk dat hij een week eerder had gezien, en ik kwam terug met een expositie in Parijs (ik zei er niet bij dat ik er met Richard was geweest) en vanaf dat moment heeft ons gesprek vleugels. Er is zoveel te zeggen. Er zijn zoveel herinneringen.

We hebben niet de saaie 'wie-wat-wanneer' lijst afgewerkt. We hebben het niet gehad over ons werk, vorige relaties en dat soort oninteressante flauwekul. Het is heel verfrissend om eens niet: 'En, wat doe jij?' te horen, of: 'Is je appartement oud of nieuwbouw?' of: 'Hoe zit het met jouw pensioen?' Het is echt bevrijdend.

Ik weet dat hij single is. Hij weet dat ik single ben. Meer hoefden we niet te weten.

Ben heeft aanzienlijk meer gedronken dan ik. Hij herinnert zich ook veel meer dan ik van onze tijd in Griekenland. Hij blijft oude herinneringen ophalen die ik had weggestopt. Ik was dat pokertoernooi vergeten. Ik was die zinkende vissersboot vergeten. Ik was die avond dat we pingpongden met die twee jongens uit Australië vergeten. Maar zodra Ben me eraan herinnert, zie ik het allemaal weer levendig voor me.

'Guy en...' Ik doe zo mijn best om het me te herinneren dat ik een rimpel in mijn neus krijg. 'Guy en... Hoe heette hij ook alweer... O, ja, Bill!'

'Bill!' Ben grinnikt en geeft me een high five. 'Natuurlijk. Big Bill.'

Ongelooflijk dat ik al die jaren niet aan Big Bill heb gedacht. Hij was net een beer. Hij zat in een hoekje van het terras te zonnen en bier te drinken. Hij had meer piercings dan ik ooit had gezien. Hij scheen ze allemaal zelf te hebben gezet, met een naald. Hij had een ontzettend coole vriendin, Pinky, en we keken allemaal toe en moedigden hem aan toen hij haar navel piercete.

'Die calamari.' Ik doe even genietend mijn ogen dicht. 'Ik heb nooit meer zulke lekkere calamari geproefd.'

'En die zonsondergangen,' valt Ben me bij. 'Weet je nog, de zonsondergangen?'

'Hoe zou ik die ooit kunnen vergeten?'

'En Arthur.' Hij glimlacht weemoedig. 'Wat een portret.'

Arthur was de eigenaar van het pension. We adoreerden hem en
hingen aan zijn lippen. Hij was de meest relaxte man die ik ooit
heb gezien, in de vijftig of misschien nog ouder, die alles had gedaan, van studeren aan Harvard tot zijn eigen bedrijf opzetten, failliet gaan en om de wereld zeilen, en ten slotte was hij op Ikonos beland, waar hij met een plaatselijk meisje trouwde. Hij zat elke avond
in de olijfgaard op zijn gemak stoned te worden en te vertellen over
die keer dat hij met Bill Clinton lunchte en diens aanbod van een
baan afsloeg. Hij had zo ontzettend veel beleefd. Hij was zo wijs. Ik
herinner me dat ik op een avond dronken werd en op zijn schouder
uithuilde en dat hij me over mijn bol aaide en echt fantastische dingen zei (ik weet niet meer precies wat, maar het was fantastisch).

'Weet je nog, de treden?'

'De treden!' Ik kreun. 'Hoe kregen we het voor elkaar?'

Het pension stond op een klif. Het was honderddertien treden
naar het strand toe of weer terug, en de treden waren in de rots-
wand uitgehakt. We huppelden een paar keer per dag op en neer.
Geen wonder dat ik zo dun was.

'Weet je nog, Sarah? Wat zou er van haar geworden zijn?'

'Sarah? Hoe zag ze eruit?'

'Adembenemend. Wat een lijf. Een zijdezachte huid.' Ben lijkt
de herinnering op te snuiven. 'Ze was Arthurs dochter. Je moet je
haar herinneren.'

'O, ja.' Ik ben niet dol op beschrijvingen van de zijdezachte huid
van andere meisjes. 'Ik weet het niet zo goed meer.'

'Misschien was ze al op reis voordat jij kwam.' Hij haalt zijn
schouders op en stapt op iets anders over. 'Weet je nog, die oude
video's van *Dirk and Sally*? Hoe vaak hebben we die wel niet gekeken?'

'*Dirk and Sally*!' roep ik uit.'O, mijn god!'

'"Partners voor het altaar, partners op de straat,"' begint Ben
met die zoete stem van de voice-over.

'"Partners tot de dood,"' val ik in, en ik breng de *Dirk and Sally*-
groet.

Ben en ik hebben alle afleveringen van *Dirk and Sally* een keer of vijfduizend gezien, voornamelijk omdat het de enige videobox in het pension was en je 's ochtends bij het ontbijt toch iets te zien moest hebben, afgezien van het Griekse nieuws. Het is een politie-serie uit de jaren zeventig over een stel dat elkaar op de politie-academie leert kennen en besluit hun huwelijk geheim te houden terwijl ze samen de misdaad bestrijden. Niemand weet ervan, be-halve dan een seriemoordenaar die dreigt het openbaar te maken. Het is geniaal.

Opeens zie ik voor me hoe ik met Ben op die stokoude bank in de eetzaal zat, met onze gebruinde benen verstrengeld, allebei met espadrilles aan, toast etend en naar *Dirk and Sally* kijkend terwijl alle anderen op het terras zaten.

'Die aflevering waarin Sally door de buurman wordt ontvoerd,' zeg ik. 'Dat was de beste.'

'Nee, die waarin Dirks broer bij ze intrekt, en hij is kok ge-worden voor de maffia, en Dirk vraagt telkens waar hij heeft leren koken, en dan zitten de drugs in de perziktaart...'

'O, god, já!'

We zwijgen allebei even, opgaand in onze herinneringen.

'Ik ken verder niemand die *Dirk and Sally* heeft gezien,' zegt Ben. 'Of er zelfs maar van heeft gehoord.'

'Ik ook niet,' zeg ik instemmend, maar eerlijk gezegd was ik *Dirk and Sally* ook vergeten tot hij erover begon.

'De baai.' Zijn gedachten zijn alweer rusteloos naar iets anders afgedwaald.

'De baai. O, mijn god.' Ik kijk hem in de ogen en word over-spoeld door de herinnering. Ik ben bijna weer verlamd van heet tienerverlangen. De geheime baai was de plek waar we het voor het eerst deden. En toen nog een keer. Elke dag. Op een beschut stukje strand aan de baai. Je kon er alleen per boot komen en ver-der nam niemand de moeite. Ben zeilde ons ernaartoe, zonder iets te zeggen, maar af en toe wierp hij me een veelbetekenende blik toe. En ik zat daar met mijn voeten tegen de zijkant van de boot, bijna hijgend van verwachting.

Ik kijk naar hem in het nu, over de tafel. Ben denkt precies het-zelfde als ik, ik zie het aan hem. Hij is daar weer. Hij ziet er net zo bedwelmd uit als ik me voel.

'Hoe je me door de griep heen sleepte,' zegt hij langzaam. 'Dat ben ik nooit vergeten.'

De griep? Ik herinner me niet dat ik hem door de griep heen heb gesleept, maar mijn herinneringen zijn ook zo wazig. Als hij het zegt, is het vast waar. En ik wil hem niet onderbreken of tegenspreken, want dat zou de stemming bederven. Ik knik dus maar vriendelijk.

'Je legde mijn hoofd op je schoot. Je zong me in slaap. Ik ijlde van de koorts, maar ik hoorde hoe je stem me de nacht door zong.' Hij neemt nog een grote slok wijn. 'Je was mijn reddende engel, Lottie. Misschien ben ik ontspoord doordat ik jou niet in mijn leven had.'

Zijn reddende engel. Wat romantisch. Ik ben best benieuwd hoe hij is ontspoord, maar als ik het hem vraag, bederf ik dit moment. Wat maakt het ook uit? Iedereen ontspoort. En dan krijg je je leven weer op de rails. Wat je intussen deed, maakt niet uit.

Nu kijkt hij naar mijn linkerhand. 'Hoe kan het trouwens dat jij nog niet door een man bent ingepikt?'

'Ik ben de ware nog niet tegengekomen,' zeg ik luchtig.

'Zo'n kanjer als jij? Je zou ze van je af moeten slaan.'

'Nou, misschien doe ik dat ook wel.' Ik lach, maar voor het eerst deze avond ben ik uit mijn evenwicht gebracht. En plotseling, ik kan er niets aan doen, krijg ik een flashback van mijn eerste ontmoeting met Richard. Het was bij de opera, wat raar is, want ik ga eigenlijk nooit naar de opera, en hij ook niet. We waren er allebei om vrienden een plezier te doen. Het was een opvoering van *Tosca* voor een goed doel en hij zag er lang en gedistingeerd uit in zijn smoking, en zodra ik hem zag, met de een of andere blondine aan zijn arm, voelde ik een steek van afgunst. Ik kende hem nog niet eens, maar ik dacht al: *die vrouw boft.* Hij lachte en deelde champagne uit, en toen keek hij mij aan en zei: 'Sorry, we zijn nog niet aan elkaar voorgesteld,' en ik verdronk bijna in zijn prachtige donkere ogen.

Dat was het. Het voelde sprookjesachtig. Hij had uiteindelijk niets met die blondine, en na de pauze ruilde hij van plaats om bij mij te kunnen zitten. Toen we een jaar samen waren, gingen we weer naar de opera, en ik dacht dat het een traditie voor de rest van ons leven zou worden.

Dus niet. Het idee dat ik dat verhaal op onze huwelijksreceptie zou vertellen en dat iedereen dan *ah* zou zeggen...

'O, god.' Ben neemt me onderzoekend op. 'Het spijt me. Ik heb iets verkeerds gezegd. Wat is er?'

'Niets!' Ik glimlach snel en knipper met mijn ogen. 'Gewoon... alles. Je weet wel. Het leven.'

'Precies. Precíes.' Hij knikt verwoed, alsof ik een gigantisch probleem heb opgelost waar hij niet uit kon komen. 'Lotje, voel jij je net zo door het leven gepakt als ik?'

'Ja.' Ik neem een grote slok wijn. 'Ja. Nog erger dan jij.'

'Toen ik achttien was, toen we daar waren, wist ik wat ik wilde.' Ben staart somber in het niets. 'Ik had duidelijkheid. Maar je begint aan je volwassen leven en op de een of andere manier raakt het allemaal... aangetast. Verrot. Je wordt van alle kanten ingesloten, vat je? Er is geen ontkomen aan. Je kunt niet zeggen: "Wacht eens even, verdomme, laat me even op een rijtje zetten wat ík wil."'

'Absoluut.' Ik knik ernstig.

'Dat was het hoogtepunt van mijn leven. Griekenland. Jij. Alles bij elkaar.' De herinnering lijkt hem in de ban te houden. 'Alleen wij tweetjes, samen. Het was allemaal zo eenvoudig. Er was geen gedóé. Heb jij dat ook? Was het ook de mooiste tijd van jouw leven?'

Ik spoel in een waas de afgelopen vijftien jaar terug. Oké, er zijn een paar hoogtepunten geweest hier en daar, maar al met al moet ik het met hem eens zijn. We waren achttien. We hadden er zin in. We konden de hele nacht doordrinken zonder een kater te krijgen. Kan het beter?

Ik knik langzaam. 'De beste tijd die ik ooit heb gehad.'

'Waarom zijn we niet bij elkaar gebleven, Lottie? Waarom hebben we geen contact gehouden?'

'Van Edinburgh naar Bath.' Ik haal mijn schouders op. 'Van Bath naar Edinburgh. Een onmogelijke afstand.'

'Weet ik, maar dat was een waardeloze reden,' zegt hij boos. 'We waren een paar idioten.'

We voerden het 'onmogelijke afstand'-gesprek keer op keer op het eiland. Hij ging in Edinburgh studeren, ik in Bath. Het was alleen maar een kwestie van tijd voordat het stuk zou lopen. Het had geen zin om te proberen na de zomer bij elkaar te blijven.

De dagen na de brand waren sowieso vreemd. De boel begon uit elkaar te vallen. We werden allemaal in verschillende pensions over het hele eiland opgevangen. Ouders kwamen zich ermee bemoeien. Er zaten er zelfs al een paar op de eerstvolgende boot, met geld en kleren en vervangende paspoorten. Ik herinner me dat Pinky ontroostbaar in de *taverna* zat met twee heel deftig uitziende ouders. Het voelde alsof het feest was afgelopen.

'Waren we niet van plan in Londen af te spreken?' herinner ik me in een flits. 'Maar toen moest jij met je ouders naar Normandië.'

'Klopt.' Hij blaast hoorbaar uit. 'Ik had me eronderuit moeten draaien. Ik had in Bath moeten gaan studeren.' Opeens richt hij zijn ogen op mij. 'Ik heb nooit meer zo iemand ontmoet als jij, Lottie. Soms denk ik dat ik een grote idioot moet zijn geweest om jou te laten schieten. Een ongelooflijk grote, stomme idioot.'

Mijn maag maakt een enorme radslag en ik verslik me bijna in mijn wijn. Stiekem hoopte ik wel dat hij iets in die trant zou zeggen, maar niet zo gauw al. Zijn blauwe ogen kijken me verwachtingsvol aan.

'Ja,' zeg ik uiteindelijk, en ik neem een hap heilbot.

'Zeg nou niet dat je ooit een betere relatie hebt gehad dan de onze, want dat heb ík om de dooie dood niet.' Ben slaat met zijn vuist op tafel. 'Misschien hadden we onze prioriteiten niet goed op een rijtje. Misschien hadden we moeten zeggen: "De pot op met die universiteit, wij blijven bij elkaar." Wie weet hoe het dan was gelopen? We waren een goed stel, Lottie. Misschien hebben we de afgelopen vijftien jaar verspild door niet bij elkaar te zijn. Komt dat nooit bij je op?'

Zijn snelheid beneemt me de adem. Ik weet niet goed hoe ik moet reageren, dus prop ik nog een hap heilbot in mijn mond.

'We zouden nu getrouwd kunnen zijn. We hadden kinderen kunnen hebben. Mijn leven had zín kunnen hebben.' Hij praat bijna in zichzelf, overlopend van een soort opgekropte emotie die ik niet kan duiden.

'Wil jij kinderen?' flap ik eruit.

Hoe kan ik een man tijdens de eerste date vragen of hij kinderen wil? Ongelooflijk. Ik zou geroyeerd moeten worden. Maar... het is de eerste date niet. Als het iets is, is het de ziljoenste date. En hij begon erover. En trouwens, het is helemaal geen date. Dus.

'Ja, ik wil kinderen.' Zijn gespannen blik vindt mij weer. 'Ik ben toe aan een gezin, kinderwagens, naar het park, de hele reutemeteut.'

'Ik ook.' Ik voel de tranen in mijn ogen springen. 'Ik ben ook toe aan een gezin.'

O, god. Nu moet ik wéér aan Richard denken. Ik wilde het niet, maar het is toch gebeurd. Ik herinner me die fantasie die ik had waarin Richard en ik een boomhut maken voor onze tweeling, Arthur en Edie. Ik klik bijna agressief mijn tasje open en pak een tissue. Huilen stond níét in de planning. Aan Richard denken stond níét in de planning.

Gelukkig lijkt Ben niets te hebben gemerkt. Hij schenkt mij nog een glas wijn in en dan zichzelf. We hebben de fles al op, zie ik geschrokken. Hoe hebben we dat klaargespeeld?

'Herinner je je ons pact nog?' Zijn stem overrompelt me.

Néé.

De adrenaline giert door mijn lijf. Mijn longen worden zo hard dichtgeknepen dat ik geen lucht meer krijg. Ik had niet gedacht dat hij zich het pact nog zou herinneren. Ik was niet van plan erover te beginnen. Het was een belofte die we elkaar ooit hebben gedaan. Het was een grapje. Het stelde niets voor. Het was bespottelijk.

'Zullen we ons eraan houden?' Hij kijkt me recht aan. Het lijkt alsof hij het half zou kunnen menen. Of helemaal. Nee. Dat kán hij niet menen...

'Daar is het nu een beetje laat voor,' breng ik moeizaam uit. 'Als we op ons dertigste nog niet waren getrouwd, was de afspraak. Ik ben nu drieëndertig.'

'Beter laat dan nooit.' Ik schrik weer. Zijn voet heeft de mijne onder de tafel gevonden en hij wurmt mijn schoen uit. 'Ik woon vlakbij,' zegt hij zacht. Nu pakt zijn hand de mijne. Mijn huid begint helemaal te tintelen. Het is zoiets als het motorische geheugen. Het seksuele geheugen. Ik weet waar dit naartoe gaat.

Maar... maar... wil ik daar wel naartoe? Wat is hier gaande? *Denk na*, Lottie.

'Wilt u de dessertkaart zien?' doorbreekt de stem van de ober mijn trance. Mijn hoofd schiet omhoog en ik grijp de kans om mijn hand uit die van Ben te trekken.

'Eh... alstublieft.'

Ik kijk naar de dessertkaart terwijl het bloed me naar het hoofd stijgt en ik als een razende nadenk. Wat moet ik nu doen? Wat? Wat?

Een stemmetje vanbinnen zegt dat ik de teugels strak moet houden. Ik speel dit verkeerd. Ik bega een vergissing. Ik krijg een verschrikkelijk gevoel van déjà vu, van dingen die volgens hetzelfde afgesleten stramien verlopen.

Al mijn lange relaties zijn op deze manier begonnen. Handje vasthouden op een tafel. Een hart dat door mijn hele lichaam bonst. Mooi ondergoed, en alles gewaxt, en hete, vindingrijke, geweldige seks. (Of afschuwelijke seks, die keer met die dokter. Jasses. Je zou denken dat een medicus iets beter op de hoogte was van de werking van het lichaam. Maar ik heb hem vrij snel gedumpt.)

Waar het om gaat is dat het begin nooit het probleem is. Het gaat om daarna.

Ik voel een vreemde overtuiging die ik nooit eerder heb gevoeld. Ik moet alles anders doen. Het patroon doorbreken. Maar hoe? Met wat?

Ben heeft mijn hand weer gepakt en kust de binnenkant van mijn pols, maar ik neem er geen notitie van. Ik wil orde scheppen in mijn gedachten.

'Wat is er?' Hij kijkt op, met zijn lippen nog op mijn pols. 'Je bent gespannen. Lottie, verzet je niet. Dit is voorbestemd. Jij en ik. Dat weet je.'

Hij heeft die zwoele, dronken sexy blik in zijn ogen die ik me herinner. Ik ben nu al opgewonden. Ik zou kunnen toegeven en een hete, verrukkelijke nacht kunnen beleven om mezelf op te vrolijken. Dat heb ik tenslotte wel verdiend.

Maar stel dat er kans is op meer dan een heerlijke nacht? Hoe moet ik dit spelen? Wat moet ik doen?

Het zou echt helpen als mijn hoofd niet zo tolde.

'Ben, je moet me begrijpen.' Ik trek mijn hand weer terug. 'We zijn geen achttien meer, oké? Ik wil geen wipje voor één nacht. Ik wil... andere dingen. Ik wil trouwen. Ik wil vastigheid. Ik wil een leven met iemand uitstippelen. Kinderen, de hele mikmak.'

'Ik ook!' zegt hij ongeduldig. 'Heb je dan niet geluisterd? Jij had het altijd al moeten zijn.' Zijn ogen branden in de mijne. 'Lottie. Ik ben altijd van je blijven houden.'

O, mijn god, hij houdt van me. Ik voel weer een tranenvloed opkomen. En nu ik naar hem kijk, valt het me in dat ik ook altijd van hem ben blijven houden. Misschien besefte ik het gewoon niet omdat het een soort zwakke, aanhoudende liefde was. Als gezoem op de achtergrond. En nu zwelt de liefde weer aan tot regelrechte passie.

'Ik ook van jou,' zeg ik met een stem die beeft van de plotselinge overtuiging. 'Ik ben vijftien jaar van je blijven houden.'

'Vijftien jaar.' Hij pakt mijn hand weer. 'We moeten wel gek zijn geweest om elkaar te laten gaan.'

De romantiek overweldigt me. Over een verhaal voor een huwelijksreceptie gesproken. Over o's en ahs gesproken. *We zijn vijftien jaar van elkaar gescheiden geweest, maar toen vonden we elkaar weer.*

'We moeten de verloren tijd inhalen.' Hij drukt mijn vingers tegen zijn mond. 'Lottie, schat. Mijn liefste.' Zijn woorden zijn als balsem voor de ziel. Het gevoel van zijn lippen op mijn huid is bijna ondraaglijk heerlijk. Ik doe mijn ogen even dicht, maar... Nee. Er gaan alarmbellen af. Ik moet er niet aan denken dat het deze keer net zo misgaat als alle andere keren.

'Hou op.' Ik trek bliksemsnel mijn hand weg. 'Niet doen! Ben, ik weet hoe dit gaat aflopen, en ik kan er niet tegen. Niet nog een keer.'

'Waar heb je het over?' Hij kijkt me beteuterd aan. 'Ik kuste alleen je vingers maar.'

Hij praat een beetje met dubbele tong. *Kufte je vingerf.* Maar zo klink ik waarschijnlijk ook.

Ik wacht tot de ober de kruimels van onze tafel heeft geveegd en steek weer van wal, met een zachte, bevende stem.

'Ik heb het vaker meegemaakt. Ik ken het klappen van de zweep. Jij kust mijn vingers. Ik kus jouw vingers. We gaan met elkaar naar bed. Het is heerlijk. We doen het nog een keer. We raken smoorverliefd. We boeken een midweek in de Cotswolds. Misschien kopen we samen een bank, of een IKEA-boekenkast. En opeens zijn we twee jaar verder en zouden we moeten gaan trouwen... maar om de een of andere reden doen we het niet.

Het verwatert. We maken ruzie en gaan uit elkaar. En het is verschrikkelijk.'

Ik krijg een brok in mijn keel bij het vooruitzicht van ons noodlot. Het is zo onvermijdelijk en zo triest.

Ben lijkt van zijn stuk gebracht door het toekomstbeeld dat ik heb geschetst.

'Oké,' zegt hij uiteindelijk, en hij neemt me wantrouwig op. 'Tja... en als het nou niet verwatert?'

'Dat gebeurt gewoon! Het is de regel! Zo gaat het altijd!' Ik kijk hem met betraande ogen aan. 'Ik heb al te veel verwaterde relaties achter de rug. Ik kan het weten.'

'Ook als we geen IKEA-boekenkast kopen?'

Ik weet dat hij probeert er een grapje van te maken, maar ik meen het. Ik heb vijftien jaar van mijn leven met daten doorgebracht, besef ik plotseling. Daten lost niets op. Daten heeft me Richard opgeleverd. Daten is juist het probléém.

'Er is een goede reden waarom je relaties met die andere kerels verwaterden,' probeert Ben weer. 'Ze waren niet de juisten. Maar dat ben ik wel!'

'Wie zegt dat jij de juiste bent?'

'Dat ben ik omdat... omdat... Jézus! Wat wil je van me?' Hij haalt vertwijfeld zijn vingers door zijn haar. 'Oké! Jij je zin. We doen het op de ouderwetse manier. Lottie, wil je met me trouwen?'

'Hou op,' zeg ik verbolgen. 'Je hoeft me niet belachelijk te maken.'

'Ik meen het. Wil je met me trouwen?'

'Ha, ha.' Ik neem een slok wijn.

'Ik meen het. Wil je met me trouwen?'

'Hou op.'

'Wil je met me trouwen?' Hij is luider gaan praten. Een stel vlakbij kijkt glimlachend onze kant op.

'Sst,' zeg ik geërgerd. 'Het is niet leuk.'

Tot mijn grote ontzetting komt hij van zijn stoel, knielt en vouwt zijn handen. Ik zie dat meer mensen naar ons kijken.

Mijn hart bonst in mijn keel. Dit bestaat niet. Het bestaat gewoon niet.

'Charlotte Graveney,' begint hij licht deinend. 'Ik heb vijftien jaar lang zwakke aftreksels van jou nagejaagd, en nu ben ik weer bij het origineel dat ik nooit had moeten laten gaan. Mijn leven is donker geweest zonder jou en nu wil ik het licht aandoen. Wil je me de eer bewijzen met me te trouwen? Alsjeblieft?'

Er komt een raar gevoel over me. Het voelt alsof ik van watten word. Hij doet een aanzoek. Hij doet zomaar een aanzoek. Echt waar.

'Je bent dronken,' scheep ik hem af.

'Niet zó dronken. Wil je met me trouwen?' vraagt hij nog eens.

'Maar ik ken je helemaal niet meer!' Ik lach blaffend. 'Ik weet niet hoe je aan de kost komt, waar je woont, wat je van het leven wilt...'

'Papierhandel. Shoreditch. Net zo gelukkig zijn als toen ik samen met jou was. Elke ochtend wakker worden en je helemaal suf neuken. Kinderen met jouw ogen maken. Lottie, ik weet dat het jaren geleden is, maar ik ben het nog steeds. Ik ben nog steeds Ben.' Hij krijgt diezelfde lachrimpeltjes om zijn ogen als vroeger. 'Wil je met me trouwen?'

Ik gaap hem hijgend aan. Mijn oren tuiten, maar ik weet niet of ik bruidsklokken of een alarmsirene hoor.

Ik bedoel, ik dacht wel dat er een kans was dat hij nog belangstelling voor me had, maar dit overtreft mijn stoutste dromen. Hij is al die jaren verliefd op me gebleven! Hij wil trouwen! Hij wil kinderen! Ik hoor weer iets in mijn achterhoofd. Het zou viool-muziek kunnen zijn. *Misschien is hij het. Misschien is het zover! Richard was de ware niet; het is Ben!*

Ik neem een slok water en probeer me een weg door mijn tollende gedachten te banen. Laten we verstandig blijven. Laten we dit goed beredeneren. Hadden we ooit ruzie? Nee. Was hij goed gezelschap? Ja. Val ik op hem? Zeker weten. Moet ik verder nog iets weten over een mogelijke echtgenoot?

'Heb je tepelpiercings?' vraag ik met een angstig voorgevoel. Tepelpiercings zijn niet echt mijn ding.

'Niet één.' Hij trekt met een dramatisch gebaar zijn overhemd open, zodat de knoopjes alle kanten op springen, en ik moet wel kijken. Hm. Bruin. Strak. Hij is nog net zo lekker als altijd.

'Je hoeft alleen maar ja te zeggen.' Ben spreidt in een dronken gebaar zijn armen om zijn woorden kracht bij te zetten. 'Je hoeft alleen maar ja te zeggen. Het grootste deel van ons leven verpesten we alles door te veel na te denken. Laten we dit niet kapot redeneren. We hebben al genoeg tijd verspild, verdomme. We houden van elkaar. Laten we de sprong gewoon wagen.'

Hij heeft gelijk. We houden echt van elkaar. En hij wil kindertjes maken die mijn ogen hebben. Niemand heeft ooit zoiets moois tegen me gezegd. Zelfs Richard niet.

Het duizelt me. Ik probeer rationeel te blijven, maar ik weet het niet meer. Is dit echt? Probeert hij me gewoon zijn bed in te praten? Is dit het meest romantische moment van mijn leven of ben ik een idioot?

'Ik... Misschien,' zeg ik uiteindelijk.

'Misschien?'

'Eh... wacht even.'

Ik pak mijn tasje en ga naar de wc's; ik moet nadenken. Logisch. Of tenminste zo logisch als ik kan, in aanmerking genomen dat alles tolt en mijn gezicht in de spiegel drie ogen lijkt te hebben.

Het zou kunnen lukken. Het zou vast kunnen lukken. Maar hoe kan ik zórgen dat het lukt? Hoe kan ik voorkomen dat ik in hetzelfde voorspelbare patroon verval als met al mijn andere tot niets leidende, met een sisser aflopende relaties?

Terwijl ik mijn haar kam, neem ik in gedachten andere eerste dates met andere vriendjes door. Andere beginpunten. Ik heb door de jaren heen zo vaak in een wc-ruimte gestaan, mijn lippenstift ververst en gedacht: *is dit de ware?* Elke keer was ik weer net zo hoopvol, net zo tintelend van verwachting. Waar ben ik dan de fout in gegaan? Wat kan ik anders doen? Wat van de dingen die ik normaal doe, kan ik nalaten?

Opeens schiet me dat boek te binnen dat ik die ochtend heb bekeken. *Het omkeerprincipe.* Laat de pijl de andere kant op wijzen. Verander van koers. Dat klinkt goed. Ja. Maar hoe verander ik van koers? En nu hoor ik de woorden van dat geschifte oude mens van gisteren weer in mijn hoofd. Wat zei ze ook alweer? *Mannen zijn oerwoudwezens. Zodra ze hun prooi hebben gevonden verslinden ze hem en dan vallen ze in slaap.* Misschien was ze toch niet zo geschift. Misschien had ze een punt.

Ik hou op met het kammen van mijn haar. Het is me in een flits ingegeven. Het antwoord. De oplossing uit onverwachte hoek. Ik,

Lottie Graveney, ga het patroon omkeren. Ik ga het *tegenovergestelde* doen van wat ik met al mijn eerdere vriendjes heb gedaan.

Ik kijk naar mezelf in de spiegel. Ik zie er een beetje verwilderd uit, maar is dat een verrassing? Als ik eerst opgetogen was, ben ik nu euforisch. Ik voel me als een onderzoeker die een nieuw subatomisch deeltje heeft ontdekt dat alles verandert. Ik heb gelijk. Ik weet dat ik gelijk heb. *Ik heb gelijk!*

Ik been de zaal van het restaurant weer in, een beetje wankel op mijn hakken, en loop naar onze tafel.

'Geen seks,' zeg ik gedecideerd.

'Hè?'

'Tot we getrouwd zijn. Geen seks.' Ik ga zitten. 'Graag of niet.'

'Hè?' Ben kijkt me perplex aan, maar ik glimlach sereen terug. Ik ben briljant. Als hij echt van me houdt, wacht hij wel. En er kan niets verwateren. Niets. En het mooiste is nog wel dat we de opwindendste huwelijksreis aller tijden krijgen. We zullen verbonden, verenigd en verzaligd zijn. Precies zoals dat hoort in de wittebroodsweken.

Zijn overhemd hangt nog open. Ik stel me hem naakt voor, in een weelderig hotelbed, tussen de rozenblaadjes. Ik sidder bij het idee alleen al.

'Dat meen je niet.' Zijn gezicht is betrokken. 'Waarom?'

'Omdat ik wil dat het anders gaat. Ik wil het anders doen. Ik hou van je, ja? Jij houdt van mij? We willen samen een leven opbouwen?'

'Ik hou al vijftien jaar van je.' Hij schudt zijn hoofd. 'We hebben al vijftien jaar verspild, Lottie...'

Ik zie dat hij weer zo'n dronken tirade gaat afsteken.

'Nou,' snijd ik hem de pas af, 'dan wachten we nog maar even. En dan kunnen we een huwelijksnacht houden. Een échte huwelijksnacht. Denk na. Tegen die tijd snakken we er allebei naar. We staan gewoon op springen.' Ik laat mijn ene blote voet langzaam langs de binnenkant van zijn been omhoog glijden. Hij kijkt alsof hij in trance is. Het werkt altijd.

We zwijgen even allebei. Laten we het erop houden dat we op een andere manier communiceren.

'Nou...' zegt hij uiteindelijk met verstikte stem, 'dat zou leuk kunnen worden.'

'Heel leuk.' Ik maak achteloos een paar knoopjes van mijn topje los en leun naar voren om hem een weids uitzicht op mijn push-upbeha te bieden. Mijn andere voet klimt nu naar zijn kruis. Ben lijkt geen woord te kunnen uitbrengen. 'Weet je nog, de avond van je verjaardag?' zeg ik hees. 'Op het strand? Dat zouden we nog eens over kunnen doen.'

Als we dat overdoen, doe ik kniebeschermers aan. Ik had nog een week korsten. Alsof hij mijn gedachten kan lezen, doet Ben zijn ogen dicht en kreunt zacht. 'Je wordt mijn dood nog.'

'Het wordt fantastisch.' Opeens herinner ik me hoe we als tieners verstrengeld lagen op mijn kamer in het pension, slechts verlicht door al mijn flakkerende geurkaarsen.

'Weet je wel hoe opwindend je bent? Besef je wel hoe graag ik nú onder die tafel wil duiken?' Hij pakt mijn hand en begint op het topje van mijn duim te knabbelen. Deze keer trek ik mijn hand niet weg. Het is alsof ik zijn lippen en tanden overal op mijn huid voel. Ik wil ze ook overal voelen. Dit herinner ik me. Ik herinner me hem. Hoe heb ik dat kunnen vergeten?

'Een huwelijksnacht, hm?' zegt hij ten slotte. Mijn tenen blijven hun ding doen en het bewijs dat hij ervan geniet staat als een huis. Alles doet het dus nog.

'Een huwelijksnacht.' Ik knik.

'Besef je wel dat ik in de tussentijd omkom van frustratie?'

'Ik ook. En dan plof ik.' Hij neemt mijn hele duim in zijn mond en ik hijg vanbinnen als het gevoel door mijn lichaam schiet. Als we niet snel weggaan, komt de ober zeggen dat we een hotel moeten nemen.

En als Richard dit hoort...

Nee. Niet aan denken. Dit heeft niets met Richard te maken. Dit is het *lot*. Het maakt deel uit van een groter geheel. Een immens, meeslepend romantisch verhaal met Ben en mij in de hoofdrol, en Richard speelt alleen maar een bijrolletje onderweg.

Ik weet dat ik dronken ben. Ik weet dat het overhaast is. Maar het voelt zo goed. En als ik nog beurs ben, diep in mijn hart, dan is dit een soort toverzalf. De relatie met Richard móést op de klippen lopen. Ik móést me ellendig voelen. Het karma voor mijn smart is dat ik nu een trouwring en de geilste seks van mijn leven krijg.

Ik voel me alsof ik geen prijs van duizend pond in de loterij heb gewonnen, maar van een miljoen.

Ben kijkt glazig uit zijn ogen. Ik ga steeds zwaarder ademen. Ik weet niet of ik dit wel kan volhouden.

'Wanneer gaan we trouwen?' fluister ik.

'Gauw.' Hij klinkt radeloos. 'Echt heel gauw.'

5

Fliss

Ik hoop dat het goed gaat met Lottie, ik hoop het echt. Ik ben twee weken weggeweest en ik heb niets van haar gehoord. Ze heeft niet één van mijn vriendelijke sms'jes beantwoord en het laatste telefoongesprek dat we hebben gehad was toen ze naar San Francisco wilde om Richard te verrassen. Dat spande wel de kroon op het gebied van de Betreurenswaardige Keuzes. Goddank heb ik het haar uit het hoofd weten te praten.

Maar sindsdien: geen woord meer. Ik heb naast de sms'jes ook voicemails ingesproken, maar geen reactie gekregen. Het is me gelukt haar stagiaire te pakken te krijgen, die me verzekerde dat Lottie elke dag op haar werk verschijnt, dus ik weet tenminste dat ze nog leeft, maar het is niets voor haar om niets te laten horen. Het baart me zorgen. Ik ga vanavond naar haar toe om te zien of het goed met haar gaat.

Ik pak mijn telefoon en stuur weer een sms: *Hoi, alles goed???* Ik berg hem op en kijk naar het schoolplein, waar het wemelt van de ouders, kinderen, nanny's, honden en kleuters op driewielers. Het is de eerste dag na de vakantie, dus ik zie overal gebruinde gezichten, glimmende schoenen en nieuwe kapsels. En dan heb ik het alleen nog maar over de moeders.

'Fliss!' begroet een stem me wanneer we uit de auto stappen. Het is Anna, ook een moeder. Ze heeft een tupperwarebakje in haar ene hand en een hondenriem aan de andere, met aan het eind een labrador die popelt om weg te lopen. 'Alles goed? Ha, Noah! We zouden nog koffie...'

'Ja, leuk.' Ik knik.

Anna en ik hebben het altijd over samen koffiedrinken als we elkaar zien – al een jaar of twee, zo langzamerhand – maar het is er nog niet van gekomen. Op de een of andere manier doet het er niet toe. Op de een of andere manier is dat niet waar het om gaat.

'Dat stomme reisproject ook,' zegt Anna terwijl we naar de ingang van de school lopen. 'Ik ben vanochtend om vijf uur opgestaan om het af te maken. Net iets voor jou, zeker, reizen!' Ze lacht vrolijk.

'Wat voor reisproject?'

'Je weet wel, voor handenarbeid.' Ze houdt het tupperwarebakje naar me op. 'We hebben een vliegtuig gemaakt. Ontzettend slap. We hebben een speelgoedvliegtuigje in aluminiumfolie verpakt. Niet wat je 'zelfgemaakt' noemt, maar ik zei tegen Charlie: "Lieverdje, mevrouw Hocking wéét niet dat er een speelgoedvliegtuig onder zit."'

'Wat voor reisproject?' vraag ik nog eens.

'Dat weet je toch? Ze moesten een voertuig maken of zoiets. De werkstukken worden allemaal tentoongesteld... Charlie, kom op! De bel is al gegaan!'

Wat voor reisproject, verdomme?

Ik loop naar mevrouw Hocking en zie een andere moeder, Jane Langridge, bij haar staan met een maquette van een cruiseschip van balsahout en papier. Het heeft drie schoorstenen en rijen perfect uitgeknipte patrijspoortjes en op het dek liggen poppetjes van klei te zonnebaden bij het blauwgeverfde zwembad. Ik kijk ernaar, sprakeloos van ontzag.

'Het spijt me, mevrouw Hocking,' zegt Jane, 'maar de verf is hier en daar nog nat. We hebben het met heel veel plezier gemaakt, hè, Joshua?'

'Hallo, mevrouw Phipps,' roept mevrouw Hocking opgewekt. 'Fijne vakantie gehad?'

Mevrouw Phipps. Telkens wanneer ik zo word aangesproken, is het alsof ik nagels over een schoolbord hoor krassen. Ik ben er nog niet aan toegekomen op school te zeggen dat ik mevrouw Graveney genoemd wil worden. Eerlijk gezegd weet ik niet goed of ik het wel moet zeggen. Ik wil Noah niet van streek maken. Ik wil hem niet het gevoel geven dat ik zijn achternaam afwijs. Ik vind het fijn om dezelfde naam te hebben als Noah. Het voelt knus en goed.

Ik had een gloednieuwe achternaam moeten kiezen toen hij werd geboren. Alleen voor ons tweetjes. Echtscheidingsbestendig.

'Mammie, heb je de luchtballon bij je?' Noah kijkt gespannen naar me op. 'Hebben we de ballon?'

Ik kijk hem wezenloos aan. Ik heb geen idee waar hij het over heeft.

'Noah heeft ons verteld dat hij een luchtballon ging maken. Een supergoed idee,' zegt mevrouw Hocking stralend. Ze is een vrouw van in de zestig die leeft in wortelbroeken. Ze is zo koelbloedig en ongehaast zodat ik me naast haar altijd een bazelende idioot voel. Nu valt haar blik op mijn lege handen. 'Hebt u hem bij u?'

Zie ik eruit alsof ik een luchtballon bij me heb?

'Niet bij me,' zeg ik voor ik het goed en wel besef. 'Niet echt bíj me.'

'Aha.' Haar glimlach vervaagt. 'Nou, maar als het enigszins mogelijk is dat u hem vanochtend nog komt brengen, mevrouw Phipps... We zijn de tentoonstelling aan het inrichten.'

'Ja! Natuurlijk!' Ik werp haar een zelfverzekerde glimlach toe. 'Ik moet alleen... Een kleinigheid... Even met Noah praten.' Ik neem hem apart en zak door mijn knieën. 'Wat voor luchtballon, lieverd?'

'Mijn luchtballon voor het reisproject,' zegt Noah op een toon alsof het vanzelf spreekt. 'We moesten hem vandaag inleveren.'

'Juist.' Het kost me ondraaglijk veel inspanning om vrolijk en luchtig te blijven doen. 'Ik wist niet dat je een project had. Je hebt er niets over gezegd.'

'Vergeten.' Hij knikt. 'Maar we hebben er toch een brief over gekregen?'

'Wat is er met die brief gebeurd?'

'Papa had hem in zijn fruitschaal gelegd.'

Ik voel een vulkaanuitbarsting van woede opborrelen. Ik wist het. Ik wíst het, verdomme.

'Aha. Ik snap het.' Ik zet mijn nagels in mijn handpalmen. 'Papa heeft me niet verteld dat er een project was. Wat jammer nou.'

'En we hadden het erover wat we gingen maken en papa zei: "Wat dacht je van een luchtballon?"' Noahs ogen beginnen te stralen. 'Papa zei dat we een ballon van papier-maché konden maken met een mandje eronder en mensen erin. En touwen. En dan gingen we hem beschilderen. En de mensen konden Batman zijn.' Zijn wangetjes gloeien van opwinding. 'Heeft hij hem gemaakt?' Hij kijkt me verwachtingsvol aan. 'Heb je hem bij je?'

'Ik zal... even kijken.' Mijn glimlach voelt alsof hij op mijn gezicht zit gelijmd. 'Ga maar even op het klimrek spelen.'

Ik loop naar een rustig plekje en bel Daniel.

'Met Daniel Phi...'

'Met Fliss,' kap ik hem effen af. 'Ben je toevallig als een gek op weg naar school om een papier-maché luchtballon met Batman in het mandje af te geven?'

Het blijft vrij lang stil.

'O,' zegt Daniel ten slotte. 'Shit. Sorry.'

Hij klinkt totaal niet schuldbewust. Ik kan hem wel vermoorden.

'Nee! Niks "o, shit, sorry". Dit kun je niet máken, Daniel! Het is niet eerlijk tegenover Noah en het is niet eerlijk tegenover mij en...'

'Fliss, relax. Het is maar een werkstukje.'

'Het is niet "maar" een werkstukje! Voor Noah is het iets gigantisch! Het is... Je bent...' Ik breek hijgend mijn zin af. Hij zal het nooit begrijpen. Het is verspilde moeite. Ik sta er alleen voor. 'Ook goed, Daniel. Laat maar. Ik los het wel op.'

Voor hij nog iets kan zeggen, verbreek ik de verbinding. Ik voel me roodgloeiend van vastberadenheid. Ik ga Noah niet laten barsten. Hij zal zijn luchtballon krijgen. Ik kan dit wel. Kom op.

Ik piep de auto open en klap het deksel van mijn koffertje omhoog. Er zit een klein kartonnen geschenktasje in van de een of andere chique lunch. Dat kan als mandje dienen. De veters uit mijn eigen sportschoenen kunnen de touwen zijn. Ik pak een vel papier en een pen uit het koffertje en wenk Noah.

'Ik ga onze luchtballon even afmaken,' zeg ik opgewekt. 'Als jij Batman nu eens tekende voor in het mandje?'

Noah begint leunend tegen de autostoel te tekenen en ik trek snel de veters uit mijn sportschoenen. Ze zijn bruingespikkeld, perfecte touwen. Ik heb nog wat plakband in het dashboardkastje. En voor de ballon zelf...

Godsamme. Wat kan ik voor de ballon gebruiken? Ik heb niet bepaald continu een zak ballonnen bij me voor je weet nooit...

Een bespottelijk, onuitsprekelijk idee dient zich aan. Ik zou altijd...

Nee. Echt niet. Ik kán geen...

Vijf minuten later loop ik nonchalant met Noahs werkstuk naar mevrouw Hocking. De moeders die om haar heen staan vallen een voor een stil. Het voelt zelfs alsof het hele schoolplein zijn adem inhoudt.

'Dat is Batman!' zegt Noah, die trots naar het mandje wijst. 'Die heb ik getekend.'

De kinderen kijken allemaal naar Batman. De moeders naar de ballon. Het is een opgeblazen Durex Fetherlite Ultra. Hij is indrukwekkend groot geworden, en het tuutje aan het eind danst in de bries.

Opeens hoor ik Anna proesten, maar als ik dreigend om me heen kijk, zie ik alleen maar onschuldige gezichten.

'Hemeltje, Noah,' zegt mevrouw Hocking zwakjes. 'Wat een... grote ballon!'

'Het is obsceen,' snauwt Jane, die haar boot in een beschermend gebaar aan haar borst drukt. 'Het is hier een school, hoor, mocht je het vergeten zijn. Er zijn hier kínderen.'

'En wat die kinderen betreft is dit een volkomen onschuldige ballon,' pareer ik. Ik richt me tot mevrouw Hocking en zeg verontschuldigend: 'Mijn man heeft het laten afweten. Ik had niet veel tijd.'

'Heel mooi, mevrouw Phipps!' herpakt mevrouw Hocking zich. 'Wat een creatief gebruik van...'

'Maar als hij nou knapt?' zegt Jane.

'Ik heb reserves,' zeg ik triomfantelijk, en ik laat de rest van mijn Durex Pleasurepack zien, uitgewaaierd als een spel kaarten.

Ik besef net iets te laat hoe dit moet overkomen. Met gloeiende wangen leg ik onopvallend een hand op de woorden GERIBBELD VOOR EXTRA GENOT. En op GLIJMIDDEL. En op STIMULATIE. Mijn vingers doen een zeester na in hun poging de tekst op de condoomverpakkingen te censureren.

'Ik denk dat we wel een ballon voor Noah kunnen vinden in het lokaal, mevrouw Phipps,' zegt mevrouw Hocking als ze is bekomen. 'Houdt u die maar liever zelf, voor...' Ze aarzelt, duidelijk op zoek naar een passend eind van haar zin.

'Absoluut,' snijd ik haar haastig de pas af. 'Goed idee. Ik zal ze gebruiken voor... precies. Dat. Ik bedoel, juist niet.' Ik lach schril. 'Waarschijnlijk zal ik ze wel nooit gebruiken. In elk geval... Ik gedraag me wel verantwóórdelijk, uiteraard...'

Mijn stem sterft weg. Ik heb zojuist aan de juf van mijn zoon toevertrouwd hoe ik met condooms omga. Ik begrijp niet goed hoe dat zo is gekomen.

'Maar goed!' besluit ik met een radeloze opgewektheid. 'Dus. Ik neem ze weer mee. En gebruik ze. Voor… het een of ander.'

Ik stop de condooms snel weer in mijn tas, laat een Pleasuremax vallen en duik erop voordat een zevenjarige erbij kan. De andere moeders staan allemaal met open mond te kijken, alsof ze een auto-ongeluk hebben zien gebeuren.

'Ik hoop dat het een mooie tentoonstelling wordt. Fijne dag, Noah.' Ik geef hem de luchtballon en een zoen, draai me op mijn hakken om en been zwaar ademend weg. Ik wacht tot ik op de weg zit voordat ik Barnaby bel.

'Barnaby,' val ik met de deur in huis, 'je gelooft gewoon niet wat Daniel me nu weer heeft geflikt. Noah had een schoolproject waar Daniel met geen wóórd over had gerept…'

'Fliss,' zegt Barnaby geduldig. 'Kalmeer.'

'Ik moest Noahs juf een opgeblazen condoom geven! Het moest een luchtballon voorstellen!' Ik hoor Barnaby aan de andere kant in lachen uitbarsten. 'Dat is niet leuk! Daniel is een zak! Hij doet alsof hij iets om Noah geeft, maar hij denkt alleen aan zichzelf; hij laat Noah stikken…'

'Fliss.' Barnaby's stem klinkt opeens zo streng dat ik mijn mond hou. 'Dit moet ophouden.'

'Wat moet ophouden?' Ik kijk verbaasd naar de telefoon.

'Die dagelijkse tirade. Ik moet je iets zeggen, als oude vriend. Als je zo door blijft gaan, drijf je iedereen tot waanzin, ook jezelf. Het zit soms tegen, oké?'

'Maar…'

'Die dingen gebeuren, Fliss.' Hij zwijgt even. 'En alles telkens opnieuw oprakelen maakt het er niet beter op. Je moet door met je leven. Doe iets. Ga eens met iemand uit zónder over de onderbroeken van je ex-man te beginnen.'

'Waar heb je het over?' zeg ik ontwijkend.

'Het was een date. Een dáte.' Ik hoor Barnaby's frustratie door de telefoon losbarsten. 'Het was de bedoeling dat je met Nathan zou flirten, niet je laptop openmaken en je hele echtscheidingsdossier voorlezen.'

'Ik heb niet het hele dossier voorgelezen!' Ik tast afwerend naar de USB-stick om mijn nek. 'We zaten gewoon te praten, en toen liet ik me er iets over ontvallen, en hij leek geïnteresseerd...'

'Hij was niet geïnteresseerd! Hij deed beleefd. Je schijnt vijf minuten onafgebroken over Daniels ondergoed te hebben getierd.'

'Dat is schromelijk overdreven!' reageer ik fel.

Maar mijn gezicht gloeit. Misschien waren het echt wel vijf minuten. Tegen die tijd had ik al wat gedronken. En er valt veel te zeggen over Daniels onderbroeken, en niets gunstigs.

'Weet je nog, Fliss, ons eerste gesprek?' gaat Barnaby genadeloos door. 'Je zei dat je nooit verbitterd zou worden, wat je verder ook deed.'

Ik snak naar adem bij het horen van het taboewoord. 'Ik ben niet verbitterd. Ik ben... boos. Ik heb spijt.' Ik zoek naar andere acceptabele emoties. 'Ik ben bedroefd. Triest. Filosofisch.'

'Nathan gebruikte het woord "verbitterd".'

'Ik bén niet verbitterd!' Ik schreeuw bijna. 'Ik weet toch zeker zelf wel of ik verbitterd ben of niet?'

Het blijft stil. Ik adem gejaagd. Mijn handen omklemmen het stuur zweterig. Ik denk terug aan mijn date met Nathan. Ik dacht dat ik op een vermakelijke, afstandelijke, ironische manier over Daniel praatte. Nathan heeft op geen enkele manier laten blijken dat hij zich niet amuseerde. Is dat wat iedereen de hele tijd doet? Me ontzien?

'Oké,' zeg ik uiteindelijk. 'Nou, dan weet ik het maar. Bedankt voor de informatie.'

'Graag gedaan,' weerklinkt Barnaby's vrolijke stem door de auto. 'Voordat je iets zegt, ik ben echt je vriend. En ik ben dol op je. Maar je moest dit weten. Ik zeg het voor je bestwil, Fliss. Ik spreek je gauw weer.'

Hij verbreekt de verbinding en ik sla links af, bijt op mijn onderlip en kijk verbolgen naar de weg. Het zal allemaal wel. Het zal wel.

Als ik op mijn werk aankom, zie ik dat mijn postbakje vol zit, maar ik blijf blindelings naar mijn computerscherm staren. Barnaby's woorden hebben me dieper geraakt dan ik wil toegeven. Ik begin een verbitterd, geschift oud wijf te worden. Uiteindelijk word ik een kromgegroeide ouwe bes met een zwarte kap op die vijandig de wereld in kijkt en zich een weg over straat

97

vecht, links en rechts mensen met haar stok slaand en zonder een glimlachje voor de buurtkinderen, die doodsbang voor haar wegrennen.

In het ergste geval.

Op een gegeven moment reik ik naar de telefoon en bel Lottie op kantoor. Misschien kunnen we elkaar opvrolijken.

Het meisje dat opneemt is Dolly, die voor Lottie werkt.

'O, hallo, Dolly,' zeg ik. 'Is Lottie er ook?'

'Ze is weg. Shoppen. Ik weet niet wanneer ze terugkomt.'

Aan het shoppen? Ik kijk verbaasd naar de telefoon. Ik weet dat Lottie soms gek wordt van haar werk, maar gaan shoppen en dat schaamteloos tegen een ondergeschikte zeggen is niet echt slim in dit economische klimaat.

'Enig idee hoe laat ze terugkomt?'

'Weet niet. Ze is inkopen doen voor haar huwelijksreis.'

Ik verstijf. Hoor ik dat goed? Huwelijksreis? Ze bedoelt... *huwelijksreis*?

'Zei je daar...' Ik slik. 'Dolly, gaat Lottie tróúwen?'

'Wist je dat niet?'

'Ik kom net terug van vakantie! Dit is... Ik ben...' Ik kan bijna geen woord uitbrengen. 'O, mijn god! Zeg alsjeblieft dat ik heb gebeld en feliciteer haar van me!'

Ik zet de telefoon terug en kijk stralend om me heen in mijn lege kantoor. Mijn sombere bui is weg. Ik wil de horlepiep dansen. Lottie is verloofd! Zo zie je maar dat sommige dingen uiteindelijk tóch op hun pootjes terechtkomen.

Maar hoe?

Hoe, hoe, hoe?

Wat is er gebeurd? Is ze toch op het vliegtuig naar San Francisco gestapt? Of is hij teruggekomen? Hebben ze elkaar gebeld? Nou? Ik stuur haar een sms.

Ben je verloofd????????

Ik verwacht weer radiostilte, maar even later krijg ik antwoord:

Ja!!!! Wilde je er alles over vertellen!

OMG! Wat is er gebeurd???

Ging allemaal heel snel. Geloof het nog steeds niets. Hij kwam uit het niets mijn leven weer in, vroeg me in een restaurant, had er geen idee van dat hij dat zou doen, wat een mallemolen!!!!

Ik móét haar spreken. Ik bel haar gsm, maar die is in gesprek. Shit. Ik haal even koffie en dan probeer ik het nog eens. Op weg naar onze inpandige Costa blijf ik maar stralen. Ik ben zelfs zo blij dat ik wel kan janken, maar hoofdredacteuren bij Pincher International huilen niet op het werk, dus behelp ik me door mijn armen om mezelf heen te slaan.

Richard is perfect. Ik had me geen betere man voor Lottie kunnen wensen. Wat moederlijk klinkt, maar ik voel me ook moederlijk ten opzichte van haar. Altijd al. Onze ouders hebben ons verwaarloosd, druk als ze het hadden met de scheiding, de drank en de verhoudingen met steenrijke zakenlieden en Zuid-Afrikaanse schoonheidskoninginnen... Laat ik het zo stellen: we werden vaak aan ons lot overgelaten. Lottie is vijf jaar jonger dan ik, en lang voor de dood van onze moeder wendde ze zich al tot mij als er iets misging.

En als moederfiguur/zus/mogelijk eerste bruidsmeisje(?) kan ik niet gelukkiger zijn dat Richard deel gaat uitmaken van onze rare kleine familie. Om te beginnen is hij knap, maar niet om een moord voor te doen. Dat is belangrijk, vind ik. Je wilt dat je zus een man strikt die *in haar ogen* een seksgod is, maar je wilt niet zelf op hem vallen. Ik bedoel, hoe zou ik me voelen als Lottie met Johnny Depp aan kwam zetten?

Ik probeer er eerlijk antwoord op te geven, in de veilige beslotenheid van mijn eigen hoofd. Nee, ik zou me niet zusterlijk kunnen blijven opstellen. Vermoedelijk zou ik proberen hem van haar af te pikken. Ik zou vinden dat alles geoorloofd was.

Maar Richard is Johnny Depp niet. Hij is aantrekkelijk, begrijp me niet verkeerd, maar niet overdreven aantrekkelijk. Niet op een nichterige manier, zoals die afgrijselijk Jamie die altijd aan het tutten was en een wedstrijd maakte van de hoeveelheid koolhydraten die je binnenkreeg. Richard is een man. Ik vind hem soms op een jongere Pierce Brosnan lijken en soms op een jongere Gordon Brown. (Al denk ik dat ik de enige ben die de gelijkenis met Gordon Brown ziet. Ik zei het een keer tegen Lottie en toen was ze diep beledigd.)

Ik weet dat hij goed is in zijn werk. (Toen hij net iets met Lottie kreeg, heb ik natuurlijk aan al mijn connecties in de financiële wereld gevraagd hoe hij het deed.) Ik weet ook dat hij een kort lontje kan hebben en zijn team een keer zo ontzettend de les heeft gelezen dat hij het hele stel op een lunch moest trakteren om het weer goed te maken. Maar hij is ook goedhartig. Toen ik hem voor het eerst zag, hield hij een leunstoel vast die Lottie op een andere plek wilde zetten. Ze drentelde door de woonkamer en zei: 'Daar... Nee, daar! O, wat dacht je van hier?' En hij sjouwde maar geduldig met die grote, zware stoel achter haar aan terwijl zij besluiteloos heen en weer drentelde. Ik ving zijn blik, hij grinnikte en toen wíst ik het. Dit is de juiste man voor Lottie.

Ik kan dus wel huppelen, zo blij ben ik. Na al die ellende van mijn scheiding mocht er wel eens iets leuks gebeuren. Dus, hoe is het zo gekomen? Wat heeft hij gezegd? Ik wil álles weten. Op de terugweg naar mijn kamer bel ik haar ongeduldig nog eens – en nu neemt ze op.

'Hallo, Fliss?'

'Lottie!' roep ik opgetogen. 'Gefeliciteerd! Geweldig nieuws! Ongelooflijk!'

'Ja! Weet ik!' Ze klinkt nog euforischer dan ik had verwacht. Richard moet haar helemaal hebben ingepakt.

'Dus... wanneer?' Ik ga aan mijn bureau zitten en neem een slokje koffie.

'Twee weken geleden. Ik kan het nog steeds niet bevatten!'

'Details!'

'Nou, hij belde me zomaar uit het niets op.' Lottie lacht blij. 'Ik wist niet wat me overkwam. Ik dacht dat ik hem nooit meer zou zien, laat staan dít!'

Als hij twee weken geleden een aanzoek heeft gedaan, kan hij maar een dag weg zijn geweest. Hij moet meteen nadat hij in San Francisco was aangekomen rechtsomkeert hebben gemaakt. Goed werk, Richard!

'En wat zei hij? Is hij op zijn knieën gegaan?'

'Ja! Hij zei dat hij altijd van me had gehouden en bij me wilde zijn en toen vroeg hij me een keer of tien ten huwelijk en uiteindelijk... heb ik ja gezegd!' Ze loopt weer over van blijdschap. 'Dat geloof je toch niet?'

Ik zucht voldaan en neem nog een slok koffie. Wat romantisch. Net een droom. Ik vraag me af of ik kan spijbelen van de persconferentie van British Airways om Lottie op een lunch te trakteren om het te vieren.

'Dus... wat nog meer?' vraag ik nieuwsgierig. 'Heb je hem de ring gegeven?'

'Nou, nee.' Lottie klinkt onaangenaam verrast. 'Natuurlijk niet.'

Goddank. Ik heb nooit iets in het idee van die ring gezien.

'Je besloot uiteindelijk gewoon het niet te doen?'

'Het is niet eens in me opgekomen!' Ze klinkt getergd, gek genoeg. 'Ik bedoel, die ring was voor Richard.'

'Hoe bedoel je?' Ik kan haar niet meer volgen.

'Nou, ik had die ring voor Richard gekocht,' zegt ze geërgerd. 'Het zou raar zijn om hem aan een ander te geven, vind je ook niet?'

Ik wil iets terugzeggen, maar mijn gedachten zijn vastgelopen, alsof er een potlood in een goed geolied, snorrend raderwerk is gevallen. Hoezo, 'een ander'? Ik doe mijn mond open – en klap hem weer dicht. Heb ik het niet goed gehoord? Was het een stijlfiguur?

'Dus...' begin ik behoedzaam, alsof ik een vreemde taal spreek. 'Je had die ring voor Richard gekocht... maar je hebt hem niet aan hem gegeven?'

Ik probeer alleen maar te achterhalen wat ze bedoelde. Ik verwacht niet dat ze tegen me uit zal vallen alsof ik eigenhandig haar dag heb bedorven.

'Fliss, je wéét dat ik hem niet heb gegeven! God, je zou best iets tactvoller kunnen zijn!' Haar stem schiet schril omhoog. 'Ik probeer een nieuwe start te maken! Ik probeer aan een heel nieuw leven te beginnen met Ben! Je hoeft niet steeds over Richard te beginnen!'

Ben?

Ik snap er niets meer van. Misschien word ik gek. Wie is Ben en wat heeft hij hiermee te maken?

'Hoor eens, Lottie, niet boos worden, maar ik begrijp echt niet...'

'Dat heb ik je net ge-sms't! Kun je niet lezen?'

'Je schreef dat je verloofd was!' Een verschrikkelijk gevoel bekruipt me. Is het allemaal één kolossaal misverstand? 'Ben je dan níét verloofd?'

'Jawel! Natuurlijk ben ik wel verloofd! Met Ben!'

'Wie is Ben in godsnaam?' roep ik harder dan mijn bedoeling was. Elise kijkt nieuwsgierig om de hoek van mijn deur en ik glimlach verontschuldigend naar haar en mime dat er niets aan de hand is.

Het blijft stil aan de andere kant van de lijn.

'O,' zegt Lottie uiteindelijk. 'Sorry. Ik heb mijn sms nog even overgelezen. Ik dacht dat ik het wel had verteld. Ik ga niet met Richard trouwen, maar met Ben. Weet je nog, Ben?'

'Nee, ik ken geen Ben!' zeg ik vertwijfeld.

'O, nee, dat is ook zo, je hebt hem nooit gezien. Nou, hij was mijn vriendje na mijn eindexamen, in Griekenland, en nu is hij weer in mijn leven gekomen en gaan we trouwen.'

Het voelt alsof alles om me heen instort. Ze zou met Richard gaan trouwen. Het klopte allemaal als een bus. En nu gaat ze ervandoor met de een of andere Ben? Ik weet niet waar ik beginnen moet.

'Lotje... Maar Lotje, ik bedoel... Hoe kun je nou met hem trouwen?' Dan krijg ik een inval. 'Gaat het om een verblijfsvergunning?'

'Nee, het gaat niet om een verblijfsvergunning!' zegt ze verontwaardigd. 'Het is liefde!'

'Je houdt genoeg van die Ben om met hem te trouwen?' Ik kan niet geloven dat ik dit gesprek voer.

'Ja.'

'Wanneer is hij precies weer in je leven gekomen?'

'Twee weken geleden.'

'Twee weken geleden,' herhaal ik kalm, hoewel ik in hysterisch lachen wil uitbarsten. 'Na hoeveel tijd?'

'Vijftien jaar.' Ze klinkt opstandig. 'En voor je 't vraagt, ja, ik héb er goed over nagedacht.'

'Oké! Nou, gefeliciteerd. Ben is vast fantastisch.'

'Hij is geweldig. Je zult vast dol op hem zin. Hij is knap, en geestig, en we voelen elkaar heel goed aan...'

'Fijn! Hé, zullen we samen gaan lunchen? Dan kunnen we het erover hebben.'

Ik blaas het op, hou ik mezelf voor. Ik moet gewoon aan de nieuwe situatie wennen. Misschien is die Ben wel ideaal voor Lottie en komt het allemaal dik in orde. Als ze maar lekker lang verloofd blijven en niets overhaasten...

'Zullen we in Selfridges afspreken?' stelt Lottie voor. 'Daar ben ik nu. Ik ben lingerie voor de huwelijksreis aan het uitzoeken!'

'Ja, ik heb zoiets gehoord. Wanneer willen jullie eigenlijk gaan trouwen?'

'Morgen,' zegt ze blij. 'We wilden het zo snel mogelijk doen. Neem je een vrije dag?'

Morgen?

Ze is gek geworden.

'Lotje, blijf daar,' zeg ik met verstikte stem. 'Ik kom naar je toe. Ik vind dat we moeten praten.'

Ik had mijn waakzaamheid nooit mogen laten varen. Ik had nooit met vakantie moeten gaan. Ik had kunnen weten dat Lottie niet zou rusten tot ze een uitlaatklep had gevonden voor haar gekwetste gevoelens. En dit is het geworden. Een huwelijk.

Tegen de tijd dat ik bij Selfridges aankom, heb ik een bonzend hart en een hoofd vol vragen. Lottie daarentegen heeft een mand vol ondergoed. Nee, geen ondergoed, *seksplunje.* Ze staat naar een doorschijnende bustier te kijken wanneer ik op haar afstorm, waarbij ik bijna een rek met Princesse Tam Tam-speelpakjes omgooi. Lottie ziet me en houdt de bustier naar me op.

'Wat vind je?'

Ik kijk naar de spullen in haar mandje. Ze is duidelijk bij de afdeling van Agent Provocateur geweest. Ik zie veel zwart kiekeboekant. En is dat een oogmasker?

'Nou, wat vind je?' herhaalt ze ongeduldig, en ze zwaait met de bustier naar me. 'Hij is best duur. Zal ik hem passen?'

Moeten we niet over iets praten wat net even belangrijker is? wil ik gillen. *Zoals: wie is die Ben en waarom ga je met hem trouwen?* Maar als ik iets van Lottie weet, is het wel dat ik het voorzichtig moet spelen. Ik moet haar plat praten.

'Zo!' zeg ik zo monter mogelijk. 'Je gaat trouwen. Met iemand die ik nog nooit heb gezien.'

'Je ziet hem wel op de bruiloft. Je zult dol op hem zijn, Fliss.' Ze mikt met stralende ogen de doorkijkbustier in haar mand en doet er een minuscule string bij. 'Ongelooflijk dat het allemaal zo perfect is afgelopen. Ik ben zó gelukkig.'

'Ja. Fijn! Ik ook!' Ik wacht even voordat ik eraan toevoeg: 'Hoewel – het is maar een ideetje – moet je echt al zo snel trouwen? Kun je niet wat langer verloofd blijven en alles goed voorbereiden?'

'Er valt niets voor te bereiden! Het is allemaal heel simpel. Trouwen bij de burgerlijke stand in Chelsea. Lunchen in een leuk restaurant. Eenvoudig en romantisch. Jij bent bruidsmeisje, hoop ik.' Ze geeft een kneepje in mijn arm en reikt naar nog een bustier.

Ze heeft iets extra raars over zich. Ik neem haar op en probeer te bepalen wat er anders is. Ze heeft dat manische van na een verbroken relatie, maar erger dan anders. Haar ogen schitteren te veel. Ze is hyper. Is Ben dealer? Is ze high?

'Zo, dus Ben nam zomaar contact met je op?'

'Hij belde me en we zijn uit eten gegaan. En het was alsof we nooit uit elkaar waren geweest. We zaten helemaal op dezelfde golflengte.' Ze slaakt een verzalige zucht. 'Hij was vijftien jaar lang van me blijven houden. Vijftien jaar! En ik ook van hem. Daarom willen we snel trouwen. We hebben al genoeg tijd verspild, Fliss.' Er klinkt een theatrale snik in haar stem door, alsof ze in een waargebeurde tv-film speelt. 'We willen verder met de rest van ons leven.'

Wat?

Oké, dit is kul. Lottie heeft de afgelopen vijftien jaar niet van iemand gehouden die Ben heet. Dan had ik het wel geweten, lijkt me.

'Je bent de afgelopen vijftien jaar van hem blijven houden?' Ik kan de verleiding niet weerstaan haar uit te dagen. 'Gek dat je nooit iets over hem hebt gezegd. Geen woord.'

'De liefde zat vanbinnen.' Ze drukt een hand in haar zij. 'Híér. Misschien heb ik je er niet over verteld. Misschien vertel ik je niet alles.' Ze gooit rebels een jarretelgordel in haar mandje.

'Heb je een foto van hem?'

'Niet bij me, maar hij is een stuk. Trouwens, ik wil dat jij een speech houdt,' voegt ze er achteloos aan toe. 'Jij bent mijn getuige/eerste bruidsmeisje. En Bens getuige is zijn vriend Lorcan. Alleen wij vieren zijn bij de huwelijksvoltrekking.'

Ik gaap haar vertwijfeld aan. Ik wilde het tactvol aanpakken, heel geleidelijk, maar ik kan het niet. Dit is allemaal te gestoord.

'Lottie.' Ik leg een hand op de kousen die ze wilde pakken. 'Hou óp. En luister even. Ik weet dat je het niet wilt horen, maar je moet.' Ik wacht tot ze me onwillig aankijkt. 'Het is net vijf minuten uit met Richard. Je stond op het punt voor hem te kiezen. Je had een verlovingsring voor hem gekocht. Je zei dat je van hem hield. En nu ga je opeens aan de haal met iemand die je amper kent? Is dat wel zo'n goed idee?'

'Nou, het is maar goed dat het uit is met Richard! Heel goed!' haalt Lottie opeens fel uit, als een kat. 'Ik heb veel nagedacht, Fliss, en ik besef nu dat Richard helemaal de verkeerde voor me was. Helemaal verkeerd! Ik moet een romantisch iemand hebben. Iemand die vóélt. Iemand die zich helemaal aan me geeft, snap je? Richard is een beste man en ik dacht dat ik van hem hield, maar ik besef nu hoe het zit: hij is beperkt.'

Ze spuugt het woord 'beperkt' uit alsof het de ergste belediging is die ze kan verzinnen.

'Hoe bedoel je, "beperkt"?' Tegen wil en dank voel ik me geroepen voor Richard in de bres te springen.

'Hij is bekrompen. Hij heeft geen stijl. Hij zou nooit een enorm, roekeloos, heerlijk gebaar maken. Hij zou nooit een meisje na vijftien jaar opzoeken en zeggen dat het leven donker was zonder haar en dat hij nu het licht aan wil doen.' Ze steekt opstandig haar kin naar voren en ik grimas inwendig. Was dat Bens versierzin? Dat hij het licht aan wilde doen?

Ik bedoel, ik kan erin komen. Ik heb me een paar keer in de armen van een hopeloos verkeerde man gestort toen Daniel en ik net uit elkaar waren, maar ik ben niet met een van die mannen getrouwd.

'Hoor eens, Lottie,' gooi ik het over een andere boeg, 'ik begrijp het echt wel. Ik weet hoe het is. Je bent gekwetst. Je bent in de war. Dan duikt er zomaar een vriendje van vroeger op – natuurlijk beland je met hem in bed. Dat is logisch. Maar waarom zou je met hem trouwen?'

'Je hebt het mis,' pareert ze met een triomfantelijk gezicht. 'Je zit er helemaal naast, Fliss. Ik ben niet met hem in bed beland, en dat ben ik niet van plan ook. Ik bewaar mezelf voor de huwelijksreis.'

Ze...

Wat?

Wat ik ook verwachtte te horen, dit niet. Ik staar Lottie wezen-

105

loos aan, niet in staat iets terug te zeggen. Waar is mijn zusje gebleven en wat heeft die man met haar gedaan?

'Je bewáárt jezelf?' herhaal ik uiteindelijk. 'Maar... waarom? Is hij streng gereformeerd?' Opeens vrees ik het ergste. 'Zit hij bij een of andere sekte? Heeft hij je verlichting beloofd?'

Alsjeblieft, zeg niet dat ze al haar geld heeft afgegeven. Niet weer.

'Natuurlijk niet!'

'Dus... waarom dan?'

'Om in de huwelijksnacht de spannendste seks ooit te hebben.' Ze grist de kousen uit mijn hand. 'We weten al dat we goed bij elkaar passen in bed, dus waarom zouden we het niet opsparen? Het is onze huwelijksnacht. Die moet bijzonder zijn. Zo bijzonder mogelijk.' Ze kronkelt opeens alsof het haar te veel wordt. 'En neem maar van mij aan dat het bijzonder wordt. God, Fliss, het is zo'n lekker ding. We kunnen amper van elkaar afblijven. Het is net alsof we weer achttien zijn.'

Ik staar haar aan en alle stukjes vallen op hun plek. Die schitterende ogen. Die mand vol lingerie. Ze staat te steigeren. Deze verloving is één groot voorspel. Waarom had ik dat niet meteen door? Ze is echt high – van de lust. En niet zomaar lust, nee, *tienerlust*. Ze ziet er net zo uit als die tieners die bij de bushalte staan te zoenen, alsof de rest van de wereld niet bestaat. Ik voel even een steek van jaloezie. Ik zou mezelf eerlijk gezegd ook best willen verliezen in tienerlust, maar ik moet mijn verstand erbij houden. Ik moet de stem van de rede zijn.

'Lottie, luister.' Ik probeer langzaam en duidelijk te praten om haar trance te doorbreken. 'Je hoeft niet te trouwen. Je kunt ook gewoon een hotelsuite ergens nemen.'

'Ik wíl trouwen.' Ze slingert in zichzelf neuriënd nog een dure negligé in haar mandje en ik bedwing de neiging het op een gillen te zetten. Het is allemaal heel leuk en aardig, maar als ze die roze lustbril eens even afzette, zou ze misschien beseffen hoeveel deze escapade haar kan gaan kosten. Een wagonlading ondergoed. Een huwelijk. Een huwelijksreis. Een echtscheiding. En dat allemaal voor een spectaculair nachtje wippen? Dat ze ook gratis kan krijgen?

'Ik weet wat je denkt.' Ze kijkt verbolgen naar me op. 'Je zou blij voor me kunnen zijn.'

'Ik doe mijn best, echt.' Ik masseer mijn voorhoofd. 'Maar het slaat nergens op. Je doet alles verkeerd om.'

'O, ja?' valt ze me aan. 'Wie zegt dat? Dit is toch de traditionele manier?'

'Lottie, je stelt je bespottelijk aan.' Ik begin kwaad te worden. 'Dit is niet de manier om in een huwelijk te stappen, oké? Een huwelijk is een ernstige, juridische zaak...'

'Weet ik!' kapt ze me af. 'En ik wil dat het slaagt, en dit is de manier. Ik ben niet stóm, Fliss.' Ze slaat haar armen over elkaar. 'Ik heb erover nagedacht, hoor. Mijn liefdesleven was een ramp. Steeds hetzelfde afgezaagde patroon, met de ene man na de andere. Seks. Liefde. Geen huwelijk. Telkens weer. Nou, maar nu heb ik de kans om het anders te doen! Ik keer de strategie om! Liefde. Huwelijk. Seks!'

'Maar het is gestoord!' barst ik ongewild uit. 'Dit is allemaal gestoord! Zie je dat dan niet?'

'Nee, dat zie ik niet!' antwoordt ze verhit. 'Ik zie een geniale oplossing voor het hele probleem. Het is retro! Het is beproefd en bewezen! Had koningin Victoria seks voordat ze met Albert trouwde? En was hun huwelijk geen daverend succes? Hield ze niet waanzinnig veel van hem en liet ze geen kolossaal monument voor hem neerzetten in Hyde Park? Nou dan. Hadden Romeo en Julia seks voordat ze met elkaar trouwden?'

'Maar...'

'Hadden Elizabeth Bennet en Mister Darcy seks voordat ze met elkaar trouwden?' Ze kijkt me priemend aan, alsof dit alles bewijst.

O, hou op, zeg. Als ze Mister Darcy inzet om haar redenatie kracht bij te zetten, geef ik het op.

'Eerlijk is eerlijk,' zeg ik uiteindelijk. 'Nou heb je me. Mister Darcy.'

Ik moet nu even toegeven en dan vanuit een andere hoek terugkomen.

'Dus, wie is die Lorcan?' Ik heb een nieuw idee gekregen. 'Wie is die getuige van Ben die je noemde?'

Bens beste vriend is vermoedelijk niet enthousiaster dan ik over dit plotselinge, uit het niets gekomen huwelijk. Misschien kunnen we onze krachten bundelen.

'Weet niet.' Ze maakt een vaag wuivend gebaar. 'Een oude vriend. Die met hem samenwerkt.'

'Waar?'

'Het bedrijf heet iets als... Decree.'

'En wat doet Ben precies?'

'Kweenie.' Ze houdt een slipje op dat aan de achterkant met strikjes bij elkaar wordt gehouden. 'Het een of ander.'

Ik bedwing de neiging om te schreeuwen: *Je gaat met hem trouwen en je weet niet eens wat hij doet?*

Ik pak mijn BlackBerry en typ: *Ben Lorcan Decree?*

'Hoe heet Ben van zijn achternaam?'

'Parr. Ik word Lottie Parr. Is het niet enig?'

Ben Parr.

Ik typ op mijn BlackBerry, tuur naar het scherm en snak naar adem alsof ik schrik. 'O, hemel. Dat was ik glad vergeten. Lottie, ik geloof dat ik toch geen tijd heb om te lunchen. Ik kan maar beter gaan. Veel plezier met shoppen.' Ik geef haar een knuffel. 'Ik spreek je nog. En... gefeliciteerd!'

Ik hou mijn vrolijke glimlach vast tot ik van de lingerieafdeling af ben. Voordat ik bij de liften ben, googel ik al *Ben Parr*. Ben Parr, mijn mogelijke nieuwe zwager. Wie is die vent in vredesnaam?

Tegen de tijd dat ik weer op kantoor aankom, heb ik *Ben Parr* zo uitgebreid gegoogeld als ik maar kan op mijn telefoon, maar ik heb geen bedrijf gevonden dat Decree heet, alleen een paar stukjes over een Ben Parr die stand-upcomedy doet. Slecht, volgens de recensies. Is dat hem?

Jottem. Een geflopte stand-up. Mijn favoriete soort zwager.

Ten slotte vind ik een nieuwsbericht over een bedrijf in papier, Dupree Sanders, waarin een Ben Parr wordt genoemd. Hij heeft zo'n fantasietitel in de trant van Strategisch Overzicht Consultant. Ik typ *Ben Parr Dupree Sanders* en krijg een miljoen nieuwe treffers. Dupree Sanders stelt duidelijk iets voor. Een grote onderneming. Hier is de homepage... En ja, hoor, ik krijg een pagina met zijn foto en een biografietje dat ik vluchtig lees. *Ben Parr, die als jongeman bij zijn vader had gewerkt, was blij toen hij in 2011 bij Dupree Sanders terugkwam, nu in een strategische rol...*

oprechte passie voor het bedrijf... Sinds het overlijden van zijn
vader is de toekomst van het bedrijf nog belangrijker voor hem
geworden.

Ik buig me naar het scherm over en kijk ingespannen naar de
foto in een poging een indruk te krijgen van de man die als een
torpedo op een familieband met mij afschiet. Hij is knap, dat
moet ik Lottie nageven. Jongensachtig. Slank. Innemend. Ik twijfel over zijn mond. Die ziet er een beetje zwak uit.

De pixels beginnen voor mijn ogen te dansen, dus leun ik weer
achterover en typ: *Lorcan Dupree Sanders.*

Er verschijnt een nieuwe pagina, met een foto van een man die
er heel anders uitziet. Donker, weerbarstig haar, zwarte wenkbrauwen en een frons in zijn voorhoofd. Een krachtige haviksneus. Hij maakt een dreigende indruk. Onder de foto staat: *Lorcan*
Adamson. Doorkiesnummer 310. Lorcan Adamson werkte als
jurist in Londen voordat hij in 2008 bij Dupree Sanders kwam...
verantwoordelijk voor vele initiatieven... ontwikkelde het luxe
Papermaker-postpapier... werkte met Monumentenzorg samen
om het bezoekerscentrum uit te breiden... hecht aan duurzaam,
verantwoordelijk ondernemerschap...

Een jurist. Laten we hopen dat hij het rationele, redelijke type
is, niet het arrogante, klootzaktype. Ik kies het nummer terwijl ik
mijn e-mails lees.

'Lorcan Adamson.' De stem die opneemt is zo diep en gruizig
dat ik van verbazing mijn muis laat vallen. Dit kan geen echte
stem zijn. Hij klinkt gekunsteld.

'Hallo?' zegt hij en ik onderdruk een giechel. Het is een stem
voor een filmtrailer. Het is die rommelende, van heel diep komende subwooferstem die je hoort terwijl je popcorn naar binnen
propt in afwachting van je film.

We dachten dat de wereld een veilige plek was. We dachten dat
het heelal van ons was. Tot ZIJ *kwamen.*

'Hallo?' zegt de gruizige stem weer.

In een wanhopige strijd tegen de klok moet één meisje de code
kraken...

'Hallo. Eh... hallo.' Ik probeer mijn gedachten te ordenen. 'Spreek
ik met Lorcan Adamson?'

'Dat ben ik.'

Geregisseerd door de Oscarwinnende...
Nee. Ophouden, Fliss. Bij de les blijven.

'Juist. Goed. Ja.' Ik herpak me snel. 'Goed, ik vind dat we elkaar moeten spreken. Ik ben Felicity Graveney. Mijn zusje heet Lottie.'

'Aha.' Zijn stem klinkt opeens geanimeerd. 'Nou, neem me niet kwalijk, maar wat is er in godsnaam aan de hand? Ik had Ben net aan de lijn. Naar het schijnt gaan je zus en hij trouwen?'

Er zijn twee dingen die me meteen opvallen. Ten eerste dat hij een licht Schots accent heeft. Ten tweede dat hij ook niet wild is van dat hele huwelijksgedoe. Goddank. Nog een stem van de rede.

'Precies!' zeg ik. 'En jij bent de getuige? Ik heb geen idee hoe dit zo is gekomen, maar ik dacht dat we de koppen misschien bij elkaar konden steken om...'

'Om wat? De tafelversiering uit te zoeken?' praat hij dwars door me heen. 'Ik heb geen idee hoe je zus Ben op dit bespottelijke idee heeft gebracht, maar ik kan je wel zeggen dat ik al het mogelijke zal doen om het tegen te houden, of je zus en jij dat nu leuk vinden of niet.'

Ik kijk verbluft naar de telefoon. Wát zei hij daar?

'Ik werk met Ben samen, en dit is een cruciale periode voor hem,' vervolgt Lorcan. 'Hij kan zijn werk niet zomaar laten liggen voor de een of andere bespottelijke, impulsieve huwelijksreis. Hij heeft verantwoordelijkheden. Hij heeft verplichtingen. Ik ken de drijfveren van je zus niet, maar...'

'Wát?' Ik ben zo woest dat ik niet weet waar ik beginnen moet.

'Pardon?' Het lijkt hem te verbazen dat ik de moed heb gehad hem te onderbreken. O, is hij er zó een?

'Oké, mannetje.' Ik voel me meteen stom omdat ik 'mannetje' heb gezegd, maar het is al te laat. Ik kan nu maar beter doorploeteren. 'Om te beginnen heeft mijn zus niemand op een idee gebracht. Je zou erachter kunnen komen dat jóúw vriend uit het niets is opgedoken en háár listig tot een huwelijk heeft verleid. En als je denkt dat ik je bel om "de tafelversiering uit te zoeken", zit je er helemaal naast. Ik ben zélf van plan dat huwelijk een halt toe te roepen. Met of zonder jouw hulp.'

'Juist.' Hij klinkt sceptisch.

'Zegt Ben dat Lottie hem heeft overgehaald?' zeg ik dreigend. 'Want in dat geval liegt hij.'

'Niet met zoveel woorden,' zegt Lorcan na een korte stilte, 'maar Ben is... Hoe zal ik het zeggen? Beïnvloedbaar.'

'Beïnvloedbaar?' herhaal ik ziedend. 'Als iemand invloed heeft uitgeoefend, is hij het. Mijn zus zit in een dip, ze is heel kwetsbaar, en ze kan nu geen opportunist gebruiken.' Ik verwacht nog steeds half en half dat die Ben bij de een of andere enge sekte zit of heeft ingetekend op een timesharing piramideschema. 'Ik bedoel, wat doet hij eigenlijk? Ik weet niets van hem.'

'Je kent zijn achtergrond niet.' Hij klinkt weer sceptisch. God, wat maakt die man me pissig.

'Ik weet alleen dat hij mijn zus in Griekenland heeft leren kennen, dat ze een tienerwipvakantie hebben gehad en dat hij nu beweert dat hij altijd van haar is blijven houden en dat ze morgen gaan trouwen om de tienerwipvakantie voort te zetten. En ik weet dat hij bij Dupree Sanders werkt.'

'Hij is de eigenaar van Dupree Sanders,' verbetert Lorcan me.

'Hè?' zeg ik stompzinnig.

Ik weet niet eens wat Dupree Sanders eigenlijk is. Ik heb de tijd niet genomen om het uit te zoeken.

'Sinds het overlijden van zijn vader, nu een jaar geleden, heeft Ben een meerderheidsbelang in Dupree Sanders, een papierwarenbedrijf dat dertig miljoen waard is. En ik weet niet of je me gelooft, maar zijn leven is gecompliceerd en hij is ook nogal kwetsbaar.'

Terwijl ik zijn woorden laat bezinken laait er een withete woede in me op.

'Denk je dat mijn zusje een goudzoeker is?' val ik uit. 'Is dat wat je denkt?'

Ik ben nog nooit van mijn leven zo beledigd. Wat een verwaande... zelfingenomen... eikel. Ik ga steeds gejaagder ademen en mijn ogen spuwen vuur naar zijn gezicht op het scherm.

'Dat heb ik niet gezegd,' pareert hij bedaard.

'Luister eens even, meneer Adamson,' zeg ik zo ijzig mogelijk. 'Zullen we naar de feiten kijken? Jóúw dierbare vriend heeft míjn zus een idioot, overhaast huwelijk aangepraat. Niet andersom. Hoe weet je dat ze geen erfgename van een nog groter fortuin is? Hoe weet je dat we geen familie zijn van de... de Getty's?'

'Die zit,' zegt Lorcan na een korte stilte. 'Zijn jullie dat?'

'Natuurlijk niet,' zeg ik korzelig. 'Waar het om gaat is dat je voorbarige conclusies trok. Verrassend, voor een jurist.'

Het blijft weer stil. Ik krijg het gevoel dat ik hem op de kast heb gejaagd. Nou, mooi zo.

'Oké,' zegt hij uiteindelijk. 'Mijn excuses. Ik wilde niets insinueren met betrekking tot je zus. Misschien zijn Ben en zij wel een stel uit duizenden, maar dat doet niets af aan het feit dat er veel gaande is binnen het bedrijf. Ben moet nu ter plekke zijn. Als hij een huwelijksreis wil, zal hij die moeten uitstellen.'

'Of er helemaal van afzien,' merk ik op.

'Of er helemaal van afzien. Wat je zegt.' Lorcan lijkt het grappig te vinden. 'Je bent dus geen fan van Ben?'

'Ik heb hem zelfs nog nooit gezien, maar dit is een nuttig gesprekje geweest. Meer hoefde ik niet te weten. Laat het maar aan mij over. Ik los dit wel op.'

'Nee, ík los dit wel op,' gaat hij ertegenin. 'Ik praat wel met Ben.'

God, wat erger ik me aan die vent. Wie zegt dat hij de leiding zou moeten hebben?

'Ik zal met Lottie praten,' zeg ik zo gezaghebbend als ik maar kan. 'Ik regel het wel.'

'Dat is vast niet nodig,' zegt hij dwars door me heen. 'Ik ga wel met Ben praten. Dan is het zó van de baan.'

'Ik zal met Lottie praten,' herhaal ik alsof hij niets heeft gezegd. 'En ik laat het je wel weten als ik het heb opgelost.'

Er valt een stilte. We willen geen van beiden toegeven, begrijp ik.

'Juist,' zegt Lorcan uiteindelijk. 'Nou, tot ziens.'

'Tot ziens.'

Ik hang op, pak mijn mobieltje en bel Lottie. Ik heb lang genoeg de lieve zus uitgehangen. Ik ga dit huwelijk tegenhouden. En wel nu.

6

Fliss

Ongelooflijk dat ze me vierentwintig uur lang heeft genegeerd. Die durft.

Het is de volgende middag, over een uur is de huwelijksvoltrekking en ik heb Lottie nog steeds niet gesproken. Ze heeft al mijn telefoontjes (een stuk of honderd) ontweken, maar intussen heeft ze wel een hele reeks berichten op míjn telefoon gezet, over de burgerlijke stand en het restaurant en een drankje vooraf bij Bluebird. In de lunchpauze heeft een fietskoerier een paarse satijnen bruidsmeisjesjurk afgegeven. Ik heb per e-mail een gedicht gekregen met het verzoek het voor te lezen tijdens de plechtigheid: *Het zou onze dag zó bijzonder maken!*

Mij neemt ze niet in de maling. Ze heeft een reden om mijn telefoontjes niet aan te nemen: ze voelt zich in de verdediging gedrukt. Wat betekent dat ik een kans heb. Ik weet dat ik haar die onzin uit haar hoofd kan praten. Ik hoef alleen maar te weten wat haar kwetsbare punt precies is en dat uit te buiten.

Als ik bij Bluebird aankom, zie ik haar al in een crèmekleurige witte mini-jurk aan de bar zitten, met rozen in haar haar en snoezige schoenen in vintagestijl met bandjes en knoopjes. Ze ziet er stralend mooi uit, en heel even voel ik me schuldig omdat ik haar kom dwarsbomen.

Maar nee. Iemand moet zijn verstand gebruiken. Wanneer ze de rekening voor de ontbinding van haar huwelijk krijgt, straalt ze niet meer.

Ik heb Noah niet bij me. Hij logeert bij zijn vriendje Sebastian. Ik heb tegen Lottie gejokt dat het een heel bijzondere gelegenheid was en dat hij het 'heel jammer' vindt dat hij niet bij de bruiloft kan zijn. De echte reden is dat ik niet van plan ben de bruiloft te laten doorgaan.

Lottie heeft me gezien en wuift naar me. Ik wuif terug en loop met een onschuldige glimlach naar haar toe. Ik loop geluidloos de paardenwei in, niet bedreigend, met de halster op mijn rug. Ik ben de Bruidenfluisteraar.

'Je ziet er beeldig uit!' Ik ben bij Lottie en geef haar een dikke knuffel. 'Spannend. Wat een feestelijke dag!'

Lottie neemt me onderzoekend op en zegt niets, wat bewijst dat ik gelijk heb: ze voelt zich in de verdediging gedrukt. Maar ik blijf glimlachen alsof ik van de prins geen kwaad weet.

'Ik dacht dat je niet zo enthousiast was,' zegt ze uiteindelijk.

'Wat?' zeg ik zogenaamd ontdaan. 'Natuurlijk ben ik enthousiast! Ik was gewoon verbaasd, maar Ben is vast geweldig en jullie krijgen nog een lang en gelukkig leven.'

Ik hou mijn adem in. Ik zie haar ontspannen. Ze laat haar waakzaamheid varen.

'Ja,' zegt ze. 'Zo is dat. Zo, ga zitten. Neem een glas champagne! Hier is je boeket.' Ze overhandigt me een bosje rozen.

'Wauw! Prachtig.'

Ze schenkt een glas champagne voor me in en ik drink op haar. Dan kijk ik op mijn horloge. Nog vijfenvijftig minuten. Ik moet aan de slag met mijn dwarsboomstrategie.

'Zo, wat zijn de plannen voor de huwelijksreis?' zeg ik langs mijn neus weg. 'Jullie konden zeker niets meer boeken, zo kort van tevoren? Wat jammer. Een huwelijksreis is zo bijzonder, die moet volmaakt zijn. Als je een paar weken had gewacht, had ik je kunnen helpen een fantastische reis te regelen. Trouwens... zullen we dat maar doen?' Ik zet mijn glas neer alsof ik opeens een geniale inval krijg. 'Lottie, laten we de bruiloft nog heel even uitstellen, dan kunnen we leuk de perfecte huwelijksreis voor jullie plannen!'

'Maak je geen zorgen,' zegt Lottie blij. 'We hebben de perfecte huwelijksreis al gepland! Een nacht in het Savoy en morgen vertrekken we!'

'Echt?' Ik maak me klaar om haar af te troeven. 'Waar gaan jullie dan naartoe?'

'We gaan terug naar Ikonos. Terug naar de plek waar we elkaar hebben ontmoet. Is het niet perfect?'

'Naar een pension voor rugzaktoeristen?' Ik gaap haar aan.

'Nee, gekkie! Naar dat waanzinnige hotel. Het Amba. Dat met de waterval. Heb jij dat niet gerecenseerd?'

Shit. Het Amba is niet te overtroeven. Het is drie jaar geleden geopend en sindsdien hebben we het twee keer gerecenseerd – en het heeft beide keren vijf sterren gekregen. Het is het meest spectaculaire hotel van de Cycladen en het is twee jaar achter elkaar uitgeroepen tot Beste Huwelijksreisbestemming.

Sindsdien is het al een klein beetje ordi geworden, eerlijk gezegd. Het is overspoeld door bekende stellen en fotoreportages in *Hello!*, en als je het mij vraagt is het te sterk gericht op de huwelijksreismarkt, maar het blijft een waanzinnig hotel van wereldklasse. Ik zal hard moeten werken om haar dat uit haar hoofd te praten.

'Het probleem met het Amba is dat je wel aan de goede kant moet zitten.' Ik schud somber mijn hoofd. 'Jullie hebben zo kort van tevoren geboekt dat ze jullie wel in die afgrijselijke zijvleugel zullen zetten. Daar is geen zon, en het stinkt er. Daar word je niet blij van.' Opeens fleur ik op. 'Ik weet het al! Wacht nog een paar weken, ik heb nog iets van ze te goed. Ik weet zeker dat ik de Oyster Suite voor jullie kan regelen. Echt, Lotje, dat bed alleen al is het wachten waard. Het is enorm, met een glazen koepel erboven zodat je de sterren kunt zien. Je móét het hebben.' Ik bied haar mijn telefoon aan. 'Als je Ben nu eens belt om te zeggen dat je het wilt uitstellen, een paar weekjes maar...'

'Maar we hébben de Oyster Suite!' onderbreekt Lottie me opgetogen. 'Het is allemaal geregeld! We hebben een huwelijksreis op maat, met onze eigen butler en elke dag schoonheidsbehandelingen en een dag op het jacht van het hotel!'

'Wat?' Ik gaap haar aan, met mijn telefoon nutteloos in mijn hand. 'Hoe kan dat?'

'Er had iemand afgezegd!' Ze straalt. 'Ben maakt gebruik van een speciale conciërgeservice en die hebben het voor elkaar gekregen. Is het niet geweldig?'

'Schitterend,' zeg ik na een korte stilte. 'Super.'

'Ikonos is zo'n speciale plek voor ons.' Ze borrelt over van blijdschap. 'Ik bedoel, het zal nu wel compleet verpest zijn. Toen wij er zaten, was er nog niet eens een vliegveld, laat staan dat er grote hotels waren. We moesten er met de boot naartoe. Maar het wordt toch alsof we teruggaan in de tijd. Ik verheug me er echt zó op.'

Het heeft geen zin om hier nog op door te gaan. Ik neem een slokje champagne en denk diep na.

'Hebben jullie vandaag een klassieke Rolls-Royce?' probeer ik een andere invalshoek. 'Je wilde altijd een klassieke Rolls op je trouwdag.'

'Nee.' Ze haalt haar schouders op. 'Ik kan het lopen.'

'O, wat jammer!' Ik zet een verslagen gezicht op. 'Die klassieke Rolls was je droom. Als je nog even had gewacht, had je hem kunnen krijgen.'

'Fliss.' Lottie glimlacht een beetje vermanend naar me. 'Is dat niet een beetje oppervlakkig van je? Het gaat om de liefde. Het vinden van een levensgezel. Niet om een auto. Vind je ook niet?'

'Natuurlijk.' Ik glimlach zuinig terug. Oké, laat die auto maar. Volgende poging.

Jurk? Nee, haar jurk is beeldig.

Geschenkenlijst? Nee. Zo materialistisch is ze niet.

'Dus... worden er nog liederen gezongen bij de huwelijksvoltrekking?' vraag ik uiteindelijk.

Het blijft stil. Best lang. Ik kijk opeens weer hoopvol naar Lottie. Haar gezicht is verstrakt.

'Liederen zijn niet toegestaan,' zegt ze ten slotte, en ze kijkt in haar champagne. 'Dat kan niet bij de burgerlijke stand.'

Bingo!

'Geen liederen?' Ik sla vol afgrijzen mijn hand voor mijn mond, alsof ik het niet al de hele tijd wist. 'Maar wat is nou een trouwerij zonder liederen? Hoe moet het dan met "I Vow to Thee, My Country"? Dat wilde je altijd horen op je bruiloft.'

Lottie zat in het koor van onze kostschool. Ze song solo's. Muziek was belangrijk voor haar. Ik had met deze invalshoek moeten beginnen.

'Nou ja. Het doet er niet toe.' Ze glimlacht vluchtig, maar haar hele houding is veranderd.

'Wat vindt Ben ervan?'

'Ben heeft niet zoveel met liederen,' zegt ze na een korte stilte.

Ben heeft niet zoveel met liederen.

Ik kan wel juichen. Ik heb hem. Haar achillespees. Ze is als was in mijn handen.

'I vow to thee my country,' zing ik zachtjes, 'all earthly things above.'

'Hou op,' zegt ze bijna snauwerig.

'Sorry.' Ik steek verontschuldigend een hand op. 'Ik... Ik dacht gewoon hardop na. Voor mij draait een bruiloft helemaal om de muziek. Die mooie, heerlijke muziek.'

Het is niet waar. Ik geef niets om muziek, en als Lottie scherper was, zou ze allang doorhebben dat ik haar zit te stangen, maar ze staart in het niets, opgaand in haar eigen wereldje. Zijn haar ogen een beetje vochtig?

'Ik stelde me altijd voor hoe je bij het altaar geknield zou zitten in een dorpskerkje met orgelmuziek,' wrijf ik peinzend zout in de wonde. 'Niet bij de burgerlijke stand. Gek is dat.'

'Ja.' Ze kijkt niet eens mijn kant op.

'Da-da-*daah*-da-da-da-*da-ah*-da...' Ik neurie de wijs van 'I Vow to Thee, My Country' weer. Ik ken de tekst niet, maar de melodie is genoeg. Die zal haar nekken.

Haar ogen zijn inderdaad vochtig. Oké, tijd voor de genadeslag.

'Maar goed!' onderbreek ik mijn geneurie. 'Waar het om gaat is dat dit jouw speciale dag wordt. En het wordt perfect. Lekker snel. Geen stom getut met muziek, of koorknaapjes, of de beierende klokken van een dorpskerktoren... Gewoon erin en eruit. Een papier tekenen, een paar woorden zeggen en klaar is Kees. Voor de rest van je leven,' besluit ik. 'Afgehandeld.'

Ik voel me bijna wreed. Ik zie haar onderlip een beetje trillen.

'Weet je nog, die bruidsscène in *The Sound of Music*?' voeg ik er achteloos aan toe. 'Als Maria naar het altaar loopt terwijl de nonnen zingen, met haar lange sleep die alle kanten op zwiert...'

Niet overdrijven, Fliss.

Ik val stil en nip afwachtend van mijn champagne. Ik zie de gedachten achter Lotties ogen flakkeren. Ik voel haar innerlijke strijd tussen romantiek en lust. Ik denk dat de romantiek aan de winnende hand is. Ik denk dat de violen luider klinken dan de oerwoudtrommels. Zo te zien neemt ze een besluit. Laat het alsjeblieft het goede zijn, toe dan...

'Fliss...' Ze kijkt op. 'Fliss...'

Noem me maar de wereldkampioen Bruidfluisteren.

Er was geen sprake van ruzie. Geen confrontatie. Lottie denkt dat het haar eigen idee was om de bruiloft uit te stellen. Ik was degene die zei: 'Weet je dat wel zeker, Lottie? Wil je het echt afblazen? Zeker weten?'

Ik heb haar helemaal gewonnen voor het idee van een bruiloft in een dorpskerkje met muziek, een koor en klokken. Ze heeft de naam van de kapelaan van onze oude school al opgezocht. Ze heeft een nieuwe droom van satijn, tuiltjes bloemen en 'I Vow to Thee, My Country'.

Wat prima is. Bruiloften zijn zalig. Trouwen is zalig. Misschien is Ben voorbestemd om haar levensgezel te zijn en sla ik me voor mijn kop als ze haar tiende kleinkind krijgt en denk ik: waar zat ik mee? Maar dit geeft haar ten minste een adempauze. Ze heeft nu de tijd om naar Ben te kijken en te denken: *hm. Nog zestig jaar met jou. Is dat wel zo'n goed idee?*

Lottie is naar de burgerlijke stand gegaan om Ben het nieuws te vertellen. Mijn werk zit erop. Het enige wat ik nog moet doen is een bruidstijdschrift voor haar kopen. Morgen gaan we samen bij een kopje koffie knus over sluiers praten, en 's avonds krijg ik Ben eindelijk te zien.

Als ik sta te wachten tot ik King's Road kan oversteken, mezelf in stilte complimenterend met mijn geniale actie, zie ik een bekend gezicht. Haviksneus. Verwaaid donker haar. Roos in het knoopsgat. Hij is een meter of drie lang en beent aan de overkant over de stoep met een gezicht als een donderwolk dat je opzet als je rijke beste vriend door een boosaardige goudzoekster is gestrikt en jij getuige moet zijn. Dan valt zijn roos opeens uit zijn knoopsgat en hij blijft staan om hem op te rapen. Hij kijkt er zo moordlustig naar dat ik bijna in de lach schiet.

Ha. Nou, wacht maar tot ik het hem vertel. Hoe heet hij ook alweer? O ja, Lorcan.

'Hallo!' Hij loopt door en ik wuif verwoed. 'Lorcan! Wacht!'

Hij loopt zo snel dat ik hem nooit kan inhalen. Hij houdt zijn pas in en kijkt argwanend om, en ik wuif weer om zijn aandacht te trekken.

'Hier! Ik! Ik moet je spreken!' Ik wacht tot hij is overgestoken en loop dan zwaaiend met mijn boeket op hem af. 'Ik ben Fliss

Graveney. Ik heb je gisteren gebeld. De zus van Lottie, weet je nog?'

'Aha.' Zijn gezicht klaart even op en krijgt dan weer die olijke trouwfrons. 'Ik neem aan dat jij ook op weg bent naar de trouwerij?'

Ik was die bespottelijke filmtrailerstem vergeten. Hoewel hij minder bespottelijk klinkt nu het geen lichaamloze stem door een telefoon meer is. De stem past bij zijn gezicht. Donker en gedreven.

'Nou, toevállig...' Ik moet wel zelfvoldaan klinken. 'Ik ben niet op weg naar de trouwerij, want die komt er niet.'

Hij kijkt me onthutst aan. 'Hoe bedoel je?'

'Het is van de baan,' zeg ik. 'Voorlopig,' voeg ik eraan toe. 'Lottie gaat de bruiloft uitstellen.'

'Waarom?' vraagt hij. Wat is hij toch achterdochtig.

'Omdat ze dan kan zorgen dat Ben zijn fortuin zo investeert dat ze hem makkelijk kan plukken,' zeg ik schouderophalend. 'Uiteraard.'

Ik zie pretlichtjes in Lorcans ogen. 'Oké. Dat had ik verdiend. Wat is er gebeurd? Waarom stelt ze het uit?'

'Ik heb haar omgepraat,' zeg ik trots. 'Ik ken mijn zus, en ik ken de kracht van suggestie. Na ons gesprekje wil ze een romantische bruiloft in een stenen dorpskerkje. Daarom stelt ze het uit. Mijn redenatie is: als ze het uitstellen, hebben ze in elk geval de kans om uit te zoeken of ze wel bij elkaar passen.'

'Nou, goddank.' Lorcan slaakt een zucht van verlichting en haalt een hand door zijn haar. Eindelijk trekt hij zijn stekels in; eindelijk wordt zijn voorhoofd glad. 'Bens situatie laat nu niet toe dat hij gaat trouwen. Het was waanzin.'

'Belachelijk,' beaam ik.

'Krankzinnig.'

'Het stomste idee aller tijden. Nee, dat neem ik terug.' Ik kijk naar beneden. 'Mij een paarse bruidsmeisjesjurk aantrekken was het stomste idee aller tijden.'

'Ik vind dat je er heel mooi uitziet.' Ik zie weer die pretlichtjes in zijn ogen. Hij kijkt op zijn horloge. 'Wat moet ik nu doen? Ik had met Ben bij de burgerlijke stand afgesproken.'

'Ik denk dat we ons er beter niet mee kunnen bemoeien.'

'Mee eens.'

Er valt een stilte. Het is raar om helemaal opgetut op een straathoek te staan zonder naar een bruiloft te kunnen. Ik voel opgelaten aan mijn boeket en vraag me af of ik het weg moet gooien. Het lijkt op de een of andere manier niet goed.

'Heb je zin om iets te gaan drinken?' zegt Lorcan plompverloren. 'Ik ben wel aan een borrel toe.'

'Ik wil er wel zes,' kaats ik terug. 'Het is slopend, hoor, iemand een bruiloft uit haar hoofd praten.'

'Oké. Kom op.'

Een man van snelle beslissingen. Dat bevalt me wel. Hij loodst me al een zijstraat in, naar een café met een gestreepte luifel en Frans uitziende tafels en stoelen.

'Hé, je zus heeft de bruiloft toch wel echt afgeblazen?' Lorcan blijft opeens in de deuropening staan. 'We krijgen toch geen woedend sms'je in de trant van: *Waar blijven jullie nou, verdomme?*'

'Ik heb niets van Lottie gekregen.' Ik kijk naar mijn telefoon. 'Ze was vast van plan de bruiloft af te zeggen. Ik weet zeker dat ze het heeft gedaan.'

'Ik heb ook niets van Ben,' zegt Lorcan kijkend naar zijn Black-Berry. 'Ik denk dat we niet bang hoeven te zijn.' Hij gaat me voor naar een hoektafel en slaat de wijnkaart open. 'Wil je een glas wijn?'

'Ik wil een grote gin-tonic.'

'Je hebt het verdiend.' Hij krijgt weer die twinkeling in zijn ogen. 'Ik doe met je mee.'

Hij bestelt, zet zijn telefoon uit en stopt hem in zijn zak. Een man die zijn telefoon wegstopt. Dat bevalt me ook wel.

'Zo, waarom zou Ben nu niet moeten trouwen?' vraag ik. 'Trouwens, wie ís Ben eigenlijk? Vertel.'

'Ben.' Lorcan trekt een wrang, peinzend gezicht, alsof hij niet weet waar hij moet beginnen. 'Ben, Ben, Ben.' Hij zegt niets meer. Is hij vergeten wat zijn beste vriend voor iemand is? 'Hij is... intelligent,' zegt Lorcan dan. 'Inventief. Er is veel voor hem te zeggen.'

Hij klinkt zo geforceerd en weinig overtuigend dat ik hem verbaasd aankijk. 'Besef je wel dat je klonk alsof je zei dat hij een seriemoordenaar was?'

'Niet waar.' Lorcan kijkt betrapt.

'Wel waar. Ik heb nog nooit iemand zo negatief zien kijken terwijl hij probeerde zijn vriend de hemel in te prijzen.' Ik zet een grafstem op. '"Hij is intelligent. Hij is inventief. Hij vermoordt mensen in hun slaap. Op inventieve manieren."'

'Jezus! Ben je altijd zo...' Lorcan breekt zijn zin af en zucht. 'Oké. Ik zal hem wel willen beschermen. Hij heeft het moeilijk, Ben. Zijn vader is overleden. De toekomst van het bedrijf is onzeker en hij moet beslissen welke kant het op moet. Hij is een geboren gokker, maar het ontbreekt hem aan beoordelingsvermogen. Het is zwaar voor hem. Hij heeft een beetje een vervroegde midlifecrisis, denk ik.'

Een *vervroegde midlifecrisis*? Goh, ideaal. Net wat Lottie nodig heeft.

'Dus geen huwelijksmateriaal?' zeg ik, en Lorcan snuift.

'Op een dag, misschien. Als hij zijn leven op orde heeft. Vorige maand wilde hij een blokhut in Montana kopen. Toen een boot om mee te doen aan zeilraces. Daarvoor was hij vol van het plan om in klassieke motorfietsen te investeren. Volgende week zal hij wel weer een andere bevlieging hebben. Ik gok dat hij geen vijf minuten getrouwd kan blijven. Ik ben bang dat je zus de dupe zou worden.'

De angst slaat me om het hart. 'Nou, goddank is het van de baan.'

'Je hebt er goed aan gedaan,' zegt Lorcan knikkend. 'Vooral omdat we Ben nodig hebben. Hij kan niet nog eens met de noorderzon vertrekken.'

Ik knijp mijn ogen tot spleetjes. 'Hoe bedoel je, "niet nog eens"?'

Lorcan zucht. 'Hij heeft het al een keer eerder gedaan. Toen zijn vader ziek werd. Hij was tien dagen spoorloos. Het werd een hele toestand. We hadden de politie erbij gehaald en alles. Toen kwam hij weer boven water. Geen excuses, geen verklaring. Ik weet nog steeds niet waar hij heeft gezeten.'

De gin-tonics worden gebracht en Lorcan heft zijn glas. 'Proost. Op afgelaste bruiloften.'

'Afgelaste bruiloften.' Ik hef mijn glas, neem een heerlijke teug gin-tonic en kom terug op het onderwerp Ben. 'Waarom heeft hij een midlifecrisis?'

Lorcan aarzelt, alsof hij het vertrouwen van zijn vriend niet wil beschamen.

'Kom op,' dring ik aan. 'Ik ben tenslotte bijna familie van hem.'

'Het zal wel,' zegt Lorcan schouderophalend. 'Ik ken Ben sinds mijn dertiende. We zaten samen op school. Mijn ouders zijn expats in Singapore en ik heb verder geen familie, dus ik bracht de vakanties wel eens bij Ben thuis door en ik kreeg een band met het hele gezin. Bens vader en ik zijn allebei dol op trektochten maken. Wáren, kan ik beter zeggen.' Hij zwijgt even, zijn vingers om zijn glas geklemd. 'Ben ging nooit met ons mee. Geen interesse. En het familiebedrijf kon hem ook niet boeien. Hij zag het als een zware last. Iedereen verwachtte dat hij zijn vader zou gaan helpen zodra hij van school kwam, maar dat was wel het laatste waar hij zin in had.'

'Waarom werk jíj dan bij het bedrijf?'

'Ik ben er een paar jaar geleden bij gekomen.' Lorcans ene mondhoek krult op in een vreemde glimlach. 'Ik had wat... persoonlijke problemen. Ik wilde uit Londen weg, dus ging ik naar Bens vader in Staffordshire. Ik was van plan maar een paar dagen te blijven, wat te wandelen, mijn hoofd leeg te maken, maar toen raakte ik betrokken bij de onderneming en ik ben nooit meer weggegaan.'

'Staffordshire?' zeg ik verbaasd. 'Woon je dan niet in Londen?'

'We hebben ook een kantoor in Londen, natuurlijk.' Hij haalt zijn schouders op. 'Ik reis heen en weer, maar ik zit het liefst daar. Het is een schitterende omgeving. De papierfabriek staat op een landgoed. Het kantoor zit in het landhuis zelf, waar de familie woont. Het staat op de monumentenlijst. Heb je die tv-serie gezien, *Highton Hall*?' Ik knik. 'Nou, dat is het. Ze hebben er acht weken gedraaid. Dat heeft ons een leuk zakcentje opgeleverd.'

'*Highton Hall*?' Ik gaap hem aan. 'Wauw. Het is prachtig. En gigantisch!'

Lorcan knikt. 'Veel van de fabrieksarbeiders wonen in huisjes op het landgoed. We geven rondleidingen door het huis, de fabriek, het bos, we hebben plaatselijke instandhoudingsprojecten... Het is best bijzonder.' Zijn ogen stralen.

'Ja.' Ik laat het op me inwerken. 'Dus jij kwam bij het bedrijf werken... maar Ben had er geen zin in?'

'Pas toen zijn vader ziek werd en hij onder ogen moest zien dat hij het allemaal zou erven,' zegt Lorcan botweg. 'Voor die tijd deed hij al het mogelijke om eronderuit te komen. Hij wilde acteur worden, hij probeerde het als stand-upcomedian...'

'Dus hij was het echt!' Ik zet mijn glas met een klap op tafel. 'Ik heb hem gegoogeld en ik vond alleen recensies van stand-upvoorstellingen. Heel negatief. Was hij echt zo beroerd?'

Lorcan roert in zijn gin-tonic en kijkt strak naar de smeltende ijsklontjes.

'Mij kun je het wel vertellen,' zeg ik samenzweerderig zacht. 'Het blijft onder ons. Was het gênant?'

Lorcan geeft geen antwoord. Nee, natuurlijk niet. Hij wil zijn beste vriend niet afkraken. Daar heb ik respect voor.

'Goed dan,' zeg ik na enig nadenken. 'Vertel me dan één ding. Als ik hem zie, gaat hij dan grapjes maken en moet ik dan doen alsof ik ze leuk vind?'

'Pas op als hij een verhaal over spijkerbroeken begint af te draaien.' Lorcan kijkt eindelijk op en ik zie zijn mondhoeken trekken. 'En lach. Anders kwets je hem.'

'Spijkerbroeken.' Ik prent het in mijn geheugen. 'Oké. Bedankt voor de waarschuwing. Is er wel íéts positiefs over hem te zeggen?'

'O,' zegt Lorcan geschrokken, 'natuurlijk wel! Als Ben in vorm is, kun je je geen beter gezelschap wensen, neem dat maar van mij aan. Hij is charmant. Hij is geestig. Ik begrijp waarom je zus voor hem is gevallen. Als je hem ziet, begrijp je het vast ook.'

Ik neem nog een slok van mijn gin-tonic. Ik begin langzaam tot rust te komen. 'Tja, misschien wordt hij mijn zwager wel, maar in elk geval niet vandaag. Klus geklaard.'

'Ik zal nog met Ben gaan praten,' zegt Lorcan knikkend. 'Zorgen dat hij zich geen stomme ideeën in zijn hoofd haalt.'

Ik voel meteen een steekje ergernis. 'Klus geklaard' heb ik toch net gezegd?

'Je hoeft niet met Ben te praten,' zeg ik beleefd. 'Ik heb het al opgelost. Lottie gaat echt niet meer overhaast trouwen. Ik zou het erbij laten.'

'Het kan geen kwaad,' zegt hij onverstoorbaar. 'Om het er bij hem in te hameren.'

'Toch wel!' Ik zet mijn glas met een klap op tafel. 'Niet hameren! Ik ben een halfuur bezig geweest om Lottie wijs te maken dat het haar eigen idee was om de bruiloft uit te stellen. Ik ben subtiel geweest. Voorzichtig. Ik heb er niet met de botte... bijl op ingehakt.'

Hij vertrekt geen spier. Het is wel duidelijk dat hij een controlfreak is, maar dat ben ik ook. En het gaat wel om mijn zusje.

'Jij gaat níét met Ben praten,' zeg ik gebiedend. 'Laat het hierbij. Je kunt ook te veel doen.'

Het blijft stil, en dan haalt Lorcan zijn schouders op en drinkt zonder iets te zeggen zijn glas leeg. Ik vermoed dat hij weet dat ik gelijk heb, maar het niet kan toegeven. Ik drink mijn glas ook leeg en wacht even, bijna ademloos. Ik hoop dat hij voorstelt nog iets te drinken, besef ik. Het enige wat op me wacht, is een leeg huis. Geen werk. Geen plannen. En eerlijk gezegd vind ik het leuk om hier te zitten kissebissen met die iets te vurige, iets te opvliegende man.

'Nog een?' Hij kijkt op en vangt mijn blik, en ik voel dat er iets verandert tussen ons. Het eerste drankje was een soort slotscène van het hele gedoe. Om het af te sluiten. Het was niet meer dan beleefdheid.

Dit is meer.

'Ja, doe maar.'

'Hetzelfde?'

Ik knik en kijk hoe hij de ober laat komen en bestelt. Mooie handen. Een goede, krachtige kaaklijn. Ongehaaste, ongedwongen manieren. Hij is een stuk aantrekkelijker dan zijn webpagina doet vermoeden.

'De foto op je website is verschrikkelijk,' zeg ik zonder enige inleiding zodra de ober weg is. 'Echt slecht, wist je dat?'

'Wauw.' Lorcan trekt verbijsterd zijn wenkbrauwen op. 'Jij windt er ook geen doekjes om. Gelukkig ben ik niet ijdel.'

'Het is geen kwestie van ijdelheid.' Ik schud mijn hoofd. 'Het is niet dat je er in het echt beter uitziet. Het is dat je persoonlijkheid beter is. Ik kijk naar je en ik zie iemand die de tijd neemt voor mensen. Die zijn telefoon wegstopt. Die luistert. Je bent charmant. In zekere zin.'

'In welke zin?' Hij lacht ongelovig.

'Maar dat spreekt niet uit je foto,' zeg ik zonder notitie van hem te nemen. 'Op je foto kijk je kwaad. Je zendt de boodschap uit: "Wie ben jij in vredesnaam? Heb ik iets van je aan? Hier zit ik niet op te wachten."'

'Dat maak je allemaal op uit één fotootje op een website?'

'Ik denk dat je de fotograaf vijf minuten hebt gegeven, de hele tijd hebt gemopperd en tussen de opnames door telkens naar je BlackBerry hebt gekeken. Geen slimme zet.'

Lorcan maakt een perplexe indruk en ik vraag me af of ik niet te ver ben gegaan.

Oké, natuurlijk ben ik te ver gegaan. Ik ken die vent niet eens en ik zit kritiek te leveren op zijn foto.

'Sorry,' krabbel ik terug. 'Ik kan... bot zijn.'

'Nee, maar.'

'Voel je vrij om bot terug te doen.' Ik kijk hem aan. 'Ik zal niet boos worden.'

'Goed,' zegt Lorcan prompt. 'Die bruidsmeisjesjurk staat je vreselijk.'

In weerwil van mezelf voel ik me een tikje gekwetst. Ik had niet gedacht dat het zó erg was.

'Net zei je nog dat ik er zo mooi uitzag,' sla ik terug.

'Ik loog. Je bent net een zuurtje.'

Ik zal er wel om gevraagd hebben.

'Nou, goed dan. Misschien ben ik net een zuurtje.' Ik kan de verleiding niet weerstaan om hem nog een keer terug te pakken. 'Maar ik heb tenminste geen foto van mezelf op mijn website waarop ik eruitzie als een zuurtje.'

De ober zet weer twee gin-tonics neer en ik pak mijn glas, want ik voel me een beetje verhit na ons verbale steekspel. Ik vraag me ook af hoe we zo ver van het onderwerp zijn afgedwaald. Misschien kunnen we het daar beter weer over hebben.

'Heb je trouwens van Lotties onthoudingsbeleid gehoord?' zeg ik. 'Kan het idioter?'

'Ben heeft er iets over gezegd. Ik dacht dat hij een grapje maakte.'

'Het is geen grap. Ze wachten tot de huwelijksnacht,' zeg ik hoofdschuddend. 'Het is onverantwoordelijk om met iemand te trouwen voordat je met elkaar naar bed bent geweest, als je het mij vraagt. Het is vragen om moeilijkheden!'

'Boeiend idee.' Lorcan haalt zijn schouders op. 'Ouderwets.'

Ik neem een grote teug. Ik voel de behoefte om mijn gedachten over het onderwerp te spuien, en ik kan me niet bepaald bij Noah beklagen.

'Wil je mijn theorie horen?' Ik leun naar voren. 'Het heeft hun beoordelingsvermogen aangetast. Het gaat allemaal om seks. Lottie dwaalt door een wolk van lust. Hoe langer ze wacht, hoe meer haar gedachten worden vertroebeld. Ik bedoel, ik snap het wel. Ben is vast een lekker ding en ze snakt ernaar om met hem te stoeien, maar moet ze echt met hem tróúwen?'

'Het is onzinnig,' zegt Lorcan knikkend.

'Dat zeg ik toch! Ze zouden gewoon met elkaar naar bed moeten gaan. Een week in bed blijven. Een maand, als ze daar zin in hebben! Zich amuseren. En dán zien of ze nog met elkaar willen trouwen.' Ik neem nog een enorme slok van mijn gin-tonic. 'Ik bedoel, je hoeft geen afstand te doen van je leven om seks te hebben...' Opeens valt me iets in. 'Ben jij getrouwd?'

'Gescheiden.'

'Ik ook. Gescheiden. Dus. Wij weten hoe het zit.'

'Waarmee?'

'Seks.' Ik besef dat het er verkeerd uitkwam. 'Het huwelijk,' verbeter ik.

Lorcan neemt bedachtzaam een slokje van zijn gin-tonic. 'Hoe meer ik terugdenk aan de afgelopen jaren,' zegt hij langzaam, 'hoe minder ik van het huwelijk lijk te begrijpen, maar wat seks betreft ben ik volleerd, mag ik hopen.'

De gin is me regelrecht naar het hoofd gestegen. Ik voel de alcohol gonzen en me loslippig maken.

'Vast wel,' zeg ik zonder erbij na te denken.

De lucht lijkt drukkend te worden in de stilte. Het dringt iets te laat tot me door dat ik zojuist tegen een volkomen vreemde heb gezegd dat ik geloof dat hij goed is in bed. Moet ik het terugnemen? Het op de een of andere manier bijstellen?

Nee. Ga door. Ik zoek naar iets onschuldigs om te zeggen, maar Lorcan is me voor.

'Nu we toch zo openhartig zijn – hoe vond jij het? Je scheiding? Een complete nachtmerrie?'

Vond ik mijn scheiding een complete nachtmerrie?

Ik doe mijn mond open, adem lang en diep in en reik in een automatisme naar de usb-stick om mijn nek. Dan bedenk ik me.

Niet verbitterd, Fliss. Níét verbitterd. Lief zijn. Ik moet aan suikerspinnen denken, bonbons, bloemen, wollige lammetjes, Julie Andrews...

'O, je weet wel.' Ik lach mierzoet naar hem. 'Die dingen gebeuren.'

'Hoelang is het geleden?'

'Het is nog aan de gang.' Mijn glimlach wordt breder. 'Het zou nu snel geregeld moeten zijn.'

'En dat zeg je met een glimlach?' vraagt hij ongelovig.

'Ik doe er graag zen over.' Ik knik een paar keer. 'Kalm blijven, gewoon doorgaan. Zie het van de zonnige kant. Blijf er niet in hangen.'

'Wauw.' Lorcan zet grote ogen op. 'Ik ben onder de indruk. De mijne is nu vier jaar geleden en het doet nog steeds pijn.'

'Wat vervelend voor je,' pers ik eruit. 'Arme jij.'

Mijn nepglimlach is niet te harden. Ik wil aan hem vragen hoe het komt dat het nog steeds pijn doet, wat is er gebeurd en zullen we vergelijken op welke manieren onze exen complete misbaksels zijn? Ik snak ernaar om alle details te vertellen en er achter elkaar over door te gaan tot ik van hem hoor wat ik wil horen, namelijk dat ik in alle opzichten gelijk heb en Daniel ongelijk.

Wat ongetwijfeld de reden is waarom Barnaby me heeft toegesproken.

Hij heeft altijd gelijk. De rotzak.

'Dus. Hm. Zal ik nog iets bestellen?' Ik reik naar mijn tas en trek gehaast mijn portemonnee eruit.

Argh. *Nee.*

De portemonnee is open geklapt toen ik hem pakte en de inhoud van mijn Durex Pleasurepack is eruit gevallen. GERIBBELD VOOR EXTRA GENOT valt op de tafel, en er landt een Pleasuremax in Lorcans gin-tonic, zodat hij spetters in zijn gezicht krijgt. Op ons bakje pinda's is een Fetherlite neergestreken.

'O!' Ik raap de condooms snel bij elkaar. 'Die zijn niet... Ze waren voor het schoolproject van mijn zoon.'

'Aha.' Lorcan knikt, vist beleefd de Pleasuremax uit zijn glas en reikt hem me aan. 'Hoe oud is je zoon?'

'Zeven.'

'Zéven?' Hij ziet er gechoqueerd uit.

'Het is... een lang verhaal.' Ik krimp in elkaar als ik het druipende condoom van hem aanneem. 'Ik zal nog een drankje voor je halen. Het spijt me ontzettend.' Zonder erbij na te denken begin ik de Pleasuremax af te drogen met een papieren servetje.

'Ik zou die maar weggooien,' zegt Lorcan. 'Tenzij de nood erg hoog is.'

Ik kijk als door een wesp gestoken op. Zijn gezicht staat neutraal, maar iets aan zijn stem werkt op mijn lachspieren.

'Hij is nog heel,' pareer ik. 'Wie wat bewaart, heeft wat.' Ik stop het condoom in mijn tas. 'Nog een gin? Zonder voorbehoedsgarnituur?'

'Laat mij maar.' Hij leunt met stoel en al achterover om de aandacht van de ober te trekken en onwillekeurig laat ik mijn blik over zijn lange, pezige lijf glijden. Ik weet niet of het de gin is, de schok nadat ik hem heb verteld dat hij goed is in bed of de hele bizarre situatie, maar ik begin een beetje gefixeerd te raken. In gedachten combineer ik hem met mezelf. Stukje bij beetje. Hoe zouden die handen op mijn huid voelen? Hoe zou zijn haar tussen mijn vingers voelen? Hij heeft een stoppelwaas op zijn kaken, wat prettig is. Ik hou van een beetje schuren. Ik hou van vonken. Dat voel ik tussen ons. Een vonk van de goede soort.

Ik voorspel dat hij vastberaden de tijd neemt in bed. Vol aandacht. Dat hij seks net zo serieus opvat als het aanpakken van het liefdesleven van zijn vriend.

Dacht ik daar nou *voorspel*? Waar zit ik mezelf nou eigenlijk naartoe te denken?

Lorcan laat de voorpoten van zijn stoel weer op de vloer neerkomen en kijkt me aan. Er flakkert iets achter zijn oogleden. Hij denkt ook iets. Zijn blik dwaalt telkens over mijn benen en ik ga achteloos verzitten, zodat mijn rok iets hoger opkruipt.

Ik wil wedden dat hij bijtsporen achterlaat. Geen idee waarom. Ik voel het gewoon.

Ik weet niet wat ik moet zeggen. Ik kan geen luchtige openingszinnen meer bedenken. Ik wil nog twee gin-tonics, besluit ik. Twee moet genoeg zijn. En dan...

'Dus,' verbreek ik de stilte.

'Dus.' Lorcan knikt en zegt dan als terloops: 'Moet je op tijd thuis zijn voor je zoontje?'

'Vandaag niet. Hij logeert bij een vriendje.'

'Aha.'

Nu kijkt hij me recht aan en opeens wordt mijn keel dichtge-knepen van verlangen. Het is te lang geleden. Veel te lang. Niet dat ik dat aan hem ga bekennen. Als hij ernaar vraagt, zeg ik achte-loos: 'O, ik heb een korte relatie achter de rug die op niets is uit-gelopen.' Makkelijk. Normaal. Níét: 'Ik voel me zo alleen, zo ge-strest. Ik snak ernaar, niet alleen naar de seks, maar ook naar het aanraken, de intimiteit en het gevoel van een ander mens naast me, iemand die me vasthoudt, al is het maar voor een nacht, een halve nacht of een stukje van de nacht.'

Dat ga ik níét zeggen.

Een serveerster komt onze nieuwe gin-tonics brengen. Ze zet de glazen neer, kijkt naar mijn boeket en dan naar Lorcans corsage. 'O! Gaan jullie trouwen?'

Ik moet wel in lachen uitbarsten. Nou vraag ik je.

'Nee. Nee. Absoluut niet.'

'Beslist niet,' beaamt Lorcan.

'We hebben namelijk een speciale champagneaanbieding voor trouwpartijen,' gaat ze door. 'Er komen er hier zoveel, met de bur-gerlijke stand vlakbij. Komen de bruid en bruidegom nog?'

'Toevallig zijn we antihuwelijk,' zeg ik. 'Ons motto is: vrijheid, blijheid.'

'Daar drink ik op.' Lorcan heft zijn glas. Zijn ogen twinkelen.

De serveerster kijkt van Lorcan naar mij, lacht onzeker en loopt weg. Ik sla de helft van mijn glas achterover. Mijn hoofd tolt een beetje en ik voel weer verlangen opkomen. Ik stel me zijn lippen op de mijne voor, zijn handen die de jurk van mijn lijf scheuren...

O, god. Beheers je, Fliss. Waarschijnlijk denkt hij aan de bus naar huis.

Ik wend mijn blik af en roer in mijn glas om tijd te winnen. Ik vind die onzekere fase in een date, als je geen idee hebt hoe het gaat aflopen, niet te harden. Je tjoekt in de trage achtbaan van de date omhoog. Je weet hoe hoog jij al bent, maar je hebt geen idee waar hij is, en of hij zelfs wel is ingestapt. Misschien gaat hij in gedachten de andere kant op. Ik zit al midden in de drieënvijftig-ste seksfantasie, maar hij staat misschien op het punt beleefd af-scheid te nemen en op huis aan te gaan.

'Zullen we ergens anders naartoe gaan?' zegt Lorcan plotseling, en ik krijg een knoop in mijn maag van de zenuwen. *Ergens anders naartoe.* Waar?

'Dat lijkt me heel leuk, ja.' Ik dwing mezelf ingehouden en koel te klinken. 'Wat had je in gedachten?'

Hij krijgt een diepe frons in zijn voorhoofd en valt met zijn roerstaafje op zijn ijsklontjes aan alsof hij geen idee heeft hoe hij die diepe, complexe vraag moet pareren.

'We kunnen ergens gaan eten,' zegt hij uiteindelijk zonder enig enthousiasme. 'Sushi, misschien. Of...'

'Of we kunnen niet gaan eten.'

Hij kijkt op, eindelijk niet meer op zijn hoede, en er loopt een heerlijke rilling over mijn rug. Hij is als mijn spiegelbeeld. Hij heeft een hunkering in zijn ogen. Een radeloos verlangen. Hij wil iets verslinden, en ik geloof niet dat het sushi is.

'Dat zou ook kunnen,' zegt hij, en zijn ogen dwalen weer af naar mijn benen. Duidelijk een benenman.

'Dus... waar woon je?' vraag ik luchtig, alsof het zomaar een vraag is.

'Niet al te ver weg.'

Zijn ogen laten de mijne niet meer los. Oké, we zijn op de top aangekomen. Samen. Ik zie het panorama dat zich voor ons uitstrekt. Ik kan een opgetogen glimlach niet onderdrukken. Ik denk dat we het leuk gaan krijgen samen.

7

Fliss

Ik ben half wakker. Denk ik. O, god. Pijn in mijn hoofd.

Al die gedachten. Waar moet ik beginnen? Een waas van herinnerde ervaringen die elkaar verdringen. En plotselinge flitsen: intense, verbijsterende herinneringen als scheutjes citroensap. Hij. Ik. Onder. Boven... Opeens merk ik dat ik in gedachten Noahs oude prentenboek over tegenstellingen opzeg. Binnen. Buiten. Die kant. De andere kant.

Maar het is nu uit met de pret. Het moet ochtend zijn, als ik mag afgaan op het licht dat door mijn oogleden straalt. Ik lig met een been over het dekbed en durf mijn ogen nog niet goed open te doen. Jij. Ik. Toen. Nu. O, god, *nu*.

Ik doe een oog een stukje open en zie een beige dekbed. O, ja. Ik herinner me dat beige dekbed van gisteren. De ex-vrouw heeft kennelijk alle Egyptische katoen van The White Company meegenomen en hij is naar de dichtstbijzijnde Linnengoed voor Gescheiden Mannen-winkel gegaan. Mijn hoofd bonst en het beige begint voor mijn ogen te zinderen, dus doe ik ze weer dicht en draai me op mijn rug. Ik heb al heel lang geen onenightstand meer gehad. Heel, heel lang. Ik weet niet meer hoe het moet. Een opgelaten kus? Nummers uitwisselen? Koffie?

Koffie. Koffie kan ik wel gebruiken.

'Morgen,' haalt het gerommel van zijn stem me dan eindelijk naar de werkelijkheid. Hij is hier. In de kamer.

'O. Hm.' Ik draai me op mijn zij en hijs me op een elleboog omhoog om tijd te winnen en wrijf snel de slaap uit mijn ogen. 'Hallo.'

Hallo. Vaarwel.

Ik trek het dekbed om me heen, ga rechtop zitten en probeer te glimlachen, al voelt mijn gezicht alsof het dan barst. Lorcan is al helemaal aangekleed in een pak met stropdas en hij reikt me een mok aan. Ik kijk hem even ogenknipperend aan in een poging de

Lorcan van vandaag te rijmen met die van gisteren. Heb ik die herinneringen soms gedróómd?

'Thee?' De mok die hij me aanreikt, is goedkoop en gestreept. Van Aardewerk voor Gescheiden Mannen, denk ik.

'O.' Ik trek een grimas. 'Sorry. Ik doe niet aan thee. Geef maar water.'

'Koffie?'

'Ik wil dolgraag koffie. En een douche?'

En schone kleren. En die papieren die ik thuis heb laten liggen en het geschenksetje van Molton Brown voor Elises verjaardag... Mijn brein komt langzaam op gang. Dit was eigenlijk geen slimme zet. Nu moet ik als een speer naar huis, mijn telefonische interview van negen uur verzetten... Ik tast al om me heen naar mijn telefoon. Ik moet ook naar Sebastians huis bellen om Noah goedemorgen te wensen.

Mijn blik valt op de paarse bruidsmeisjesjurk. Shit en nog eens shit.

'De badkamer is die kant op.' Lorcan gebaart naar de gang.

'Dank je.' Ik pak het dekbed en probeer het elegant om me heen te slaan, als een actrice in een slaapkamerscène uit een soap, maar het is zo zwaar dat het aanvoelt alsof ik een ijsbeer wil aantrekken. Ik span me tot het uiterste in, slaag erin het van het bed te sleuren, zet een stap, struikel prompt, sla tegen een bureau en stoot mijn elleboog.

'Au!'

'Ochtendjas?' Hij houdt een chic geval met een paisleymotiefje op. Dat heeft zijn ex zeker niet te pakken gekregen.

Ik aarzel even. Zijn ochtendjas aantrekken lijkt een beetje te snoezig. Een beetje *laat ik je grote mannelijke overhemd aantrekken en de mouwen vertederend om mijn vingers laten fladderen.* Maar er zit niets anders op.

'Dank je.'

Hij wendt beleefd zijn blik af, als een massagetherapeut in een beautycentrum – compleet overbodig, want hij heeft het allemaal al gezien – en ik hijs me in de ochtendjas.

'Ik heb zo'n idee dat je een koffiesnob bent.' Hij trekt vragend zijn wenkbrauwen op. 'Heb ik gelijk?'

Ik doe mijn mond al open om: 'O, nee, het maakt niet uit,' te zeggen, maar bedenk me. Ik ben wel degelijk een koffiesnob. En ik voel me katterig. En eerlijk gezegd heb ik liever helemaal geen koffie dan een deprimerende kop afwaswater.

'Een beetje wel, maar maak je niet druk. Ik spring even onder de douche en dan ben ik hier weg...'

'Ik ga wel koffie voor je halen.'

'Nee!'

'Het is zo gebeurd. Net als die douche van jou.'

Hij loopt weg en ik ga op zoek naar mijn tas. Er moet een borstel in zitten. En handcrème, die dienst zou kunnen doen als vochtinbrengende crème. Mijn blik speurt de kamer af en intussen vraag ik me af of ik Lorcan leuk vind. Of ik hem nog eens zal zien. Of dit zelfs... iets zou kunnen worden?

Niet iets serieus. Ik zit nog midden in mijn scheiding; het zou gekkenwerk zijn om me nu in een relatie te storten. Maar het was fijn vannacht. Al herinner ik me nog maar de helft, die helft was genoeg om het nog eens over te willen doen. Misschien kunnen we er een soort vaste afspraak van maken. Eén keer per maand, als een leesclub.

Waar is mijn tas toch? Ik loop de kamer in en zie een schermmasker aan een haak hangen. En een floret, of hoe zoiets ook heet. Het idee heeft me altijd aangetrokken. O, ik kan me niet bedwingen. Ik pak het ding voorzichtig van de haak en zet het op. Er hangt een spiegel aan de wand en ik loop erheen, gewapend met de floret.

'Sta op, ridder Huppeldepup,' zeg ik tegen mijn spiegelbeeld. 'Hiii-yah!' Ik doe een kungfu-uitval naar mezelf en de paisley ochtendjas fladdert om mijn enkels.

Nu heb ik de slappe lach. En opeens wil ik dit bespottelijke moment met Lottie delen. Ik pak mijn telefoon en bel haar.

'Ha, Fliss,' neemt ze prompt op. 'Oké, ik zit op de bruidswebsite. Sluier of geen sluier? Ik denk sluier. Wat dacht je van een sleep?'

Ik knipper met mijn ogen naar de telefoon en schiet bijna weer in de lach. Ze is in een bridezilla veranderd. Natuurlijk. Het fijne van Lottie is dat ze niet wrokkig is of erin blijft hangen wanneer ze wordt tegengewerkt. Ze verandert gewoon van koers en gaat door, met haar blik op de horizon gericht.

'Sluier.'

'Hè?'

'Sluier.' Ik besef dat mijn stem wordt gedempt door het masker en schuif het omhoog. 'Sluier. Dus, is het gelukt, de bruiloft verzetten? Was Ben niet boos?'

'Ik moest op hem inpraten, maar uiteindelijk vond hij het goed. Hij zei dat hij alleen maar wilde wat ik wilde.'

'Hebben jullie toch nog je huwelijksnacht in het Savoy doorgebracht?'

'Nee!' roept ze ontzet. 'Ik heb toch gezegd dat we wachten tot we getrouwd zijn!'

Shit. Ze houdt nog steeds vast aan dat mallotige plan. Ik hoopte dat de roze lustbril een beetje was gezakt.

'En Ben is er blij mee?' Ik klink sceptisch, of ik wil of niet.

'Ben wil dat ík blij ben.' Lotties stem krijgt een bekende, stroperige toon. 'Weet je, Fliss? Ik ben heel blij dat we hebben gepraat. De bruiloft wordt véél mooier. En het voordeel is dat Ben en jij elkaar eerst kunnen leren kennen!'

'Goh, wil je hem aan je familie voorstellen vóór je naar het altaar schrijdt en belooft de rest van je leven bij hem te blijven? Weet je dat wel zeker?'

Ik geloof niet dat ze mijn toon hoort. Ik denk dat het blije bruidswaas haar als een beschermende atmosfeer omhult. Het sarcasme verbrandt voordat het haar oren bereikt.

'Toevallig heb ik zijn vriend Lorcan gisteren ontmoet,' vervolg ik. 'Hij heeft me al het een en ander verteld.'

'Echt waar?' Ze klinkt enthousiast. 'Heb je Lorcan gezien? Wauw! Wat zei hij over Ben?'

Wat zei hij over Ben? Even denken. *Bens situatie laat nu niet toe dat hij gaat trouwen... Hij heeft een beetje een vervroegde midlifecrisis...Je zus zou de dupe worden...*

'Gewoon de basisfeiten,' jok ik. 'Hoe dan ook, ik popel om Ben te ontmoeten. Laten we snel iets afspreken. Vanavond?'

'Ja! Laten we met zijn allen wat gaan drinken of zo. Fliss, je vindt hem vast geweldig. Hij is zo geestig! Hij is stand-upcomedian geweest!'

'Nee, maar.' Ik zet een verraste, verrukte stem op. 'Wauw. Dat moet ik zien. Dus... eh... trouwens. Raad eens waar ik nu ben? Bij Lorcan thuis.'

'Huh?'

'We... zijn bij elkaar gebleven. We kwamen elkaar tegen op weg naar de burgerlijke stand en we hebben wat gedronken en van het een kwam het ander.'

Ze krijgt het hoe dan ook te horen, dus vertel ik het haar liever zelf.

'Dat meen je niet!' Lotties stem bruist over. 'O, wat goed! We kunnen er een dubbele bruiloft van maken!'

Alleen Lottie. Alleen zij kan zoiets zeggen.

'Krijg nou wat!' zeg ik. 'Dat dacht ik ook. Kunnen we op identieke pony's naar het altaar rijden?'

Nu bereikt het sarcasme haar oren wel.

'Doe nou niet zo!' zegt ze verwijtend. 'Je weet maar nooit. Blijf voor alles openstaan. Ik ben op de bonnefooi naar die afspraak met Ben gegaan en moet je zien! Zo gaat dat.'

Ja, zo gaat dat. Een meisje dat net is afgewezen en een jongen met een midlifecrisis storten zich samen in een ondoordacht huwelijk. Daar is vast wel een Disney-liedje over. Daarin rijmt 'kus' op 'verbitterde juridische strijd'.

'Het was maar een wipje,' zeg ik geduldig. 'Dat was het. Afgelopen, basta.'

'Er zou meer van kunnen komen,' spreekt Lottie me tegen. 'Hij zou de liefde van je leven kunnen zijn. Was het leuk? Vond je hem aardig? Is hij lekker?'

'Ja, ja en ja.'

'Nou dan! Sluit het niet uit. Hé, ik zit naar die huwelijkswebsite te kijken. Zullen we een taart van profiteroles nemen? Of wat dacht je van een piramide van cupcakes?'

Ik doe vertwijfeld mijn ogen dicht. Wat een stoomwals.

'Dat hadden ze bij de receptie van tante Diana, weet je nog?' kwettert Lottie door. 'Hoe groot was die?'

'Klein.'

'Weet je het zeker? In mijn herinnering was het een groot gebeuren.'

Ze was toen vijf. Natuurlijk is het groot in haar herinnering.

'Nee, echt, piepklein. Die hele avond was een beproeving. Ik moest doen alsof ik het naar mijn zin had, maar...' Ik trek een opstandig gezicht. Ik herinner me het te strakke bruidsmeisjesjurkje nog dat ik aan moest. En het dansen met de volwassen vrienden van tante Diana met hun bierkegels.

'Echt waar?' zegt Lottie verwonderd. 'Maar de dienst was toch mooi, hè?'

'Nee. Vreselijk. En daarna werd het niet veel beter.'

'O! Je kunt profiteroles met glitterglazuur krijgen.' Ze luistert niet eens. 'Zal ik je de link mailen?'

'Ik word al misselijk bij het idee,' zeg ik gedecideerd. 'Misschien moet ik wel echt overgeven. En dan gaat Lorcan nóóit van me houden, en dan komt er nóóit een dubbele bruiloft met identieke pony's...'

Ik hoor iets en kijk om. Het bloed stijgt naar mijn hoofd. Shit. *Shit.*

Daar is hij. Lorcan staat in de deuropening, een meter of drie hoog. Hoelang staat hij daar al? Wat heeft hij gehoord?

'Ik moet hangen, Lotje.' Ik verbreek snel de verbinding. 'Ik praatte even met mijn zus,' zeg ik zo achteloos mogelijk. 'Het waren gewoon... grapjes. Grapjes over van alles. Zoals dat gaat.'

Opeens schiet me te binnen dat ik zijn schermmasker nog op heb. Mijn maag verkrampt weer van schaamte. Laat ik het eens door zijn ogen zien: ik sta in zijn huis, in zijn ochtendjas, met zijn schermmasker op over een dubbele bruiloft te praten. Ik trek het masker snel van mijn hoofd.

'Wat... leuk,' zeg ik stompzinnig.

'Ik wist niet of je hem zwart wilde,' zegt hij na een stilte die een eeuwigheid lijkt te duren.

'O. De koffie.'

Er speelt iets onder de oppervlakte. Wat? Ik hoor mijn eigen stem weer in mijn hoofd. *Ik moest doen alsof ik het naar mijn zin had...*

Dat heeft hij toch zeker niet gehoord? Hij denkt toch niet dat ik...

Nee, echt, piepklein. Die hele avond was een beproeving.

Hij denkt toch niet dat ik het over...

Mijn maag keert zich om van afgrijzen en ik sla een hand voor mijn mond om een ontdane lach binnen te houden. Nee. *Nee.*

Moet ik zeggen... Moet ik mijn excuses...

Nee.

Maar moet ik dan niet tenminste uitleggen...

Ik kijk waakzaam naar Lorcan op. Zijn gezicht verraadt niets. Misschien heeft hij niets gehoord. Of juist wel.

Er is gewoon geen enkele manier om dit aan te kaarten zonder dat het verschrikkelijk averechts uitpakt en we allebei dood willen. Wat ik moet doen, is weggaan. In de benen komen. Nu. Weg.

'Dus... Bedankt voor de... eh.' Ik hang het masker weer aan de haak. Wegwezen, Fliss. Nu.

Ik blijf de hele ochtend naschokken van schaamte voelen.

Het is me in elk geval gelukt ongezien van de taxi naar mijn voordeur te schichten. Ik heb de paarse jurk van mijn lijf gerukt, de snelste douche in de geschiedenis van de mensheid genomen en Noah met de telefoon op de luidspreker gebeld terwijl ik probeerde het make-upproces te versnellen. (Het heeft geen zin om je te haasten bij het aanbrengen van mascara. Dat weet ik. Waarom loop ik dan telkens weer in dezelfde val en moet ik uiteindelijk klodders van mijn wangen, mijn voorhoofd en de spiegel vegen?) Noahs logeerpartij lijkt een honderd procent daverend, triomfantelijk succes te zijn. Kon ik dat ook maar van de mijne zeggen.

Ik kon me er niet toe zetten Lottie terug te bellen, en ik had er de tijd ook niet voor. Ik heb haar dus maar een sms gestuurd met het voorstel om zeven uur iets te gaan drinken.

Nu zit ik me op kantoor door een recensie van een nieuwe, luxueuze safari lodge in Kenia heen te werken die net binnen is gekomen en ongeveer tweeduizend woorden te lang is. Die journalist denkt zeker dat hij het nieuwe *Out of Africa* schrijft. Hij meldt niets over het zwembad, de roomservice of het beautycentrum, alleen over de nevelige zonsopkomst boven de savanne, de nobele houding van de zebra's in de schemering bij de drenkplaats en de zinderende grasvlakten met hun eeuwenoude verhalen die weerklinken in het ritme van de trommels van de Masai.

Ik krabbel *roomservice???* in de kantlijn en maak een notitie dat ik hem moet mailen. Dan kijk ik naar mijn telefoon. Lottie heeft onze afspraak gek genoeg nog niet bevestigd. Ik had gedacht dat ze zou staan te springen om me te vertellen hoeveel bruidstijdschriften ze vandaag tot zich heeft genomen.

Ik werp een blik op mijn horloge. Ik heb nu wel even tijd voor een zusterlijk gesprekje. Ik leun achterover in mijn stoel, kies Lotties nummer en maak door het raam van mijn kantoor een 'kop koffie?'-gebaar naar Elise. Elise en ik hebben een prima gebarentaalsysteem. Ik kan 'kop koffie?', 'zeg maar dat ik er niet ben!' en 'ga naar huis, het is laat!' gebaren. Elise kan 'kop koffie?', 'deze lijkt me belangrijk' en 'ik ga even een broodje eten' naar mij seinen.

'Fliss?'

'Ha, Lottie.' Ik schop mijn schoenen uit en neem een slok uit mijn fles Evian. 'Dus, gaan we nog wat drinken? Krijg ik Ben te zien?'

Het blijft stil aan de andere kant. Waarom blijft het stil? Lottie doet niet aan stiltes.

'Lottie? Ben je er nog?'

'Raad eens?' Het is belangrijk, zo te horen. 'Raad eens?'

Ze klinkt zo in haar sas dat ik begrijp dat ze iets bijzonders voor elkaar heeft gekregen.

'Je trouwt in de kapel van onze oude school, het koor zingt "I Vow to Thee, My Country" en in het hele land klinkt klokgelui?'

'Nee!' Ze lacht.

'Je hebt een bruidstaart van profiteroles én cupcakes gevonden, helemaal bedekt met glitterglazuur?'

'Nee, gekkie! We zijn getrouwd!'

'Wat?' Ik kijk wezenloos naar de telefoon.

'Ja! We hebben het gedaan! Ben en ik zijn getrouwd! Daarnet! Bij de burgerlijke stand in Chelsea!'

Ik knijp zo hard in de fles Evian dat er een stroom water uit omhoog spuit die over mijn hele bureau spat.

'Ga je me nog feliciteren?' vervolgt ze een beetje gepikeerd.

Ik kan haar niet feliciteren, want ik kan geen woord uitbrengen. Mijn keel zit dicht. Ik heb het benauwd. Nee, ik heb het koud. Ik ben in paniek. Hoe heeft dit kunnen gebeuren?

'Wauw,' pers ik er ten slotte uit. Ik probeer kalm te blijven. 'Dat is… Hoe dat zo? Je zou het uitstellen. Ik dacht dat je het ging uitstellen. Daar waren we het over eens. Dat je het ging uitstellen.'

Je had het moeten UITSTELLEN.

Elise komt met mijn koffie binnen, kijkt me geschrokken aan en maakt het gebaar voor 'alles oké?' Maar ik heb geen gebaar voor 'die rotzus van me heeft haar leven verwoest', dus knik ik met een starre doodsgrijns op mijn gezicht en neem de kop koffie aan.

'We konden niet wachten,' zegt Lottie blij. 'Bén kon niet wachten.'

'Maar je had hem toch overgehaald?' Ik doe mijn ogen dicht en masseer mijn voorhoofd terwijl ik probeer het te bevatten. 'Waar zijn de bruidstijdschriften gebleven? Het dorpskerkje?'

Waar is de bridezilla gebleven? wil ik zwakjes kreunen. *Breng de bridezilla terug.*

'Ben was helemaal voor het kerkje en alles,' zegt Lottie. 'Hij heeft toevallig een lieve, traditionele kant...'

'Wat is er dan gebeurd?' Ik probeer mijn ongeduld te beteugelen. 'Waarom is hij van gedachten veranderd?'

'Het kwam door Lorcan.'

'Hè?' Mijn ogen vliegen open. 'Hoe bedoel je, het kwam door Lorcan?'

'Lorcan kwam vanochtend vroeg naar Ben toe. Hij zei tegen Ben dat hij niet met me moest trouwen, dat het allemaal een grote vergissing was. Nou, Ben ging door het lint! Hij kwam mijn kantoor binnenstormen en zei dat hij nú met me wilde trouwen en dat iedereen de pest kon krijgen, ook Lorcan.' Lottie zucht verzaligd. 'Het was zó romantisch. Iedereen op kantoor gaapte ons aan. En toen tilde hij me op en droeg me naar buiten, net als in *An Officer and a Gentleman*, en iedereen juichte. Het was waanzinnig, Fliss.'

Ik hijg, zo ingespannen probeer ik me te beheersen. Die idioot. Die stomme, zelfingenomen, ellendige... *idioot*. Ik had het probleem opgelost. Het was in kannen en kruiken. Ik had de diplomatieke kaart perfect gespeeld. En wat doet Lorcan? Het verknallen. Die Ben zo opstoken dat hij het meest bespottelijke, overdreven gebaar maakt dat er is. Geen wonder dat Lottie ervoor is gevallen.

'Gelukkig was er een afzegging bij de burgerlijke stand, zodat ze nog een gaatje voor ons hadden. En we kunnen het huwelijk later nog kerkelijk laten inzegenen,' zegt ze opgewekt, 'dus ik krijg het beste van allebei!'

Ik wil mijn kop koffie door de kamer gooien. Of misschien wil ik hem boven mijn hoofd omkeren. Ik heb een akelig golvend gevoel in mijn maag. Dit is ook mijn schuld. Ik had dit kunnen voorkomen. Als ik haar alles had verteld wat Lorcan had gezegd.

Hij heeft een beetje een vervroegde midlifecrisis... Je zus zou de dupe worden.

'Waar ben je nu?'

'Aan het pakken! We gaan naar Ikonos! Het is zó spannend.'

'Dat zal best,' zeg ik zwakjes.

Wat moet ik doen? Ik kan niets doen. Ze zijn getrouwd. Het is een feit.

'Misschien krijgen we een huwelijksreisbaby,' vervolgt Lottie koket. 'Hoe zou je het vinden om tante te worden?'

'Wát?' Ik schiet overeind. 'Lottie...'

'Fliss, ik moet hangen, daar is de taxi, liefs...'

Ze verbreekt de verbinding. Ik bel haar koortsachtig terug, maar krijg de voicemail.

Een baby? Een *baby*?

Ik wil kermen. Is ze krankzinnig geworden? Heeft ze enig idee hoeveel spanning een baby met zich meebrengt?

Mijn liefdesleven is één grote opeenvolging van rampen. Ik moet er niet aan denken dat het Lottie net zo vergaat. Ik wilde dat zij zou slagen waar ik had gefaald. Ik wilde dat haar droom werkelijkheid werd. Nog lang en gelukkig. Een tuinhekje. Sterke, duurzame liefde. Geen huwelijksreisbaby met een malloot die even is gegrepen door het idee van huiselijk geluk en dan overstapt op klassieke motorfietsen. Niet bij Barnaby Rees zitten met rode ogen, ongewassen haar en een peuter die probeert Barnaby's wetboeken op te eten.

In een opwelling googel ik het Amba Hotel. Mijn ogen worden prompt belaagd door een reeks vakantiepornobeelden. Blauwe luchten en zonsondergangen. Het fameuze zwembad met de grot en de tien meter hoge waterval. Beeldschone stelletjes die langs de zee slenteren. Gigantische, met rozenblaadjes bestrooide bedden. Laten we eerlijk zijn, ze hebben die liefdesbaby al gemaakt voordat de huwelijksnacht om is. Lotties eierstokken zullen in actie springen en ze zal de hele weg naar huis moeten overgeven.

Als hij dan echt een malloot blijkt te zijn... als hij haar in de steek laat... Ik sluit mijn ogen en sla mijn handen voor mijn gezicht. Ik trek dit niet. Ik moet Lottie spreken. Oog in oog. Zoals het hoort. Met haar hersenen erbij, niet in een droomwereldje. Ze moet in elk geval de gevolgen kunnen overzien van wat ze heeft gedaan.

Ik zit roerloos op mijn stoel terwijl mijn gedachten heen en weer schieten als een muis in een doolhof. Ik probeer een oplossing te verzinnen, een uitweg, maar het spoor loopt telkens dood...

Dan hef ik mijn hoofd en haal diep adem. Ik heb een besluit genomen. Het is immens en extreem, maar ik heb geen keus. Ik ga me met haar huwelijksreis bemoeien.

Het kan me niet schelen dat het een snood plan is. Al vergeeft ze het me nooit: ik vergeef het mezelf nooit als ik het níet doe. Een huwelijk is één ding, onveilige seks is iets heel anders. Ik moet erheen. Ik moet mijn zus tegen zichzelf beschermen.

Ik reik bruusk naar de telefoon en bel de reisafdeling.

'Hallo,' zeg ik zodra ik Clarissa, die onze reizen regelt, aan de lijn heb. 'Een beetje een noodgeval, Clarissa. Ik moet dringend naar Ikonos. Dat Griekse eiland. De eerste vlucht die ik kan krijgen. En ik moet in het Amba logeren. Ze kennen me daar.'

'Oké.' Ik hoor haar toetsen aanslaan. 'Er gaat maar één rechtstreekse vlucht per dag naar Ikonos, hoor. Anders moet je in Athene overstappen, en dat duurt een eeuwigheid.'

'Weet ik. Zorg dat ik de eerste rechtstreekse vlucht krijg. Dank je, Clarissa.'

'Heb je het Amba niet pas nog beoordeeld?' vraagt ze verbaasd. 'Een paar maanden geleden?'

'Ik doe een follow-up,' lieg ik gladjes. 'Een plotselinge beslissing. Het is een idee voor een nieuwe rubriek,' voeg ik eraan toe om mijn verhaal te schragen. 'Steekproeven in hotels.'

Dat is het voordeel als je hoofdredacteur bent. Niemand trekt mijn woorden in twijfel. En het is ook echt een goed idee. Ik maak mijn BlackBerry open en typ: *Steekproeven??*

'Oké. Nou, je hoort van me. Ik hoop dat je met de vlucht van morgen mee kunt.'

'Bedankt.'

Ik verbreek de verbinding en trommel gespannen met mijn vingers op het bureau. In het gunstigste geval kan ik morgen vertrekken. Lottie is al op weg naar de luchthaven. Ze neemt de vlucht van vanmiddag. Vanavond is ze in het hotel. Daar wacht de Oyster Suite met het super kingsize bed, het verzonken bubbelbad en de champagne.

Hoeveel mensen verwekken een kind in de huwelijksnacht? Kan

ik het via Google uitzoeken? Ik typ: *baby verwekken huwelijks-nacht* en wis het ongedurig. Het gaat niet om Google. Het gaat om Lottie. Kon ik ze maar tegenhouden. Kon ik er maar zijn voordat ze... Hoe heet dat? Het huwelijk consummeren.

'Consummeren'. Het woord roept een vage herinnering op. Wat was het ook alweer? Ik knipper met mijn ogen en probeer het me weer voor de geest te halen. O, ja, Barnaby zei het toen hij me uitlegde wat een nietigverklaring was. Ik hoor het hem weer zeggen: *Het wil zeggen dat het huwelijk wordt geacht nooit te hebben bestaan. De huwelijksovereenkomst is niet geldig.*

Het huwelijk heeft nooit bestaan!

Dat is het. Dát is de oplossing. Een nietigverklaring! Het mooiste woord dat er bestaat. De remedie voor alles. Geen echtscheiding. Geen juridisch getouwtrek. Een vingerknip en het is voorbij. Het is nooit gebeurd.

Ik moet dit voor Lottie doen. Ik moet haar een uitweg bieden. Maar hoe moet ik dat in vredesnaam voor elkaar krijgen? Wat kan ik... Hoe kan ik... Hoe moet je...

Dan flitst er een nieuw idee door mijn hoofd.

Ik denk er bijna ademloos over na. Ongelooflijk dat ik dit denk. Het is nog snoder en extremer dan een huwelijksreis verstoren, maar het zou alles oplossen.

Nee. Dat kan ik niet maken. Ik bedoel, dat kan echt niet. Hoe je het ook wendt of keert. Het is onmogelijk. En verkeerd. Een vrouw die haar zus dit aandoet, moet een monster zijn.

Oké. Dan ben ik maar een monster.

Ik pak de telefoon en zie dat mijn vingers beven. Ik weet niet of het van angst is of van vastberadenheid.

'Amba Hotel, vipservice, wat kan ik voor u doen?'

'Hallo,' zeg ik met een beetje onvaste stem. 'Kunt u me doorverbinden met Nico Demetriou? Zeg maar dat het Fliss Graveney van *Pincher Travel Review* is. Zeg maar dat het belangrijk is.'

Terwijl ik in de wacht sta, zie ik Nico voor me, maar liefst een meter achtenzestig lang, met een colbert dat over zijn buik spant. Ik ken Nico van het Mandarin Oriental in Athene en daarvoor het Sandals op Barbados. Hij zit al zijn hele leven in het hotelwezen en heeft zich van piccolo opgewerkt tot vipconciërge van het Amba. Ik zie hem op zijn lakleren schoenen over de marmeren vloer van de lobby dribbelen, met ogen die altijd waakzaam heen en weer flitsen.

Zijn specialiteit is 'gastenbeleving'. Of je nu een eigen cocktail wilt, een helikoptertocht, een zwempartij met dolfijnen of een groep buikdanseressen in je kamer, hij fikst het. Als ik een broeder in het kwaad zou mogen kiezen, koos ik Nico.

'Fliss!' schalt zijn stem vrolijk door de telefoon. 'Ik heb net gehoord dat je ons een bezoek wilt brengen?'

'Ja. Ik hoop morgenavond aan te komen.'

'Wat een eer dat we je zo snel weer te zien krijgen! Kan ik je met iets bijzonders bijstaan? Of is het misschien een privébezoek?'

Ik hoor de vraag in zijn stem. Een zweempje achterdocht. Waarom kom ik terug? Wat is er aan de hand?

'Het is iets persoonlijks.' Ik zwijg even om naar woorden te zoeken. 'Nico, ik moet je om een gunst vragen. Mijn zus komt vandaag in het Amba aan. Ze is net getrouwd. Het is haar huwelijksreis.'

'Fantastisch!' Zijn stem blaast me bijna van de sokken. 'Je zus krijgt de vakantie van haar leven. Ik zal mijn beste butler voor haar aanstellen. We zullen haar bij aankomst opwachten met een glas champagne en de ervaring helemaal op haar toespitsen. Misschien een upgrade, misschien een speciaal diner...'

'Nee, Nico. Je begrijpt het niet. Ik bedoel, het klinkt geweldig, maar ik moet je iets anders vragen,' zeg ik handenwringend. 'Het is... ongebruikelijk.'

'Ik doe dit werk al jaren,' zegt Nico vriendelijk. 'Ik vind niets meer gek. Wil je haar verrassen? Wil je dat ik een cadeautje op haar kamer leg? Zal ik een massage voor het stel in een privéhutje op het strand regelen?'

'Niet precies.'

O, god. Hoe moet ik dit brengen?

Kom op, Fliss. Zeg het maar gewoon.

'Ik wil dat je ervoor zorgt dat ze niet met elkaar naar bed gaan,' flap ik eruit.

Het blijft doodstil aan de andere kant van de lijn. Ik heb zelfs Nico van zijn stuk gebracht.

'Fliss, kun je dat nog eens herhalen?' zegt hij uiteindelijk. 'Ik ben bang dat ik het niet goed begrijp.'

Ik ben bang dat hij het wel goed begrijpt.

'Ik wil dat je zorgt dat ze niet met elkaar naar bed gaan,' herhaal ik zo duidelijk mogelijk articulerend. 'Geen seks. Geen huwelijksnacht. In elk geval niet tot ik er ben. Doe wat je kunt. Zet ze in verschillende kamers. Leid ze af. Ontvoer een van beiden. Doe al het mogelijke.'

'Maar het is hun huwelijksreis.' Hij klinkt verbijsterd.

'Weet ik. Daarom juist.'

'Wil je de huwelijksnacht van je eigen zus torpederen?' Zijn stem schiet ontsteld omhoog. 'Wil je tussen een man en zijn kersverse bruid komen? Terwijl ze net voor God in de echt verbonden zijn?'

Ik had het beter moeten uitleggen.

'Nico, het huwelijk is haar opgedrongen. En het was niet voor God! Het is een grote, stomme vergissing. Ik moet haar spreken. Ik kom zo snel mogelijk, maar als je ze in de tussentijd uit elkaar zou willen houden...'

'Vindt ze hem niet leuk?'

'Ze vindt hem heel leuk.' Ik krimp in elkaar. 'Ze snakt er zelfs naar om met hem het bed in te duiken. Het wordt dus een hele uitdaging om ze tegen te houden.'

Het blijft weer stil. Ik kan me Nico's verblufte gezicht alleen maar voorstellen.

'Fliss, ik ben bang dat ik niet aan je vreemde verzoek kan voldoen,' zegt hij uiteindelijk. 'Ik kan je zus daarentegen wel een gratis diner aan de tafel van de chef-kok in ons met vijf sterren bekroonde zeevruchtenrestaurant aanbieden...'

'Nico, alsjeblieft. Alsjeblíéft, luister naar me,' onderbreek ik hem radeloos. 'Het is mijn kleine zusje, oké? Ze is gedumpt door de man van wie ze houdt en heeft zich bij wijze van wraak in dit huwelijk gestort. Ze kent die vent amper. Nu heeft ze het al over kinderen. Ik heb hem nooit ontmoet, maar hij schijnt een mafkees te zijn. Stel je voor dat jouw dochter haar leven liet ruïneren door de verkeerde. Dan zou je toch ook alles doen om er een stokje voor te steken?'

Ik heb Nico's dochter gezien. Ze heet Maya en ze is een snoezig meisje van tien met strikken in haar haar. Dat moet hem toch aanspreken?

'Als ze geen seks hebben, kan het huwelijk nietig worden verklaard,' zeg ik ten overvloede. 'Dan is het voor de wet niet geconsummeerd. Maar als ze wél seks hebben...'

'Dan is dat hun eigen zaak!' Nico is zo te horen aan het eind van zijn Latijn. 'Dit is een hotel, Fliss, geen gevangenis! Ik kan niet continu opletten waar mijn gasten zijn! Ik kan geen toezicht houden op... hun bezigheden.'

'Zeg je nou dat je het niet kúnt?' daag ik hem uit. 'Je bent niet in staat er vierentwintig uur voor te zorgen dat ze van elkaar afblijven?'

Nico gaat er prat op dat hij elk probleem kan oplossen, zo is hij. Echt elk probleem. Ik wil wedden dat hij al zit te bedenken hoe hij het zou kunnen aanpakken.

'Als je dit voor me kunt doen, ben ik je eeuwig dankbaar.' Ik vervolg op gedempte toon: 'En uiteraard zou ik mijn dankbaarheid uiten door het hotel nog eens te beoordelen. Vijf sterren. Gegarandeerd.'

'We hebben het voorrecht van een vijfsterrenrecensie in je blad al mogen smaken,' slaat hij terug.

'Zes dan,' improviseer ik. 'Ik maak er speciaal voor jou een categorie bij. "De nieuwe superluxe wereldklasse". En ik zet de naam van het hotel op het omslag. Weet je wel hoeveel dat waard is? Weet je wel hoe blij je bazen zouden zijn?'

'Fliss, ik heb begrip voor je probleem,' kaatst Nico terug. 'Toch moet je begrijpen dat ik me met geen mogelijkheid met het privéleven van de gasten kan bemoeien, zeker niet als ze hier komen om van hun huwelijksreis te genieten!'

Hij klinkt tamelijk vastbesloten. Ik zal een reusachtige troef uit mijn mouw moeten schudden.

'Oké dan!' Ik ga nog zachter praten. 'Luister. Als je me uit de brand helpt, plaats ik een profiel van jou in het blad. Van jou persoonlijk, Nico Demetriou. Ik noem je... het geheime wapen van het Amba. Het kostbaarste bezit van het hotel. De vipmanager die je moet hebben. Iedereen in de branche zal het zien. Echt iedereen.'

De rest hoef ik hem niet voor te kauwen. Het blad komt in vijfenzestig landen uit. Elke CEO van elk hotel werpt er minimaal een blik in. Zo'n profiel zou een vrijbrief zijn voor elke baan die hij maar wil, waar ook ter wereld.

'Ik weet dat je altijd hebt gedroomd van het Four Seasons in New York,' vervolg ik zacht.

Mijn hart bonst een beetje. Ik heb nooit eerder misbruik gemaakt van mijn macht en ik raak erdoor in een roes. Deels goed, deels slecht. Zo begint corruptie, bepeins ik. Straks ruil ik gunstige recensies voor koffers geld en kernraketten.

Het is eenmalig, hou ik mezelf streng voor. Eenmalig, en er zijn verzachtende omstandigheden.

Nico zegt niets. Ik voel zijn geweten langs zijn beroepsmatige ambitie schuren en voel me schuldig omdat ik hem dit aandoe, maar ik ben niet aan die hele schijnvertoning begonnen, toch?

'Je bent een meester, Nico,' vlei ik hem. 'Je bent een genie in het voor elkaar krijgen van dingen. Als iemand dit kan, ben jij het wel.'

Heb ik hem overgehaald? Ben ik gek? Stuurt hij op dit moment een e-mail aan Gavin?

Net als ik de moed wil opgeven, hoor ik zijn stem opeens zacht door de telefoon: 'Fliss, ik beloof niets.'

Ik krijg plotseling weer een sprankje hoop.

'Ik begrijp het volkomen,' antwoord ik net zo zacht, 'maar... wil je het proberen?'

'Ik zal het proberen. Vierentwintig uur, niet langer. Hoe heet je zus?'

Yes!

'Charlotte Graveney.' Ik kom bijna niet uit mijn woorden van opluchting. 'Al zal ze zich nu wel mevrouw Parr noemen. Ze is getrouwd met Ben Parr. Ze hebben de Oyster Suite gereserveerd. En het maakt me niet uit wat ze doen, als ze maar geen seks hebben,' zeg ik. 'Met elkaar,' voeg ik eraan toe.

Het blijft lang stil en dan zegt Nico simpelweg: 'Dat wordt een heel merkwaardige huwelijksreis.'

8

Lottie

Ik ben getrouwd! Mijn mondhoeken krullen op in een blijvend opgewekte glimlach. Ik ben zo euforisch dat ik het gevoel heb dat ik weg kan zweven. Dit is de mooiste, meest magische, meest bijzondere dag van mijn leven. Ik ben getrouwd!! *Ik ben getrouwd!!!*

Ik blijf maar voor me zien hoe Ben het kantoor in kwam benen met een boeket rozen. Je kon aan zijn op elkaar geklemde kaken en vuurspuwende ogen zien dat hij het meende. Zelfs Martin, mijn chef, kwam zijn kamer uit om te kijken. Je kon een speld horen vallen toen Ben bij mijn deur bleef staan en declameerde: 'Ik ga met je trouwen, Lottie Graveney, en wel vandaag.'

Toen tilde hij me op – *hij tilde me op* – en iedereen juichte, en Kayla kwam achter me aan gerend met mijn tas en mijn telefoon, en Ben gaf me het boeket en dat was dat. Ik was een bruidje.

Ik herinner me de huwelijksvoltrekking amper. Ik was in shock. Ben gaf telkens bijna voor de vraag was gesteld al antwoord; dat weet ik nog wel. Hij bedacht zich geen moment – hij klonk zelfs bijna agressief toen hij zijn jawoord gaf. Hij had wat milieuvriendelijke confetti meegebracht waarmee we onszelf hebben bestrooid, hij trok een fles champagne open en toen was het tijd om te pakken en naar de luchthaven te gaan. Ik heb me niet eens omgekleed; ik heb mijn kantoorkleren nog aan. Ik ben getrouwd in mijn kantoorkleren en het kan me niets schelen!

Ik zie mezelf in de spiegel boven de bar en onderdruk een giechel. Ik zie er net zo rood aangelopen en lichtzinnig uit als ik me voel. We zitten in de businessclass lounge op Heathrow op de vlucht naar Ikonos te wachten. Ik heb sinds het ontbijt niets meer gegeten, maar ik heb geen trek. Ik ben helemaal hyper. Mijn handen beven onbedaarlijk.

Ik neem een paar partjes fruit en een dun plakje emmentaler, gewoon om iets te doen te hebben, en schrik me rot als ik een hand op mijn been voel.

'Brandstof aan het tanken?' klinkt Bens stem in mijn oor, en er loopt een zalige rilling over mijn rug. Ik draai me naar hem om en hij wrijft met zijn neus in mijn hals en laat zijn hand discreet onder mijn rok omhoog glijden. Lekker. O, wat lekker.

'Ik kan niet wachten,' fluistert hij in mijn oor.

'Ik ook niet,' fluister ik terug.

'Je bent ook zo lekker.' Zijn adem strijkt heet over mijn huid.

'Jij bent nog lekkerder.'

Ik reken weer uit hoelang we nog moeten wachten. De vlucht naar Ikonos duurt drieënhalf uur. Het kan niet langer dan twee uur duren om door de douane te komen en naar het hotel te rijden. Dan nog tien minuten om de bagage naar de suite te laten brengen... vijf minuten om ons uit te leggen hoe de lichtschakelaars werken... dertig seconden om het bordje NIET STOREN op te hangen...

Bijna zes uur. Ik weet niet of ik nog bijna zes uur kan wachten. Ben lijkt zich net zo te voelen. Hij hijgt zelfs. Zijn handen dwalen tussen mijn dijen. Ik kan me nauwelijks op mijn vijgencompote concentreren.

'Pardón.' Een man op leeftijd wurmt zich langs ons heen en begint plakken emmentaler op zijn bord te laden. Hij neemt Ben en mij afkeurend op. 'Moet dat hier?' voegt hij er verwijtend aan toe.

Ik voel dat ik bloos. Zó opvallend was het niet.

'Het is onze huwelijksreis,' dien ik hem van repliek.

'Gefeliciteerd,' zegt de oude man onaangedaan. 'Ik hoop dat je bruidegom zijn handen wast voordat hij iets te eten pakt.'

Zuurpruim.

Ik kijk naar Ben en we lopen samen naar een paar pluchen stoelen. Mijn hele lichaam pulseert. Ik wil zijn handen weer waar ze waren, bezig met waar ze mee bezig waren.

'Dus. Hm. Kaas?' Ik hou Ben de schaal voor.

'Nee, dank je,' zegt hij knorrig.

Dit is een marteling. Ik kijk op mijn horloge. We zitten hier nu twee minuten. We zullen de tijd op de een of andere manier door moeten komen. Een gesprek. Dat hebben we nodig. Een gesprek.

'Ik ben dol op emmentaler,' begin ik. 'Jij?'

'Ik vind het smerig.'

'Echt?' Ik sla het nieuwe weetje over hem op. 'Goh. Ik had geen idee dat je geen emmentaler lustte.'

'Het is me tegen gaan staan in het jaar dat ik in Praag woonde.'

'Heb je in Praag gewoond?' vraag ik nieuwsgierig.

Het intrigeert me. Ik had geen idee dat Ben in het buitenland had gewoond. Of een hekel had aan emmentaler. Dat is het grote voordeel als je met iemand trouwt zónder eerst jaren samen te wonen. Je moet nog van alles aan de weet komen. We zijn samen aan een ontdekkingsreis begonnen. We zullen elkaar ons hele leven blijven verkennen. Elkaars geheimen uitpakken. Wij worden nooit zo'n stel dat geen boe of bah zegt omdat ze alles al weten en alles al hebben gezegd en alleen maar op de rekening zitten te wachten.

'Dus... Praag! Hoe dat zo?'

'Ik weet het niet meer,' zegt Ben schouderophalend. 'Het was het jaar dat ik circusvaardigheden leerde.'

Circusvaardigheden? Die had ik niet zien aankomen. Net als ik wil vragen wat hij nog meer heeft gedaan, piept zijn telefoon dat hij een sms heeft. Hij haalt hem uit zijn zak, leest de sms en trekt een kwaad gezicht. Ik kijk hem bezorgd aan.

'Alles kits?'

'Het is van Lorcan. Hij zoekt het maar uit.'

Weer die Lorcan. Ik ben zo benieuwd naar hem. Ik ben hem ook heel dankbaar. Als hij niet tegen Ben had gezegd wat hij heeft gezegd, was Ben nooit in vliegende vaart naar mijn kantoor gekomen en had ik de meest romantische ervaring van mijn leven moeten missen.

Ik wrijf meelevend over Bens arm. 'Is hij niet je oudste vriend, zeg maar? Moet je het niet bijleggen?'

'Hij wás mijn oudste vriend, kun je beter zeggen,' sneert Ben.

Ik kijk over zijn schouder naar het scherm en vang een glimp op van het sms-bericht.

Je kunt niet voor die beslissingen weglopen, Ben. Je weet hoe hard iedereen heeft gewerkt, en nu je snor drukken is gewoon...

Ben trekt de telefoon weg en ik durf niet te vragen of ik de rest mag lezen.

'Wat voor beslissingen?' vraag ik behoedzaam.

'Gewoon wat saaie, stomvervelende onzin.' Ben kijkt kwaad naar zijn telefoon. 'En ik druk mijn snor helemaal niet. Jezus. Lorcan wil altijd dat ik alles doe zoals hij het wil. In de tijd van mijn vader is hij eraan gewend geraakt dat hij het voor het zeggen had. Nou, dat is nu anders.'

Hij typt een kort bericht, met woeste bewegingen van zijn duimen. Hij krijgt vrijwel direct antwoord en vloekt binnensmonds.

'Prioriteiten. Hij begint tegen mij over prioriteiten. Ik heb een léven. Ik doe wat ik vijftien jaar geleden had moeten doen. Ik had toen met je moeten trouwen. Dan hadden we nu tien kinderen gehad.'

Ik word overspoeld door liefde voor hem. Hij wil een groot gezin! We hebben het er nooit over gehad, maar ik hoopte echt dat hij ook veel kinderen wilde. Misschien wel vier. Misschien wel zes!

'We kunnen het nu inhalen.' Ik leun naar hem over en wrijf met mijn neus in zijn nek. Ben laat zijn telefoon op de stoel vallen.

'Weet je?' zegt hij. 'Niets doet ertoe, behalve wij tweeën.'

'Zo is dat,' verzucht ik.

'Ik herinner me nog precies wanneer ik voor je viel. Het was op die dag dat je radslagen maakte op het strand. Je lag te zonnen op die rots midden in zee. Je dook eraf en zwom naar het strand, en in plaats van terug te lopen legde je de hele afstand af in radslagen. Volgens mij wist je niet dat er iemand naar je keek.'

Ik weet het nog. Ik herinner me het gevoel van het vlakke zand onder mijn handen. Mijn zwiepende haar. Ik was lenig en sportief. Ik had een wasbordje.

En natuurlijk wist ik dat hij naar me keek.

'Je maakt me gek, Lottie.' Zijn handen kruipen weer onder mijn rok omhoog. 'Dat heb je altijd al gedaan.'

'Ben, het kán niet.' Ik werp een blik op de oude man, die over zijn krant heen mijn blik vangt. 'Niet hier.'

'Ik hou het niet meer.'

'Ik ook niet.' Mijn hele lichaam pulseert weer. 'Maar het moet.' Ik kijk weer op mijn horloge. Het is nog maar tien minuten later. Hoe houden we dit vol?

'Hé.' Ben kijkt me in de ogen en zegt samenzweerderig: 'Heb je die wc's al gezien? Ze zijn enorm.' Hij zwijgt even. 'En gemengd.'

Ik onderdruk een giechel. 'Je wilt toch niet…'

'Waarom niet?' Zijn ogen vonken. 'Zullen we?'

'Nu?'

'Waarom niet? We hebben nog twintig minuten.'

'Ik... Ik weet niet.' Ik weifel, innerlijk verscheurd. Het is niet bepaald hoe ik me mijn huwelijksnacht had voorgesteld: een vluggertje op de wc's op Heathrow. Anderzijds wist ik niet dat ik zo radeloos zou zijn. 'En onze huwelijksnacht dan?' klamp ik me tegen wil en dank aan mijn plan vast. 'Die zouden we toch speciaal en romantisch maken?'

'Dat doen we nog steeds.' Zijn vingers spelen zacht met mijn oorlelletje, zodat het gevoel als vuurwerk door mijn hals trekt. 'Dit is het grote gebeuren nog niet. Dit is een voorproefje.' Zijn vingers hebben mijn behabandje gevonden. 'En eerlijk gezegd sta ik op springen.'

'Ik ook.' Ik druk een kreun de kop in. 'Oké, ga jij maar eerst. Zoek maar een plekje voor ons.'

'Ik stuur je een sms.'

Hij staat op en loopt snel naar de wc's. Ik leun achterover in mijn stoel en probeer mijn lachen in te houden. Het is hier zo stil en saai dat ik geen idee heb hoe we dit voor elkaar moeten krijgen.

Ik pak mijn telefoon in afwachting van Bens sms'je en roep in een opwelling Fliss' nummer op. We maakten altijd grapjes over de Mile High Club. Dit moet ik haar vertellen. Ik stuur snel een sms: *Benieuwd hoe het is om het op de wc op het vliegveld te doen? Ik laat het je weten...* ☺

Ik verwacht niet echt antwoord. Het is maar een onzinnig grapje. Ik sta dus paf als ik even later al antwoord krijg: *Nee! Niet doen!!!!! Nee! Slecht plan. Wacht tot hotel!!!!!!!!*

Ik kijk verbouwereerd naar het scherm. Wat is het probleem? Ik vuur weer een sms op haar af: *Wees niet bang, we zijn getrouwd* ☺

Ik neem een slokje water en hoor weer *ping*. Nu is het een bericht van Ben.

3e deur links. 2x kloppen.

Ik voel een zalige huivering en sms terug: *Kom eraan.*

Ik pak mijn tas en zie dat Fliss weer een sms heeft gestuurd: *Vind echt, echt dat je moet wachten!!!! Bewaar het voor het hotel!!!!*

Het begint vervelend te worden. Ik heb haar gewoon voor de lol ge-sms't, niet om een stomme preek te krijgen. Waar is ze bang voor, dat we betrapt worden, dat ze op de een of andere manier ontdekken dat ze mijn zus is en dat haar kostelijke tijdschrift een slechte naam krijgt? Ik sms kregelig terug: *Bemoei je er niet mee.*

Op weg door de lounge naar de wc's tril ik letterlijk op mijn benen van verwachting. Ik klop twee keer op de derde deur en Ben, die al half uitgekleed is, trekt me naar binnen.

'O, god. O, god...'

Hij drukt zijn mond onmiddellijk op de mijne, zet zijn hand in mijn haar, en nu maakt hij mijn beha los en wurm ik me uit mijn slipje. Ik ben nog nooit zo snel geweest. Ik heb het nog nooit zo snel gewild. Ik heb er nog nooit zo'n zin in gehad.

'Sst!' sissen we telkens tegen elkaar terwijl we tegen de wanden van de cabine bonken. Ze zijn stevig, goddank. We manoeuvreren ons haastig in positie, Ben steunt tegen de muur, we hijgen allebei als stoommachines, ik weet nu al dat dit hooguit tien seconden gaat duren...

'Condoom?' fluister ik.

'Nee.' Hij kijkt me aan. 'Toch?'

'Nee.' Ik voel een extra stoot opwinding. Misschien gaan we een kindje maken!

'Hé.' Hij houdt ineens op. 'Heb je nog kinky dingen gedaan sinds onze laatste keer? Moet je me iets vertellen?'

'Een paar,' zeg ik ademloos terwijl ik mijn rok iets verder op-stroop. 'Ik vertel het nog wel. Schiet óp.'

'Oké! Geef me een kans...'

Klop-klop-klop-klop!

Ik krijg bijna een hartverzakking als ik het kloppen op de deur hoor en ik stoot mijn knie aan de stortbak. Wat nou weer? Wat?

'Pardon?' zegt een vrouwenstem aan de andere kant van de deur. 'Ik ben de bedrijfsleider van de lounge. Is daar iemand?'

Shit.

Ik kan niets zeggen. Ik kan me niet bewegen. Ben en ik kijken elkaar panisch aan.

'Wilt u de deur opendoen, alstublieft?'

Mijn been is nog om Bens rug geslagen. Mijn andere voet rust op de wc-bril. Ik heb geen idee waar mijn ondergoed is. Het ergste is nog wel dat mijn hele lijf bonst van opwinding.

Kunnen we die bedrijfsleider gewoon negeren? Doorgaan? Ik bedoel, wat kan ze ertegen beginnen?

'Doorgaan?' fluister ik naar Ben. 'Heel zachtjes?' Ik maak er een verduidelijkend gebaar bij en de wc-bril kraakt. Shit.

'Als u niet opendoet, zal ik een loper moeten gebruiken,' zegt de stem.

Hebben ze een loper van de wc's? Wat is dit, een fascistisch regime?

Ik hijg nog steeds, maar nu van ellende en frustratie. Ik kan dit niet. Ik kan mijn huwelijk niet consummeren zolang er een bedrijfsleider achter de deur staat te luisteren, op vijftien centimeter afstand, met een loper in de aanslag.

Er wordt weer op de deur geklopt. Het wordt nu meer bonzen. 'Hoort u me?' vraagt de vrouw streng. 'Kunt u me horen daarbinnen?'

Ik kijk spijtig naar Ben. We moeten iets zeggen, voordat ze de deur door een arrestatieteam laat rammen.

'O, hallo!' roep ik terwijl ik jachtig mijn beha vastmaak. 'Sorry! Ik was even mijn... hoofd aan het doen.'

Mijn *hoofd*? Waar kwam dat vandaan?

'Mijn man hielp me,' vervolg ik zoekend naar mijn slipje. Ben hijst zijn broek op. Het is afgelopen.

Verdomme. Waar is mijn slipje? Ik zal het moeten laten liggen. Ik strijk snel mijn haar achter mijn oren, kijk naar Ben, pak mijn tas, doe de deur open en glimlach naar de grijze vrouw die met een jongere, bruinharige handlanger achter de deur staat.

'Neem ons niet kwalijk,' zeg ik gladjes. 'Ik heb een medisch probleem. Mijn man moet me helpen een serum aan te brengen. We doen het het liefst ongestoord.'

De vrouw neemt me wantrouwig van top tot teen op. 'Zal ik een arts voor u laten komen?'

'Nee, dank u, het gaat alweer. Dank je, schat,' besluit ik tegen Ben om het af te maken.

De vrouw kijkt naar de vloer. 'Is dat van u?' Ik volg haar blik en vloek inwendig. Mijn slipje. Daar was het dus.

'Natuurlijk niet,' zeg ik met een vernietigende waardigheid.

'Juist.' De vrouw wendt zich tot haar assistente. 'Lesley, laat alsjeblieft een schoonmaker komen om deze cabine op te frissen.'

O, god. Dat slipje is wel van Aubade. Het heeft me veertig pond gekost. En het hoort bij mijn beha. Ik moet er niet aan denken dat het wordt weggegooid.

'Hoewel...' Ik tuur naar het slipje alsof me opeens iets opvalt. 'Bij nader inzien... is het misschien toch van mij.' Ik raap het zo achteloos mogelijk op en kijk naar een rozenknopje. 'Ja, klopt.' Ik prop het in mijn zak, de staalharde blik van de bedrijfsleider mijdend. 'Heel erg bedankt voor uw hulp. Ga zo door. Mooie lounge.'

'Mogen we u complimenteren met het buffet?' voegt Ben eraan toe. Hij biedt me zijn arm aan en loopt met me weg voordat ik kan knappen. Ik weet niet of ik wil lachen of krijsen. Hoe heeft dit kunnen gebeuren? Hoe wíst dat mens dat?

'We deden heel stil,' prevel ik tegen Ben. 'Muisstil.'

'Wedden dat het die oude vent was?' prevelt hij terug. 'Hij moet ons hebben verklikt. Hij kon wel raden wat we deden.'

'Wat een eikel.'

Ik zak op een van de pluchen stoelen en kijk mistroostig om me heen. Waarom bieden ze eigenlijk niet de mogelijkheid om seks te hebben? Vanwaar die nadruk op draadloos internet en druiven eten?

'Laten we wat champagne drinken,' zegt Ben en hij geeft een kneepje in mijn schouder. 'Het geeft niks. Wacht maar tot vanavond.'

'Wacht maar tot vanavond!' beaam ik vurig.

Ik kijk weer op mijn horloge. Nog vijf uur en dertig minuten voordat we dat bordje NIET STOREN aan de deur kunnen hangen. Ik zal elke milliseconde tellen. Ben loopt naar de bar en ik pak mijn telefoon en sms Fliss. *Betrapt. Iemand heeft ons verlinkt. Etterbakken.*

Het blijft vrij lang stil... en dan krijg ik antwoord. *Arme jij. Behouden vlucht. Xxx*

9

Fliss

Educatief. Het is een *educatieve* reis. Ja.

Ik heb geen toestemming gevraagd. Ik heb niet van tevoren gewaarschuwd. Ik heb me niet in de kamer van het schoolhoofd de les laten lezen. Ik heb het gevoel dat in dit geval het verrassingselement van cruciaal belang is.

'Mevrouw Phipps?' Mevrouw Hocking kijkt om de deur van het lokaal. 'U wilde me spreken?'

'Ja, hallo.' Ik lach zo zelfverzekerd mogelijk. 'Ja. Het is maar een kleinigheid. Ik moet Noah voor een paar dagen van school halen. We gaan naar een Grieks eiland. Het wordt heel educatief.'

'Hm.' Ze fronst haar voorhoofd op een ontmoedigende manier. 'Ik vrees dat u daarvoor toestemming moet vragen aan het hoofd...'

'Ik begrijp het,' zeg ik knikkend. 'Jammer genoeg heb ik geen tijd meer om het aan haar te vragen, want ik heb begrepen dat ze er vandaag niet is.'

'O? Wanneer was u dan van plan te gaan?'

'Morgen.'

'Mórgen?' zegt mevrouw Hocking ontzet. 'Maar we zijn nog maar net twee dagen bezig!'

'Ach, dat is ook zo,' zeg ik zogenaamd verbaasd, alsof het niet in me is opgekomen. 'Tja, ik ben bang dat het een noodgeval is.'

'Wat voor noodgeval?'

Een huwelijksreisgebonden, seksgerelateerd noodgeval. U kent dat wel.

'Een... familiecrisis,' zeg ik voor de vuist weg. 'Maar het wordt een heel educatieve reis, zoals ik al zei. Ongelooflijk educatief.' Ik spreid mijn armen alsof ik wil aangeven hoe educatief het uitstapje wel niet wordt. 'Hoogst, hoogst educatief.'

'Hm.' Mevrouw Hocking wil duidelijk geen toestemming geven. 'Is dit niet al de vierde keer dit jaar dat Noah verzuimt?'

'Denkt u?' hou ik me van den domme. 'Ik zou het niet weten.'

'Ik weet dat het...' – ze schraapt haar keel – '... een moeilijke tijd is voor u. Gezien uw werk en... alles.'

'Ja.'

We staren allebei naar het plafond alsof we zo de herinnering kunnen wissen aan die keer toen Daniel met zijn nieuwe team imposante, invloedrijke advocaten was komen aanzetten en ik toen ik Noah kwam afhalen in tranen uitbarstte en zo ongeveer op haar schouder moest uithuilen.

'Tja.' Ze zucht. 'Goed dan. Ik zal het aan het hoofd doorgeven.'

'Dank u wel,' zeg ik ootmoedig.

'Noah heeft op dit moment zijn extra les, maar als u even meeloopt, zal ik u zijn tas geven.'

Ik loop achter haar aan het lege lokaal in, waar het naar hout, verf en klei ruikt. De onderwijsassistent, Ellen, is plastic telramen aan het opruimen en kijkt glimlachend naar me op. Ellen, die een man heeft die veel verdient in het bankwezen, is dol op vijfsterrenhotels. Ze leest het tijdschrift elke maand en heeft altijd vragen over de nieuwste beautybehandelingen en of Dubai nog wel kan.

'Mevrouw Phipps neemt Noah mee op een educatief reisje naar een Grieks eiland,' zegt mevrouw Hocking met een uitgestreken gezicht, zodat wel duidelijk is dat ze alleen kan bedoelen: *Deze onverantwoordelijke moeder gaat een minivakantie vol seks en drugs houden en sleept haar arme zoontje mee om high te worden van de dampen; wat kan ik eraan doen?*

'Wat enig!' zegt Ellen. 'Maar hoe moet het dan met het nieuwe hondje?'

'Het wat?' Ik gaap haar wezenloos aan.

'Noah heeft verteld dat jullie sinds kort een puppy hebben. Een cockerspaniël, toch?'

'Een cockerspaniël?' Ik lach. 'Ik weet niet waar hij dat vandaan heeft. We hebben geen puppy en we krijgen geen puppy...' Ik zie dat mevrouw Hocking en Ellen een veelbetekenende blik wisselen. 'Wat is er?'

Het blijft stil – en dan zucht mevrouw Hocking. 'We vermoedden al zoiets. Vertel eens, is Noahs opa onlangs overleden?'

'Nee.' Ik kijk haar niet-begrijpend aan.

'En hij is in de vakantie niet aan zijn hand geopereerd?' mengt

156

Ellen zich in het gesprek. 'In het kinderziekenhuis aan Great Ormond Street?'

'Nee!' Ik kijk van haar naar mevrouw Hocking. 'Zegt hij dat?'

'Maak u alstublieft geen zorgen,' zegt mevrouw Hocking snel. 'Het is ons het vorige semester al opgevallen dat Noah een nogal... levendige fantasie heeft. Hij vertelt allerlei verhalen en sommige daarvan kunnen gewoon niet waar zijn.'

Ik kijk haar angstig aan. 'Wat voor verhalen?'

'Het is volkomen normaal voor kinderen van die leeftijd om in een fantasiewereld te leven,' omzeilt ze mijn vraag. 'En hij heeft thuis natuurlijk een woelige periode achter de rug. Hij groeit er wel overheen.'

'Wat voor verhalen?' dring ik aan.

'Nou...' Mevrouw Hocking wisselt weer zo'n blik met Ellen. 'Hij zei dat hij een harttransplantatie had gehad. Wij wisten natuurlijk wel dat dat niet waar was. Hij had het over een zusje van een draagmoeder, wat volgens ons waarschijnlijk ook niet waar was...'

Een harttransplantatie? Een *draagmoeder*? Hoe kan Noah zulke woorden zelfs maar kennen?

'Juist,' zeg ik uiteindelijk. 'Ik zal het er met hem over hebben.'

'Voorzichtig.' Mevrouw Hocking glimlacht. 'Het is een volkomen normale fase, zoals ik al zei. Misschien is het een vraag om aandacht, misschien is hij zich er niet eens van bewust. Ik ben er hoe dan ook zeker van dat hij er wel overheen groeit.'

'Hij zei zelfs dat u een keer alle kleren van uw man op straat hebt gegooid en tegen de buren zei dat ze alles mochten hebben!' zegt Ellen vrolijk lachend. 'Hij heeft zo'n rijke fantasie!'

Mijn gezicht gloeit. Shit. Ik dacht dat hij sliep toen ik dat deed.

'Waar haalt hij het vandaan!' Ik doe mijn best om natuurlijk te klinken. 'Wie doet er nou zoiets?'

Mijn gezicht is nog warm als ik bij het lokaal van de remedial teacher aankom. Noah krijgt elke woensdag na school extra les van haar omdat hij zo'n verschrikkelijk handschrift heeft (de officiële reden is iets met 'spatiële agrafie' en de lessen kosten zestig pond per keer).

Er is een wachtruimte bij het lokaal en ik ga op de kabouterbank zitten. Tegenover me zie ik een plank vol potloden met speciale handvatten, vreemd gevormde scharen en zakjes met bonen. Er is een plank vol boeken met titels als *Hoe voel ik mij vandaag?* Op de tv aan de wand kabbelt zachtjes een kinderprogramma.

We zouden op kantoor ook wel zo'n afdeling kunnen gebruiken, valt me in. Ik zou het niet erg vinden om elke week een halfuur weg te mogen om in zakjes bonen te knijpen en naar het kaartje te wijzen waarop staat: *Vandaag ben ik droevig omdat mijn baas een zak is.*

'… geopereerd in het kinderziekenhuis aan Great Ormond Street,' trekt een stem uit de tv mijn aandacht. 'Daarna had ik een zere hand en kon ik niet meer schrijven.' Ik kijk op en zie een klein, oosters uitziend meisje in de lens praten. 'Maar Marie heeft me geholpen om weer te leren schrijven.' Er klinkt muziek en we zien het meisje onder begeleiding van een vrouw met een potlood worstelen. Tot slot houdt het meisje stralend van trots een tekening op die ze heeft gemaakt. Het beeld vervaagt en ik kijk verbaasd naar de tv.

Great Ormond Street. Is dat toeval?

'Mijn mammie heeft een baby van een draagmoeder gekregen.' Er klinkt andere muziek en er komt een jochie met sproeten in beeld. 'Eerst voelde ik me buitengesloten, maar nu vind ik het hartstikke leuk.'

Wat?

Ik pak de afstandsbediening en zet het geluid harder terwijl Charlie zijn zusje aan de kijkers voorstelt. Ten slotte zien we het hele gezin in de tuin zitten. Dan komt Romy, die een cochleair implantaat heeft gekregen, en dan Sara, die vertelt dat haar moeder plastische chirurgie heeft ondergaan en er nu anders uitziet (maar het geeft niets) en dan David met zijn nieuwe hart.

De dvd gaat nergens over, begrijp ik al snel. Het is promotiemateriaal voor een reeks andere dvd's. En hij begint telkens opnieuw. Het ene inspirerende, hartverscheurende verhaal na het andere.

Ik hoor de aangrijpende verhalen van de kinderen aan en moet bijna een traantje wegpinken, maar ik ben ook ziedend van frustratie. Is er dan niemand op het idee gekomen eens naar deze dvd te kijken? Heeft niemand het verband gelegd tussen Noahs verhalen en waar hij naar kijkt?

'Nu kan ik weer rennen en ravotten,' zegt David blij in de lens. 'Ik kan met Lucy spelen, mijn nieuwe hondje.'

Lucy is een cockerspaniël. Natuurlijk.

Opeens gaat de deur open en wordt Noah uitgelaten door zijn remedial teacher, mevrouw Gregory.

'Hallo, mevrouw Phipps,' zegt ze zoals elke week. 'Noah gaat goed vooruit.'

'Mooi zo.' Ik glimlach vriendelijk naar haar. 'Noah, lieverd, trek je jas aan.' Noah loopt naar de kapstokken en ik kijk weer naar mevrouw Gregory en zeg op gedempte toon: 'Mevrouw Gregory, ik heb net die boeiende dvd van u gezien. Noah heeft een levendige fantasie, en ik geloof dat hij zich iets te sterk identificeert met die kinderen. Kunt u de tv misschien uitzetten als hij hier zit?'

'Identificeert?' herhaalt mevrouw Gregory verwonderd. 'Hoe dan?'

'Hij heeft aan mevrouw Hocking verteld dat hij een harttransplantatie heeft gehad,' zeg ik botweg. 'En dat hij in het kinderziekenhuis aan zijn hand is geopereerd. Hij heeft het allemaal van die dvd.' Ik gebaar naar de tv.

'Aha.' Haar gezicht betrekt. 'Mijn hemel.'

'Het is niet erg, maar zou u misschien iets anders kunnen opzetten? Of gewoon niets?' Ik glimlach poeslief naar haar. 'Dat zou ik heel fijn vinden.'

Sommige kinderen denken dat ze Harry Potter zijn, maar het mijne denkt natuurlijk weer dat hij de hoofdrol speelt in een zelfhulp-dvd. Op weg naar buiten geef ik een kneepje in Noahs hand.

'Hé, lieverd, ik heb die dvd van de juf gezien. Leuk, hè, verhaaltjes kijken? Verhaaltjes over *andere mensen*,' zeg ik nadrukkelijk.

Noah denkt er lang en diep over na.

'Als je mammie plastische chirurgie heeft gedaan,' zegt hij uiteindelijk, 'hoef je niet verdrietig te zijn. Ook al ziet ze er anders uit. Want ze is nu vast gelukkiger.'

De glimlach besterft me op de lippen. Alsjeblieft, zeg nou niet dat hij op school heeft verteld dat ik plastische chirurgie heb ondergaan en me veel gelukkiger voel.

'Zo is dat.' Ik probeer relaxed te klinken. 'Eh, Noah, je weet toch wel dat mammie geen plastische chirurgie heeft gehad, hè?'

Noah mijdt mijn blik. O, god, wat heeft hij gezegd?

Net als ik hem er nog een keer van wil doordringen dat ik absoluut geen plastische chirurgie heb ondergaan (die ene keer botox telt niet) piept mijn telefoon. Het is een sms van Lottie. O, god. Zeg nou niet dat het ze op de een of andere manier toch is gelukt.

We gaan instappen. Wat vind je van Mile High Club? Kunnen de baby Miles of Miley noemen ☺ xxx

Ik sms snel terug: *Doe niet zo ranzig! Fijne vakantie xxx*

Ik verzend de sms en kijk nog een paar seconden naar mijn telefoon. Ze zullen het toch niet in het vliegtuig proberen te doen? Nee. Bovendien heeft het luchthavenpersoneel discreet aan het cabinepersoneel doorgegeven dat er een vrijgraag stelletje in de businessclass zit. Ze zitten er met hun neus op; ik kan gerust zijn.

Toch bonst mijn hart. Ik kijk op mijn horloge en voel me weer gefrustreerd vanwege die waardeloze reisopties. Eén rechtstreekse vlucht naar Ikonos per dag? Krankzinnig. Ik wil er nú heen.

Aangezien dat er niet in zit, ga ik maar op onderzoek uit.

Ik vind het precies waar ik het verwachtte: in de doos onder haar bed, op een stapeltje met alle andere. Lottie begon een dagboek bij te houden toen ze vijftien was, en ze nam het heel serieus. Ze las me eruit voor en had het erover dat ze het ooit wilde laten uitgeven. Ze kon heel gewichtig zeggen: 'Zoals ik gisteren in mijn dágboek schreef...' alsof dat haar gedachten op de een of andere manier belangrijker maakte dan de mijne (niet opgetekend, verloren gegaan in de nevelen van de tijd. Een groot verlies voor de geschiedenis, natuurlijk).

Ik heb Lotties dagboeken nooit gelezen. Ik heb een geweten. En ik heb er nooit zin in gehad. Maar ik moet iets over die Ben te weten zien te komen en dit is de enige bron van informatie die ik kan verzinnen. Geen mens hoeft erachter te komen.

Noah zit veilig *Ben 10* te kijken in de keuken. Ik ga op Lotties bed zitten en haar geur stijgt op uit de dekbedhoes: bloemig, zoet en schoon. Toen ze achttien was, was haar parfum Eternity, en er komt nog een vleugje uit de bladzijden van haar dagboek.

Oké. Laat ik er maar in duiken, snel. Ik voel me heel gespannen en schuldbewust zoals ik hier zit, al heb ik Lotties sleutel en het recht hier te zijn en al zit zij in het vliegtuig, kilometers ver weg, en trouwens, als er toch iemand mocht binnenkomen, zou ik het dagboek razendsnel onder een kussen stoppen en zeggen: 'Ik ben hier om veiligheidsredenen.'

Ik sla het dagboek lukraak open.

Wat is Fliss toch een kreng.

Wat krijgen we nou?

'Rot op!' sla ik in een reflex terug.

Oké, dat was onnodig en onvolwassen. Ik moet niet zo snel met mijn oordeel klaarstaan. Er is vast wel een verklaring. Ik lees de rest van de aantekeningen van die dag. Kennelijk wilde ik haar mijn spijkerjack niet lenen voor haar lange vakantie na de middelbare school.

O, zit dat zo? Ik ben een kreng omdat ik haar míjn jasje niet wilde geven, dat ik uit mijn eigen zak had betaald? Ik ben zo verontwaardigd dat ik haar het liefst meteen zou bellen om het uit te vechten. Trouwens, waarom schrijft ze nergens dat ik haar wel een stuk of vijf paar slippers heb meegegeven die ik nooit meer heb teruggezien, plus mijn Chanel-zonnebril omdat ze maar bleef smeken?

Ik staar zacht ziedend naar de bladzij en dwing mezelf dan door te bladeren. Ik kan niet blijven zwelgen in een ruzie van vijftien jaar geleden. Ik moet verder. Ik moet naar Ben. Terwijl ik de bladzijden omsla en mijn blik over de aantekeningen laat glijden, voel ik me bijna alsof ik met haar mee reis: van Parijs naar Zuid-Frankrijk naar Italië, allemaal in hapklare brokken. Het is bijna verslavend.

...denk dat ik later in Parijs ga wonen... te veel croissants gegeten, argh, god, wat ben ik dik, afzichtelijk... heet Ted, studeert en is echt cool... aanhanger van het existentialisme... zou ik me ook in moeten verdiepen, hij zei dat ik een natuurtalent was...

...ongelooflijke zonsondergang... te veel baco's gedronken... ontzettend verbrand... geslapen met die Pete, beter niet kunnen doen... plannen gemaakt om naar Zuid-Frankrijk te verhuizen wanneer we allemaal een jaar of dertig zijn...

...jammer dat mijn Italiaans zo slecht is. Hier wil ik de rest van mijn leven blijven. Het is waanzinnig... te veel gelati gegeten, argh, mijn dijen zijn walgelijk... morgen naar Griekenland...

...waanzinnig hier... fantastische sfeer in de groep, alsof we allemaal op dezelfde golflengte zitten... ik zou op feta kunnen leven... naar die grotten onder water gedoken... jongen die Ben heet... picknick met een heel stel en Ben... met Ben geslapen... Ongelooflijk...

'Waar is Lottie?' haalt een mannenstem me uit mijn concentratie, en ik schrik zo dat het dagboek de lucht in vliegt. Ik probeer het in een reflex te pakken, besef dat het belastend is en trek snel mijn hand terug, zodat het dagboek op de vloer valt. Ik schop het weg en kijk dan op.

'Richard?'

Hij staat in de deuropening in een regenjas, met warrig haar en een koffer aan zijn hand. Zijn gezicht staat geagiteerd en hij lijkt onmiskenbaar meer op een jonge Gordon Brown dan op een jonge Pierce Brosnan.

'Waar is Lottie?' vraagt hij weer.

'Ik ben hier om veiligheidsredenen,' prevel ik gejaagd met een gezicht dat gloeit van schaamte. Mijn ogen schieten naar het dagboek. 'Veiligheidsredenen.'

Richard kijkt me aan alsof ik maar wat bazel, en ik moet toegeven dat dat ook zo is.

'Waar is Lottie?' vraagt hij nog eens, nu dwingender. 'Wat is er aan de hand? Op haar werk wil niemand zeggen waar ze is, en hier zit jij op haar bed. Zeg het maar gewoon.' Hij zet zijn koffer op de vloer. 'Is ze ziek?'

'Ziek?' Ik barst bijna in hysterisch lachen uit. 'Nee, ze is niet ziek. Richard, wat doe je hier?'

Er zit een label van een luchtvaartmaatschappij aan zijn koffer. Hij moet regelrecht van het vliegveld zijn gekomen, onstuimig en romantisch. Het maakt me triest dat Lottie het niet kan zien.

'Ik heb me vergist. Ik heb me ernstig vergist.' Hij loopt naar het raam, kijkt even naar buiten en werpt me dan een blik toe. 'Ik weet niet hoeveel ze jou vertelt.'

'Vrij veel,' zeg ik diplomatiek.

Ik denk niet dat hij wil horen dat ze me absoluut *alles* vertelt, ook dat hij het graag geblinddoekt doet en dat zij van seksspeeltjes houdt en doodsbang is dat de schoonmaakster ze zal vinden.

'Nou, we zijn uit elkaar,' zegt hij somber. 'Sinds een paar weken.'

Goh.

'Ja, ik heb het gehoord.' Ik knik. 'Ze was er kapot van.'

'Nou, ik ook!' Hij draait zich zwaar ademend om. 'Het kwam als een donderslag bij heldere hemel! Ik dacht dat we gelukkig waren samen. Ik dacht dat zíj gelukkig was.'

'Dat was ze ook! Alleen zag ze niet waar het naartoe ging.'

'Je bedoelt...' Hij aarzelt lang. 'Een huwelijk.'

Het maakt me kriegel. Ik ben zelf ook geen fel voorstander van het huwelijk, maar hij zou wel iets enthousiaster kunnen doen.

'Zo'n vergezocht idee is het niet,' wijs ik hem terecht. 'Mensen die van elkaar houden, trouwen met elkaar.'

'Ja, dat weet ik ook wel, maar...' Hij trekt een gezicht alsof we het over een bizarre hobby hebben, beoefend door mensen in bizarre realityprogramma's. Ik begin laaiend te worden. Als hij gewoon een man was geweest en Lottie een aanzoek had gedaan, was dit allemaal nooit gebeurd.

'Wat wil je nou, Richard?' vraag ik kortaf.

'Ik wil Lottie. Ik wil met haar praten. Ik wil het rechtzetten. Ze reageert niet op mijn telefoontjes en e-mails. Ik heb dus tegen mijn nieuwe baas gezegd dat ik terug moest naar Engeland.' Ik hoor de trots in zijn stem. Hij denkt duidelijk dat hij een grandioos gebaar heeft gemaakt.

'En wat wil je tegen haar zeggen?'

'Dat we bij elkaar horen,' zegt hij kalm. 'Dat ik van haar hou. Dat we er wel uit komen. Dat een huwelijk misschien wel tot de mogelijkheden behoort, op den duur.'

Misschien behoort een huwelijk wel tot de mogelijkheden, op den duur. Wauw. Hij weet echt hoe je een meisje het hof maakt.

'Nou, je bent helaas te laat.' Het schenkt me een heerlijk, sadistisch genoegen het te zeggen. 'Ze is al getrouwd.'

'Wát?' Richard fronst zijn voorhoofd, niet in staat mijn woorden te bevatten.

'Ze is al getrouwd.'

'Hoe bedoel je, getrouwd?' Hij lijkt nog steeds perplex. Godallemachtig, wat denkt hij dat ik bedoel?

'Ze is getrouwd! Bezet! Ze is zelfs net in het vliegtuig naar Ikonos gestapt, voor haar huwelijksreis.' Ik kijk op mijn horloge. 'Ze zit al in de lucht.'

'Wát?' Hij krijgt een gezicht als een donderwolk. Beslist Gordon. Straks gooit hij nog een gratis laptop naar me toe. 'Hoe kan ze nou getrouwd zijn? Waar heb je het over, verdomme?'

'Ze maakte het uit met jou, kreeg zo ongeveer een zenuwinzinking, kwam een oude vlam tegen die haar ter plekke een aanzoek deed en zei ja omdat ze in shock was, zich ellendig voelde en als een blok voor hem viel. Dáár heb ik het over.' Ik kijk hem kwaad aan. 'Snap je?'

'Maar... wie is dat dan?'

'Het vriendje uit haar vrije jaar na de middelbare school. Ze had hem in geen vijftien jaar gezien. Eerste liefde, je kent dat wel.'

Hij neemt me achterdochtig op. Ik zie de radertjes in zijn brein draaien, het besef dagen: het is geen boosaardig verzinsel. Het is de waarheid. Lottie is getrouwd.

'Godverde... kút.' Hij slaat met zijn vuisten tegen zijn voorhoofd.

'Ja. Zo denk ik er ook over.'

Er valt een verslagen stilte. Een windvlaag laat de regen tegen het raam roffelen en ik sla mijn armen om mezelf heen. Nu mijn voldoening dat ik Richard heb gestraft is gezakt, voel ik alleen nog maar pijn en verdriet. Wat een puinzooi.

'Tja.' Hij zucht. 'Dat was het dan, denk ik.'

'Ik denk het ook,' zeg ik schouderophalend. Ik ga hem niet vertellen wat ik van plan ben. Het laatste waar ik op zit te wachten is dat hij zich ermee bemoeit of stomme ideeën aandraagt. Wat voor mij vooropstaat, is dat ik Lottie van Ben verlos, voor haar eigen bestwil. Als Richard daarna nog een salvo wil lossen, moet hij dat zelf maar weten.

'Dus... Wat weet je van die gast?' ontwaakt Richard plotseling uit zijn trance. 'Hoe heet hij?'

'Ben.'

'Ben.' herhaalt hij argwanend. 'Ik heb haar nooit over een Ben horen praten.'

'Tja.' Ik haal mijn schouders weer op.

'Ik bedoel, ik weet van haar andere vriendjes. Jamie. En Seamus. En hoe-heet-ie. Die accountant.'

'Julian,' zeg ik tegen wil en dank.

'Precies. Maar ze heeft de naam Ben zelfs nooit laten vallen.' Richards blik tast de kamer af alsof hij een aanwijzing zoekt en valt dan op het dagboek, dat halfopen op de vloer ligt. Hij kijkt me ongelovig aan.

'Zat je haar dagboek te lezen?'

Shit. Ik had kunnen weten dat Richard het door zou hebben. Hij merkt altijd meer op dan je denkt. Lottie zei altijd dat hij een leeuw is die onder een boom ligt te doezelen, maar ik vind hem meer een stier: het ene moment staat hij vredig te grazen, het volgende valt hij aan, met zijn hoorns naar voren.

'Ik zat het niet echt te lézen.' Ik probeer me niet uit mijn evenwicht te laten brengen. 'Ik zat alleen een beetje informatie over die Ben op te zoeken.'

Richard neemt me waakzaam op. 'Wat ben je te weten gekomen?'

'Niet veel. Ik ben net op het punt aangekomen waar ze elkaar ontmoeten, op Ikonos...'

Opeens probeert hij het dagboek van de vloer te grissen. Ik steek bliksemsnel ook mijn hand uit en pak een hoekje. We proberen elkaar het dagboek uit handen te trekken. Richard is veel sterker dan ik, maar haar dagboek krijgt hij niet te pakken. Er zijn grenzen.

'Ongelooflijk dat je het dagboek van je zus leest,' zegt Richard terwijl hij probeert het uit mijn vingers te wrikken.

'Ongelooflijk dat jij het dagboek van je vriendin wilt lezen,' pareer ik hijgend. 'Geef. Geef hier.'

Uiteindelijk lukt het me het uit zijn hand te rukken en ik sla beschermend mijn arm eromheen.

'Ik heb het recht het te weten.' Richard kijkt me kwaad aan. 'Als Lottie hem liever heeft dan mij, heb ik het recht te weten wie hij is.'

'Oké,' snauw ik. 'Ik zal je een stukje voorlezen. Wacht even.'

Ik blader weer in het dagboek, in sneltreinvaart door Frankrijk en Italië naar Ikonos. Oké. Daar zijn we. Bladzijden en bladzijden vol 'Ben'. Ben dit. Ben dat. Ben, Ben en nog eens Ben.

'Ze ontmoette hem in het pension waar ze allemaal logeerden.'

'Het pension op Ikonos?' Ik zie aan Richards gezicht dat hij erover heeft gehoord. 'Daar heeft ze me zo vaak over verteld. Met al die treden? Waar brand uitbrak, en toen heeft zij iedereen gered? Ik bedoel, dat pension heeft haar leven veranderd. Ze zegt altijd dat ze daar is geworden wie ze nu is. Ze moet er ergens een foto van hebben...' Hij kijkt om zich heen en wijst dan. 'Daar.'

We kijken allebei naar de ingelijste foto van Lottie op een schommelbank, gekleed in een piepklein wit rokje met ruches en een bikinibovenstukje, met een bloem achter haar oor. Ze ziet er dun, jong en stralend uit.

'Ze heeft nooit iets over een Ben gezegd,' zegt Richard langzaam. 'Echt nooit.'

'Hm.' Ik bijt op mijn onderlip. 'Tja, misschien is ze selectief geweest.'

'Aha.' Hij zakt met een chagrijnig gezicht op de bureaustoel. 'Ga door.'

Ik kijk weer naar Lotties handschrift. 'Het komt erop neer dat ze elkaar op het strand zagen... toen was er een feest en vonden ze elkaar...'

'Voorlezen,' onderbreekt hij me. 'Niet samenvatten.'

'Weet je dat zeker?' Ik kijk hem met opgetrokken wenkbrauwen aan. 'Wil je dit echt wel horen?'

'Lezen.'

'Oké. Daar gaat-ie dan.' Ik haal adem en kies lukraak een alinea uit.

Zag Ben vanochtend waterskiën. God, wat is hij cool. Hij speelt mondharmonica en hij is heel bruin. Hele middag op de boot liggen vrijen, egaal bruin geworden, haha. Meer geurkaarsen en massageolie voor vanavond gekocht. Ik wil alleen maar de rest van mijn leven bij Ben blijven en met hem vrijen. Ik zal nooit meer op deze manier van iemand houden. Nooit.

Ik hou beschaamd mijn mond. 'Als ze wist dat ik je dat had voorgelezen, zou ze me vermoorden.'

Richard geeft geen antwoord. Hij ziet er aangeslagen uit.

'Het is vijftien jaar geleden,' zeg ik schutterig. 'Ze was pas achttien. Zulke dingen schrijf je in je dagboek als je achttien bent.'

'Denk je…' Hij zwijgt even. 'Denk je dat ze ooit zulke dingen over mij heeft geschreven?'

Er rinkelen alarmbellen in mijn hoofd. O-o. Mooi niet. Dat gaan we niet doen.

'Geen idee!' Ik sla het dagboek resoluut dicht. 'Het is anders. Alles is anders als je eenmaal volwassen bent. Seks is anders, liefde is anders, cellulitis is héél anders…' Ik probeer de sfeer wat luchtiger te maken, maar Richard lijkt het niet eens te horen. Hij staart naar de foto van Lottie, en hij heeft zo'n diepe frons in zijn voorhoofd dat ik bang ben dat het zal splijten. We schrikken van het geluid van de deurbel en als we elkaar aankijken zie ik dat we allebei hetzelfde belachelijke idee hebben: *Lottie?*

Richard loopt de smalle gang in en ik loop met bonzend hart achter hem aan. Hij zwaait de deur open en ik kijk teleurgesteld naar een magere man op leeftijd.

'Hallo, meneer Finch,' zegt de man op klaaglijke toon. 'Is Charlotte ook thuis? Ze heeft namelijk beloofd iets aan het dakterras te doen, en het is er nog steeds een zootje.'

Het dakterras. Zelfs ik heb over het dakterras gehoord. Lottie belde me om te zeggen dat ze helemaal gegrepen was door tuinieren en allerlei snoezige tuinierspulletjes had besteld en een moestuin op het dak ging aanleggen.

'Ik ben een redelijk mens,' zegt de man, 'maar beloofd is beloofd, en alle bewoners hebben geld in de plantenpot gestort, en ik vind echt dat dit…'

'Ze doet het wel, oké?' Richard stapt op de man af en zet zo'n daverende stem op dat de lampen ervan rinkelen. 'Het is een groot project. Ze is creatief. Zulke dingen kosten tijd. Wegwezen dus!'

De oudere man deinst geschrokken achteruit en ik kijk met opgetrokken wenkbrauwen naar Richard. Wauw. Die zou ik wel eens aan mijn kant willen hebben.

En: ik had gelijk. Hij is beslist een stier, geen leeuw. Als hij een leeuw was, sloop hij nu al ongezien en geduldig door het struikgewas achter Ben aan. Daar is Richard te direct voor. Hij valt liever woest op het eerste het beste doelwit aan, al valt er dan een heel woud aan spaanders. Bij wijze van spreken.

De voordeur valt dicht en we kijken elkaar onzeker aan, alsof de onderbreking alles heeft veranderd.

'Ik moest maar eens gaan,' zegt Richard plompverloren en hij knoopt zijn regenjas dicht.

'Ga je terug naar San Francisco?' zeg ik teleurgesteld. 'Zomaar?'

'Natuurlijk.'

'Maar hoe moet het dan met Lottie?'

'Hoe het met Lottie moet? Ze is getrouwd en ik wens haar alle geluk van de wereld.'

'Richard...' Ik aarzel. Wat kan ik zeggen?

'Ze waren Romeo en Julia en nu hebben ze elkaar weer gevonden. Kon het logischer? Ik wens ze het beste.'

Hij is van streek, dringt het tot me door. Echt van streek. Zijn kaken zijn gespannen en zijn blik is glazig. O, god, nu voel ik me verschrikkelijk. Ik had niet uit haar dagboek moeten voorlezen. Ik wilde Richard alleen maar wakker schudden.

'Ze zijn Romeo en Julia niet,' zeg ik gedecideerd. 'Hoor eens, Richard, als je het echt wilt weten, ze zijn allebei totaal de weg kwijt. Lottie heeft ze niet meer op een rijtje sinds jullie breuk en die Ben schijnt in een midlifecrisis te zitten... Richard, luister. Alsjeblieft.' Ik leg een hand op zijn arm en wacht tot hij me aankijkt. 'Dat huwelijk houdt geen stand, daar ben ik vrij zeker van.'

'Hoe kun je daar nou vrij zeker van zijn?' Hij kijkt me aan alsof hij me wel kan wurgen, alleen maar omdat ik hoop bij hem wek.

'Ik heb gewoon zo'n gevoel,' zeg ik geheimzinnig. 'Noem het zusterlijke intuïtie.'

'Nou, het zal wel.' Hij haalt zijn schouders op. 'Het gaat nog wel een tijdje duren.' Hij loopt terug naar de slaapkamer en pakt zijn koffer.

'Nee, niet waar!' Ik ren achter hem aan en pak hem bij zijn schouder om hem tegen te houden. 'Ik bedoel... Het zou korter kunnen duren dan je denkt. Veel korter. Als ik jou was, zou ik de moed niet opgeven. Ik zou nog even afwachten.'

Richard zwijgt even, zichtbaar tegen zijn hoop vechtend. 'Wanneer zijn ze precies getrouwd?' vraagt hij plotseling.

'Vanochtend.' Ik krimp inwendig in elkaar bij de gedachte hoe slecht hij het heeft uitgekiend. Als hij maar een dag eerder was gekomen...

'Dus vannacht is het hun...' Hij breekt zijn zin af alsof hij het woord niet over zijn lippen kan krijgen.

'Huwelijksnacht. Ja. Ja, dat zal wel.' Ik kijk zwijgend naar mijn nagels, met een bewust neutraal gezicht en een onschuldige houding. 'Goh. Wie weet hoe die zal uitpakken?'

10

Lottie

Ik hou dit niet meer vol. Ik kan er niet meer tegen. Ik word de eerste die ooit is gestorven van seksuele frustratie.

Ik herinner me dat ik als kind vaak ondraaglijk lang moest wachten. Op mijn zakgeld. Op mijn verjaardag. Op Kerstmis. Maar het is nog nooit zo'n nachtmerrie geweest als dit. Het is een absolute martelgang. Nog vijf, nog vier, nog drie uur wachten... Tijdens de vlucht en in de auto naar het hotel heb ik de hele tijd in stilte tegen mezelf gezegd: *Bijna... bijna... bijna...* Het was de enige manier om niet krankzinnig te worden. Ben blijft mijn dij maar strelen. Hij kijkt strak voor zich en ademt regelmatig. Ik kan aan hem zien dat hij er net zoveel moeite mee heeft als ik.

En nu is het nog maar een paar minuten. We zijn bijna bij het hotel. De chauffeur neemt de afslag. Hoe dichterbij we komen, hoe ondraaglijker het wordt. Die laatste minuten uitstel worden mijn dood nog. Ik wil alleen maar Ben.

Ik probeer geïnteresseerd naar buiten te kijken, maar ik zie alleen de weg, met struikgewas bedekte heuvels en opzichtige reclameborden voor Griekse drankjes met namen die ik niet ken. Het pension waar we al die jaren geleden zaten ligt aan de andere kant van het eiland, dus waarschijnlijk ben ik hier nooit geweest. Ik herken dus niets en er komen geen herinneringen boven. Ik voel me alleen maar wanhopig.

Bijna... bijna... bijna... Straks liggen we in ons enorme bed in de huwelijkssuite, en onze kleren liggen op de vloer, en we kruipen tegen elkaar aan, huid op huid, niets houdt ons nog tegen, en dan eindelijk, *eindelijk...*

'Amba Hotel,' verkondigt de chauffeur trots en hij springt uit de auto om onze portieren open te houden.

Als ik uitstap, lijkt de warme Griekse lucht mijn schouders te omsluiten als een warm bad. Ik kijk om me heen en zie de enorme ingang met witte zuilen, vier marmeren leeuwen en een reeks fonteinen die in een siervijver klateren. Links en rechts hangt bougainville in felroze watervallen over balkons. Kaarsen flakkeren in bovenmaatse stormlantaarns. Ik hoor het tjirpen van de avondkrekels en in de verte de klanken van een strijkkwartet. Het is hier spectaculair.

Als we de lage marmeren treden op lopen, word ik plotseling overspoeld door euforie. Het wordt volmaakt. De volmaakte, ideale huwelijksreis. Ik geef een kneepje in Bens arm.

'Is het niet schitterend?'

'Oogverblindend.' Hij laat een hand op mijn rug omhoog glijden naar het haakje van mijn beha.

'Niet doen! Dit is een chic hotel!' Ik ruk me los, hoewel mijn hele lijf ernaar snakt dat hij doorgaat. 'We moeten wachten.'

'Ik kan niet meer wachten.' Zijn donker geworden ogen kijken in de mijne.

'Ik ook niet.' Ik slik. 'Ik sterf.'

'Ik nog meer.' Zijn vingers dalen af naar de tailleband van mijn rok. 'Zeg nou niet dat je daar iets onder aanhebt.'

'Niets,' zeg ik zacht.

'Jezus.' Hij maakt een laag, grommend geluid. 'Oké, we halen onze sleutel en dan doen we de deur op slot en...'

'Meneer en mevrouw Parr?' onderbreekt een stem hem, en als ik opkijk, zie ik een kleine, donkere man in pak snel over de treden naar ons toe lopen. Zijn schoenen glimmen en als hij dichterbij is, zie ik NICO DEMETRIOU, VIPMANAGER op zijn naamplaatje staan. Hij heeft een boeket bloemen in zijn hand dat hij me aanreikt. 'Madame. Welkom in het Amba Hotel. Het is ons een genoegen u te ontvangen. Ik heb begrepen dat dit uw huwelijksreis is!'

Hij loodst ons door de grote, glazen deuren een enorme lobby met een koepelplafond in. De vloer is van marmer en ik zie een verzonken zwembad waarin waxinelichtjes drijven. Er klinkt gedempte muziek en er hangt een heerlijke, muskusachtige geur in de lucht.

'Mijn gelukwensen. Gaat u toch zitten.' Hij gebaart naar een lange, linnen bank. 'Een glaasje champagne voor u beiden?'

Er is een ober met twee glazen champagne op een dienblad uit het niets opgedoken. Ik aarzel, pak een glas en kijk naar Ben.

'Heel vriendelijk van u,' zegt Ben, die geen aanstalten maakt om naar de bank te lopen, 'maar we willen zo snel mogelijk naar onze suite.'

'Uiteraard. Uiteraard.' Nico's ogen twinkelen samenzweerderig. 'Uw bagage wordt naar boven gebracht. Als u even wat gegevens wilt invullen...' Hij overhandigt Ben een in leer gebonden boek en een pen. 'Gaat u toch zitten. Dat schrijft lekkerder.'

Ben zakt onwillig op de bank en begint als een razende te schrijven. Intussen overhandigt Nico mij een vel papier met de kop *Welkom meneer en mevrouw Parr*, gevolgd door een lijst faciliteiten en uitstapjes. Ik laat mijn blik over de mogelijkheden glijden, die ontzagwekkend zijn. *Begeleid snorkelen met champagnepicknick... Dagtocht op het achttien meter lange jacht van het hotel... Een door uw eigen chef-kok bereid diner op uw terras... Parenmassage met aromatherapie bij maanlicht...*

'Het doet ons veel genoegen u onze Ongeëvenaarde Huwelijksreiservaring aan te bieden.' Nico glimlacht stralend naar me. 'U hebt vierentwintig uur per dag de beschikking over uw eigen butler. U krijgt gratis behandelingen in het wellnessgedeelte van uw suite. Ik sta persoonlijk dag en nacht tot uw dienst. Geen verzoek is mij te groot of te klein.'

'Dank u wel.' Ik moet zijn glimlach wel beantwoorden, zo charmant is hij.

'Uw huwelijksreis is een heel bijzondere tijd. Ik, Nico, zal zorgen dat het de ervaring van uw leven wordt.' Hij verstrengelt zijn vingers. 'Iets om nooit te vergeten.'

'Zo, klaar.' Ben zet een laatste, harde punt en geeft het leren boek terug. 'Mogen we nu naar onze kamer? Waar zitten we?'

'Ik zal u persoonlijk vergezellen!' roept Nico uit. 'Deze kant op, alstublieft, naar uw eigen lift naar het penthouse.'

Hebben we onze eigen lift? Ik kijk snel naar Ben. Ik zie dat het hem op ideeën heeft gebracht. Mij ook.

In de lift probeer ik beheerst te doen, maar ik zie Ben naar mijn rok kijken. Hij gaat niet treuzelen. Het gaat misschien een halve minuut duren, en dan moeten we het nog eens doen, en dan gaan we misschien dineren en daarna nog eens van voren af aan beginnen, héél langzaam...

'En daar zijn we!' De lift zegt *ping*, de deuren gaan open en Nico gaat ons voor een gang in met een marmeren vloer en met donker hout gelambriseerde wanden. 'De Oyster Suite. Kortgeleden tot beste bruidssuite uitgeroepen door *Condé Nast Traveller*. Na u.'

'Wauw,' verzucht ik als hij de deur open zwaait. Fliss had gelijk: dit is ongelooflijk. De hele suite lijkt op een grot, met zuilen, lage banken en standbeelden van Griekse goden op piëdestals. Het enige minpuntje dat me meteen opvalt is dat de *Teletubbies* uit de tv schetteren. Ik heb een bloedhekel aan de Teletubbies sinds ik een stuk of twintig afleveringen moest kijken toen ik op Noah paste. Wie heeft dat in vredesnaam opgezet?

'Mag dat alstublieft uit?' zeg ik.

'Natuurlijk, madame. Ik zal u eerst de faciliteiten laten zien. Afgezien van de ingang via de lift is er ook een eigen voordeur.' Nico dribbelt kordaat over de marmeren vloeren van de suite. 'Hier is de badkamer, voorzien van een inloopregendouche. Hier is uw eigen wellnessgedeelte, keuken met personeelsingang, kleine bibliotheek, zitruimte met bioscoopscherm...'

Ik probeer een geïnteresseerd gezicht op te zetten terwijl hij demonstreert hoe de dvd-speler werkt, maar mijn hoofd is wazig van verlangen. We zijn er. We zijn er echt. In onze bruidssuite. Voor onze huwelijksnacht. En zodra die man zijn riedel heeft afgedraaid en vertrekt... misschien al over een paar seconden... scheurt Ben mijn rok van mijn lijf en ik scheur zijn overhemd van zijn lijf en... O, god, ik hou het niet meer vol...

'De minibar zit in dit kastje en werkt met een elektronische sensor.'

'Aha.' Ik kan nog net beleefd knikken, maar mijn hele lichaam bonst van opwinding. Het kan me niet schelen hoe de minibar werkt. *Hou je kop en laat ons met rust, dan kunnen we vrijen.*

'En de slaapkamer is hier.' Nico zwaait een deur open. Ik zet verwachtingsvol een stap naar voren – en blijf dan teleurgesteld staan.

'Wát?' roept Ben naast me uit.

Het is een grote, voorname kamer, met een glazen koepel als plafond. En onder de koepel staan twee eenpersoonsbedden.

'Ik... Wa...' Ik ben zo uit het lood geslagen dat ik niet uit mijn woorden kan komen. 'Bed.' Ik kijk naar Ben en wijs. 'De bedden.'

'Ja, dat zijn de bedden, madame.' Nico gebaart trots naar de twee bedden. 'Dit is de slaapkamer.'

'Ik weet ook wel dat het bedden zijn!' Ik hap naar lucht. 'Maar waarom zijn het er twee?'

'Op de website staat een extra groot tweepersoonsbed,' neemt Ben het van me over. 'Ik heb het op de foto gezien. Waar is dat bed gebleven?'

Nico kijkt hem perplex aan. 'We bieden allerlei slaapopties aan voor de suite. De vorige gasten hebben blijkbaar twee bedden besteld, zoals u ziet. Het zijn uitstekende bedden.' Hij slaat op een matras. 'De beste kwaliteit. Is het niet naar uw zin?'

'Nee, het is absoluut niet naar mijn zin!' valt Ben uit. 'We moeten een tweepersoonsbed hebben. Eén bed. Super kingsize. Het beste dat u hebt.'

'Ach.' Nico trekt een spijtig gezicht. 'Duizendmaal excuses, meneer. Dat doet me verdriet. Aangezien u dat niet van tevoren hebt opgegeven...'

'We hoeven het niet van tevoren op te geven! Het is onze huwelijksreis! Het is de bruidssuite!' Ben ademt zwaar. 'Wat voor bruidssuite heeft er nou twee eenpersoonsbedden?'

'Alstublieft, meneer, wind u niet op,' zegt Nico sussend. 'Ik begrijp het. Ik zal onmiddellijk een tweepersoonsbed laten komen.' Hij pakt zijn telefoon en begint in het Grieks te ratelen. Uiteindelijk staakt hij zijn woordenstroom, verbreekt de verbinding en lacht weer stralend naar ons. 'De kwestie wordt opgelost. Nogmaals mijn excuses. Mag ik u een cocktail van het huis in de bar beneden aanbieden in afwachting van het bed?'

Ik slik een kattige opmerking in. Ik wil geen cocktail in de bar. Ik wil mijn huwelijksnacht. En wel nu.

'Hoelang gaat dat duren?' Ben kijkt verbolgen. 'Dit is bespottelijk.'

'Meneer, we zullen de bedden zo snel mogelijk verwisselen. De sjouwers komen zodra...' Er wordt aan de deur geklopt en Nico's gezicht klaart op. 'Ha! Daar zijn ze al!'

Er banjeren zes mannen in witte overall de kamer in en Nico spreekt ze in het Grieks aan. Een van de mannen tilt het voeteneind van een bed op en kijkt er sceptisch naar. Hij zegt iets in het Grieks tegen een van de anderen, die zijn schouders ophaalt en zijn hoofd schudt.

'Wat nou weer?' zegt Ben geagiteerd van de een naar de ander kijkend. 'Wat is het probleem?'

'Geen enkel probleem, meneer,' zegt Nico geruststellend. 'Mag ik u adviseren plaats te nemen in het zitgedeelte terwijl wij ons over deze kleinigheid buigen?'

Hij drijft ons de slaapkamer uit, naar het zitgedeelte, waar de Teletubbies nog uit de tv schetteren. Ik richt de afstandsbediening erop, maar de tv gaat niet uit. Het geluid wordt ook niet zachter. Moeten er nieuwe batterijen in de afstandsbediening?

'Alsjeblieft,' zeg ik algauw. 'Ik trek dit niet. Mag dat ding uit?'

'En het is hier koud,' vult Ben aan. 'Hoe werkt de airco?'

Het is hier echt fris. Ik had het al opgemerkt.

'Ik zal uw butler laten komen,' zegt Nico met zijn stralende lach. 'Hij zal voor u zorgen.'

Hij loopt weg en ik kijk ongelovig naar Ben. We hadden nu moeten rollebollen. We zouden de heetste seks van ons leven moeten hebben, maar in plaats daarvan zitten we in een ijskoude kamer op een bank, belaagd door Teletubbies en met zes werklieden aan de andere kant van de muur.

'Kom mee,' zegt Ben opeens. 'De bibliotheek. Daar staat een bank.'

We haasten ons erheen en Ben doet de deur dicht. Er staan kasten met onecht uitziende boeken, een bureau met hotelpostpapier en een met dik, bruin linnen beklede chaise longue. Ben kijkt me aan.

'O, mijn god,' verzucht hij ongelovig.

'O, mijn god,' zeg ik ook. 'Krankzinnig.' We ademen allebei in en dan is het alsof het startschot is gelost voor de wedstrijd wie de meeste erogene zones kan vinden in één minuut. Hij bespringt me. Ik bespring hem. Zijn handen zijn overal. Mijn beha wordt opengemaakt, mijn topje van mijn lijf gerukt en ik knoop zijn overhemd open... Ik zou nog even van Bens verrukkelijk warme huid willen genieten, maar hij kijkt al doelgericht om zich heen.

'De bank?' hijgt hij. 'Of het bureau?'

'Maakt niet uit,' steun ik.

'Ik kan niet meer wachten.'

'Als ze het nou horen?'

'Ze horen het niet.' Hij maakt de knoop van mijn rok los. Ik knap bijna. *Eindelijk, eindelijk dan toch... ja, ja...*

'Meneer? Madame?' Er wordt op de deur gebonsd. 'Meneer, madame? Meneer Parr?'

Wat nou weer?

'Nee-hee,' kerm ik. 'Nee-hee-hee...'

'Wat zullen we...' Ben is des duivels. 'Hallo?' zegt hij met stemverheffing. 'We zijn bezig. Kom over tien minuten maar terug.'

'Ik kom iets brengen namens de bedrijfsleiding,' klinkt een stem door de deur. 'Versgebakken koekjes. Waar wilt u ze hebben?'

'Maakt niet uit,' roept Ben ongeduldig terug.

'Meneer, wilt u zo vriendelijk zijn voor ontvangst te tekenen?'

Ik ben bang dat Ben uit elkaar ploft. We zeggen geen van beiden iets.

'Meneer?' Er wordt weer op de deur gebonsd. 'Hoort u me? Ik kom versgebakken koekjes brengen, met de complimenten van de bedrijfsleiding.'

'Zet nou maar snel een krabbel,' zeg ik zacht. 'Dan kunnen we door.'

'Godallemáchtig...'

'Ja.'

We proberen ons een beetje te fatsoeneren. Ben maakt de knoopjes van zijn overhemd dicht en haalt een paar keer diep adem.

'Denk maar aan je belastingaangifte,' raad ik hem aan. 'Oké, hier met die kutkoekjes.'

Ben zwaait de deur van de bibliotheek open en we zien een man op leeftijd in een uniformjasje met goudgalon. Hij heeft een zilveren dienblad met een stolp bij zich.

'Welkom in het Amba Hotel, meneer en mevrouw Parr,' zegt hij met een plechtstatige waardigheid. 'Ik ben uw privébutler, Georgios, dag en nacht tot uw dienst. Ik kom u versgebakken koekjes brengen, met de complimenten van de bedrijfsleiding.'

'Dank je wel,' zegt Ben kortaf. 'Zet maar ergens neer.' Hij zet een krabbel op het papier dat de butler hem voorhoudt.

'Dank u wel, meneer.' Georgios zet het zilveren dienblad op een salontafel. 'Mijn collega komt zo met het sap.'

'Het sap?' Ben gaapt hem aan. 'Wat voor sap?'

'Versgeperst sap, met de complimenten van de bedrijfsleiding,' zegt Georgios. 'Voor bij de koekjes. Mijn assistent-butler, Hermes, komt het zo brengen. Als u meer ijs wilt, belt u maar.' Hij overhandigt Ben een kaartje. 'Hier hebt u mijn nummer. Tot uw dienst.'

Ben ademt zwaar. 'Luister,' zegt hij. 'We willen geen sap. Stuur dat sap maar terug. We willen even alléén zijn, oké?'

'Ik begrijp het,' zegt Georgios prompt. 'Alleen zijn. Maar natuurlijk.' Hij knikt plechtig. 'Dit is uw huwelijksreis en u wilt alleen zijn. Dit is een bijzondere tijd voor een man en een vrouw.'

'Precies...'

Ben wordt overstemd door een oorverdovend gebonk.

'Wat zullen we...' We snellen naar het zitgedeelte, waar een van de mannen in witte overall bij de deur naar de slaapkamer staat te ruziën met iemand binnen. Nico komt nerveus handenwringend naar ons toe gehold.

'Meneer en mevrouw Parr, mijn excuses voor die afschuwelijke herrie.'

'Wat gebeurt er?' Ben staart hem verwilderd aan. 'Wat is dat voor getimmer?'

'Er is een probleempje met het verwijderen van de bedden,' zegt Nico sussend. 'Het stelt niets voor.'

Een andere man in een witte overall komt de slaapkamer uit met een enorme hamer in zijn hand en schudt ontmoedigd zijn hoofd naar Nico.

'Wat stelt dat voor?' zegt Ben. 'Waarom schudt hij zijn hoofd? Hebben jullie de bedden al omgewisseld?'

'En wilt u alstublíéft iets aan die tv doen?' vul ik aan. 'Het is niet te harden.' Telkens als er even niet wordt getimmerd, schallen de Teletubbies weer door de suite. Verbeeld ik het me of is het geluid nog harder geworden?

'Meneer, mevrouw, mijn nederigste verontschuldigingen. We werken zo snel als we kunnen. Wat die tv betreft...' Nico richt een afstandsbediening op de muur. Het geluid wordt prompt twee keer zo hard.

'Nee!' Ik druk mijn handen tegen mijn oren. 'Te hard! Andere kant op!'

'Excuses!' schreeuwt Nico boven de herrie uit. 'Ik probeer het nog eens!'

Hij drukt nog een paar keer op de volumetoets van de afstandsbediening, maar er gebeurt niets. Hij slaat met het ding tegen zijn hoofd en schudt ermee. 'Hij zit vast!' zegt hij verbijsterd. 'Ik zal een monteur laten komen.'

'Pardon?' Er is weer een man in een uniformjasje uit het niets opgedoken. 'De deur was open. Ik kom versgeperst sap brengen, met de complimenten van de bedrijfsleiding. Madame, waar zal ik het sap neerzetten?'

'Ik... Ik...' brabbel ik. Ik kan wel krijsen. Ik sta op springen. Dit zou onze huwelijksnacht moeten zijn. Onze *huwelijksnacht*. En we staan in een hotelsuite, omringd door timmerende werklieden, butlers met stolpen en het geluid van Teletubbies dat zich in mijn hersenen boort.

'Madame,' zegt Nico beminnelijk. 'Het doet me leed dat we u ontrieven. Mag ik u nogmaals een cocktail van het huis in de bar aanbieden?'

11

Fliss

Ik durf de sms-berichten bijna niet te lezen. Het is net gluren. Het is net ramptoerisme. Maar ik moet wel, ook al zou ik het liefst mijn handen voor mijn ogen slaan.

Lottie en Ben hebben de verschrikkelijkste huwelijksnacht uit de geschiedenis van de mensheid. Ik kan niet anders zeggen. Het is afgrijselijk. Het is gruwelijk. En het is allemaal mijn schuld. Mijn maag is één grote, schuldbewuste, zure knoop. Ik ga me met elk bericht beroerder voelen. Maar het is allemaal voor het goede doel, hou ik mezelf streng voor terwijl ik het nieuwe bericht aanklik.

En nog een rondje margarita's. Die jongen kan écht goed tegen drank. N

Nico houdt me al de hele avond op de hoogte van elke nieuwe ontwikkeling. Zijn laatste vier berichten gingen over de gratis cocktails die Lottie en Ben hebben gedronken. Het is een schrikbarende hoeveelheid. Ze zijn voor tienen plaatselijke tijd begonnen, en nu is het middernacht daar. Lottie moet katjelam zijn.

Maar hoe zit het met Ben? Ik tik even peinzend met mijn telefoon tegen mijn handpalm. Ik herinner me iets wat Lorcan over Ben heeft gezegd: *Hij is een geboren gokker, maar het ontbreekt hem aan beoordelingsvermogen.*

Een geboren gokker. Hm. Ik sms Nico snel terug: *Hij houdt van gokken.*

Daar laat ik het bij. Nico weet wel wat hij ermee moet doen.

Ik klik op VERZENDEN en klap dan kordaat mijn koffer dicht in een poging mijn verwarde geest te kalmeren, maar de tegenstrijdige gedachten schieten als pijlen heen en weer en komen allemaal met een pijnlijke steek aan:

Ik saboteer de huwelijksreis van mijn zus. Ik ben een onmens. Maar ik doe het alleen omdat ik wil dat ze gelukkig wordt. Precies.

Precies!

Ik bedoel, stel dat ik besloot me er niet mee te bemoeien en ze raakte zwanger en ze gingen uit elkaar en ze kreeg spijt als haren op haar hoofd? Wat dan? Zou ik er dan geen spijt van hebben dat ik niet had ingegrepen? Zou ik net zo zijn als die mensen die zich gedeisd hielden en deden alsof hun neus bloedde toen de nazi's de macht grepen?

Niet dat Ben een nazi is. Voor zover ik weet.

Ik voel me schuldig over de Teletubbies. *Dat was wreed. Lottie is bijna fobisch voor dat programma.*

Ik rol mijn koffer naar de gang en zet hem naast die van Noah. Die ligt in zijn kamer te slapen, met Apie tegen zich aan gedrukt, vredig ademend, en ik wip zijn kamer even in om naar hem te kijken. Hij nam het nieuws van onze reis bedaard op en begon meteen zijn koffertje te pakken. Het enige wat hij vroeg, was hoeveel broeken hij nodig had. Die wordt nog eens directeur van de wereld, Noah.

Ik ga naar de badkamer, laat het bad vollopen en giet er een van de vele soorten taxfree badolie bij waar de badkamer vol van staat. Ik shop bijna alleen nog op luchthavens, besef ik. Ik pas kleren voor het instappen en haal ze bij terugkomst op. Ik koop setjes van Clarins in het vliegtuig. Ik heb genoeg gerookte Spaanse worstjes en hompen Parmezaanse kaas voor een jaar. En Toblerones.

Ik aarzel. Nu zie ik Toblerones voor me. Een Toblerone in bad, met een glas wijn erbij...

Na een innerlijke strijd van een milliseconde zet ik koers naar de kast met lekkers in de keuken. Daar liggen zes bovenmaatse Toblerones naast een bespottelijk grote taxfree doos Ferrero Rocher-bonbons waarvan ik er Noah op zaterdag altijd drie tegelijk geef. Hij denkt dat ze in drieën komen. Het komt niet in hem op dat je er ook meer dan drie zou kunnen krijgen.

Net als ik een stuk Toblerone afbreek, gaat mijn telefoon en ik neem op in de veronderstelling dat het Nico is, maar op het scherm staat *Lottie*.

Lottie? Ik schrik zo dat ik de Toblerone op de vloer laat vallen. Ik kijk met een plotseling bonzend hart naar de telefoon. Mijn duim aarzelt boven OPNEMEN. Ik wil Lottie niet spreken. Ik heb trouwens al te lang gewacht: de voicemail neemt het over. Opge-

180

lucht leg ik het toestel op het aanrecht, maar het begint bijna meteen weer te rinkelen. *Lottie*.

Ik slik moeizaam. Ik moet dit doen. Anders moet ik haar terugbellen, wat nog erger zou kunnen zijn. Ik doe mijn ogen dicht, haal diep adem en druk op OPNEMEN.

'Lottie! Ben je niet op huwelijksreis?' Ik mik op een vrolijke, onschuldige toon. 'Waarom bel je?'

'Fliiissss?'

Ik analyseer snel haar stem. Ze is dronken. Ja, dat wist ik al. Maar ze is ook huilerig. Bovenal heeft ze er geen idee van dat ik iets op mijn geweten heb, anders zou het geen 'Fliiissss?' met een vraagteken zijn.

'Hoe gaat het?' zeg ik luchtig.

'Fliss, ik weet me geen raad!' jammert ze. 'Ben is toeterzat. Bijna van de wereld, zeg maar. Hoe krijg ik hem weer nuchter? Wat moet ik doen? Heb jij geen wondermiddeltje?'

Ik heb toevallig een vertrouwd, beproefd recept met zwarte koffie, ijsklontjes en in de neusgaten gespoten deodorant, maar dat ga ik haar nu niet verklappen.

'Goh,' zeg ik meelevend. 'Arme jij. Ik... Ik weet het echt niet. Koffie, misschien?'

'Hij kan niet eens meer rechtop zitten! Hij heeft al die stomme cocktails opgedronken, en ik moest hem naar onze kamer helpen, en toen is hij bewusteloos op het bed gevallen en het zou onze huwelijksnacht moeten zijn.'

'O, nee!' Ik doe mijn best om ontzet te klinken. 'Dus jullie hebben niet eens...'

'Nee! Niet eens!'

Ik kan een zucht van verlichting niet bedwingen. Ik was bang dat ze toch een vluggertje hadden gemaakt zonder dat iemand het merkte.

'We hebben nog niets gedaan,' jammert Lottie radeloos. 'En ik weet dat je dit hotel had aanbevolen, Fliss, maar eerlijk gezegd is het verschrikkelijk! Ik ga een klacht indienen! Ze hebben onze hele huwelijksreis verruïneerd. We hebben eenpersoonsbedden! Ze zeggen dat ze ze niet kunnen weghalen! Ik zit nu op een eenpersoonsbed!' Haar stem schiet schril uit. 'Eenpersoonsbedden! In een bruidssuite!'

'Mijn hemel. Dat geloof je toch niet?' Ik ga steeds gekunstelder klinken, maar Lottie gaat zo op in haar verhaal dat ze het niet merkt.

'Dus toen gaven ze ons al die gratis drank om het goed te maken, en die conciërge wedde met Ben dat hij geen speciale Griekse cocktail op kon. Hij sloeg dat hele glas dus achterover en iedereen in de bar juichte en nu is hij zo goed als in coma! Ik bedoel, wat zat erin? Absint?'

Ik moet er niet aan denken wat erin zat.

'Op weg in de lift naar boven waren we wat aan het foezelen,' vertelt Lottie geagiteerd verder, 'en ik dacht, eindelijk dan toch, en opeens voelde ik dat gewicht op mijn schouder en was Ben in slaap gevallen! Midden onder het foezelen! Ik moest hem de kamer in zeulen en hij woog een ton en nu ligt hij te snurken!' Ze klinkt alsof ze bijna in tranen is.

'Lottie, luister.' Ik haal een hand door mijn haar terwijl ik me wanhopig afvraag hoe ik dit het beste kan aanpakken. 'Het is niet zo'n ramp. Slaap gewoon lekker uit en... eh... geniet van de hotelfaciliteiten.'

'Ik doe ze een proces aan.' Ze lijkt me niet eens te horen. 'Ik snap niet hoe ze de onderscheiding voor de beste bruidssuite hebben kunnen krijgen. Het is de slechtste die er is!'

'Heb je al gegeten? Waarom bestel je niet iets van de roomservice? Ze hebben lekkere sushi en er zit een Italiaanse pizzeria...'

'Oké. Misschien doe ik dat wel.' Haar woede lijkt te luwen en ze slaakt een diepe zucht. 'Sorry dat ik jou hiermee belast, Fliss. Ik bedoel, het is niet jouw schuld.'

Ik kan het niet opbrengen iets terug te zeggen.

Ik doe er goed aan, hou ik mezelf nadrukkelijk voor. *Wat is beter, één nachtje gefrustreerd en van streek of getrouwd, zwanger en de rest van je leven spijt?*

'Fliss? Ben je er nog?'

'O, hoi.' Ik slik. 'Ja. Hé, probeer wat te slapen. Morgen gaat het vast beter.'

'Welterusten, Fliss.'

'Welterusten, Lottie.'

Ik verbreek de verbinding, kijk even voor me uit en probeer mijn schuldgevoel te sussen.

Morgen gaat het vast beter.

Hartstikke gelogen. Ik heb Nico al gesproken. Het wordt morgen niet beter.

12

Lottie

Ik wil niet negatief zijn, maar als ik kon beschrijven hoe ik me de ochtend na mijn huwelijksnacht had voorgesteld, zou het niet zo zijn.

Dit had ik me niet voorgesteld.

Ik had me altijd voorgesteld dat mijn kersverse echtgenoot en ik in een reusachtig, wit, katoenerig bed genesteld zouden liggen, als iets uit een wasmiddelreclame. Kwinkelerende vogels buiten. Het zonlicht strijkt zacht over onze gezichten als we ons naar elkaar toe draaien en kussen, ons de fantastische nacht herinneren en lieve woordjes naar elkaar fluisteren voordat we naadloos overgaan tot spectaculaire ochtendseks.

Níét dat ik wakker zou worden in een eenpersoonsbed, met kramp in mijn nek, ongepoetste tanden, de geur van de pizza van de roomservice van de vorige avond en het geluid van Bens gekreun vanuit het andere bed.

'Gaat het?' Ik probeer meelevend te klinken, al kan ik hem wel schoppen.

'Ik geloof het wel.' Hij heft zijn hoofd, wat hem een enorme inspanning lijkt te kosten. Hij ziet een beetje groen en heeft zijn pak nog aan. 'Wat is er gebeurd?'

'Je hebt een weddenschap gewonnen,' zeg ik kortaf. 'Goed gedaan, hoor.'

Bens blik is leeg en zijn ogen bewegen heen en weer. Hij probeert duidelijk de zaken op een rijtje te krijgen.

'Ik heb het verkloot, hè?' zegt hij uiteindelijk.

'Een beetje maar.'

'Sorry.'

'Ja, hoor. Zie maar.'

'Nee, het spijt me echt.'

'Oké.'

'Nee, het spijt me echt ontzettend.' Hij zwaait zijn benen over de rand van het bed, gaat staan en wankelt even theatraal. 'Mevrouw Parr, mijn diepste, nederigste excuses. Hoe kan ik het goedmaken?' Hij buigt zo diep dat hij bijna omvalt en ik onderdruk een glimlach. Ik kan niet boos blijven. Ben is altijd al een charmeur geweest.

'Ik zou het niet weten.' Ik trek een pruilmondje naar hem.

'Is er plaats in dat bed?'

'Wie weet...'

Ik schuif op en sla uitnodigend het dekbed voor hem open. Het is van weelderig ganzendons. We kunnen ook kiezen uit een kussenmenu met twintig verschillende soorten. Ik heb ze gisteravond allemaal gelezen, bij mijn pizza, maar op dit moment kan het me niets schelen of het kussen met boekweit is gevuld, of het hypoallergeen is en of het met zijde is overtrokken. Mijn man ligt bij me in bed. Wakker. Daar gaat het om.

'Hmmm.' Hij duwt zijn gezicht in mijn hals. 'Wat ben je lekker warm. Hmmm.'

'Jij bent helemaal katerig.' Ik trek mijn neus op. 'Doe je pak uit.'

'Graag.' Hij trekt in één beweging zijn jasje en overhemd over zijn hoofd, komt met ontbloot bovenlijf op me zitten en glimlacht naar me. 'Hallo, echtgenote.'

'Hallo, idioot.'

'Ik maak het goed, zoals ik al zei.' Hij laat een vinger van mijn wang naar mijn hals glijden en vandaar naar het bovenrandje van mijn ongelooflijk dure hemdje onder het dekbed. 'We hebben de hele ochtend.'

'De hele dag.' Ik trek hem naar me toe voor een kus.

'We hebben het verdiend,' zegt hij zacht. 'O, god. O, jezus.' Hij trekt mijn slipje naar beneden. 'Lottie. Ik weet nog hoe je was.'

'Ik weet ook nog hoe jij was,' zeg ik met een stem die zwaar is van begeerte. Hij heeft al zijn kleren nu uitgetrokken. Hij is nog net zo lekker als ik me herinner; hij is net zo hard als ik me herinner. Het voelt net zo goed als ik me herinner; het wordt fantastisch...

'Madame?' klinkt de ernstige stem van Georgios in mijn oor. Heel even denk ik dat Ben hem voor de grap imiteert, maar het is Ben niet. Wat betekent dat het de butler is. Wat betekent...

Ik schiet overeind en trek het dekbed om me heen. Mijn hart bonkt.

Is de butler in de suite?

'Goedemorgen!' roep ik met verstikte stem.

'Is madame klaar voor het ontbijt?'

Wat krijgen we nou? Ik trek een gekweld gezicht naar Ben, die eruitziet alsof hij iemand wil slaan.

'Heb je het bordje NIET STOREN niet opgehangen?' fluistert hij.

'Ik dacht het wel!'

'Wat...?'

'Ik weet het niet!'

'Goedemorgen.' Georgios duikt in de deuropening op. 'Meneer, madame, ik ben zo vrij geweest iets speciaals voor u te bestellen. Van harte aanbevolen door al onze vipgasten op huwelijksreis. Ons champagneontbijt met muziek.'

Ik gaap hem sprakeloos aan. Muziek? Waar heeft hij het over? Wat kan hij in vredesnaam...

Néé. Ik besterf het als ik het meisje binnen zie komen. Ze heeft lang, blond haar, draagt een witte, Griekse tuniek en heeft een enorme harp op wieltjes bij zich.

Ik kijk verwilderd naar Ben. Hoe kunnen we dit tegenhouden? Wat moeten we doen?

'Meneer en mevrouw Parr, gefeliciteerd met uw huwelijk! Ik zal vandaag een medley van liefdesliedjes spelen als begeleiding bij uw ontbijt,' zegt het meisje en ze gaat op een klapstoeltje zitten. Het volgende moment plukt ze al kordaat aan de snaren van de harp. Georgios en zijn assistent zetten dienbladen op pootjes om het bed heen, schenken champagne in, schillen fruit en bieden ons vingerkommetjes aan om onze handen op te frissen.

Ik heb geen woord kunnen uitbrengen. Dit is te onwezenlijk. Ik stond op het punt de heetste seks van mijn leven te hebben. Ik stond op het punt mijn huwelijk te consummeren. In plaats daarvan zit een man van zestig in een jasje met goudgalon een kiwi voor me te schillen terwijl een harpiste 'Love Changes Everything' tokkelt.

Ik heb het niet zo op harpen, en op deze wil ik mijn mandje met minicroissants stukslaan.

'Alstublieft. Een liefdestoost om uw huwelijk te vieren.' Georgios gebaart naar onze champagneglazen. We haken gehoorzaam onze armen door elkaar om een slokje uit elkaars glas te nemen, en zonder enige waarschuwing gooit Georgios een handvol roze confetti over ons heen. Ik verslik me van de schrik. Waar kwam dat vandaan? Bijna op hetzelfde moment word ik verblind en besef ik dat Georgios een foto heeft genomen.

'Een herdenkingsfoto,' zegt hij ernstig. 'We bieden hem u aan in een in leer gebonden album. Met de complimenten van de bedrijfsleiding.'

Wát? Ik gaap hem ontzet aan. Ik wil geen herdenkingsfoto waar ik geschrokken, met een kater en met confetti aan mijn lip op sta.

'Eet,' fluistert Ben in mijn oor. 'Snel. Dan gaan ze wel weg.'

Daar zegt hij iets. Ik reik naar de theepot, maar Georgios springt verwijtend naar voren.

'Madame. Mag ik?' Hij schenkt me een kop thee in en ik neem een paar slokken. Ik eet een partje kiwi en druk mijn handen tegen mijn buik.

'Hmm. Heerlijk! Maar ik zit vol.'

'Ik ook.' Ben knikt. 'Het was een heerlijk ontbijt, maar kun je nu afruimen?'

Georgios aarzelt onwillig.

'Meneer, madame, ik heb nog een speciaal eiergerecht voor u. Van de fijnste eieren met dubbele dooier, bereid met saffraan...'

'Nee, dank je. Geen eieren. Echt niet.' Ben kijkt net zo lang naar Georgios tot die zijn blik moet neerslaan. 'Geen. Eieren. Dank je wel.'

'Zoals u wilt, meneer,' zegt Georgios uiteindelijk. Hij knikt naar het meisje, dat gehaast tot een afsluitende cadenza komt, gaat staan, een buiging maakt en haar harp de kamer uit rolt. De beide butlers zetten de dienbladen op een karretje achter de deur. Dan komt Georgios de slaapkamer weer in.

'Meneer en mevrouw Parr, ik hoop dat u hebt genoten van het champagneontbijt met muziek. Ik wacht nu uw bevelen af. Ik sta geheel tot uw beschikking. Geen verzoek is te klein of te groot.' Hij blijft verwachtingsvol staan.

'Goh, fijn,' zegt Ben op ontmoedigende toon. 'Weet je wat? We bellen je wel.'

'Uw wens is mijn bevel,' zegt Georgios, en dan trekt hij zich terug en sluit de deur van de slaapkamer achter zich.

Ben en ik kijken elkaar zwijgend aan. Ik voel me lichtelijk hysterisch.

'O, mijn god.'

'Kolere.' Ben wendt de blik vertwijfeld omhoog. 'Dit heb ik nog nooit meegemaakt.'

'Had je geen zin in eieren?' zeg ik plagerig. 'Er zat saffraan in, hoor.'

'Ik weet wel waar ik zin in heb.' Hij trekt de bandjes van mijn hemdje van mijn schouders, en alleen het gevoel van zijn handen op mijn huid laat me al ontvlammen.

'Ik ook.' Ik pak hem vast en voel hem sidderen.

'Waar waren we gebleven?' Zijn handen tasten onder het dekbed, langzaam en doelbewust. Ik ben zo gevoelig voor zijn aanrakingen dat ik wel moet kreunen.

Zijn ogen zijn groot en indringend. Zijn ademhaling is schraperig. Ik trek hem naar me toe, en zijn lippen zijn overal, mijn geest wordt leeg en mijn lichaam neemt het over. Oké, daar gaan we. Daar gaan we dan. Ik maak geluiden en hij ook, en het gaat gebeuren, nu gaat het echt gebeuren... Ik sta op springen... Kom op, kom óp...

En dan verstijf ik. Ik hoor een geluid. Een ritselend geluid. Vlak achter de deur van de slaapkamer.

In een reflex duw ik Ben van me af en schiet overeind, tot het uiterste gespannen.

'Hou op! Ophouden! Luister.' Ik kan de woorden amper aan elkaar rijgen. 'Hij is er nog.'

'Hè?' Bens gezicht is verwrongen van verlangen en ik weet niet of hij wel begrijpt wat ik zeg.

'Hij is er nog!' Ik sla Bens hand van mijn borst en gebaar woest naar de deur. 'De butler! Hij is niet weggegaan!'

'Wát?' Bens gezicht krijgt een moordlustige uitdrukking. Hij zwaait zijn benen over de rand van het bed en staat op, spiernaakt.

'Zo kun je de kamer niet uit!' piep ik. 'Doe een ochtendjas aan.'

Bens gezicht wordt nu echt bloeddorstig. Hij schiet een badjas aan en gooit de deur open. En ja, hoor, daar staat Georgios glazen op de cocktailbar te rangschikken.

'Ha, Georgios,' zegt Ben. 'Ik geloof dat je me niet goed hebt begrepen. Hartelijk dank. Dat was het voorlopig. Dank je.'

'Ik begrijp het, meneer.' Georgios maakt een buiginkje. 'Uw wens is mijn bevel.'

'Juist.' Ik voel dat Ben driftig wordt. 'Nou, dan wens ik dat je weggaat. De kamer uit. Weg. Toedeloe.' Hij wuift Georgios weg. 'Laat ons alléén.'

'Aha.' Het begint Georgios eindelijk te dagen. 'Op zo'n manier. Heel goed, meneer. Bel maar als ik iets voor u kan doen.' Hij maakt nog een buiging en zet koers naar de keuken. Ben aarzelt even en loopt dan achter hem aan om te zien of hij wel echt weggaat.

'Goed zo,' hoor ik hem resoluut zeggen. 'Ga maar met je benen omhoogzitten, Georgios. Maak je geen zorgen om ons. Nee, we kunnen zelf water inschenken, dank je wel. Nou, dag dan maar. Dahag...' Bens stem sterft weg als hij de keuken in loopt.

Even later duikt hij in de deuropening op en stompt triomfantelijk in de lucht. 'Weg! Eindelijk!'

'Goed zo!'

'Koppige klootzak.'

'Hij doet gewoon zijn werk, denk ik.' Ik trek mijn schouders op. 'Hij heeft blijkbaar een sterk plichtsbesef.'

'Hij wilde niet weg,' zegt Ben ongelovig. 'Je zou denken dat hij de kans op een paar vrije uren met beide handen zou aangrijpen, maar hij bleef maar zeggen dat we hem nodig hadden om mineraalwater voor ons in te schenken, en ik zei telkens: nee, dat hoeft niet, zo lui zijn we nou ook weer niet. Je gaat je afvragen wat voor mensen hier logeren...' Ben breekt zijn zin af en zijn mond zakt open. Ik draai mijn hoofd en voel mijn eigen mond ook openvallen.

Nee.

Dat kán toch niet...

We kijken allebei ongelovig naar Hermes, de assistent-butler, die het zitgedeelte in loopt.

'Goedemorgen, meneer en mevrouw Parr,' zegt hij opgewekt. Hij loopt naar de cocktailbar en begint de glazen te rangschikken die Georgios tien seconden eerder nog in het gelid heeft gezet. 'Kan ik u iets te drinken aanbieden? Een hapje? Kan ik u helpen met uw daginvulling?'

'Wat... wat...' Ben lijkt niet meer uit zijn woorden te kunnen komen. 'Wat doe je hier, verdomme?'

Hermes kijkt op, zo te zien verbijsterd door de vraag.

'Ik ben uw assistent-butler,' zegt hij. 'Ik heb dienst zolang Georgios uitrust. Uw wens is mijn bevel.'

Ben ik gek geworden?

We zitten gevangen in de butlerhel.

Is dit hoe rijke mensen leven? Geen wonder dat beroemdheden er altijd zo mistroostig uitzien. Ze denken: *liet de butler ons maar een keer seks hebben, godbetert.*

'Alsjeblieft,' zegt Ben radeloos. 'Ga weg, alsjeblieft. Nu. Weg.' Hij drijft Hermes naar de deur.

'Meneer,' zegt Hermes geschrokken, 'ik gebruik de gastendeur niet, ik gebruik de dienstingang...'

'Maakt me niet uit hoe je verdwijnt!' zegt Ben, die bijna gilt. 'Als je maar opdondert! Wegwezen! Opzouten! Wiebeeren!' Hij slaat Hermes naar de deur alsof hij een mug is, en Hermes deinst met een angstig gezicht achteruit en ik kijk vanuit de deuropening toe, met het dekbed om me heen gewikkeld, en we schrikken ons alle drie rot als er aan de deur wordt gebeld. Ben verstijft en kijkt om zich heen alsof hij denkt dat hij in de maling wordt genomen.

'Meneer.' Hermes herstelt zich. 'Alstublieft, meneer. Mag ik opendoen?'

Ben zegt niets terug. Hij ademt zwaar door zijn opengesperde neusgaten. Hij kijkt me aan en ik haal angstig mijn schouders op. Er wordt weer gebeld.

'Alstublieft, meneer,' herhaalt Hermes. 'Mag ik opendoen?'

'Toe dan maar,' zegt Ben met een dreigende blik. 'Doe maar open. Maar geen kamermeisjes. Geen bed opmaken, geen bed afhalen, geen champagne, geen fruit en al helemaal geen harpen.'

'Heel goed, meneer,' zegt Hermes, die schichtig naar hem opkijkt. 'U geeft me toestemming.'

Hermes wringt zich langs Ben de hal in en doet de deur open. Nico zeilt de suite in, gevolgd door de zes werklieden van de vorige avond.

'Goedemorgen, meneer Parr, mevrouw Parr,' zegt hij monter. 'Ik hoop dat u goed hebt geslapen? Duizendmaal excuses voor gisteravond, maar ik heb goed nieuws! We komen uw bedden omwisselen.'

13

Lottie

Dit kan niet waar zijn. We zijn uit onze bruidssuite geknikkerd. Wat mankeert die lui? Ik heb nog nooit zo'n stelletje klungels bij elkaar gezien. Ze schroefden de poten van een van de bedden, schoven er wat mee, tilden het op en constateerden dat het te groot was. Toen stelde Nico voor de poten er weer aan te schroeven en het nog eens te proberen... en al die tijd sudderde Ben tot hij het kookpunt bereikte.

Hij ging zo tekeer dat de werklieden zich beschermend rondom Nico opstelden. Ik moet het Nico nageven: hij hield het hoofd koel, zelfs toen Ben hem met de föhn bedreigde. Nico vroeg of we de suite alsjeblieft wilden verlaten terwijl de werklieden operationeel waren, en mocht de bedrijfsleiding ons een à la carte ontbijt op de veranda aanbieden?

Dat is nu twee uur geleden. Er is een grens aan de hoeveelheid à la carte ontbijt die je kunt eten. We zijn naar de suite teruggegaan om onze strandspullen te pakken en die lui stonden nog steeds naar de bedden te turen en aan hun kop te krabben. De kamer ligt bezaaid met poten en hoofdeindes en er staat een super kingsize matras tegen de muur. Het schijnt het 'verkeerde soort bed' te zijn. Wat bedoelen ze daar in vredesnaam mee?

'Hoe moeilijk kan het zijn om een paar bedden te verwisselen?' zegt Ben met een kwaaie kop terwijl we naar het strand lopen. 'Zijn die lui achterlijk of zo?'

'Dat dacht ik ook net.'

'Het is belachelijk.'

'Bespottelijk.'

We blijven bij de ingang naar het strand staan. Het is niet mis. Een blauwe zee, goudkleurig zand, rijen van de zachtste ligstoelen die ik ooit heb gezien, witte parasols die opbollen in de bries en obers die rondrennen met dienbladen vol glazen. Normaal gesproken zou het water me in de mond lopen.

Maar nu op dit moment wil ik maar één ding, en dat is niet bruin worden.

'Ze hadden ons een andere kamer moeten geven,' zegt Ben voor de zoveelste keer. 'We zouden ze voor de rechter moeten slepen.'

Zodra ze ons vroegen weg te gaan, eiste Ben een vervangende kamer, en een hemels moment lang dacht ik dat het allemaal toch nog goed zou komen. We zouden ons in een lege kamer kunnen terugtrekken, een heerlijke ochtend beleven samen en op tijd weer tevoorschijn kunnen komen voor de lunch… Maar nee, Nico zei handenwringend dat hij ontroostbaar was en dat hij zich diep schaamde, maar dat het hotel helemaal vol zat, en kon hij meneer in plaats daarvan een ballonvaart aanbieden namens de bedrijfsleiding?

Een ballonvaart namens de bedrijfsleiding? Ik was bang dat Ben hem zou wurgen.

We blijven bij de kraam met handdoeken staan en ik word me bewust van een sneaky aanwezigheid. Het is Georgios. Waar komt die opeens vandaan? Heeft hij ons gevolgd? Hoort dit allemaal bij de service? Ik stoot Ben aan, die zijn wenkbrauwen optrekt.

'Madame,' zegt Georgios plechtig. 'Mag ik u helpen met uw handdoeken?'

'O. Eh, graag,' zeg ik onhandig. Ik heb niet echt hulp nodig, maar het zou onbeleefd zijn om hem weg te sturen.

Georgios pakt twee handdoeken en we lopen achter een strandhulp aan naar een paar ligstoelen met uitzicht op zee. Er zijn al veel gasten en de geur van zonnebrandcrème hangt in de lucht. Golven kabbelen zacht op het strand. Het is best paradijselijk, moet ik toegeven.

De strandhulp en Georgios spreiden onze handdoeken met een militaire precisie over de stoelen uit.

'Flessenwater.' Georgios zet een koeler op ons tafeltje. 'Zal ik de dop eraf draaien voor madame?'

'Doe geen moeite. Misschien later. Dank je wel, Georgios. Dat is het voorlopig wel. Dank je.' Ik ga op een stoel zitten en Ben neemt de andere. Ik schop mijn slippers van mijn voeten, trek mijn kaftan uit, leun achterover en doe mijn ogen dicht in de hoop dat Georgios de hint zal vatten. Even later trekt er een schaduw over mijn oogleden en ik kijk op. Tot mijn verbijstering zie ik Georgios mijn slippers rechtzetten en mijn kaftan opvouwen.

Is hij van plan de hele dag om ons heen te blijven hangen? Ik werp een blik op Ben, die duidelijk hetzelfde denkt.

Georgios ziet dat ik rechtop ga zitten en is meteen paraat.

'Wil madame zwemmen? Wil madame over het hete zand lopen?' Hij houdt me de slippers voor.

Wat?

Oké, dit is gewoon stom. Die vijfsterrenhotels zijn veel te ver doorgeschoten. Ja, het is mijn vakantie; ja, het is leuk om wat persoonlijke aandacht te krijgen. Maar dat wil nog niet zeggen dat ik plotseling niet meer bij machte ben een handdoek uit te spreiden, de dop van een fles te draaien of mijn eigen slippers aan te trekken.

'Nee, dank je. Wat ik echt graag zou willen...' Ik probeer een tijdrovende uitdaging te verzinnen. 'Ik zou wel een versgeperst glaasje jus met een beetje honing erin lusten. En wat M&M's. Alleen de bruine. Heel attent van je, Georgios.'

'Madame.' Tot mijn opluchting maakt hij een buiging en loopt weg.

'Bruine M&M's?' zegt Ben ongelovig. 'Diva die je bent.'

'Ik probeer hem weg te krijgen!' zeg ik op gedempte toon. 'Blijft hij ons de hele dag stalken? Is dat wat een eigen butler doet?'

'God mag het weten,' zegt Ben afwezig. Hij blijft maar naar mijn bikinibovenstukje kijken. Of, liever gezegd, de inhoud ervan.

'Zal ik je insmeren?' zegt hij. 'Dat karweitje laat ik niet aan de butler over.'

'Oké. Graag.' Ik geef hem de flacon en hij knijpt een grote klodder zonnebrandcrème in zijn hand. Hij begint me in te smeren en ik hoor hem zwaar ademen.

'Zeg het maar als ik te ruw ben,' zegt hij hees. 'Of niet ruw genoeg.'

'Eh... Ben,' fluister ik. 'Mijn rug, bedoelde ik. Mijn decolleté kan ik zelf wel doen.'

Ik denk dat Ben me niet hoort, want hij gaat gewoon door. Een vrouw kijkt bevreemd naar ons. Ben knijpt weer een klodder crème uit de flacon en nu begint hij ónder mijn bovenstukje te smeren. Met twee handen. Hij hijgt inmiddels. En nu kijken er meer mensen.

'Ben!'

'Ik ben gewoon grondig,' fluistert hij.

'Ben! Ophouden!' Ik schiet onder zijn handen vandaan. 'Doe mijn rúg!'

'O.' Hij knippert een paar keer met zijn ogen, die glazig staan. 'Misschien kan ik het beter zelf doen.' Ik neem de flacon van hem over en knijp crème over mijn benen uit. 'Wil jij ook? Ben?' Ik wuif naar hem om zijn aandacht te trekken, maar hij lijkt in trance te zijn. Opeens komt hij weer bij.

'Ik heb een idee.'

'Wat voor idee?' zeg ik argwanend.

'Een geniaal idee.'

Hij staat op en loopt naar een stelletje dat vlak bij ons ligt. Ik heb ze vanochtend in het hotel ook al gezien. Ze hebben allebei rood haar en ik ben nu al bang dat ze zullen verbranden.

'Hallo daar.' Ben glimlacht charmant naar de vrouw. 'Geniet u van uw vakantie? Ik ben Ben, trouwens. We zijn net aangekomen.'

'O. Hallo,' zegt de vrouw lichtelijk achterdochtig.

'Leuke hoed.' Hij gebaart naar haar hoofd.

Leuke hoed? Ik heb nog nooit zo'n nietszeggende strohoed gezien. Wat voert Ben in zijn schild?

'Wat ik me afvroeg...' vervolgt Ben. 'Ik heb een probleempje. Ik moet een heel belangrijk telefoontje plegen en we kunnen onze kamer niet in. Zou ik de uwe even mogen lenen? Heel even maar. Ik wip snel even naar boven. Met mijn vrouw,' voegt hij er terloops aan toe. 'We zijn zó klaar.'

De vrouw ziet er nogal perplex uit.

'Een telefoontje?' zegt ze.

'Een belangrijk zakelijk gesprek,' zegt Ben. 'Maar we zullen supersnel zijn, zoals ik al zei. Erin en eruit.'

Hij kijkt naar mij en knipoogt bijna onmerkbaar. Als ik niet zo verlamd was van verlangen, zou ik naar hem glimlachen. Een kamer. O, god, we moeten dringend een kamer hebben...

'Schat?' De vrouw leunt opzij en geeft haar man een porretje. 'Die mensen willen onze kamer lenen.' De man richt zich op, houdt een hand boven zijn ogen tegen de zon en kijkt naar Ben. Hij is ouder dan zijn vrouw en hij was met het cryptogram van *The Times* bezig.

'Waarom in hemelsnaam?'

'Voor een telefoontje,' zegt Ben. 'Een snel zakelijk telefoontje.'

'Kun je niet naar de vergaderruimte gaan?'

'Daar hebben we geen privacy,' zegt Ben prompt. 'Het gaat om een heel vertrouwelijk, discreet telefoontje. Ik zou een afgeschermde ruimte zeer op prijs stellen.'

'Maar...'

'Weet u wat...' Ben aarzelt. 'Mag ik u iets aanbieden voor de moeite? Laten we zeggen, vijftig pond?'

'Wat?' zegt de man verbijsterd. 'Wil je ons vijftig pond geven, alleen maar om onze kamer even te lenen? Meen je dat echt?'

'Het hotel kan u vast wel gratis een kamer aanbieden,' zegt de vrouw behulpzaam.

'Dat kan niet, oké?' zegt Ben een tikje ongeduldig. 'We hebben het geprobeerd. Daarom vraag ik het aan u.'

'Vijftig pond.' De man legt zijn krant neer en fronst peinzend zijn voorhoofd, alsof het een omschrijving is. 'Hoe... contant?'

'Contant, een cheque, u zegt het maar. Ik stort het op uw hotelrekening. Het maakt mij niets uit.'

'Wacht eens even.' De man wijst priemend naar Ben, alsof hij het opeens doorheeft. 'Is dit een zwendeltje? U belt voor honderden ponden en geeft mij vijftig pond voor de eer?'

'Nee! Ik wil alleen de kamer!'

'Maar er zijn zoveel andere mogelijkheden,' zegt de vrouw verwonderd. 'Waarom wilt u onze kamer? Wat dacht u van een hoekje van de lobby? Kunt u niet...'

'*Omdat ik seks wil, oké?*' barst Ben uit. Ik zie overal hoofden onder parasols omhoogschieten. 'Ik wil seks,' herhaalt hij iets bedaarder. 'Met mijn vrouw. Op onze huwelijksreis. Is dat te veel gevraagd?'

'U wilt seks?' De vrouw deinst achteruit alsof ze bang is een ziekte van Ben te krijgen. 'In óns bed?'

'Het is uw bed niet!' zegt Ben ongeduldig. 'Het is een hotelbed. We kunnen het laten verschonen. Of we doen het op de vloer.' Hij kijkt me vragend aan. 'Het kan ook op de vloer, hè?'

Mijn hele gezicht kriebelt. Ongelooflijk dat hij me dit aandoet. Ongelooflijk dat hij het hele strand vertelt dat we het op de vloer gaan doen.

'Andrew!' richt de vrouw zich tot haar man. 'Zeg iets!'

Andrew fronst peinzend zijn voorhoofd... en kijkt op.

'Vijfhonderd en geen cent minder.'

'Wat?' Nu is het de beurt aan de vrouw om uit te barsten. 'Dat meen je niet! Andrew, het is ónze kamer en ónze huwelijksreis en we laten geen onbekend stel in onze kamer om... iets te doen.' Ze pakt de sleutelkaart, die op Andrews stoel ligt, en propt hem opstandig in haar badpak. 'Je bent gestoord.' Ze kijkt Ben kwaad aan. 'En je vrouw ook.'

Iedereen op het strand kijkt nu naar ons.

'Prima,' zegt Ben uiteindelijk. 'Nou, bedankt voor uw tijd.'

Ben draait zich naar me om, maar een grote harige vent in een strakke zwembroek springt op van zijn ligstoel en tikt Ben op zijn schouder. Ik kan zijn aftershave vanaf mijn stoel ruiken.

'Hé,' zegt hij met een zwaar Russisch accent. 'Ik heb een kamer.'

'O, echt?' Ben kijkt geïnteresseerd op.

'Jij, ik, jouw vrouw, mijn nieuwe vrouw, Natalya... zullen we plezier gaan maken?'

Het blijft even stil – en dan kijkt Ben me met opgetrokken wenkbrauwen aan. Ik kijk onthutst terug. Vraagt hij dat echt aan mij? Ik schud verwoed mijn hoofd en zeg geluidloos *nee, nee, nee.*

'Vandaag niet,' zegt Ben, die oprecht spijtig klinkt. 'Een andere keer.'

'Geeft niet.' De Rus geeft Ben een klap op zijn schouder en hij loopt terug naar zijn ligstoel. Hij schuift erop en kijkt woest naar de zee.

'Nou, daar gaat mijn slimme plan. Frigide trut.'

Ik leun naar hem over en prik hard met mijn wijsvinger in zijn borst. 'Hé, wat moest dat voorstellen? Wilde je op zijn aanbod ingaan? Van die Rus?'

'Het was tenminste iets geweest.'

Iets? Ik gaap hem ongelovig aan tot hij naar me opkijkt.

'Wat nou?' zegt hij opstandig. 'Het was toch iets geweest?'

'Nou, neem me niet kwalijk dat ik mijn huwelijksnacht niet wil delen met een gorilla en een meid met rubbertieten,' zeg ik sarcastisch. 'Sorry dat ik roet in het eten gooi.'

'Het is geen rubber,' zegt Ben.

'O, je hebt gekeken?'

'Siliconen.'

Ik snuif minachtend. Intussen hangt Ben behendig handdoeken over onze parasol. Waar is hij mee bezig?

'Ik geef ons wat privacy,' zegt hij knipogend. Hij wurmt zich naast me op mijn ligstoel en lijkt opeens overal armen te hebben, als een inktvis. 'God, wat ben je lekker. Je hebt zeker geen bikinibroekje met een open kruis aan?'

Meent hij dat nou?

Hm. Een bikinibroekje met open kruis was eigenlijk best handig geweest.

'Ik geloof niet dat het bestaat...' Opeens zie ik twee kinderen nieuwsgierig naar ons kijken. 'Stop,' sis ik en ik trek Bens hand uit mijn bikinibroekje. 'We doen het niét op een ligstoel! Straks worden we nog gearresteerd!'

'Schaafijs, madame? Met citroensmaak?' We springen allebei een kilometer de lucht in van schrik als Hermes zijn hoofd onder de handdoeken door steekt en ons een dienblad met twee ijshoorntjes voorhoudt. Echt, ik krijg hier nog een hartverzakking.

We slurpen een tijdje zwijgend van ons ijsje en luisteren naar het zachte geroezemoes op het strand en de kabbelende golven.

'Hoor eens,' zeg ik uiteindelijk, 'het is balen, maar we kunnen er niets aan doen. We kunnen hier ziedend van frustratie blijven zitten en kribbig tegen elkaar doen, maar we kunnen ook iets gaan doen tot onze kamer klaar is.'

'Zoals?'

'Je weet wel.' Ik probeer optimistisch te klinken. 'Leuke vakantiedingen. Tennissen, zeilen, kanoën. Pingpongen. Wat ze maar hebben.'

'Fascinerend,' zegt Ben chagrijnig.

'Laten we dan in elk geval een wandelingetje maken. Wie weet wat we tegenkomen.'

Ik wil van dit strand af. De mensen zitten allemaal achter hun pockets te smiespelen en naar ons te gluren, en die Rus knipoogt telkens naar me.

Ben heeft zijn ijsje op en buigt zich naar me over om me te kussen. Zijn ijskoude lippen openen de mijne met een verrukkelijk citroenige, zilte smaak.

'Het kán niet,' zeg ik als zijn hand als vanzelf mijn bikinibovenstukje vindt. 'Hé, ophouden.' Ik wrik zijn hand los. 'Zo maak je het te moeilijk. Niet aan me zitten. Pas als onze kamer klaar is.'

'Niet aan je zitten?' Hij kijkt me ongelovig aan.

'Nee.' Ik schud vastbesloten mijn hoofd. 'Kom op. We gaan door het hotel lopen en de eerste de beste activiteit die we zien, gaan we doen. Ja? Afgesproken?'

Ik wacht tot Ben is opgestaan en zijn voeten in zijn slippers heeft geschoven. Georgios komt over het pad vanaf het hotel onze kant op, en tot mijn verbijstering heeft hij echt een dienblad met daarop een glas jus en een schaaltje bruine M&M's bij zich.

'Madame.'

'Wauw!' Ik drink het glas jus in één teug leeg en knabbel op een paar M&M's. 'Heerlijk.'

'Is onze kamer al klaar?' vraagt Ben bot. 'Dat moet haast wel.'

'Ik geloof het niet, meneer.' Georgios' sombere gezicht betrekt nog meer. 'Ik geloof dat er zich een probleem heeft voorgedaan met het brandalarm.'

'Het brandalarm?' herhaalt Ben ongelovig. 'Hoe bedoel je, het brandalarm?'

'Bij het verplaatsen van de bedden is een sensor kapot gestoten. Die moet jammer genoeg gerepareerd worden voordat we u weer in uw kamer kunnen laten. Het is voor uw eigen veiligheid. Mijn welgemeende verontschuldigingen, meneer.'

Ben grijpt met twee handen naar zijn hoofd. Hij ziet er zo woest uit dat ik er bijna bang van word.

'Hoelang gaat dat nou weer duren?'

Georgios steekt machteloos zijn handen op. 'Meneer, ik hoop alleen...'

'Je weet het niet,' onderbreekt Ben hem gespannen. 'Natuurlijk weet je het niet. Waarom zou je het ook weten?'

Ik krijg het afschuwelijke gevoel dat hij elk moment kan flippen en Georgios een klap gaat geven.

'Maar goed,' meng ik me haastig in het gesprek. 'Geeft niet. We vermaken ons wel.'

'Madame.' Georgios knikt. 'Hoe kan ik u daarbij behulpzaam zijn?'

Ben kijkt kwaad naar Georgios. 'Je kunt...

'... mij nog wat sap brengen, graag!' jubel ik voordat Ben iets écht beledigends zegt. 'Misschien wat... wat...' Ik aarzel. Wat is het meest tijdrovende sap? 'Bietensap?'

Ik zie een flits over Georgios' verder onaangedane gezicht trekken. Ik denk dat hij me doorheeft.

'Natuurlijk, madame.'

'Super! Tot straks.' We slaan een pad in dat is afgezet met witte muren en bougainville. De zon beukt op onze hoofden en het is er heel stil. Ik weet dat Georgios achter ons aan loopt, maar ik ga geen praatje met hem maken. Dan gaat hij nóóit meer weg.

'De strandbar is die kant op,' zegt Ben als we langs een bord komen. 'We zouden daar een kijkje kunnen nemen.'

'De *strandbar*?' Ik werp hem een sardonische blik toe. 'Na gisteren?'

'Een glaasje tegen de kater. Iets zonder alcohol. Weet ik veel.'

'Oké,' zeg ik schouderophalend. 'We kunnen wel even wat drinken.'

De strandbar is groot en rond en beschut en er klinkt zachte Griekse bouzoukimuziek. Ben hijst zich meteen op een barkruk.

'Welkom.' De barman komt breed glimlachend naar ons toe. 'Hartelijk gefeliciteerd met uw huwelijk.' Hij geeft ons een gelamineerde kaart en loopt weer weg.

'Hoe wist hij dat we net getrouwd zijn?' Ben kijkt de barman met toegeknepen ogen na.

'Misschien heeft hij onze blinkend nieuwe trouwringen gezien? Wat zullen we drinken?' Ik buig me over de kaart, maar Ben lijkt in gedachten verzonken.

'Dat rotwijf,' pruttelt hij. 'We hadden daar nu kunnen zijn. In hun bed.'

'Nou, het brandalarm is vast snel gerepareerd,' zeg ik weinig overtuigend.

'Het is onze huwelijksreis, verdomme.'

'Weet ik toch,' zeg ik sussend. 'Kom op, laten we iets drinken. Een echt drankje.' Ik lust er zelf ook wel een, eerlijk gezegd.

'Zei je dat het je huwelijksreis was?' roept een blond meisje vanaf de andere kant van de bar. Ze heeft een oranje kaftan met bolletjes langs de mouwen aan en sandalen met edelstenen en torenhoge hakken. 'Natuurlijk is het je huwelijksreis! Iedereen hier is op huwelijksreis. Wanneer zijn jullie getrouwd?'

'Gisteren. We zijn gisteravond aangekomen.'

'Wij zaterdag! In de Holy Trinity-kerk in Manchester. Ik had een jurk aan van Phillipa Lepley. Er waren honderdtwintig mensen op de receptie. We hadden een buffet. 's Avonds hadden we dansen met een band en vijftig extra gasten.' Ze kijkt ons verwachtingsvol aan.

'Onze bruiloft was... kleiner,' zeg ik na een korte stilte. 'Veel kleiner. Maar heel mooi.'

Mooier dan de jouwe, voeg ik er in stilte aan toe. Ik kijk vragend naar Ben, maar die heeft zich van me afgewend en praat met de barman.

Het is voor het eerst dat ik een trekje bij Ben ontdek dat hij met Richard deelt, namelijk dat hij zich volslagen asociaal en kleingeestig opstelt tegenover nieuwe mensen. Ik heb ontelbare keren een gesprek aangeknoopt met een interessant, leuk mens, en dan vertikte Richard het gewoon om mee te doen. Zoals die fascinerende vrouw die we een keer tegenkwamen in Greenwich. Hij weigerde botweg zich voor te stellen. Oké, ze bleek een beetje lijp te zijn en probeerde me over te halen tienduizend pond in een woonboot te investeren, maar dat kon híj toch niet weten?

'Ring?' Het meisje steekt haar hand uit. Haar nagels zijn in dezelfde kleur oranje gelakt als haar kaftan, zie ik. Wil dat zeggen dat al haar kaftans oranje zijn of dat ze elke dag haar nagels opnieuw lakt? 'Trouwens, ik ben Melissa.'

'Mooi!' Ik steek mijn linkerhand ook uit, en mijn platina trouwring fonkelt in de zon. Hij is bezet met diamanten en echt heel chic.

'Prachtig!' Melissa trekt geïmponeerd haar wenkbrauwen op. 'Wat voelt dat ongelooflijk, hè, een trouwring dragen?' Ze leunt samenzweerderig naar voren. 'Ik zie mezelf in de spiegel met die ring om mijn vinger en dan denk ik: krijg nou wat! Ik ben getrouwd!'

'Ik ook!' Opeens merk ik dat ik dit heb gemist: meidenpraatjes over trouwen. Dat is het nadeel als je overhaast trouwt, zonder familie of bruidsmeisjes aan je zij. 'En "mevrouw" genoemd worden is ook raar!' voeg ik eraan toe. 'Mevrouw Parr.'

'Ik ben mevrouw Falkner,' zegt Melissa stralend. 'Ik vind het geweldig. Falkner.'

'Ik vind Parr mooi.' Ik glimlach terug.

'Wist je dat dit dé plek is voor huwelijksreizen? Er zijn hier beroemdheden geweest en zo. Onze suite is om een moord voor te doen. En morgenavond gaan we onze geloften opnieuw afleggen, op het Liefdeseiland. Zo noemen ze het, het Liefdeseiland.'

Ze gebaart naar de zee, naar een lange houten pier met aan het eind een groot platform met een hemel van doorschijnende witte stof.

'Daarna gaan we cocktails drinken,' vervolgt ze. 'Kom ook! Misschien kunnen jullie je geloften ook opnieuw afleggen!'

'Nu al?'

Ik wil niet onbeleefd zijn, maar ik heb nog nooit zoiets raars gehoord. Ik ben gisteren pas getrouwd. Waarom zou ik mijn geloften opnieuw afleggen?

'We hebben besloten dat we elk jaar onze geloften opnieuw gaan afleggen,' zegt Melissa zelfvoldaan. 'Volgend jaar gaan we naar Mauritius en ik heb de jurk al gezien die ik daar wil dragen. In de *Brides* van vorige maand. Die Vera Wang op bladzij 54. Heb je hem gezien?' Melissa's telefoon gaat voordat ik iets kan zeggen, en ze fronst haar voorhoofd. 'Moment... Matt? Matt, waar blijf je in vredesnaam? Ik zit in de bar. Zoals we hadden afgesproken. De bar... Nee, niet de kapper, de bár!'

Ze ademt ongeduldig uit, stopt haar telefoon weg en lacht weer stralend naar me. 'Jullie moeten vanmiddag echt meedoen aan de Honeymoonquiz.'

'Honeymoonquiz?' herhaal ik niet-begrijpend.

'Je weet wel. Net als op tv. Je beantwoordt vragen over je partner en het stel dat elkaar het best kent, heeft gewonnen.' Ze wijst naar een aanplakbiljet met de tekst:

VANMIDDAG OM 16.00 UUR: HONEYMOONQUIZ OP HET STRAND.
GROTE PRIJZEN!! DEELNAME GRATIS!!

'Iedereen doet mee,' voegt ze eraan toe, en ze zuigt aan het rietje in haar glas. 'Ze organiseren hier van alles voor mensen op huwelijksreis. Het is allemaal marketingflauwekul, natuurlijk.' Ze strijkt achteloos haar haar naar achteren. 'Ik bedoel, het huwelijk is toch geen wedstrijd?'

Ik proest het bijna uit. Leuk geprobeerd. Het druipt ervan af hoe graag ze wil winnen.

'Dus, doen jullie mee?' Ze tuurt over haar Gucci-zonnebril naar me. 'Kom op! Het is maar een lolletje!'

Ze zal wel gelijk hebben. Ik bedoel, laten we eerlijk zijn, hoe moeten we de tijd anders doorkomen?

'Oké. Geef ons maar op.'

'Yianni!' roept Melissa naar de barkeeper. 'Ik heb weer een stel voor de Honeymoonquiz.'

'Wat?' Ben kijkt me met gefronst voorhoofd aan.

'We gaan aan een quiz meedoen,' vertel ik hem. 'We hadden toch afgesproken dat we aan de eerste de beste activiteit mee zouden doen? Nou, dit is het geworden.'

Yianni geeft Ben en mij allebei een flyer, samen met een fles wijn en twee glazen die Ben besteld moet hebben. Melissa is van haar kruk gekomen. Ze telefoneert weer en ze klinkt nog ontstemder dan eerst.

'De strandbar, niet die binnen. Aan het strand! ... Oké, blijf daar wachten, ik kom eraan...' *Tot vanmiddag*, mimet ze naar ons, en dan trippelt ze weg in een werveling van oranje kaftan.

Als ze weg is, kijken Ben en ik even zwijgend naar de flyers. LAAT ZIEN HOEVEEL JE VAN ELKAAR HOUDT! BEWIJS DAT JE EEN ECHT STEL BENT!

Ondanks alles voel ik dat mijn competitiedrift de kop opsteekt. Niet dat ik ook maar iets hoef te bewijzen, maar ik wéét gewoon dat geen stel hier zo'n hechte band heeft als Ben en ik. Ik bedoel, kijk om je heen. En kijk dan naar ons.

'Dat gaan we jammerlijk verliezen,' zegt Ben gnuivend.

Verliezen?

'Nee, echt niet!' Ik kijk hem ontzet aan. 'Waarom zeg je dat?'

'Omdat we dingen van elkaar moeten weten,' zegt Ben alsof het de vanzelfsprekendste zaak van de wereld is. 'En dat doen we niet.'

'We weten van alles van elkaar!' breng ik ertegen in. 'We kennen elkaar al sinds ons achttiende! Als je het mij vraagt, gaan we winnen.'

Ben trekt een wenkbrauw op. 'Misschien. Wat voor vragen stellen ze?'

'Ik weet het niet. Ik heb dat programma nooit gezien.' Dan krijg ik een inval. 'Maar Fliss heeft het bordspel. Ik zal haar bellen.'

14

Fliss

We staan in de vertrekhal als mijn telefoon gaat. Voordat ik iets kan doen, plukt Noah het toestel uit het zijvak van mijn tas en kijkt op het scherm.

'Het is tante Lottie!' Zijn gezicht licht op. 'Zal ik tegen haar zeggen dat we haar op haar speciale vakantie komen verrassen?'

'Nee!' Ik gris de telefoon uit zijn hand. 'Ga even zitten. Kijk naar je stickerpakket. Doe de dino's maar.' Ik druk op OPNEMEN, zet een paar passen bij Noah vandaan en probeer me te vermannen. 'Ha, Lottie,' begroet ik haar.

'Daar ben je dan! Ik kon je niet bereiken! Waar zit je?'

'O… je weet wel. Hier en daar.' Ik dwing mezelf even te wachten voordat ik er vlinderlicht aan toevoeg: 'Is je kamer al in orde? Of het bed? Of… alles?'

Ik weet van Nico dat ze nog zonder kamer zit, maar ik weet ook dat Ben op het strand heeft geprobeerd de kamer van een andere gast te huren. Geniepig etterbakje.

'O, de kamer,' zegt Lottie triest. 'Er komt geen eind aan, verdomme. We hebben het maar opgegeven. We gaan er gewoon een leuke dag van maken.'

'Goed zo. Heel verstandig.' Ik slaak een zucht van verlichting. 'En, hoe is het daar? Zonnig?'

'Snikheet.' Lottie klinkt afwezig. 'Hé, Fliss, weet je nog, dat spel, de Honeymoonquiz?'

Ik trek een denkrimpel in mijn voorhoofd. 'Dat tv-programma, bedoel je?'

'Ja. Jij had het bordspel toch? Wat voor vragen stellen ze?'

'Hoezo?' zeg ik verwonderd.

'We doen vanmiddag mee aan de Honeymoonquiz hier. Zijn het moeilijke vragen?'

'Moeilijk? Nee! Gewoon leuk. Onbenullige dingen. De gewone dingen die stellen van elkaar weten.'

'Vraag eens iets?' Lottie klinkt een beetje gespannen. 'Om te oefenen.'

'Goed.' Ik denk even na. 'Wat voor tandpasta gebruikt Ben?'

'Weet niet,' zegt Lottie na een korte stilte.

'Hoe heet zijn moeder?'

'Weet niet.'

'Wat kook je voor hem als je hem wilt verwennen?'

Het blijft nog langer stil. 'Weet niet,' zegt ze uiteindelijk. 'Ik heb nog nooit voor hem gekookt.'

'Als hij naar de schouwburg gaat, kiest hij dan voor Shakespeare, hedendaags toneel of een musical?'

'Ik wéét het niet!' jammert Lottie. 'Ik ben nog nooit met hem naar de schouwburg geweest. Ben heeft gelijk! We gaan verliezen!'

Is ze niet goed wijs? Natuurlijk gaan ze verliezen.

'Weet Ben zulke dingen van jou, denk je?' vraag ik vriendelijk.

'Natuurlijk niet! We weten allebei niets!'

'Tja. Nou...'

'Ik wil echt niet verliezen,' gromt Lottie woest. 'Er zit hier een bridezilla over haar bruiloft op te scheppen en als ik niets van mijn man weet en hij niets van mij...'

Dan hadden jullie misschien beter niet met elkaar kunnen trouwen! wil ik krijsen.

'Kunnen jullie misschien... met elkaar praten?' stel ik uiteindelijk voor.

'Ja! Ja, dat is het,' zegt Lottie op een toon alsof ik een helse code heb gekraakt. 'We leren het wel. Geef me maar een lijst van alles wat ik moet weten.' Ze klinkt vastberaden. 'Tandpasta, naam van moeder, lievelingskostje... Kun je me alle vragen sms'en?'

'Nee, dat kan ik niet,' zeg ik gedecideerd. 'Ik heb het druk. Lottie, waarom wil je dit in godsnaam? Waarom lig je niet aan het strand?'

'Ik heb me laten overhalen. En nu kunnen we niet meer terug, want dan lijkt het alsof we geen gelukkig stel zijn. Fliss, het is hier een gekkenhuis. Je struikelt over de pasgetrouwden.'

Ik haal mijn schouders op. 'Dat wist je toch van tevoren?'

'Misschien wel...' Ze aarzelt. 'Maar ik wist niet dat het zó huwelijksreizerig zou zijn. Het wemelt van de verliefde stelletjes en je kunt je kont niet keren of iemand feliciteert je of gooit confetti over je heen. Die bridezilla gaat haar geloften nu al opnieuw af-leggen, dat geloof je toch niet? Ze probeerde mij zo gek te krijgen dat ik het ook ging doen.'

Heel even vergeet ik de situatie en waar ik ben. Ik klets gewoon met Lottie.

'Zo te horen is het een kermisvertoning geworden.'

'Een beetje wel, ja.'

'Doe dan niet mee aan die Honeymoonquiz.'

'Ik moet wel.' Ze klinkt vastbesloten. 'Ik ga nu niet meer terug-krabbelen. Hé, moet ik weten waar Ben op school heeft gezeten en dat soort dingen? Wat voor hobby's hij heeft?'

Ik voel me op slag weer gefrustreerd. Dit is bespottelijk. Ze klinkt als iemand die snel van alles moet leren om een verblijfs-vergunning te bemachtigen. Ik overweeg heel even het tegen haar te zeggen.

Tegelijkertijd zegt mijn intuïtie me dat ik niets over de telefoon moet proberen. Dan krijgen we alleen maar laaiende ruzie, en dan verbreekt ze de verbinding en laat zich ter plekke door Ben be-zwangeren, waarschijnlijk op het strand waar iedereen het kan zien, alleen maar om mij een lesje te leren.

Ik moet erheen. Doen alsof ik haar gewoon kom verrassen. Ik ga het terrein verkennen, wachten tot ze ontspannen is. Dan neem ik haar apart om een babbeltje met haar te maken. Een open-hartig babbeltje. Een lang, genadeloos babbeltje waar ik haar niet uit laat ontsnappen tot ze het hele plaatje heeft gezien. Echt heeft gezien.

Die Honeymoonquiz speelt me in de kaart, besef ik. Ze zal plat op haar bek gaan, op een heel openbare manier. En dan is ze rijp om de stem van de rede te horen.

Er wordt een vlucht omgeroepen en Lottie zegt prompt: 'Wat is dat? Waar ben je?'

'Het station,' lieg ik soepel. 'Ik moet gaan. Succes!'

Ik zet mijn telefoon uit en kijk om me heen op zoek naar Noah. Ik had hem op een plastic stoel vlakbij gezet, maar hij is naar de balie gelopen en gaat nu op in een gesprek met een stewardess die door haar knieën is gezakt en aandachtig naar hem luistert.

'Noah!' roep ik en ze kijken allebei op. De stewardess steekt een hand naar me op ten teken dat ze me heeft begrepen, richt zich op en brengt Noah naar me terug. Ze is rondborstig en bruin, met grote blauwe ogen en een knotje, en als ze dichterbij komt, ruik ik haar parfum.

'Sorry.' Ik glimlach naar haar. 'Noah, hier blijven. Niet aan de wandel gaan.'

De stewardess kijkt gebiologeerd naar me en ik breng een hand naar mijn mond om te voelen of er een kruimel aan mijn lip plakt.

'Ik wil alleen maar zeggen,' ratelt ze, 'dat uw zoontje me over zijn ellende heeft verteld en dat ik jullie allebei heel dapper vind.'

Ik ben sprakeloos. Wat heeft Noah in vredesnaam gezegd?

'En ik vind dat die hartchirurg een medaille verdient,' voegt ze er met bevende stem aan toe.

Ik kijk met vuurspuwende ogen naar Noah, die mijn blik kalm en sereen beantwoordt. Wat kan ik doen? Als ik uitleg dat mijn zoon een grote fantast is, staan we allebei voor aap. Misschien is het makkelijker om maar gewoon mee te spelen. Over een minuut stappen we in; we krijgen haar nooit meer te zien.

'Het viel wel mee,' zeg ik ten slotte. 'Heel erg bedankt...'

'Het viel wel mee?' herhaalt ze ongelovig. 'Maar het was zo'n dramatische toestand!'

'Eh... ja.' Ik slik. 'Noah, kom mee water kopen.'

Voordat het gesprek verder kan ontsporen, sleep ik hem mee naar een automaat. 'Noah,' zeg ik zodra we buiten gehoorsafstand zijn. 'Wat heb je precies tegen die mevrouw gezegd?'

'Dat ik aan de Olympische Spelen wil meedoen als ik groot ben,' antwoordt hij prompt. 'Ik wil verspringen. Zo.' Hij bevrijdt zich uit mijn greep en springt over de vloerbedekking. 'Mag ik aan de Olympische Spelen meedoen?'

Ik geef het op. We zullen nog een keer ernstig moeten praten – maar niet nu.

'Natuurlijk mag dat.' Ik woel door zijn haar. 'Maar luister. Niet meer met vreemde mensen praten. Dat weet je.'

'Dat was geen vreemde mevrouw,' merkt hij verstandig op. 'Ze had een naamplaatje, dus ik wist hoe ze heette. Ze heet Cheryl.'

De logica van een zevenjarige kan onweerlegbaar zijn. We lopen terug naar onze stoelen en ik zet hem met ferme hand naast me neer.

'Kijk naar je stickerboek en verroer je niet.' Ik pak mijn Black-Berry en handel snel een paar e-mails af. Ik heb net ingestemd met een hele bijlage over poolvakanties als ik opkijk en mijn wenkbrauwen frons. Iets heeft mijn aandacht getrokken. Een kruin achter een krant. Donker haar. Lange, benige vingers die een bladzij omslaan.

Nee.

Ik blijf strak naar hem kijken tot hij weer een bladzij omslaat en ik een glimp van een jukbeen opvang. Het is 'm. Vijf meter bij me vandaan, met een kleine reistas aan zijn voeten. Wat moet hij hier?

Zeg nou niet dat hij hetzelfde idee heeft als ik.

Hij slaat weer een bladzij om, kalm en onverstoorbaar, en ik voel woede oplaaien. Dit is allemaal zijn schuld. Ik heb mijn leven overhoop moeten gooien, mijn zoontje van school moeten halen en de hele nacht in de stress gezeten, alleen maar omdat hij zijn mond niet kon houden. Híj moest zich er zo nodig tegenaan bemoeien. Dit is allemaal aan hém te wijten. En nu zit hij er zo relaxed bij alsof hij met vakantie gaat.

Zijn telefoon gaat en hij legt zijn krant neer om op te nemen.

'Ja,' hoor ik hem zeggen. 'Ik zal het doen. We zullen het allemaal bespreken. Ja, ik wéét dat de tijd dringt.' Zijn gezicht wordt gespannen. 'Ik weet dat het niet ideaal is. Ik probeer er het beste van te maken onder moeilijke omstandigheden, oké?' Hij luistert even en antwoordt dan: 'Nee, dat lijkt me niet. Alleen degenen die het echt moeten weten. We hoeven de geruchten niet zelf op gang te brengen. Oké. Ja. Ik spreek je weer zodra ik er ben.'

Ik zie met toenemende rancune hoe hij zijn telefoon wegstopt en zijn krant weer oppakt. Ja, hoor. Leun maar lekker achterover. Glimlach maar om een mopje. Amuseer je. Waarom ook niet?

Ik kijk zo kwaad naar hem dat ik bang ben dat mijn ogen gaten in zijn krant zullen branden. Een oud dametje naast hem ziet me kijken en neemt me nerveus op. Ik glimlach snel naar haar om duidelijk te maken dat ik niet kwaad op haar ben, maar dat lijkt haar alleen maar angstiger te maken.

'Neem me niet kwalijk,' zegt ze, 'maar... is er iets aan de hand?'

'Aan de hand?' zegt Lorcan, die denkt dat ze het tegen hem heeft.

'Nee, er is niets...' Hij krijgt mij in het vizier en schrikt. 'O. Hallo.'

Ik wacht op zijn kruiperige, nederige verontschuldigingen, maar hij lijkt het genoeg te vinden om me te begroeten. Zijn donkere ogen kijken in de mijne en zonder enige waarschuwing krijg ik een flashback: een wazig moment met lippen en huid halverwege die nacht. Zijn hete adem in mijn hals. Mijn handen in zijn haar. Ik loop rood aan en kijk nog giftiger naar hem.

'Hallo?' herhaal ik. 'Is dat alles wat je te zeggen hebt? "Hallo"?'

'Ik neem aan dat we dezelfde bestemming hebben?' Hij legt zijn krant weg en leunt met een plotseling aandachtig gezicht naar voren. 'Heb jij contact met ze? Ik moet Ben namelijk dringend spreken. Hij moet documenten tekenen. Hij moet in het hotel zijn als ik aankom, maar hij neemt zijn telefoon niet op. Hij ontloopt me. Hij loopt voor alles weg.'

Ik kijk hem ongelovig aan. Het enige waar hij zich druk om maakt, is de een of andere zakelijke deal. Wat dacht hij van het feit dat zijn beste vriend in een oerstomme reactie op hém met mijn zus is getrouwd?

'Ik heb contact met Lottie. Niet met Ben.'

'Hm.' Hij fronst zijn wenkbrauwen en pakt zijn krant weer. Hoe kan hij de krant lezen? Ik vind het intens en dodelijk beledigend dat hij zich in het sportnieuws kan verdiepen terwijl hij er zo'n puinhoop van heeft gemaakt.

'Gaat het wel?' Hij kijkt over zijn krant naar me. 'Je lijkt een beetje... gefixeerd.'

Ik ben ziedend van woede. Ik voel mijn hoofdhuid jeuken; ik voel dat ik mijn vuisten bal. 'Gek genoeg niet, nee,' pers ik eruit. 'Het gaat helemaal niet.'

'O.' Hij kijkt weer naar zijn krant en er knapt iets in me.

'Leg dat ding weg!' Ik spring op en voordat ik goed en wel besef wat ik doe, heb ik de krant al uit zijn handen gegrist. 'Hou op!' Ik verfrommel de krant razend en gooi hem op de vloer. Ik hijg en mijn wangen gloeien.

Lorcan kijkt verwonderd naar de krant.

'Mammie!' roept Noah verrukt uit. 'Sloddervos!'

Alle andere passagiers kijken nu ook naar me. Jottem. En Lorcan heeft zijn donkere wenkbrauwen gefronst en kijkt naar me op alsof ik een ondoorgrondelijk mysterie voor hem ben.

'Wat is er met je?' vraagt hij uiteindelijk. 'Heb je de pest in?'

Maakt hij een grapje?

'Ja!' val ik uit. 'Ik heb best een beetje de pest in omdat ik de hele situatie met Ben en mijn zus had opgelost en jij je er vervolgens mee moest bemoeien en alles hebt verprutst!'

Ik zie dat het langzaam begint te dagen. 'Geef je mij de schuld?'

'Natuurlijk geef ik jou de schuld1 Als jij je kop had gehouden, waren ze nu niet getrouwd.'

'O, nee.' Hij schudt obstinaat zijn hoofd. 'Dat zie je verkeerd. Bens besluit stond vast.'

'Lottie zei dat het door jou kwam.'

'Dat had Lottie dan mis.'

Hij wil het niet toegeven, hè? Klootzak.

'Ik weet alleen dat ik orde op zaken had gesteld,' zeg ik ijzig. 'Ik had het voor elkaar. En toen dit.'

'Je dácht dat je orde op zaken had gesteld,' verbetert hij me. 'Je dácht dat je het voor elkaar had. Als je Ben zo goed kende als ik, zou je wel weten dat hij kan omslaan als een blad aan een boom. Eerdere afspraken zijn niets waard. Zoals de afspraak om cruciale documenten te tekenen waar haast bij is.' Er sluipt irritatie in zijn stem. 'Je kunt nog zo hard proberen hem vast te pinnen, hij is zo glad als een aal.'

'Dus daarom ben je hier?' Ik kijk naar zijn koffertje. 'Alleen vanwege die documenten?'

'Als de berg niet tot Mohammed wil komen, moet Mohammed al zijn afspraken maar afzeggen en op het vliegtuig stappen.' Zijn telefoon piept dat hij een sms heeft en hij leest het bericht en typt een antwoord. 'Het zou echt helpen als ik Ben te spreken zou kunnen krijgen,' vervolgt hij al typend. 'Weet jij wat ze aan het doen zijn?'

'Honeymoonquiz,' antwoord ik.

Lorcan kijkt perplex op en typt dan door. Ik zak langzaam terug op mijn stoel. Noah is op de vloer gaan zitten en vouwt een hoed van Lorcans krant.

'Noah,' zeg ik weinig overtuigend, 'niet doen. Mijn zoon,' leg ik aan Lorcan uit.

'Hallo,' zegt Lorcan tegen Noah. 'Leuke hoed.' Hij richt zich weer tot mij. 'Je hebt me nog helemaal niet verteld wat jij hier eigenlijk doet. Ik neem aan dat je je bij het gelukkige stel gaat voegen. Weten ze ervan?'

De vraag overrompelt me. Ik neem een slokje water en denk als een razende na.

'Lottie heeft me gevraagd te komen,' jok ik uiteindelijk, 'maar ik weet niet of Ben het al weet, dus niet zeggen dat je me hebt gezien, oké?'

'Mij best,' zegt hij, terwijl hij schokschoudert. 'Wel een beetje vreemd, je zus uitnodigen voor je huwelijksreis. Heeft ze het niet naar haar zin?'

Ik krijg een inval. 'Ze overwegen toevallig hun geloften opnieuw af te leggen,' zeg ik. 'Lottie heeft mij als getuige gevraagd.'

'O, hou op, zeg.' Lorcan trekt een grimas. 'Wat is dat nou voor onzinnig idee?'

Hij klinkt zo neerbuigend dat het mijn ergernis wekt.

'Ik vind het best een goed idee,' ga ik ertegen in. 'Lottie heeft altijd aan het strand willen trouwen. Ze is nogal romantisch.'

'Vast wel.' Lorcan knikt alsof hij het laat bezinken en kijkt dan met een stalen gezicht op. 'En de pony's? Krijgt ze die ook?'

Pony's? Ik kijk hem wezenloos aan. Hoe komt hij...

Identieke pony's. Hij heeft me dus toch gehoord, gisterochtend. Het bloed stijgt naar mijn wangen en heel even verlies ik mijn zelfbeheersing.

De juiste manier om dit aan te pakken, beslis ik dan snel, is openheid. We zijn volwassen. We kunnen een gênante situatie onder ogen zien en eroverheen stappen. Zo zit dat.

'Dus, eh...' Ik schraap mijn keel. 'Gisterochtend.'

'Ja?' Hij leunt quasi geïnteresseerd naar voren. Hij is niet van plan het me makkelijk te maken, zie ik.

'Ik weet niet wat je precies...' Ik doe een nieuwe poging. 'Ik zat met mijn zus te bellen toen jij de kamer binnenkwam, maar wat je hoorde was finaal uit zijn verband gerukt. Ik bedoel, je bent vast al vergeten wat ik zei, maar voor het geval dat niet zo is, ik zou niet willen dat je dingen... verkeerd interpreteert.'

Hij luistert niet eens. Hij heeft een notitieblok gepakt en zit te schrijven. Heel onbeschoft, maar ik ben er tenminste van af. Ik geef de fles water aan Noah, die afwezig een slok neemt, nog druk bezig met zijn papieren hoed. Dan word ik op mijn schouder getikt, kijk op en zie Lorcan. Hij reikt me het notitieblok aan, waarop zinnen zijn geschreven.

'Ik geloof zelf dat ik een goed verbaal geheugen heb,' zegt hij beleefd, 'maar zeg het alsjeblieft als ik me vergis.'

Ik lees de aantekeningen en mijn mond zakt open van ontzetting.

Klein... Nee, echt, piepklein. Die hele avond was een beproeving. Ik moest doen alsof ik het naar mijn zin had, maar... Nee. Vreselijk. En daarna werd het niet veel beter... Ik word al misselijk bij het idee. Misschien moet ik wel echt overgeven. En dan gaat Lorcan nóóit van me houden, en dan komt er nóóit een dubbele bruiloft met identieke pony's.

'Hoor eens,' breng ik ten slotte moeizaam uit, zo ongeveer paars aangelopen, 'ik had het niet over... dat.'

'Wat?' Hij trekt zijn wenkbrauwen op.

Rotzak. Vindt hij het soms grappig?

'Je weet net zo goed als ik,' begin ik ijzig, 'dat die woorden uit hun verband zijn gerukt. Ze sloegen niet op...' Ik word afgeleid door een relletje bij de balie, waar twee grondstewardessen proberen te voorkomen dat een man in een linnen overhemd en een kakibroek een koffer door het poortje voor de handbagage perst. Als hij verontwaardigd zijn stem verheft, besef ik dat die me bekend voorkomt.

De man draait zich om en ik snak bijna hoorbaar naar adem. Dacht ik het niet: daar staat Richard!

'Meneer, het spijt me, maar die koffer is echt te groot voor de cabine,' zegt een baliemedewerkster. 'En het is al te laat om in te checken. Mag ik u aanraden een latere vlucht te nemen?'

'Een latere vlucht?' Richard brult als een gewond dier. 'Er gaat geen latere vlucht naar dat godvergeten oord! Er gaat er maar één per dag. Wat is dat voor service?'

'Meneer...'

'Ik moet met deze vlucht mee.'

'Maar meneer...'

Tot mijn verbijstering maakt Richard een sprong, zodat hij op de balie komt te zitten en de baliemedewerkster recht aan kan kijken.

'De vrouw van wie ik hou heeft zich aan een andere man gebonden,' zegt hij geëmotioneerd. 'Ik was er niet snel genoeg bij en dat zal ik mezelf nooit vergeven, maar al kan ik verder niets doen, ik kan haar wél vertellen hoe ik me echt voel. Want dat heb ik haar nooit laten zien. Niet echt. Ik weet niet eens of ik mezelf wel ken.'

Ik gaap hem stomverbaasd aan. Is dit Richard? Die in het openbaar van zijn liefde getuigt? Kon Lottie dit maar zien! Ze zou versteld staan! De baliemedewerkster daarentegen maakt een hoogst onaangedane indruk. Ze heeft zwart geverfd haar in een streng knotje en gemene kraaloogjes in een papperig gezicht.

'Dat kan wel zijn, meneer,' zegt ze, 'maar uw koffer is te groot voor de cabine. Wilt u opzij gaan?'

Wat een kreng. Ik heb genoeg mensen zulke koffers mee zien nemen de cabine in. Ik weet dat ik naar Richard toe moet gaan, zeggen dat ik hier ben, maar iets in me wil weten hoe dit afloopt.

'Prima. Dan laat ik die koffer hier.' Richard springt met een dreigende blik op de vrouw weer op de vloer en klikt zijn koffer open. Hij trekt er wat T-shirts, een toilettas, een paar sokken en een handvol boxershorts uit en schopt de koffer opzij.

'Zo. Hier is mijn handbagage.' Hij zwaait met de spullen naar de vrouw. 'Nou goed?'

De baliemedewerkster neemt hem onverstoorbaar op.

'U kunt die koffer hier niet achterlaten, meneer.'

'Dan niet.' Hij klikt de koffer dicht en gooit hem op een afvalbak. 'Zo.'

'U kunt hem daar ook niet achterlaten, meneer. Het is een veiligheidskwestie. We weten niet wat erin zit.'

'Wel waar.'

'Nee, meneer.'

'U hebt er net in gekeken.'

'Desalniettemin, meneer.'

Iedereen volgt de woordenwisseling nu. Richard hijgt. Hij heeft zijn brede schouders opgetrokken. Hij doet me weer denken aan een stier die op het punt staat in de aanval te gaan.

'Oom Richard!' Noah ziet hem opeens. 'Ga je met ons mee op reis?'

Richards hele lichaam schokt van verbijstering als hij eerst Noah en dan mij in het oog krijgt.

'Flíss?' Hij laat een boxershort op de vloer vallen en bukt iets minder stierachtig om hem op te rapen. 'Wat doe jij hier?'

'Ha, Richard.' Ik probeer nonchalant te klinken. 'We gaan naar Lottie. Wat, eh...' Ik steek vragend mijn handen op. 'Ik bedoel, wat ga je precies...'

Ik weet natuurlijk wel wat hij gaat doen, zoals iedereen hier, maar ik wil het naadje van de kous weten. Heeft hij een plan?

'Ik kon niet werkeloos toekijken,' zegt hij bruusk. 'Ik kon haar niet zomaar opgeven en weglopen zonder haar verteld te hebben wat ik...' Hij breekt zijn zin af en ik zie de emoties over zijn gezicht trekken. 'Ik had haar moeten vragen toen ik de kans had,' voegt hij er plotseling aan toe. 'Ik had moeten koesteren wat ik had! Ik had haar moeten vragen!'

Zijn uitgeschreeuwde verdriet doorklieft de stilte. Iedereen kijkt met open mond toe en ik ben zelf eerlijk gezegd ook overdonderd. Ik heb Richard nog nooit zo vurig gezien. Lottie wel?

Had ik het allemaal maar opgenomen met mijn iPhone.

'Meneer, haal uw koffer alstublieft van die afvalbak,' zegt de baliemedewerkster tegen Richard. 'Straks komt de beveiliging, zoals ik al zei.'

'Het is mijn koffer niet meer,' pareert hij, en hij zwaait met de boxershort naar haar. 'Dit is mijn handbagage.'

De vrouw trekt een strak gezicht.

'Wilt u dat ik de beveiliging bel en uw koffer laat vernietigen, zodat deze vlucht zes uur vertraging oploopt?'

Ik ben niet de enige die van ontzetting naar adem snakt. Om ons heen zwelt een beleefd afkeurend geroezemoes aan tot vijandige, venijnige opmerkingen. Ik krijg het gevoel dat Richard niet de meest geliefde passagier is in deze wachtruimte. Ik krijg zelfs het gevoel dat het boegeroep en langzaam in de handen klappen niet ver weg meer zijn.

'Oom Richard, ga je met ons mee op reis?' Noah kan zijn geluk niet op. 'Gaan we worstelen? Mag ik naast je zitten in het vliegtuig?' Hij stort zich op Richards benen.

'Daar ziet het niet naar uit, kleine man.' Richard glimlacht zuur naar hem. 'Tenzij je die mevrouw op andere gedachten kunt brengen.'

'Is dit je óóm?' Noahs vriendin Cheryl, die alles van achter de andere balie ongeïnteresseerd heeft gevolgd, komt tot leven. 'Die oom over wie je me vertelde?'

'Dit is oom Richard,' bevestigt Noah opgewekt.

Ik had nooit goed moeten vinden dat hij Richard 'oom' ging noemen, denk ik bij mezelf. Het is een keer met Kerstmis begonnen en we vonden het schattig. We dachten niet aan een breuk. We zagen Richard als een familielid. We hadden nooit kunnen denken...

Opeens merk ik dat Cheryl bijna hyperventileert.

'Margot!' weet ze uiteindelijk tussen haar gehijg door uit te brengen. 'Je moet die man mee laten vliegen! Hij heeft zijn neefje het leven gered! Hij is een held!'

'Hè?' Margot trekt een kwaad gezicht.

'Huh?' Richard gaapt Cheryl aan.

'Niet zo bescheiden! Uw neefje heeft me alles verteld!' zegt Cheryl beverig. 'Margot, je hebt geen idee. Die hele familie. Ze hebben zoveel meegemaakt.' Ze komt achter haar balie vandaan. 'Meneer, geef me uw instapkaart maar.'

Ik zie de radertjes in Richards hoofd ongelovig draaien. Hij kijkt argwanend van Noah naar mij. Ik trek een gekweld gezicht in een poging telepathisch over te brengen: *Speel nou maar mee.*

'En u ook.' Cheryl richt zich zwijmelend tot mij. 'De beproeving van uw zoontje moet u diep hebben geraakt.'

'We leven bij de dag,' mompel ik vaag.

Ze lijkt er genoegen mee te nemen en gaat weer achter haar balie zitten. Richard, met zijn boxershort nog in zijn hand, staat er perplex bij. Ik ga niet eens proberen het hem uit te leggen.

'Dus, eh, wil je zitten?' zeg ik. 'Heb je zin in koffie of zo?'

'Waarom ga je naar Lottie?' vraagt Richard zonder een stap te verzetten. 'Is er iets?'

Ik weet niet goed wat ik erop moet zeggen. Enerzijds wil ik hem geen valse hoop geven, maar zou ik anderzijds niet kunnen laten doorschemeren dat het niet allemaal rozengeur en maneschijn is?

'Ze gaan hun geloften opnieuw afleggen, hè?' zegt Lorcan over het stuk krant dat hij nog overheeft.

'Wie is dat?' zegt Richard, die meteen achterdocht koestert. 'Wie ben jij?'

'Juist,' zeg ik schutterig. 'Eh, Richard, dit is Lorcan. Bens getuige. Beste vriend. Of zoiets. Hij gaat ook mee.'

Richard neemt meteen zijn aanvallende-stierhouding weer aan. 'Aha,' zegt hij knikkend. 'Ik begrijp het.'

Ik geloof niet dat hij het begrijpt, maar hij is zo gespannen dat ik niets durf te zeggen. Hij is instinctief recht tegenover Lorcan gaan staan, met gebalde vuisten.

'En u bent?' zegt Lorcan beleefd.

'Ik ben die idioot die haar heeft laten gaan!' barst Richard hartstochtelijk uit. 'Ik zag haar toekomstdroom voor ons niet zo. Ik dacht dat ze, weet ik veel, door een roze bril keek. Maar nu zie ik het ook. De droom. En ik wil het ook.'

De vrouwen in de buurt luisteren allemaal lyrisch naar hem. Waar heeft hij zo leren praten? Lottie zou verrukt zijn van zijn betoog. Ik pruts met mijn iPhone in een poging het stiekem op te nemen, maar ik ben niet snel genoeg.

'Wat doe je daar?'

'Niks!' Ik laat mijn iPhone snel zakken.

'O, god. Misschien is dit geen goed idee.' Richard lijkt opeens bij zinnen te komen en zichzelf midden in een vertrekhal te zien staan, met een onderbroek in zijn hand en een publiek van passagiers. 'Misschien moet ik er maar van afzien.'

Kon Lottie Richard nu maar zien. Wist ze maar wat hij echt voelt. Dan kwam ze wel tot inkeer, ik weet het zeker.

'Wie neem ik in de maling?' Hij laat verslagen zijn schouders hangen. 'Het is te laat. Ze zijn al getrouwd!'

'Nee, hoor!' flap ik eruit.

'Hè?' Richard en Lorcan kijken me allebei met grote ogen aan en ik zie veel meer mensen reikhalzend meeluisteren.

'Ik bedoel dat ze het huwelijk nog niet, eh, geconsummeerd hebben,' zeg ik zo zacht mogelijk. 'Dus officieel zouden ze het nog nietig kunnen laten verklaren. Dan heeft het huwelijk nooit bestaan.'

'Echt?' Ik zie een sprankje hoop in Richards ogen opflakkeren.

'Waarom hebben ze het nog niet geconsummeerd?' zegt Lorcan sceptisch. 'En hoe weet jij dat?'

'Ze is mijn zus. We vertellen elkaar alles. En wat het waarom betreft...' Ik schraap ontwijkend mijn keel. 'Het is gewoon pech.

Het hotel had er een potje van gemaakt met de bedden. Ben werd dronken. Zulke dingetjes.'

'Ik wil het niet weten,' zegt Lorcan, en hij stopt zijn papieren in zijn koffertje.

Richard zegt niets. Hij heeft denkrimpels in zijn voorhoofd en lijkt het allemaal te laten bezinken. Dan zakt hij op de stoel naast me en knijpt de boxershort woest tot een prop. Ik kijk naar hem, nog steeds verbaasd dát hij er is.

'Richard,' zeg ik dan, 'ken je die uitdrukking "te weinig, te laat"? Nou, in jouw geval is het meer "te veel, te laat". De halve wereld over vliegen. Naar het vliegveld stormen. Romantische toespraken houden tegen wie er maar wil luisteren. Waarom heb je dat allemaal niet eerder gedaan?'

Richard geeft geen antwoord, maar kijkt me sip aan. 'Denk je dat het te laat is?'

Dat is nu eens een vraag die ik niet wil beantwoorden.

'Het is maar een uitdrukking,' zeg ik na een korte stilte. 'Kom op.' Ik klop geruststellend op zijn schouder. 'We mogen instappen.'

We zitten ongeveer een halfuur in de lucht als Richard naar voren komt, waar Noah en ik in een rij van drie stoelen zitten. Ik trek Noah op mijn schoot en Richard schuift naast me.

'Dus, hoe groot is die Ben, denk je?' zegt hij zonder enige inleiding.

'Geen idee. Ik heb hem nog nooit gezien.'

'Maar je hebt toch wel foto's van hem gezien? Wat denk je... een meter tweeënzeventig? Een vijfenzeventig?'

'Ik wéét het niet.'

'Ik hou het op een vijfenzeventig. Beslist kleiner dan ik,' zegt Richard met een verbeten voldoening.

'Nou, dat is niet zo'n gok,' merk ik op. Richard is zeker een meter vijfentachtig.

'Nooit gedacht dat Lottie voor een dwerg zou gaan.'

Ik heb er niets op te zeggen, dus wend ik de blik hemelwaarts en richt mijn aandacht weer op het gratis tijdschrift.

'Ik heb hem opgezocht.' Richard verfrommelt een kotszak tussen zijn vingers. 'Hij is multimiljonair. Heeft een papierfabriek.'

'Hm. Ik weet het.'

'Ik wilde uitzoeken of hij een privévliegtuig heeft. Het stond er niet bij. Ik denk het wel.'

'Richard, kwel jezelf niet zo.' Ik kijk eindelijk op van mijn tijdschrift. 'Het gaat niet om vliegtuigen. Of hoe lang je bent. Het heeft geen zin om jezelf met hem te vergelijken.'

Richard kijkt me een paar seconden zwijgend aan en vervolgt dan, alsof ik niets heb gezegd: 'Heb je zijn huis gezien? Ze hebben er gefilmd voor *Highton Hall*. Hij is multimiljonair én hij heeft een landgoed.' Hij trekt een chagrijnig gezicht. 'Klootzak.'

'Richard...'

'Maar hij is wel spichtig, vind je ook niet?' Hij scheurt de kotszak aan repen. 'Nooit gedacht dat Lottie voor zo'n spicht zou gaan.'

'Richard, kappen nou!' roep ik vertwijfeld uit. Als hij de hele reis zo doorgaat, word ik gek.

'Is dit onze speciale gast?' onderbreekt een suikerzoete stem ons. Ik kijk op en zie een stewardess met een Franse vlecht die breed glimlachend op ons neerkijkt. Ze heeft een teddybeer, een portemonnee met opdruk van de luchtvaartmaatschappij, een paar lolly's en een gigantische verpakking Ferrero Rocher-bonbons bij zich. 'Cheryl heeft ons alles over je verteld,' zegt ze vrolijk tegen Noah. 'Ik heb wat speciale cadeautjes voor je.'

'Cool! Dank u wel!' Voordat ik kan ingrijpen, heeft Noah de cadeaus al aangepakt. Hij snakt naar adem. 'Mammie, kijk! Een reuzendoos Ferrero Rocher! Het bestaat dus wél!'

'Dank u,' zeg ik overrompeld. 'Dat had u nou niet moeten doen.'

'Het is het minste wat we kunnen doen,' verzekert de stewardess me. 'En is dit de fameuze oom?' Ze fladdert met haar wimpers naar Richard, die uitdrukkingsloos terugkijkt.

'Mijn oom spreekt drie talen,' zegt Noah trots. 'Oom Richard, zeg eens iets in het Japans?'

'Chirurg en nog een talenknobbel ook!' De stewardess zet grote ogen op en ik zet mijn nagels in Richards hand voordat hij haar kan tegenspreken. Ik wil Noah niet in het openbaar laten afgaan.

'Zo is dat!' zeg ik snel. 'Hij is heel getalenteerd. Heel erg bedankt.' Ik blijf strak naar de stewardess glimlachen tot ze weggaat, na Noah nog een laatste klopje op zijn bol te hebben gegeven.

Ze heeft haar hielen nog niet gelicht of Richard fluistert verwijtend: 'Fliss, wat had dat in godsnaam te betekenen?'

'Mag ik een creditcard voor in mijn portemonnee?' vraagt Noah, die het ding bekijkt. 'Mag ik een AmericanExpress-kaart? Mag ik punten sparen?'

O, god. Hij is zeven en hij weet al dat je punten kunt sparen met je creditcard? Dit is gênant. Het is bijna net zo erg als toen we incheckten bij dat hotel in Rome en Noah tegen de tijd dat ik een fooi bij elkaar had gezocht al had gevraagd of hij een andere kamer mocht zien.

Ik pak mijn iPod en geef hem aan Noah, die een vreugdekreet slaakt en de dopjes in zijn oren stopt. Dan leun ik naar Richard over en zeg op gedempte toon: 'Noah heeft een verzonnen verhaal verteld aan het grondpersoneel.' Ik bijt op mijn onderlip, maar het lucht op om mijn zorgen te bespreken. 'Richard, hij is een grote fantast geworden. Hij doet het op school. Hij heeft tegen een van de juffen verteld dat hij een harttransplantatie had ondergaan en tegen een andere dat hij een zusje had van een draagmoeder.'

'Wát?' Richards mond valt open.

'Ja.'

'Waar haalt hij zulke ideeën vandaan? Een zusje van een draagmoeder, godbetert?'

'Van een dvd in de wachtkamer bij het lokaal van de remedial teacher,' zeg ik wrang.

'Juist.' Richard laat het op zich inwerken. 'En wat voor verhaal heeft hij hier opgedist?' Hij gebaart naar de stewardess.

'Geen idee. Behalve dan dat jij er een heldenrol als chirurg in speelt.' Ik kijk hem aan en opeens proesten we het allebei uit van het lachen.

'Het is niet grappig.' Richard schudt zijn hoofd en verbijt zijn lachen.

'Het is verschrikkelijk.'

'Dat arme manneke.' Richard woelt door Noahs haar, en hij ontwaakt even uit zijn iPod-trance, met een verzaligde glimlach op zijn gezicht. 'Denken ze dat het door de scheiding komt?'

Het lachen vergaat me. 'Vast wel,' zeg ik luchtig. 'Of, je weet wel, de boze carrièremoeder.'

Richard krimpt in elkaar. 'Sorry.' Hij zwijgt even. 'Hoe staat het er eigenlijk mee? Hebben jullie het convenant al ondertekend?'

Ik doe mijn mond open om een eerlijk antwoord te geven – en roep mezelf tot de orde. Ik heb Richard al vaak tijdens het eten verveeld met mijn verhalen over Daniel. Ik zie dat hij zich schrap zet voor de tirade. Waarom heb ik nooit eerder gezien dat mensen zich schrap zetten?

'O, het gaat goed.' Ik werp hem mijn nieuwe, mierzoete glimlach toe. 'Prima! Laten we het er niet meer over hebben.'

'O,' zegt Richard verbaasd. 'Fijn! Dus… is er al een nieuwe man aan de horizon?' Zijn stem lijkt opeens twee keer zo hard en ik krimp in elkaar. Voordat ik me kan bedwingen, werp ik een blik op Lorcan, die aan de andere kant van het gangpad bij het raam zit, opgaat in zijn laptop en gelukkig niets lijkt te hebben opgevangen.

'Nee,' zeg ik. 'Niets. Niemand.'

Ik hou mezelf koortsachtig voor dat ik niet naar Lorcan mag kijken; ik mag niet eens aan hem denken. Maar ik had mezelf net zo goed kunnen verbieden aan een ijsbeer te denken. Voordat ik ze kan tegenhouden, zijn mijn ogen weer zijn kant op geflitst. Deze keer volgt Richard mijn blik.

'Wat?' Hij kijkt me verbaasd aan. 'Hij?'

'Sst.'

'Hij?'

'Nee! Ik bedoel… ja.' Ik voel me in het nauw gedreven. 'Eén keertje maar.'

'Híj?' Richard lijkt diep gekwetst te zijn. 'Maar hij is van de tegenpartij!'

'Er zijn geen partijen.'

Richard neemt Lorcan met wantrouwig tot spleetjes geknepen ogen op. Even later kijkt Lorcan op van zijn laptop. Hij lijkt te schrikken als hij ziet dat we allebei naar hem kijken. Ik gloei over mijn hele lijf en wend snel mijn blik af.

'Niet doen,' fluister ik naar Richard. 'Niet naar hem kijken!'

'Jij keek net zo goed,' merkt Richard op.

'Alleen omdat jij ook keek!'

'Fliss, wat doe je geïrriteerd.'

'Ik ben niet geïrriteerd,' zeg ik waardig. 'Ik probeer me gewoon volwassen te gedragen in een volwassen situatie... Nou kijk je weer!' Ik stomp tegen zijn bovenarm. 'Niet doen!'

'Wie is hij eigenlijk?'

'Bens oudste vriend. Jurist. Werkt bij hem in de zaak.' Ik haal mijn schouders op.

'Dus... Hebben jullie iets?'

'Nee, we hebben niets. Er was gewoon een klik en toen...'

'Niet meer.'

'Precies.'

'Zo te zien kun je ontzettend met hem lachen,' zegt Richard, die Lorcan nog steeds kritisch opneemt. 'Dat was sarcastisch bedoeld,' voegt hij eraan toe.

'Ja.' Ik knik. 'Dat had ik al begrepen.'

Lorcan kijkt weer verbaasd op. Dan maakt hij zijn veiligheidsgordel los en komt naar ons toe.

'Hoera,' mompel ik. 'Bedankt, Richard. Hallo.' Ik glim poeslief naar Lorcan. 'Hoe bevalt je vlucht?'

'Uitstekend. Ik moet met je praten.' Zijn donkere, ondoorgrondelijke ogen vinden de mijne en mijn hart slaat over van angstige verwachting.

'Goed. Oké. Maar dit is misschien niet de juiste plek...'

'Met jullie allebei,' zegt hij dwars door me heen, en nu kijkt hij ook naar Richard. 'Ik heb een goede reden om naar Ikonos te gaan. Ik moet belangrijke zaken bespreken met Ben. Hij moet zijn kop erbij houden, dus als jullie van plan zijn hem uit te kafferen of af te tuigen of zijn vrouw van hem af te pakken, of wat jullie ook maar willen... dan heb ik een verzoek. Wacht alsjeblieft tot ik hem heb gesproken. Daarna mag je met hem doen wat je wilt.'

Ik voel prompt verontwaardiging opborrelen.

'Is dat alles wat je te zeggen hebt?' Ik steek mijn kin naar voren.

'Ja.'

'Jij bent alleen maar geïnteresseerd in je bedrijf. Niet in het feit dat jíj schuld hebt aan dit huwelijk?'

'Ik heb geen schuld aan dat huwelijk,' slaat hij terug. 'En natuurlijk heeft het bedrijf mijn prioriteit.'

'Natuurlijk?' bauw ik hem sarcastisch na. 'De zaken gaan voor het meisje? Boeiend standpunt.'

'Op dit moment wel, ja. En Ben zou het bedrijf ook voorop moeten stellen.'

'Nou, wees maar niet bang.' Ik wend de blik ten hemel. 'We zullen hem heel laten.'

'Misschien sla ik hem wel in elkaar.' Richard slaat met zijn vuist in zijn hand. 'Dat zou ik best eens kunnen doen.' De bejaarde vrouw naast me trekt een afkeurend gezicht.

'Pardon?' zegt ze gehaast tegen Lorcan. 'Wilt u van stoel ruilen om met uw vrienden te kunnen praten?'

'Nee, dank u,' begin ik, maar op hetzelfde moment zegt Lorcan: 'Graag, heel vriendelijk van u.'

Even later klikt Lorcan naast me zijn veiligheidsgordel dicht terwijl ik angstvallig voor me kijk. Alleen het gevoel van hem zo dicht bij me bezorgt me al de kriebels. Ik ruik zijn aftershave. Het roept op een proustiaanse manier herinneringen op aan die nacht, waar ik écht niet op zit te wachten.

'Dus,' zeg ik bondig. Het is maar één lettergreep, maar ik denk dat die genoeg is om de boodschap over te brengen: *Je vergist je in alle opzichten, van wie de schuld heeft aan dat huwelijk tot wat ik die ochtend precies bedoelde tot je prioriteiten in het algemeen.*

'Dus,' antwoordt hij met een afgemeten knikje. Ik heb het gevoel dat hij ongeveer hetzelfde bedoelt.

'Dus.' Ik vouw mijn tijdschrift open. De rest van de vlucht doe ik alsof hij er niet is.

Het enige probleem is dat ik steeds onwillekeurig naar zijn laptop kijk en dan flarden van zinnen zie die me boeien. Richard en Noah luisteren samen naar de iPod terwijl Noah op zijn lolly's aanvalt. Er is verder niemand om mee te praten, al is hij dan een arrogante kwast van de tegenpartij.

'Dus, wat is er aan de hand?' zeg ik schouderophalend om aan te geven dat het me niet echt boeit.

'We zijn het bedrijf aan het rationaliseren,' zegt Lorcan na enig nadenken. 'Een deel van de onderneming uitbreiden, een ander deel herfinancieren, weer een ander deel afstoten. Het moet allemaal gebeuren. De papierindustrie is tegenwoordig...'

'... een nachtmerrie,' zeg ik instemmend voordat ik me kan bedwingen. 'Wij hebben ook last van de papierprijzen.'

'Natuurlijk. Het tijdschrift.' Hij knikt. 'Nou, dan weet je het.'

We vinden elkaar weer. Ik weet niet of het een vergissing is of niet, maar op de een of andere manier kan ik het niet helpen. Het is een immense opluchting om eens met iemand te praten die niet mijn baas, mijn ondergeschikte, mijn kind, mijn ex-man of mijn geschifte kleine zusje is. Hij wíl niets van me. Dat is het verschil. Hij zit daar gewoon maar, beheerst, alsof het hem geen barst uitmaakt.

'Ik heb op internet gelezen dat jij Papermaker hebt ontwikkeld?' zeg ik vragend. 'Was jij dat?'

'Mijn geesteskind.' Hij schokschoudert. 'Maar mensen met meer talent dan ik zorgen voor de uitvoering.'

'Ik hou van Papermaker,' geef ik toe. 'Mooie kaarten. Duur.'

'Maar je koopt ze toch.' Nu kan er een glimlachje af.

'Voorlopig,' sla ik terug. 'Tot ik een ander merk vind.'

'Die zit.' Hij krimpt in elkaar en ik kijk van opzij naar hem. Misschien was dat iets te kattig.

'Zitten jullie echt in de nesten?' Terwijl ik het zeg, weet ik al dat het een onnozele vraag is. Iedereen zit momenteel in de nesten. 'Ik bedoel, is het echt kielekiele?'

'We staan op een kruispunt.' Hij zucht. 'Het is lastig. Bens vader is vrij onverwacht overleden en sindsdien modderen we maar door. We moeten eens een paar knopen doorhakken.' Hij aarzelt even. 'De juiste knopen.'

'Aha.' Ik denk er even over na. 'Bedoel je dat Ben de juiste knopen moet doorhakken?'

'Dat heb je snel gezien.'

'En gaat hij dat doen? Mij kun je alles vertellen. Ik hou mijn mond wel.' Ik vraag me af of ik tactvol moet zijn of niet. 'Gaan jullie failliet?'

'Nee.' Hij reageert zo fel dat ik weet dat ik een gevoelige plek heb geraakt. 'We gaan níét failliet. We maken winst. We kunnen meer winst maken. We hebben de merknamen, de middelen, het personeel staat achter ons...' Het klinkt alsof hij een denkbeeldig publiek wil overtuigen. 'Maar het is moeilijk. We hebben vorig jaar een bod op het bedrijf afgewezen.'

'Zou dat geen oplossing zijn?'

'Bens vader zou zich omdraaien in zijn graf,' zegt Lorcan bondig. 'Het kwam van Yuri Zhernakov.'

Ik trek mijn wenkbrauwen op. 'Wauw.' Yuri Zhernakov is zo iemand die om de haverklap in de krant staat en wordt aangeduid als 'miljardair' en 'tycoon'.

'Hij zag het huis op tv en zijn vrouw viel ervoor,' zegt Lorcan droog. 'Ze willen er een paar weken per jaar wonen.'

'Nou, dat zou toch goed kunnen zijn?' zeg ik. 'Verkopen nu er nog wat geld aan te verdienen valt?'

Het blijft stil. Lorcan kijkt nors naar de schermbeveiliging van zijn laptop, een Papermaker-ontwerp dat ik zelf ook heb gekocht.

'Misschien wil Ben wel verkopen,' zegt hij uiteindelijk, 'maar alsjeblieft níét aan Zhernakov.'

'Wat is er mis met Zhernakov?' daag ik hem lachend uit. 'Ben je zo'n snob?'

'Nee, ik ben geen snob!' valt Lorcan uit. 'Maar ik geef om het bedrijf. Zo iemand als Zhernakov is niet geïnteresseerd in een papierfabriekje dat zijn uitzicht bederft. Hij zou de helft van het bedrijf sluiten, de rest elders neerzetten, de gemeenschap ruïneren. Als Ben er eens wat tijd doorbracht, zou hij wel beseffen...' Hij slikt de rest van zijn zin in en zucht. 'Bovendien is het bod te laag.'

'Wat vindt Ben?'

'Ben...' Lorcan neemt een teug van zijn mineraalwater. 'Ben is nogal naïef, jammer genoeg. Hij heeft niet het zakelijke instinct van zijn vader, maar denkt dat hij het wel heeft. Wat gevaarlijk is.'

Ik kijk naar zijn laptop. 'Dus jij wilt naar hem toe om hem over te halen al die reorganisatiecontracten te tekenen voordat hij zich kan bedenken.'

Lorcan tikt zwijgend zijn vingertoppen tegen elkaar.

'Ik wil dat hij zich eens verantwoordelijk gaat voelen voor zijn erfenis,' zegt hij uiteindelijk. 'Hij beseft niet dat hij van geluk mag spreken.'

Ik neem een paar slokjes champagne. Sommige dingen kan ik goed volgen, andere helemaal niet.

'Waarom is het zo belangrijk voor je?' vraag ik ten slotte. 'Het is niet jóuw bedrijf.' Lorcan knippert met zijn ogen en ik voel aan dat het weer tegen het zere been is, al verbergt hij het zorgvuldig.

'Bens vader was fantastisch,' zegt hij uiteindelijk. 'Ik wil gewoon dat het allemaal gaat zoals hij het had gewild. En dat kan,' voegt hij er plotseling energiek aan toe. 'Ben is creatief. Hij is slim. Hij zou een prima leider kunnen zijn, maar hij moet eens ophouden met lummelen en mensen beledigen.'

Ik kom in de verleiding te vragen hoe Ben precies mensen heeft beledigd, maar kan me er niet toe zetten zó nieuwsgierig te zijn.

'Jij was toch jurist in Londen?'

'Ze vragen zich bij Freshfields nog steeds af waar ik blijf.' Ik zie een lachje op Lorcans gezicht. 'Ik zat tussen twee banen in toen ik bij Bens vader ging logeren. Dat is nu vier jaar geleden. Ik word nog steeds door headhunters benaderd, maar ik zit goed.'

'Doe je ook nietigverklaringen?' flap ik eruit.

'Nietigverklaringen?' Lorcan trekt zijn wenkbrauwen heel hoog op. 'Aha.' Hij kijkt me zo komisch aan dat ik bijna in de lach schiet. 'U hebt een machiavellistische geest, mevrouw Graveney.'

'Ik heb een praktische geest,' verbeter ik hem.

'Dus ze hebben nog niet...' Lorcan onderbreekt zichzelf. 'Hé, wat gebeurt daar?'

Ik volg zijn blik en zie dat de oude vrouw die naast me zat hijgend naar haar borst grijpt. Een tienerjongen kijkt hulpeloos om zich heen en roept: 'Is er een dokter aan boord? Is iemand hier dokter?'

'Ik ben huisarts.' Een man met grijs haar in een linnen colbertje haast zich naar de vrouw toe. 'Is dat je oma?'

'Nee! Ik heb haar nog nooit gezien!' De tienerjongen klinkt panisch, en ik kan het hem niet kwalijk nemen. De oude vrouw ziet er niet goed uit. We kijken allemaal naar de huisarts, die zacht tegen de vrouw praat en haar polsslag opneemt. Opeens duikt de stewardess met de Franse vlecht op.

'Meneer,' zegt ze ademloos. 'Mogen we alstublieft uw hulp inroepen?'

Hulp? Wat moet dit...

Richard en ik beseffen op hetzelfde moment hoe het zit. Ze denken dat hij hartchirurg is. Hij kijkt me verwilderd aan en ik kijk gekweld terug.

'We hebben hier een expert!' zegt de stewardess tegen de man in het linnen colbert. Haar ogen schitteren van opwinding. 'Geen paniek, mensen! We hebben een ervaren hartchirurg aan boord, een wegbereider uit het Londense kinderziekenhuis! Hij neemt het over!'

Richards ogen puilen uit van schrik. 'Nee!' perst hij eruit. 'Nee. Echt niet. Ik ben geen...'

'Toe dan, oom Richard!' zegt Noah stralend. 'Maak die mevrouw beter!' De huisarts is zo te zien beledigd.

'Het is een simpel geval van angina,' zegt hij korzelig terwijl hij zich opricht. 'Ik heb mijn dokterskoffertje bij me, mocht u mijn hulp willen, maar als u een second opinion wilt geven...'

'Nee,' zegt Richard radeloos. 'Nee, dat wil ik niet!'

'Ik heb haar sublinguale nitroglycerine toegediend, bent u het daarmee eens?'

O, god. Dit is heftig. Richard lijkt echt ten einde raad.

'Ik...ik...' Hij slikt. 'Ik...'

'Hij praktiseert nooit in het vliegtuig!' schiet ik hem te hulp. 'Hij heeft een fobie!'

'Ja,' hijgt Richard, die me een dankbare blik toewerpt. 'Precies! Een fobie.'

'Sinds die verschrikkelijke vlucht.' Ik huiver theatraal, alsof de herinnering me aangrijpt. 'Vlucht 406 naar Bangladesh.'

'Vraag me alsjeblieft niet erover te vertellen,' speelt Richard het spelletje mee.

'Hij is nog steeds in therapie,' zeg ik ernstig knikkend.

De huisarts kijkt van hem naar mij alsof we niet goed snik zijn.

'Nou, dan is het maar goed dat ik er ben,' zegt hij uiteindelijk. Hij richt zijn aandacht weer op de oude vrouw en Richard en ik zakken terug in onze stoel. Ik voel me slap. De stewardess schudt teleurgesteld haar hoofd en loopt naar de andere kant van het vliegtuig.

'Fliss, je moet met Noah praten,' zegt Richard op zachte, gespannen toon. 'Hij kan geen verhalen blijven verzinnen. Straks komt er echt iemand door in de problemen.'

'Ik weet het,' zeg ik met een grimas. 'Het spijt me ontzettend.'

De oude vrouw wordt naar een andere afdeling van het vliegtuig gebracht. De huisarts en het cabinepersoneel voeren zo te zien een verhitte discussie. Ze verdwijnen allemaal achter een gordijn en komen niet meer terug. Richard kijkt strak voor zich uit, met een bezorgd gefronst voorhoofd. Hij leeft echt met die oude vrouw mee, denk ik goedgunstig. Hij heeft een goed hart, Richard.

'Hé, luister. Zeg op.' Hij kijkt me eindelijk weer aan, nog steeds met die frons. 'Hebben ze het echt nog niet gedaan?'

Nou vraag ik je. Domme ik. Hij is een man. Natuurlijk kan hij maar aan één ding denken.

'Voor zover ik weet niet.' Ik haal mijn schouders op.

'Hé, misschien kan Ben hem niet omhoog krijgen.' Richards gezicht klaart plotseling op.

'Ik denk niet dat dat het is.' Ik schud mijn hoofd.

'Hoezo niet? Het is de enige verklaring! Hij kan hem niet omhoog krijgen!'

'Wat niet?' vraagt Noah belangstellend.

Hoera. Ik kijk kwaad naar Richard, maar die is zo triomfantelijk dat hij het niet ziet. Er is vast wel een speciaal, lang Duits woord voor 'de vreugde die je voelt om de impotentie van je rivaal', en dat woord is nu dubbel en dwars op hem van toepassing.

'Arme kerel,' voegt hij eraan toe wanneer hij mijn afkeurende blik eindelijk opvangt. 'Ik bedoel, ik voel met hem mee, uiteraard. Akelige aandoening.'

'Je kunt het niet bewijzen,' merk ik op.

'Het is zijn huwelijksreis,' beweert Richard. 'Wie doet het nou niet tijdens zijn huwelijksreis, tenzij hij hem niet omhoog kan krijgen?'

'Wat niet?' vraagt Noah luider.

'Niets, lieverd,' zeg ik snel. 'Iets saais van grote mensen.'

'Iets van grote mensen wat omhoog kan?' vraagt Noah met een indringende nieuwsgierigheid. 'Kan het ook omlaag?'

'Hij krijgt hem niet omhoog!' herhaalt Richard opgetogen. 'Het valt allemaal op zijn plaats. Arme Lottie.'

'Wie krijgt hem niet omhoog?' vraagt Lorcan, die opzij kijkt.

'Ben,' zegt Richard.

'Echt?' zegt Lorcan geschrokken. 'Shit.' Hij fronst peinzend zijn voorhoofd. 'Tja, dat verklaart veel.'

O, god. Zo komen de praatjes in de wereld. Zo krijg je misverstanden, en voor je het weet wordt er een aartshertog neergeschoten en begint er een wereldoorlog.

'Luister, allebei!' zeg ik streng. 'Lottie heeft met geen woord tegen me gerept over iets wat omhoog... of omlaag is.'

227

'De mijne staat omhoog,' zegt Noah alsof het de gewoonste zaak van de wereld is en voor ik me kan bedwingen, snak ik geschrokken naar adem.

Oké, Fliss. Maak er geen halszaak van. Hou het hoofd koel. Wees een verlichte moeder.

'Echt waar, schat? Goh. Nee maar.' Ik word zo rood als een biet. De beide mannen kijken vol leedvermaak naar me. 'Dat is... heel boeiend, schat. Misschien kunnen we er later over praten. Je lichaam doet prachtige, raadselachtige dingen, maar daar praten we niet altijd over waar ándere mensen bij zijn.' Ik kijk veelbetekenend naar Richard.

Noah snapt er niets van. 'Maar die mevrouw zei het zelf. Ze zei dat ik hem omhoog moest zetten.'

'Wát?' Ik kijk hem net zo niet-begrijpend aan als hij mij.

'Voor het opstijgen. "Zet uw stoel omhoog."'

'O.' Ik verslik me. 'O, op zo'n manier. Je stoel.' Ik voel een proestlach opkomen.

'Die arme oom Ben kan zijn stoel niet omhoog krijgen,' zegt Richard met een uitgestreken gezicht.

'Hou op!' Ik probeer vermanend te klinken, maar ik heb de slappe lach. 'Hij kan hem vast wel...' Ik word onderbroken door de stem van de stewardess door de geluidsinstallatie.

'Dames en heren, mag ik uw aandacht? Ik heb een belangrijke mededeling.'

O-o. Ik hoop maar dat het niet over die oude vrouw gaat. Opeens schaam ik me diep omdat we zaten te lachen terwijl er zich een drama afspeelde.

'Het spijt me u te moeten mededelen dat we door een medisch noodgeval aan boord niet volgens schema naar Ikonos kunnen vliegen, maar op de dichtstbijzijnde beschikbare luchthaven met alle medische faciliteiten zullen landen, namelijk die van Sofia.'

Ik verstijf van schrik. Het lachen is me vergaan. Gaan we uitwijken?

'Mijn verontschuldigingen voor de overlast die dit kan veroorzaken, en ik zal u natuurlijk op de hoogte houden van de ontwikkelingen.'

Er steekt een storm van protest op, maar ik hoor het amper. Dit kan niet waar zijn. Lorcan kijkt me ongelovig aan.

'Sofia, in Bulgaríje? Hoeveel uur vertraging levert dat op?'

'Ik weet het niet.'

'Wat is er?' Noah kijkt van de een naar de ander. 'Mammie, wat is er? Wie is Sofia?'

'Sofia is een stad.' Ik slik iets weg. 'We horen net dat we daar eerst naartoe gaan. Is dat niet leuk?' Ik werp een blik op Richard, die ook als een plumpudding is ingezakt en kwaad naar de rugleuning van de stoel voor hem kijkt.

'Nou, dat is het dan. We komen te laat. Ik dacht dat we een kans hadden om in te grijpen voordat ze... Je weet wel.' Hij steekt zijn handen op. 'Maar dat kunnen we nu wel vergeten.'

'Welnee!' spreek ik hem tegen in een poging niet alleen hem, maar ook mezelf gerust te stellen. 'Richard, luister. Lotties zogenaamde huwelijk is al aan het afbrokkelen.'

Ik was niet van plan zoveel prijs te geven, maar ik denk dat hij behoefte heeft aan een dosis vertrouwen.

'Dat weet je niet,' grauwt hij.

'Wel waar! Wat jij niet weet, is dat het een patroon is. Telkens wanneer Lottie met iemand breekt, doet ze dit.'

'Wat, trouwen?' zegt Richard gechoqueerd. 'Elke keer?'

'Nee!' Ik zie zijn ontdane gezicht en onderdruk een lach. 'Ik bedoel alleen dat ze in een vlaag van verstandsverbijstering iets mallotigs doet. En dan komt ze weer bij zinnen. Als ik uit het vliegtuig stap, heb ik waarschijnlijk al een sms'je met de tekst: *Fliss, ik heb een grote vergissing begaan! Help!*'

Ik zie dat Richard het idee verwerkt. 'Denk je echt?'

'Neem maar van mij aan dat ik vaker met dit bijltje heb gehakt. Ik noem het haar Betreurenswaardige Keuzes. Soms gaat ze bij een sekte, soms laat ze een tatoeage zetten... Zie dit huwelijk maar als een extreme piercing. Op dit moment doen ze mee aan een Honeymoonquiz,' voeg ik eraan toe om hem moed in te spreken. 'Ik bedoel, wat een bak! Ze weten niets van elkaar. Als Lottie dat inziet, gaat ze wel weer logisch nadenken, en dan zal ze beseffen...'

'Honeymoonquiz?' zegt Richard na een korte stilte. 'Zoals die tv-quiz, bedoel je?'

'Precies. Met vragen als: "Wat is het lievelingskostje van je partner?" Dat soort dingen.'

'Spaghetti carbonara,' zegt Richard prompt.

229

'Zie je nou wel?' Ik geef een kneepje in zijn hand. 'Als jij met haar meedeed, zouden jullie winnen. Ben en Lottie gaan roemloos ten onder. En dan komt ze tot inkeer. Wacht maar af.'

15

Lottie

Het is een spelletje. Het is maar een spelletje. Het stelt niets voor.

Desondanks word ik met de seconde kregeliger. Waarom kan ik die dingen niet onthouden? En nu we het er toch over hebben: Waarom kan Ben het niet? Is hij soms niet geïnteresseerd in de details van mijn leven?

We zitten in de tuin van het hotel, over tien minuten begint de Honeymoonquiz en ik heb me nog nooit zo slecht voorbereid gevoeld op een test. Ben ligt in een hangmat bier te drinken en naar het een of andere nieuwe rapnummer op zijn iPad te luisteren, waar ik niet bepaald vrolijker van word.

'Nog een keer,' zeg ik. 'En concentreer je eens. Wat voor shampoo gebruik ik?'

'L'Oréal.'

'Nee!'

'Head & Shoulders, extra sterk tegen monsterlijke roos.' Hij gnuift.

'Nee!' Ik geef hem een schop. 'Dat heb ik toch gezégd? Kerastase. En jij Paul Mitchell.'

'Echt?' zegt hij wezenloos. Ik voel meteen woede oplaaien.

'Hoe bedoel je, "echt?" Je hebt zelf gezegd dat je Paul Mitchell gebruikt! We moeten wel consequent zijn, Ben. Als jij Paul Mitchell zegt, moet je daar ook bij blijven!'

'Jezus.' Ben neemt een teug bier. 'Relax.' Hij zet zijn iPad harder en ik krimp in elkaar. Houdt hij echt van die muziek?

'Volgende.' Ik probeer mijn ergernis te bedwingen. 'Wat drink ik het liefst?'

'Perencider.' Hij grinnikt.

'Ha, ha,' zeg ik beleefd.

Geen wonder dat hij het niet heeft gered als stand-upcomedian. De valse gedachte komt uit het niets. Oeps. Ik klem mijn lippen op elkaar en hoop dat mijn gezicht niets verraadt. Ik meende het niet, natuurlijk meende ik het niet...

Richard had wél zijn best gedaan. De nog valsere gedachte flitst door mijn hoofd als een machtige vogel, mij ademloos in zijn kielzog achterlatend. Ik kijk knipperend met mijn ogen naar mijn vel papier en voel mijn gezicht gloeien. Ik ga niet aan Richard denken. Nee. Absoluut niet.

Richard zou de Honeymoonquiz ook belachelijk hebben gevonden, maar het verschil is dat hij toch zijn best zou hebben gedaan, want als ik het belangrijk vond, vond hij het ook belangrijk...

Hou op.

Zoals die keer dat hij aan hints meedeed op mijn kantoorfeest en iedereen hem te gek vond...

Luister goed, stom brein. Richard is niet meer in mijn leven. Hij ligt nu waarschijnlijk in een glamoureus appartementencomplex in San Francisco aan de andere kant van de wereld te slapen als een roos, zonder ooit nog aan me te denken, en ik ben hier met mijn echtgenoot, ik herhaal: echtgenoot...

'*Eat, Pray, Love*? Dat meen je toch niet?'

Ik heb zo met mijn gedachten zitten worstelen dat ik niet heb gemerkt dat Ben het vel met antwoorden heeft gepakt dat ik voor hem heb gemaakt. Hij kijkt er ongelovig naar.

'Hoezo?'

'Zo'n flutromannetje kan toch niet je lievelingsboek zijn?' Hij kijkt op. 'Zeg alsjeblieft dat het een grap is.'

'Het is geen grap,' zeg ik gepikeerd. 'Heb je het gelezen? Het is fantastisch.'

'Ik heb dertig waardevolle seconden van mijn leven besteed aan het downloaden en bekijken van het eerste hoofdstuk.' Hij trekt een vies gezicht. 'Ik wil die dertig seconden terug.'

'Dan heb je het kennelijk niet begrepen,' zeg ik beledigd. 'Als je het aandachtig leest, levert het veel inzicht op.'

'Het is een opeenstapeling van newageflauwekul.'

'Daar denken miljoenen lezers anders over.' Ik kijk hem kwaad aan.

'Dat zijn dan miljoenen debielen.'

'Nou, wat is jouw lievelingsboek dan?' Ik pak mijn vel papier om te kijken, maar mijn blik valt op iets anders. Ik sla geschrokken een hand voor mond en kijk naar hem op. 'Dat stem je toch niet?'

'Jij toch ook?'

'Nee!'

We kijken elkaar aan alsof we hebben ontdekt dat we ruimtewezens zijn. Ik slik twee keer en kijk weer naar het papier.

'Oké. Goed.' Ik probeer niet te laten merken hoe erg ik van mijn stuk gebracht ben. 'Dus... Het is wel duidelijk dat we een paar basale dingen nog eens moeten doornemen. Het kiesgedrag hebben we gehad... Lievelingspasta?'

'Hangt van de saus af,' zegt hij prompt. 'Stomme vraag.'

'Nou, ik hou van tagliatelle. Zeg jij dat ook maar. Favoriete tv-serie?'

'*Dirk and Sally.*'

'*Dirk and Sally*, geen twijfel mogelijk.' Hij grinnikt en de sfeer klaart iets op.

'Favoriete aflevering?' Ik moet het wel vragen.

'Even denken...' Zijn gezicht licht op. 'Die met de kreeften. Klassiek.'

'Nee, de bruiloft,' ga ik ertegenin. 'Het moet gewoon de bruiloft zijn. "Met deze Smith & Wesson 59 verbind ik u in de echt"...'

Ik heb die aflevering een keer of vijfennegentig gezien. Het was het tweede huwelijk van Dirk en Sally (nadat ze waren gescheiden, bij de politie weg waren gegaan en in de vierde reeks weer terugkwamen) en het was het mooiste tv-huwelijk aller tijden.

'Nee, die dubbele aflevering met de ontvoering.' Ben is rechtop in zijn hangmat gaan zitten, met zijn armen om zijn knieën geslagen. 'Dat was fenomenaal. Hé, moet je horen. Moet je hóren.' Hij begint te stralen. 'We doen het als Dirk en Sally.'

'Wat?' Ik kijk hem verwonderd aan. 'Wat doen we?'

'De quiz! Ik kan die kul niet onthouden.' Hij zwaait met mijn vel met antwoorden naar me. 'Maar ik weet wel waar Sally van houdt, en jij weet waar Dirk van houdt. We doen mee als Dirk en Sally, niet als onszelf.'

Dat kan hij niet menen. Meent hij dat? Voordat ik me kan inhouden, is er al een giechel ontsnapt.

'Ik bedoel, slechter kunnen we het niet doen, toch?' vervolgt Ben. 'Ik weet alles van Sally. Vraag maar.'

'Oké, wat voor shampoo gebruikt ze?' daag ik hem uit. Ben denkt ingespannen na.

'Ik moet het weten... Ja, Silvikrin. Het zit in het beginstukje. Wat drinkt Dirk het liefst?'

'Pure whisky,' zeg ik meteen. 'Eitje. Wanneer is Sally jarig?'

'Op 12 juni en Dirk geeft haar altijd witte rozen. Wanneer ben jij jarig?' vraagt hij plotseling angstig. 'Toch niet binnenkort?'

Hij heeft gelijk. We kennen het huwelijk van een fictief paar tv-rechercheurs beter dan ons eigen huwelijk. Het is zo bespottelijk dat ik wel naar hem moet grinniken.

'Oké, Dirk, we hebben een deal.' Ik kijk op en zie Nico naar ons toe komen, geflankeerd door Georgios en Hermes. Of Kwik, Kwek en Kwak, zoals Ben ze is gaan noemen. We zitten op het meest afgelegen, onvindbare plekje van de tuin, maar toch hebben ze ons opgespoord. Ze dreutelen de hele middag al om ons heen met drankjes, hapjes en zelfs hoogst onflatteuze zonnehoedjes met IKONOS erop voor het geval we oververhit zouden raken.

'Meneer en mevrouw Parr, u hebt u opgegeven voor de Honeymoonquiz, geloof ik? Het begint over een paar minuten, op het strand,' zegt Nico vriendelijk. Hij heeft een jasje met glittertressen aangetrokken, waardoor ik me ga afvragen of hij de quizmaster is.

'We wilden net gaan.'

'Uitstekend! Georgios zal u helpen.'

We hebben geen hulp nodig, wil ik snauwen, maar ik verbijt me en glimlach.

'Ga maar voor.'

'Laat ze een poepje ruiken, Sally,' fluistert Ben in mijn oor en ik onderdruk een giechel. Misschien wordt het toch nog leuk.

Ze hebben echt alles uit de kast gehaald. Er is een houten podium op het strand gezet, versierd met een rok van rode repen folie. Aan weerszijden hangen trossen hartvormige ballonnen. Er hangt een gigantisch banier met HONEYMOONQUIZ erop en een trio speelt 'Love Is All around'. Melissa ijsbeert over het zand in haar oranje kaftan, op de voet gevolgd door een donkerblonde man in een Vilebrequin-zwembroek en een zeegroene polo. Ik neem aan dat hij haar echtgenoot is, aangezien ze allebei een opvallende badge met hun naam en KOPPEL 1 erop dragen.

'Stella McCartney,' hoor ik haar woest zeggen als we dichterbij komen. 'Je wéét dat het Stella McCartney is. O. Hoi! Daar zijn jullie!'

'Klaar voor de strijd?' zegt Ben met een ondeugende twinkeling in zijn ogen.

'Het is maar voor de lol!' zegt Melissa bijna agressief. 'Ja toch, Matt?'

Matt heeft het *Officiële vragenboek van de Honeymoonquiz* in zijn hand, zie ik plotseling tot mijn ongeloof. Hebben ze dat van huis meegebracht?

'O, dat hadden we toevallig,' zegt Melissa, die me ziet kijken en rood aanloopt. 'Stop dat eens wég, Matt. Het is nu toch te laat,' vervolgt ze verwijtend. 'Ik vind echt dat je wel wat meer had kunnen doen... Hallo! Jullie moeten de andere kandidaten zijn! Gewoon voor de lol!' begroet ze een ouder uitziend echtpaar dat hand in hand aan komt lopen en een beetje verbluft lijkt te zijn door het hele gedoe. Ze hebben grijzend haar en dragen allebei een beige broek en een katoenen hawaïhemd met korte mouwen, en de man heeft sokken in zijn sandalen aan.

'Meneer en mevrouw Parr, uw badges.' Nico komt naar beneden en geeft ons onze KOPPEL 3-badges. 'Meneer en mevrouw Kenilworth, hier zijn uw badges.'

Ik kan mijn nieuwsgierigheid niet bedwingen. 'Bent u op huwelijksreis?' vraag ik aan de vrouw, die Carol blijkt te heten.

'Lieve hemel, nee!' Ze prutst aan haar kraagje. 'We hebben dit reisje gewonnen op de veiling van onze bridgeclub. Niet echt ons ding, eigenlijk, maar je moet je bereidheid tonen, en we houden wel van quizzen...'

Nico drijft ons alle zes het podium op en we kijken naar ons publiek, een niet al te grote verzameling gasten in sarong en T-shirt, voorzien van cocktails.

'Dames en heren!' Nico heeft zijn microfoon aangezet en zijn stem schalt over het strand. 'Welkom bij de enige echte Honeymoonquiz van het hotel!'

Eigenlijk is dit best leuk. Het is net als op tv. Wij vrouwen worden allemaal naar een prieel gebracht en krijgen een koptelefoon op waar muziek uit schettert terwijl de mannen op het podium vragen beantwoorden. Daarna ruilen we van plaats en zijn wij aan de beurt. Ik schrijf nerveus mijn antwoorden op. Heeft Ben zich aan het plan gehouden? Heeft hij echt als Dirk geantwoord? Stel dat hij toch niet durfde?

Tja, het is nu te laat. Ik noteer mijn laatste antwoord en lever het vragenformulier in.

'En nu!' zegt Nico onder tromgeroffel van de drummer van de band. 'De hereniging van onze koppels! Geen overleg!' Het publiek klapt voor de mannen die weer op het podium komen staan. Zij staan aan de ene kant van Nico en wij aan de andere, en ik zie dat Melissa probeert Matts aandacht te trekken en hij resoluut doet alsof hij haar niet ziet.

'Eerste vraag! Uw vrouw gaat nooit de deur uit zonder...? Heren, antwoord alstublieft duidelijk hoorbaar in de microfoon. Koppel 1?'

'Handtas,' zegt Matt prompt.

'En uw vrouw zei...' Nico kijkt naar het formulier. 'Handtas. Tien punten! Koppel 2, zelfde vraag?'

'Pepermuntjes voor een frisse adem,' zegt Tim na enig nadenken.

'En uw vrouw zei... Tic Tac. Goed genoeg.' Nico knikt. 'Tien punten. En koppel 3?'

'Een makkie,' zegt Ben laconiek. 'Ze gaat de deur niet uit zonder haar Smith & Wesson 59.'

'Is dat een pistool?' zegt Melissa stomverbaasd. 'Een pistóól?'

'En uw vrouw zei...' Nico raadpleegt mijn formulier. '"Mijn Smith & Wesson 59." Gefeliciteerd, tien punten!' Hij kijkt me met opgetrokken wenkbrauwen aan. 'U hebt het nu toch niet bij u, hoop ik?'

'Ik ga nergens heen zonder mijn pistool.' Ik kijk hem met pretoogjes aan.

'Een pistool?' herhaalt Melissa. 'Meen je dat? Matt, hoorde je dat?'

'Volgende vraag!' kondigt Nico aan. 'Er is geen eten meer in de voorraadkast. Waar gaan jullie naartoe voor een spontane maaltijd buiten de deur? Heren, uw antwoord, graag. Koppel 1 begint.'

'Eh... de snackbar?' zegt Matt onzeker.

'De snackbar?' Melissa kijkt hem woest aan. 'De snáckbar?'

'Nou, het is snel, makkelijk...' Matt siddert onder haar blik. 'Hoezo, wat heb jij dan gezegd?'

'Le Petit Bistro!' zegt ze ziedend. 'Daar gaan we altijd naartoe voor een snelle hap. Dat weet je toch?'

'Ik ga ook wel eens naar de snackbar,' pruttelt Matt opstandig, maar ik vermoed dat ik de enige ben die het hoort.

'Nul punten,' zegt Nico meelevend. 'Koppel 2?'

'Het eetcafé,' zegt Tim na ongeveer een halfuur nadenken. 'Ik hou het op het eetcafé.'

'En uw vrouw zei…' Nico tuurt naar het papier. 'Madame, mijn verontschuldigingen, ik kan uw handschrift niet lezen.'

'Nou, ik wist ook niet wat ik moest opschrijven,' zegt Carol confuus. 'Wij zitten nooit zonder eten. We hebben altijd nog soep in de vriezer, toch, schat?'

'Zo is dat.' Tim knikt. 'We maken het in partijen, ziet u. Op zondag tijdens *Midsomer Murders*. Erwtensoep met ham.'

'Of kikkererwten met chorizo,' frist Carol zijn geheugen op.

'Of gewoon tomatensoep.'

'En we vriezen ook brood in,' legt Tim uit, 'zodat het maar een paar minuten in de magnetron hoeft.'

'Volkorenbolletjes én wit met korst,' vult Carol aan. 'We doen het meestal half om half…' Haar stem sterft weg.

Iedereen lijkt een beetje overdonderd door dit kijkje in het huishouden van Carol en Tim, ook Nico, maar uiteindelijk veert hij terug.

'Dank voor uw buitengewoon uitvoerige antwoord.' Hij lacht stralend naar Carol en Tim. 'Maar helaas! Nul punten. Koppel 3?'

'We gaan tegenwoordig naar Dill's Diner,' zeg ik. 'Heeft hij dat opgeschreven?'

'Sorry,' begint Nico, 'maar dat is niet het antwoord…'

'Wacht!' onderbreek ik hem voordat de opgeluchte glimlach zich over Melissa's hele gezicht kan verspreiden. 'We gaan tegenwoordig naar Dill's Diner, maar daarvoor gingen we naar Jerry & Jim's Steakhouse, tot het door de maffia werd opgeblazen.' Ik kijk naar Ben, die bijna onmerkbaar knikt.

'Aha,' zegt Nico, die naar Bens formulier tuurt. 'Ja. Uw man heeft opgeschreven: "We gingen altijd naar Jerry & Jim's, tot Carlo Dellalucci's bende dat opblies, en nu gaan we naar Dill's Diner."'

'Waar is dat?' vraagt Melissa verontwaardigd. 'Waar wonen jullie?'

'Appartement 43D, West 80th Street,' zeggen we in koor. Het zit in het beginstukje.

'O, New York,' zegt ze op een toon alsof ze 'o, de vuilnisbelt' zegt.

'Opgeblazen? Geëxplodeerd?' mengt Matt, die onder de indruk lijkt te zijn, zich in het gesprek. 'Zijn er doden gevallen?'

'De hoofdcommissaris,' zeg ik met een knikje. 'En de dochter van tien die hij nog maar net had ontmoet, die stierf in zijn armen.'

Het was de finale van de eerste serie. Echt waanzinnige tv. Ik wil het iedereen bijna aanbevelen, maar dan zou ik ons in de wielen rijden.

'Vraag 3!' roept Nico uit. 'De strijd wordt feller!'

Tegen de tijd dat we bij vraag 8 aankomen, hebben we de eerste en de tweede reeks en de kerstspecial behandeld. Melissa en Matt staan tien punten achter en Melissa gaat er steeds verbolgener uitzien.

'Dit kán niet waar zijn,' zegt ze na Bens beschrijving van onze 'gedenkwaardigste dag samen', waar een gewapende belegering bij kwam kijken, een politieachtervolging door de dierentuin in Central Park en het uitblazen van de kaarsjes op zijn verjaardagstaart in een cel (lang verhaal). 'Ik vecht deze antwoorden aan.' Ze tikt tegen de microfoon alsof het een hamer is en zij een rechter. 'Zo'n leven heeft niemand!'

'Dirk en Sally wel!' zeg ik, en ik probeer niet te giechelen als ik Bens blik vang.

'Wie zijn Dirk en Sally?' vraagt Melissa prompt, en ze kijkt van de een naar de ander alsof ze het gevoel heeft dat we een loopje met haar nemen.

'Onze koosnaampjes voor elkaar,' zegt Ben droog. 'En mag ik vragen wat je nu precies insinueert? Dat we speciaal voor deze quiz een hele serie verzonnen antwoorden uit ons hoofd hebben geleerd? Zien we eruit als sneue verliezers?'

'Kom op, zeg!' Haar ogen vonken verontwaardigd. 'Wil je zeggen dat jullie eerste date zich echt in een mortuarium afspeelde?'

'En wil jij zeggen dat die van jullie echt in het Ivy was?' slaat hij ad rem terug. 'Niemand gaat voor zijn eerste date naar het Ivy, of je moet al van tevoren weten dat het zo saai wordt dat je mensen zult moeten kijken.' Hij kijkt naar Matt. 'Sorry,' zegt hij beleefd. 'Het was vast heel leuk.'

Ik lach nu onbedaarlijk. Melissa wordt steeds kwader en ik kan het haar niet kwalijk nemen. Er komen nu ook meer mensen kijken, en zij amuseren zich kostelijk.

'Vraag 9!' Nico doet zijn best om de situatie weer in de hand te krijgen. 'Wat is de vreemdste plek waar jullie... amoureuze betrekkingen hebben gehad? Koppel 2, willen jullie beginnen?'

'Nou...' Carol loopt rood aan. 'Ik vond dit een bedenkelijke vraag. Wel erg intiem.'

'Zeker,' zegt Nico meelevend.

'Ik geloof dat het juiste woord...' – ze zwijgt, zich in bochten wringend van verlegenheid – '... fellatio is.'

Het publiek barst in lachen uit en ik klem mijn lippen op elkaar om niet mee te doen. Heeft Carol Tim gepijpt? Echt niet. Dat kan ik me in de verste verte niet voorstellen.

'Uw man heeft "een vakantiehuisje in Anglesey" ingevuld,' zegt Nico breed grijnzend. 'Nul punten, helaas, dame, al krijgt u een 10 voor uw poging.'

Carol ziet eruit alsof ze spontaan wil ontploffen.

'Ik dacht dat u met een "plek"...' begint ze. 'Ik dacht dat u bedoelde... Ik dacht...'

'Juist.' Hij knikt vriendelijk. 'Koppel 1?'

'Hyde Park,' zegt Melissa prompt, als een kind in een klaslokaal.

'Correct! Tien punten. Koppel 3?'

Hier heb ik over moeten nadenken. Er waren een paar mogelijkheden. Ik hoop maar dat Ben het ook nog wist.

'De promenade van Coney Island.' Ik kijk naar Bens gezicht en zie dat ik verkeerd heb gegokt.

'Helaas! Uw man heeft "op het bureau van de officier van justitie" opgeschreven.'

'Het bureau van de officier van justitie?' Melissa is nu des duivels. 'Maak je een geintje?'

'Nul punten!' zegt Nico snel. 'En dat brengt ons bij het hoogtepunt van onze quiz. De laatste vraag geeft de doorslag. De persoonlijkste, intiemste vraag van allemaal.' Hij zwijgt voor het effect. 'Wanneer besefte je voor het eerst dat je van je vrouw hield?'

Er daalt een verwachtingsvolle stilte neer over de toeschouwers en de drummer slaat een lange roffel.

'Koppel 3?' zegt Nico.

'Toen we samen op de rails waren vastgebonden en er een trein aankwam,' zegt Ben weemoedig. 'Ze draaide zich naar me toe, kuste me en zei: "Als dit het eind is, ben ik gelukkig." En toen bevrijdde ze ons allebei met haar nagelvijl.'

'Correct!'

'Op de rails vastgebonden?' Melissa kijkt van de een naar de ander. 'Kan ik daartegen in beroep gaan?'

Ik kijk stralend naar Ben en stomp zegevierend in de lucht, maar hij reageert niet; hij kijkt wazig uit zijn ogen, alsof hij nog steeds herinneringen ophaalt.

'Koppel 2?'

'Wacht!' zegt Ben opeens. 'Ik ben nog niet klaar met mijn antwoord. Die keer op de rails – toen besefte ik dat ik verliefd was op mijn vrouw. Maar het besef dat ik van haar híéld...' Hij kijkt me ondoorgrondelijk aan. 'Dat was een heel andere keer.'

'Wat maakt het uit?' zegt Melissa korzelig. 'Probeer je ons weer allemaal op de kast te krijgen?'

'Verliefdheid komt en gaat,' zegt Ben, 'maar als je echt van iemand houdt... is het voor altijd.'

Komt dat uit de serie? Ik herken die tekst niet. Ik ben de draad een beetje kwijt. Waar heeft hij het over?

'Het besef dat ik van mijn vrouw hield, kwam hier, op het eiland Ikonos, vijftien jaar geleden.' Hij brengt zijn mond naar de microfoon en vertelt verder met een stem die ver over het strand draagt: 'Ik had griep. Ze zorgde de hele nacht voor me. Ze was mijn reddende engel. Ik herinner me nog hoe ze me met die lieve stem vertelde dat het wel goed zou komen. Nu besef ik dat ik vanaf die nacht van haar hou, al is het pas later tot me doorgedrongen.'

Hij zwijgt. Iedereen heeft gefascineerd geluisterd. Dan juicht een meisje uit het publiek hem toe en is het alsof de betovering is verbroken. Er gaat een daverend applaus op.

Ik ben zo aangedaan dat ik de antwoorden van de anderen amper hoor. Hij had het over ons. Niet over Dirk en Sally, maar over óns. Ben en Lottie. Een warme gloed heeft zich door mijn lichaam verspreid en ik kan niet ophouden met glimlachen. Hij houdt al vijftien jaar van me. Hij heeft de microfoon gepakt en het in het openbaar gezegd. Ik heb nog nooit iets zo romantisch meegemaakt, echt nog nooit.

Het enige piepkleine, minuscule aanmerkinkje is...

Nou ja. Een ondergeschikt puntje, namelijk dat ik me er niets van herinner. Er wil niets komen. Ik herinner me niet dat Ben griep had, laat staan dat ik hem heb verpleegd. Maar goed, ik herinner me wel meer niet uit die tijd, stel ik mezelf gerust. Ik was Big Bill helemaal vergeten. En het pokertoernooi. Het is waarschijnlijk diep in mijn binnenste opgeslagen.

'... Je weet dat het op die picknick was! Dat heb je altijd gezegd!'

Het dringt plotseling tot me door dat Melissa en Matt nog steeds kibbelen over zijn antwoord.

'Het was niet op die picknick,' houdt Matt koppig vol. 'Het was in de Cotswolds. Maar zoals je je nu gedraagt, was ik misschien liever niet verliefd op je geworden!'

Melissa snakt naar adem en ik zie de stoom zo ongeveer uit haar oren komen.

'Ik denk dat ik wel weet wanneer we verliefd werden, Matt! En dat was niet in de Cotswolds, verdomme!'

'Wat ons aan het eind van onze quiz brengt!' weet Nico er behendig tussen te komen. 'En het doet me veel genoegen te zeggen dat Koppel 3 heeft gewonnen! Ben en Lottie Parr! Jullie winnen een speciale parenmassage in de openlucht en jullie krijgen de trofee voor het Gelukkige Stel van de Week morgenavond uitgereikt op ons Prijzengala. Gefeliciteerd!' Hij gaat het publiek voor in een uitbundig applaus en Ben knipoogt naar me. We maken een buiging en ik voel dat Ben een kneepje in mijn hand geeft.

'Die parenmassage lijkt me wel wat,' fluistert hij me toe. 'Ik heb erover gelezen. Ze doen het op het strand in een speciaal afgeschermd prieel met essentiële oliën. Je krijgt champagne en na afloop mag je er met zijn tweeën "onder elkaar" blijven.'

Samen in een afgeschermd prieel? Ik kijk hem aan. Eindelijk! Ben en ik alleen aan het strand in ons eigen afgeschermde prieel met het geluid van de branding, glazen champagne en onze lijven die glibberig zijn van de olie...

'Laten we het zo gauw mogelijk doen,' zeg ik schor van verlangen.

'Vanavond.' Zijn hand strijkt vlinderlicht langs mijn borst en ik huiver van verwachting. Ik geloof dat het aanraakverbod niet meer geldt. We maken nog een buiging naar het publiek voordat we het podium af lopen. 'En nu een drankje,' zegt Ben. 'Ik wil je dronken voeren.'

Het blijkt toch voordelen te hebben, zo'n butler. Zodra we zeggen dat we op onze overwinning willen drinken, komt Georgios in actie. Hij regelt een hoektafel in het chique strandrestaurant voor ons, compleet met champagne op ijs en speciale kreefthapjes die uit het restaurant in het hotel worden gebracht. Deze ene keer heb ik geen last van het gedoe en geredder van de om ons heen dansende butlers. Het voelt goed. We verdienen het vertroeteld te worden. We hebben gewonnen!

'Zo,' zegt Ben als we eindelijk alleen zijn. 'Zo werd het toch nog een mooie dag.'

'Heel mooi!' Ik grinnik naar hem.

'Nog twee uur tot onze massage.' Hij kijkt me aan en ik zie een glimlach aan zijn mondhoeken trekken.

Twee verrukkelijke uren om me te verheugen op de spectaculaire strandseksathon die ons te wachten staat. Dat red ik wel. Ik nip van mijn champagne, leun achterover en voel de zon op mijn gezicht. Het leven is zo goed als volmaakt, op dit moment. Er is maar een heel klein dingetje dat me dwarszit, en ik probeer het weg te duwen. Dat lukt me wel. Ja. Ik kan het.

Nee. Ik kan het niet.

Terwijl ik mijn champagne drink en gezouten amandelen vermaal, merk ik dat er een barstje in mijn stemming komt. Een zwak punt waar ik me overheen probeer te zetten, maar ik kan mezelf niet in de maling nemen. En ik weet dat hoe langer ik het wegduw, hoe meer last ik ervan zal krijgen.

Ik ken hem niet. Niet echt. Hij is mijn man, maar ik kén hem niet. Ik bedoel, het is prima dat hij op een andere partij stemt dan ik, maar waar het om gaat is dat ik er geen idee van had. Ik dacht dat we de afgelopen paar dagen veel hadden besproken... maar nu besef ik dat er nog wat gapende gaten zijn. Wat voor andere verrassingen staan me nog te wachten?

Bij de personeelswerving stellen we steeds dezelfde elementaire vragen als we onze kandidaten snel willen leren kennen: 'Waar wil je volgend jaar, over vijf jaar en over tien jaar zijn?' Ik heb geen idee wat Ben zou zeggen, en dat kan toch zeker niet goed zijn?

'Wat zit je ver weg.' Ben tikt tegen mijn neus. 'Aarde aan Lottie.'

'Waar wil je over vijf jaar zijn?' vraag ik plompverloren.

'Uitstekende vraag,' antwoordt hij prompt. 'Jij?'

'Niet ontwijken.' Ik glimlach naar hem. 'Ik wil weten wat Ben Parrs officiële strategie is.'

'Misschien had ik wel een officiële strategie.' Zijn ogen worden zacht als ze de mijne vinden. 'Maar misschien is dat veranderd nu ik jou heb.'

Hij kijkt me zo ontwapenend aan dat mijn twijfels wegsmelten. Hij heeft zo'n charmante, scheve glimlach op zijn gezicht, en een verre blik in zijn ogen, alsof hij zich onze toekomst samen voorstelt.

'Dat heb ik ook,' flap ik eruit. 'Het voelt alsof ik een compleet nieuwe toekomst heb.'

'Een toekomst met jou. Waar we maar willen.' Hij spreidt zijn armen. 'Wat is de droom, Lottie? Verkoop hem me maar.'

'Frankrijk?' zeg ik aarzelend. 'Een boerderijtje in Frankrijk?' Ik heb altijd gefantaseerd over een leven in Frankrijk. 'In de Dordogne, misschien, of in de Provence? We zouden een huis kunnen opknappen, een echt project zoeken...'

'Ik vind het een geweldig idee.' Bens ogen stralen. 'Een bouwval zoeken, er iets fantastisch van maken, vrienden te logeren vragen, lange, lome maaltijden...'

'Precies!' Mijn woorden buitelen uit mijn mond en vermengen zich met de zijne. 'We zouden zo'n enorme, lange tafel hebben en heerlijk vers eten, en de kinderen zouden helpen met de salade...'

'Ze zouden ook Frans leren...'

'Hoeveel kinderen wil je?'

Mijn vraag onderbreekt het gesprek. Ik merk dat ik mijn adem inhou.

'Zoveel als we kunnen,' zegt Ben zonder zich te bedenken. 'Als ze op jou lijken, wil ik er wel tien!'

'Misschien geen tien...' Ik lach opgelucht. We zijn volmaakt op elkaar afgestemd! Mijn zorgen waren ongegrond! Als het op de grote keuzes in het leven aankomt, zijn we het helemaal met elkaar eens. Ik zou bijna mijn telefoon pakken en oude Franse huizen opzoeken om kwijlend naar te kijken.

'Wil je echt in Frankrijk gaan wonen?'

'Als ik de komende twee jaar iets wil, is het wel settelen,' zegt hij ernstig. 'Een manier van leven vinden waar ik van kan houden. En Frankrijk is een van mijn passies.'

'Spreek je de taal?'

Hij reikt naar de papieren dessertkaart, pakt een potlood, krabbelt iets op de achterkant en laat het me zien.

L'amour, c'est toi
La beauté, c'est toi
L'honneur, c'est toi
Lottie, c'est toi

Ik ben verrukt. Er heeft nog nooit iemand een gedicht voor me geschreven. En al helemaal niet in het Frans.

'Dank je wel! Wat mooi!' Ik lees het nog eens over, hou het papier vlak bij mijn gezicht, alsof ik de woorden wil opsnuiven, en leg het neer.

'Maar hoe moet het dan met je werk?' Ik wil nu zo graag dat dit plan werkelijkheid wordt dat ik wel moet aandringen, gewoon voor de zekerheid. 'Dat kun je niet in de steek laten.'

'Ik kan me er zo nu en dan mee bemoeien.'

Ik weet niet eens wat Bens werk inhoudt. Ik bedoel, het is natuurlijk een bedrijf dat papier maakt, maar wat dóet hij? Ik weet niet of hij het wel ooit goed heeft uitgelegd en het lijkt me nu een beetje te laat om ernaar te vragen.

'Heb je iemand die de leiding kan overnemen? Lorcan, misschien?' Bens beste vriend schiet me te binnen. 'Hij werkt toch met je samen? Kan hij je vervangen?'

'O, ik durf te wedden dat hij niets liever wil.' Ik hoor opeens verbittering in Bens stem en doe figuurlijk een pas terug.

Oei. Ik heb duidelijk een open zenuw geraakt. Niet dat ik er het fijne van weet, maar Bens woorden roepen meteen beelden op van gespannen besprekingen in vergaderkamers, dichtgeslagen deuren en e-mails waar mensen de volgende dag spijt van hebben.

'Hij is je getuige,' zeg ik omzichtig. 'Jullie zijn toch elkaars beste vriend?'

Ben gaat even op in zijn gedachten.

'Ik weet niet eens wat Lorcan in mijn leven doet,' zegt hij uiteindelijk. 'Ik meen het. Ik lette even niet op en daar was hij. Hij wás er gewoon.'

'Hoe bedoel je?'

'Vier jaar geleden liep zijn huwelijk op de klippen. Hij ging naar mijn vader in Staffordshire. Ik geef toe dat ze al goed met elkaar konden opschieten sinds Lorcan en ik samen op school zaten, maar opeens gaf Lorcan mijn vader adviezen, kreeg hij een baan in het bedrijf en nam hij verdomme alles over. Je had moeten zien hoe mijn vader en hij samen rondliepen en plannen maakten alsof ik niet meer bestond.'

'Dat klinkt verschrikkelijk,' zeg ik meelevend.

'Twee jaar geleden werd het kookpunt bereikt.' Hij neemt een teug champagne. 'Ik ging ervandoor. Zonder iets te zeggen. Ik moest tot mezelf komen. Ze flipten zo dat ze de politie inschakelden...' Hij spreidt zijn armen. 'Ik had niet gezegd waar ik was. Vanaf dat moment behandelden ze me alsof ik een krankzinnige was die je met fluwelen handschoenen moest aanpakken. Mijn pa en Lorcan werden dikkere maatjes dan ooit. Toen ging mijn vader zomaar dóód...'

Iets rauws in zijn stem bezorgt me kippenvel.

'En Lorcan bleef bij de zaak?' vraag ik voorzichtig.

'Wat anders? Hij zit op rozen. Goed salaris, een huisje op het landgoed... Hij zit gebakken.'

'Heeft hij kinderen?'

'Nee.' Ben haalt zijn schouders op. 'Ze zullen er wel nooit aan toegekomen zijn. Of ze wilden ze niet.'

'Nou, dan kun je hem toch met zachte hand lozen?' Ik sta op het punt hem een juridische firma aan te bevelen die ik ken en die gespecialiseerd is in het tactvol afvoeren van personeel, maar Ben lijkt niet te luisteren.

'Lorcan denkt dat hij alles beter weet!' De woorden golven als een wrokkige stroom naar buiten. 'Wat ik met mijn leven moet doen. Wat ik met mijn bedrijf moet doen. Welk reclamebureau ik in de arm moet nemen. Wat ik mijn schoonmakers moet betalen.

Welke papierkwaliteit het geschiktst is voor welke... weet ik veel, *bureauagenda.*' Hij zucht. 'En ik weet het allemaal niet, dus hij wint.'

'Het is geen kwestie van winnen,' zeg ik, maar Ben luistert niet.

'Hij heeft een keer in het openbaar mijn telefoon afgepakt omdat hij mijn gedrag "niet gepast" vond.' Ben gloeit van verontwaardiging.

'Dat riekt naar intimidatie!' zeg ik geschrokken. 'Heb je een sterk hoofd Personeelszaken?'

'Ja,' zegt Ben gemelijk, 'maar ze gaat weg. Ze zou trouwens toch nooit iets tegen Lorcan zeggen. Iedereen is dol op hem.'

Ik luister als deskundige op personeelsgebied en sta versteld. Wat een janboel. Ik zou het liefst een vel papier pakken en een actieplan in vijf punten voor Ben opstellen om Lorcan effectiever in het gareel te houden, maar dat zijn niet bepaald sexy huwelijksreispraatjes.

'Vertel eens,' zeg ik dus, vriendelijk en overredend, 'waar zat je dan toen je zomaar was vertrokken?'

'Wil je dat echt weten?' Ben werpt me een verwonderde, wrange glimlach toe. 'Ik ben er niet trots op.'

'Vertel.'

'Ik ging comedylessen volgen bij Malcolm Robinson.'

'Malcolm Robinson?' Ik gaap hem aan. 'Echt?'

Ik ben gék op Malcolm Robinson. Hij is hilarisch. Hij had vroeger een briljante tv-show met sketches en ik heb hem een keer live gezien in Edinburgh.

'Ik had die lessen anoniem gekocht op een veiling voor het goede doel. Het was oorspronkelijk een weekend, maar ik heb hem overgehaald er een week van te maken. Het heeft me een fortuin gekost. Ik was al een poosje stand-upcomedian en wilde weten of het écht iets voor me was. Aan het eind van de week heb ik hem gevraagd eerlijk tegen me te zeggen of ik talent had.'

Hij zwijgt. Ik krimp inwendig al in elkaar bij het zien van zijn gezicht.

'Wat...' zeg ik uiteindelijk en ik schraap mijn keel. 'Wat zei...'

'Hij zei nee,' kapt Ben me bijna toonloos af. 'Hij was recht voor z'n raap. Zei dat ik er beter mee kon kappen. Hij heeft me eigenlijk een dienst bewezen. Sindsdien maak ik geen grappen meer.'

Ik trek een grimas. 'Je moet er kapot van zijn geweest.'

'Mijn trots was gekwetst, ja.'

'Hoelang was je...?' Ik laat mijn zin onhandig in de lucht zweven. Ik weet niet hoe ik het moet zeggen. Gelukkig begrijpt Ben wat ik bedoel.

'Zeven jaar.'

'En je hebt het gewoon opgegeven?'

'Ja.'

'En je hebt het aan niemand verteld? Je vader? Lorcan?'

'Ik dacht dat ze wel zouden merken dat ik geen optredens meer had en er dan naar zouden vragen, maar dat deden ze niet.' Het verdriet in zijn stem is onmiskenbaar. 'Ik had niemand anders om... nou ja. Dingen aan te vertellen.'

Ik reik spontaan naar zijn hand en knijp erin. 'Nu wel,' zeg ik zacht. 'Vertel maar.'

Hij geeft me een kneepje terug en we kijken elkaar in de ogen. Even voel ik me één met hem. Dan komen er twee obers om de schalen van de hapjes af te ruimen; we laten elkaar los en de betovering is verbroken.

'Mooie huwelijksreis, hè?' zeg ik wrang.

'Ik weet het niet. Ik begin het leuk te vinden.'

'Ik ook.' Ik moet wel lachen. 'Ik ben bijna blij dat het zo raar loopt. Dit zullen we in elk geval nooit vergeten.'

En ik meen het. Zonder al die slaapkamerrampen hadden we dit drankje misschien niet gedronken en was ik al die dingen over Ben misschien nooit te weten gekomen. Het kan raar lopen. Ik haak onder de tafel mijn been door dat van Ben en begin mijn voet langs zijn been omhoog te werken in de manoeuvre die mijn handelsmerk is, maar Ben schudt woest zijn hoofd.

'Nee,' zegt hij kortaf. 'Niet doen. Ik kan er niet tegen. Te geil.'

'Hoe moet je die parenmassage dan in vredesnaam doorkomen?' zeg ik plagerig.

'Door te zeggen dat ze het bij tien minuten moeten houden, geen seconde langer, en ons dan onze privacy moeten gunnen,' antwoordt hij, en hij meent het. 'Ik ben bereid een goede fooi te geven.'

'Nog een uur.' Ik kijk op mijn horloge. 'Wat voor olie zouden ze gebruiken?'

'Niet over olie praten,' zegt hij met een gekweld gezicht. 'Spaar me.'

Ik kan mijn lachen niet houden. 'Oké, ander onderwerp. Wanneer gaan we naar het pension? Morgen?'

Ik vind het aan de ene kant spannend, aan de andere kant doodeng om naar het pension te gaan. Daar hebben we elkaar leren kennen. Daar was de brand. En daar is mijn leven veranderd. Alles is daar gebeurd. Allemaal in dat ene pensionnetje, vijftien jaar geleden.

'Morgen.' Ben knikt. 'Je moet radslagen voor me maken op het strand.'

'Doe ik.' Ik glimlach naar hem. 'En jij moet van die rots duiken.'

'En dan gaan we die grot zoeken waar we altijd in kropen...'

We zitten allebei met een wazige blik te glimlachen, opgaand in onze herinneringen.

'Je droeg van die piepkleine tie-dyed shortjes,' zegt Ben. 'Je maakte me helemaal gek.'

'Ik heb ze bij me,' biecht ik op.

'Nee!' Zijn ogen lichten op.

'Ik heb ze al die tijd bewaard.'

'Engel die je bent.'

Ik grinnik ondeugend terug en voel mijn verlangen omhoogschieten. O, god. Hoe kan ik nog een uur wachten? Hoe kom ik de tijd door?

'Ik laat Fliss weten hoe we het hebben gedaan.' Ik reik naar mijn telefoon en typ snel een sms: *Raad eens? We hebben gewonnen!!!! Het gaat allemaal prima. Ben en ik zijn een fantastisch team. Volkomen gelukkig.* ☺

Onwillekeurig glimlach ik tijdens het typen. Fliss zal haar ogen niet geloven! Ik hoop dat het nieuws haar een beetje kan opvrolijken. Ze klonk zo gejaagd. Ik vraag me af wat er aan de hand is. In een opwelling voeg ik eraan toe: *Hoop dat jij ook een fijne dag hebt. Alles goed?? Liefs, L xxx*

16

Fliss

Er is niks mis met Sofia in Bulgarije. Het is een te gekke stad. Ik ben er vaak geweest. Er zijn mooie kerken, boeiende musea en een boekenmarkt in de openlucht. Desondanks is het niet waar ik om zes uur 's avonds heet, bezweet en afgetobd bij de lopende band op mijn bagage wil staan wachten *terwijl ik op het Griekse eiland Ikonos had moeten zijn.*

Het enige pluspunt van de situatie: Daniel treft geen blaam. Deze keer niet. Dit is heel duidelijk een kwestie van het noodlot/goddelijke overmacht. (Nou, bedankt, God. Is dit mijn straf voor wat ik als elfjarige in de godsdienstles heb gezegd? Het was maar een grapje, hoor.) Al zou ik Daniel op dit moment wel graag de schuld willen geven. Beter gezegd: ik zou hem willen schoppen. Aangezien hij er niet is, kan ik ook een schop tegen mijn bagage-karretje geven.

Er staan rijen mensen bij de lopende band te wachten, van verschillende vluchten, en niemand is in een goede bui, laat staan mijn medepassagiers van vlucht 637 naar Ikonos. Weinig glimlachjes. Weinig gekscherende opmerkingen.

Sofia, verdomme, in Bulgarije. Nou vraag ik je.

Door de jaren reizen voor mijn werk ben ik redelijk zen geworden als het om luchtvaartmaatschappijen, vertragingen en geklooi gaat, maar ik moet zeggen dat dit geklooi van epische proporties is. We konden niet gewoon landen, dat arme oude vrouwtje naar het ziekenhuis bonjouren en efficiënt onze reis vervolgen, o, nee. Eerst moest haar bagage gevonden worden, en toen was er een probleem bij het vinden van een startbaan en vervolgens mankeerde er iets aan een van de motoren. Het eindresultaat is een onvoorziene overnachting in Sofia. We worden ondergebracht in het City Heights Hotel. (Niet slecht, vier sterren en als ik het me goed herinner een prima bar op het dak.)

'Daar is de onze!' roept Noah voor de eenenvijftigste keer. Hij heeft geprobeerd bijna elke zwarte koffer op te eisen die over de lopende band is gekomen, ondanks het feit dat de onze een opvallende rode band heeft en waarschijnlijk nu op weg is naar Belgrado.

'Nee, Noah,' zeg ik geduldig. 'Blijf kijken.' Een vrouw gaat zwaar op mijn teen staan en net als ik probeer me vloeken in het Hongaars te herinneren, piept mijn telefoon dat ik een sms heb. Ik haal hem uit mijn zak en lees: *Raad eens? We hebben gewonnen!!!! Het gaat allemaal prima. Ben en ik zijn een fantastisch team. Volkomen gelukkig. ☺ Hoop dat jij ook een fijne dag hebt. Alles goed?? Liefs, L xxx*

Ik ben zo onthutst dat ik me even niet kan bewegen. Hebben ze gewónnen? Hoe kan dat nou?

'Van wie was dat?' Richard heeft me naar mijn scherm zien kijken. 'Lottie?'

'Eh... ja.' Ik reageer te traag om te kunnen liegen.

'Wat schrijft ze? Beseft ze al dat ze een fout heeft begaan?' Hij kijkt me zo gretig aan dat ik innerlijk in elkaar krimp. 'Ze hebben het zeker loeislecht gedaan in die quiz?'

'Nou...' Ik aarzel. Hoe zeg ik dit tactvol? 'Eigenlijk hebben ze gewonnen.'

Zijn gezicht betrekt en hij kijkt me ontzet aan. 'Gewónnen?'

'Het schijnt zo.'

'Maar ik dacht dat ze niets van elkaar wisten.'

'Dat doen ze ook niet!'

'Je zei dat het een flop zou worden.' Richard begint verwijtend te klinken.

'Weet ik!' zeg ik kregelig. 'Hoor eens, er is vast een verklaring voor. Het is vast een misverstand. Ik bel haar wel even.' Ik bel Lottie en wend me af.

'Fliss?' Uit die ene lettergreep kan ik al afleiden hoe opgetogen ze is.

'Gefeliciteerd!' Ik probeer net zo blij te klinken. 'Dus... jullie hebben gewonnen?'

'Is het niet verbijsterend?' jubelt ze. 'Je had erbij moeten zijn, Fliss. We hebben een rollenspel gedaan! We waren Dirk en Sally, je weet wel, van die tv-serie waar we altijd naar keken?'

'Aha,' zeg ik beduusd. 'Wauw.'

'Nu zijn we het aan het vieren en ik heb net zalige kreefthapjes en champagne gehad. En morgen gaan we terug naar het pension. En Ben heeft een liefdesgedicht voor me geschreven in het Frans...' Ze slaakt een gelukzalige zucht. 'Het is de perfecte huwelijksreis.'

Ik kijk met stijgend afgrijzen naar mijn telefoon. Champagne? Franse liefdesgedichten? De *perfecte huwelijksreis?*

'Goh.' Ik doe mijn best om kalm te blijven. 'Dat is... een verrassing.'

Wat voert die Nico uit, verdomme? Ligt hij soms te slapen?

'Ja, het was verschrikkelijk!' Lottie lacht opgewekt. 'Je zou het niet geloven. We hebben niet eens... Je weet wel. Het gedaan. Maar op de een of andere manier doet het er niet toe.' Haar toon wordt zacht en liefdevol. 'Het is alsof al die idiote pech Ben en mij nader tot elkaar heeft gebracht.'

De pech heeft ze nader tot elkaar gebracht? Heb ík ze nader tot elkaar gebracht?

'Fijn!' Mijn stem klinkt schel. 'Fantastisch! Dus je hebt er goed aan gedaan met Ben te trouwen?'

'Voor een miljoen procent,' zegt Lottie extatisch.

'Mooi! Magnifiek!' Ik denk ingespannen na. Hoe moet ik verdergaan? 'Alleen... Ik dacht net aan Richard. Ik vroeg me af hoe het met hem gaat. Heb je nog contact met hem?'

'Met Richard?' Haar giftige stem snijdt door mijn oor. 'Waarom zou ik contact hebben met Richard? Ik ben blij dat hij uit mijn leven verdwenen is. Had ik hem maar nooit ontmoet!'

'Aha.' Ik wrijf over mijn neus en probeer niet naar Richard te kijken. Ik hoop maar dat hij het niet hoort.

'Je gelooft toch niet dat ik op het punt stond voor hem helemaal naar Amerika te vliegen? Dat zou hij nooit voor mij hebben gedaan. Echt niet.' Ze klinkt zo verbitterd dat ik in elkaar krimp. 'Hij weet niet eens wat romantiek ís!'

'Natuurlijk wel!' zeg ik voor ik het goed en wel besef.

'Nee,' zegt ze gedecideerd. 'Weet je wat ik denk? Ik denk dat hij nooit van me heeft gehouden. Waarschijnlijk is hij me al helemaal vergeten.'

Ik kijk naar Richard – heet, bezweet en vastberaden – en wil het wel uitschreeuwen. Ze moest eens wéten.

'Trouwens, Fliss, ik vind het nogal smakeloos van je om over Richard te beginnen,' voegt ze er ontstemd aan toe.

'Sorry,' krabbel ik haastig terug. 'Ik dacht gewoon even hardop. Ik ben blij dat je het naar je zin hebt.'

'Ik heb het ontzettend naar mijn zin,' zegt ze nadrukkelijk. 'We hebben gepraat en een band gesmeed en plannen gemaakt... O, trouwens. Die vent met wie je iets hebt gehad. Lorcan.'

'Ja? Wat is er met hem?'

'Hij klinkt als een nachtmerrie. Je kunt hem beter mijden. Je hebt hem toch niet meer gezien, hè?'

Ik kijk in een reflex naar Lorcan, die bij de lopende band staat en Noah op zijn schouders heeft gehesen.

'Eh... niet vaak,' draai ik eromheen. 'Hoezo?'

'Wat een afschuwelijke, arrogante man is dat. Je weet toch dat hij bij Ben werkt? Nou, hij heeft Bens vader min of meer overgehaald hem die baan te geven, en nu zit hij gebakken en hij neemt de hele boel over en probeert de baas te spelen over Ben.'

'O,' zeg ik verwonderd. 'Daar had ik geen idee van. Ik dacht dat ze vrienden waren.'

'Ja, dat dacht ik ook, maar Ben heeft de pest aan hem. Hij schijnt Ben een keer in het openbaar zijn telefoon te hebben afgepakt!' Haar stem schiet verontwaardigd uit. 'Als een soort schoolmeester. Dat is toch monsterlijk? Ik heb tegen Ben gezegd dat hij hem voor de rechter moet slepen wegens intimidatie! En er zijn nog veel meer dingen, dus beloof me dat je niet voor hem gaat vallen of zo.'

Ik bedwing de verleiding om hol, sardonisch te lachen. Geen schijn van kans.

'Ik zal mijn best doen,' zeg ik. 'Als jij mij belooft dat je, eh... het zo naar je zin blijft hebben.' Ik kan het bijna niet over mijn lippen krijgen. 'Wat zijn de plannen?'

'Een parenmassage op het strand,' zegt ze vrolijk.

Elke vezel in mijn lichaam trekt strak van paniek.

'Aha.' Ik slik. 'Hoe laat is dat? Precies?'

Ik bereid me al voor op de donderpreek die ik Nico ga geven. Wat gebeurt daar? Hoe kan hij zo onoplettend zijn? Waarom zitten ze champagne te drinken en kreeft te eten? Waarom heeft hij Ben de kans gegeven een liefdesgedicht in het Frans te schrijven? Hij had ertussen moeten springen en hem zijn pen moeten afpakken.

'Over een halfuur,' zegt Lottie. 'Ze smeren je in met olie en laten je dan een tijdje met rust. Weet je, Fliss,' vervolgt ze op vertrouwelijke toon, 'Ben en ik hóúden het gewoon niet meer.'

Ik sta te hopsen van de zenuwen. Dat was niet het plan. Ik zit verdomme vast in Sofia en Ben en zij staan op het punt een kind te maken aan het strand, dat ze ongetwijfeld 'Strand' gaan noemen om er vervolgens een felle strijd over te voeren bij de rechtbank wanneer hun huwelijk op de klippen is gelopen. Zodra ik afscheid heb genomen, bel ik Nico.

'En?' vraagt Richard. 'Hoe is de situatie?'

'De situatie is dat ik boven op de situatie zit,' zeg ik kortaf terwijl ik word doorgeschakeld naar de voicemail. 'Ha, Nico, met Fliss. Ik moet je dringend spreken. Bel me. Dag.'

'Wat zei Lottie dan?' vraagt Richard zodra ik de verbinding heb verbroken. 'Hebben ze gewonnen?'

'Het lijkt er wel op.'

'Rotzak.' Hij ademt zwaar. 'Die rótzak. Wat weet hij van haar dat ik niet weet? Wat heeft hij dat ik niet heb? Afgezien van dat landgoed natuurlijk...'

'Richard, nokken!' snauw ik vertwijfeld. 'Het is geen wedstrijd!'

Richard kijkt me aan alsof ik de achterlijkste idioot in de geschiedenis van de mensheid ben. 'Natuurlijk is het wel een wedstrijd,' zegt hij.

'Nee, dat is het niet!'

'Fliss, het hele leven van een man is een wedstrijd!' Opeens gaat hij los. 'Besef je dat dan niet? Vanaf het moment dat je als jongetje van drie met je vriendjes tegen een muur piest, is het enige waar je je druk om maakt: Ben ik groter dan hij? Langer? Succesvoller? Ziet mijn vriendin er lekkerder uit? Dus als een gladjakker met een privévliegtuig ervandoor gaat met de vrouw van wie je houdt, zie je dat als een wedstrijd, ja.'

'Je weet niet of hij wel een privévliegtuig heeft,' zeg ik na een korte stilte.

'Ik heb zo'n vermoeden.'

We zwijgen. In weerwil van mezelf vergelijk ik Richard in gedachten met Ben. Nou, wat mij betreft zou Richard de wedstrijd winnen – maar ik heb Ben nooit gezien.

'Nou, vooruit. Stel dat je gelijk hebt,' zeg ik uiteindelijk. 'Wanneer heb je gewonnen? Waar is de eindstreep? Ze is met een ander getrouwd. Betekent dat niet dat je al hebt verloren?'

Ik wil niet wreed zijn, maar zo liggen de feiten nu eenmaal.

'Als ik Lottie heb verteld wat ik echt voor haar voel... en ze zegt nog steeds nee,' zegt Richard resoluut, 'dán heb ik verloren.'

Ik leef zo met hem mee dat ik er buikpijn van krijg. Hij stelt zich kwetsbaar op. Niemand kan zeggen dat hij voor de weg van de minste weerstand kiest.

'Oké,' zeg ik knikkend. 'Nou, je weet hoe ik zou stemmen.' Ik geef een kneepje in zijn schouder.

'Wat zijn ze nu aan het doen?' Hij werpt een blik op mijn telefoon. 'Zeg me wat ze doen. Ik weet dat ze het je heeft verteld.'

'Ze hebben net champagne gedronken en kreeft gegeten,' zeg ik onwillig. 'En Ben heeft net een liefdesgedicht voor haar geschreven. In het Frans.'

'In het Frans?' Richard reageert alsof hij een knie in zijn maag heeft gekregen. 'Die smerige slijmjurk!'

'En ze willen morgen naar het pension,' vertel ik net als Lorcan zich bij ons voegt. Noah en hij duwen samen drie koffers op wieltjes. 'Goed gedaan, jullie! Dat is alle bagage.'

'High five,' zegt Noah plechtig tegen Lorcan, en hij slaat tegen de aangeboden hand.

'Het pension?' zegt Richard aangeslagen door het nieuws. 'Het pension waar ze elkaar hebben ontmoet?'

'Precies.'

Zijn gezicht betrekt. 'Ze heeft het altijd over dat pension. De onovertroffen calamari. En het afgezonderde strand dat mooier was dan welk ander strand ook. Ik heb haar een keer meegenomen naar Kos en het enige wat ze te zeggen had, was dat het niet zo goed was als het pension.'

'O, jezus, het pension,' zegt Lorcan instemmend knikkend. 'Ik haat dat pension. Als ik nog één keer van Ben moet aanhoren dat de zonsondergang daar een geestverruimende ervaring was...'

'Lottie had het ook altijd over die zonsondergang.' Richard knikt.

'En dat ze allemaal bij het krieken van de dag opstonden om yoga te doen, godbetert...'

'...en de mensen...'

'...de sfeer...'

'En die zee was de helderste, blauwste, volmaaktste zee die er maar bestaat,' doe ik mee, en ik wend mijn blik hemelwaarts. 'Ik bedoel, hou op, zeg.'

'Rotpension,' zegt Lorcan.

'Was het maar écht afgebrand,' vult Richard aan.

We kijken elkaar allemaal onmetelijk opgevrolijkt aan. Er gaat niets boven een gezamenlijke vijand.

'Zo, we moeten gaan,' zegt Lorcan. Hij reikt me het handvat van mijn koffer aan en net als ik het van hem wil overnemen, gaat mijn telefoon. Ik kijk op het scherm: het is Nico. Eindelijk.

'Nico! Waar zat je?'

'Fliss! Ik weet wat je denkt, en ik schaam me dood...' Hij begint aan een lange, onsamenhangende verontschuldiging en ik kap hem af.

'Daar hebben we nu geen tijd voor. Ze staan op het punt het aan het strand te doen. Je moet snel zijn. Luister.'

17

Lottie

Dit is de perfecte ambiance voor een huwelijksnacht. Ik bedoel, ons eigen privéstrand! Hoe cool is dat?

We zijn in een afgezonderde baai die vanaf het grote strand te bereiken is via een pad van stapstenen en op een rots staat een bordje NIET STOREN. Onze twee massagetherapeuten hebben ons er in ganzenpas naartoe geleid, gevolgd door Georgios en Hermes met champagne en oesters op ijs. Nu liggen we op een enorme tweepersoonsmassagetafel en de twee massagetherapeuten, Angelina en Carissa, wrijven ons met olie in. Rondom ons deinen witte gordijnen, dus geen mens kan ons zien. De lucht heeft die diepe blauwe kleur die je alleen op een bepaald moment in de vroege avond ziet, en de in het zand gezette geurkaarsen verspreiden een heerlijke geur. Vogels wieken en zingen. Ik hoor de golven op het zand kabbelen en de lucht is zilt. Het is allemaal zo schilderachtig dat ik het gevoel krijg dat ik in een kunstzinnige clip zit.

Ben steekt zijn hand uit en pakt de mijne, en ik geef hem een kneepje en grimas als Carissa een uitgesproken koppige knoop in mijn nek aanpakt. Hm. Ben en ik en een hemelbed op het strand waar we straks twee uur gebruik van mogen maken. Dat hebben de masseuses een paar keer nadrukkelijk gezegd. 'Twee uur,' zei Angelina telkens. 'Genoeg tijd alleen. Jullie zullen ontspannen zijn als stelletje... Alle zintuigen worden geprikkeld... Niemand zal jullie storen, dat is gegarandeerd.'

Ze knipoogde er nog net niet bij, maar ze had het best kunnen doen. Dit is overduidelijk de Openluchtwipservice die ze uit preutsheid niet in de brochure hebben vermeld.

Carissa is klaar met mijn nek. Angelina en zij gaan aan het hoofdeinde van het bed staan en beginnen synchroon onze hoofden te masseren. Ik word steeds rustiger – ik zou zelfs in slaap kunnen vallen als ik niet ook sta te steigeren van de lustgevoelens. De aanblik van Ben, naakt en glimmend van de olie naast me, is genoeg. We gaan elke minuut van die twee uur ten volle benutten, neem ik me heilig voor. We hebben die seks verdíénd. Hij hoeft me maar aan te raken of ik spring...

Ting!

Ik schrik op uit mijn gemijmer. Angelina en Carissa hebben uit het niets een paar belletjes tevoorschijn getoverd die ze nu in een soort ritueel boven onze hoofden laten tingelen.

'Klaar,' fluistert Carissa, die mijn laken om me heen slaat. 'Nu ontspannen. Rustig aan.'

Yes! Het is afgelopen! Sexy tijd alleen, hier zijn we dan! Ik zie door mijn half dichte ogen hoe Angelina en Carissa zich terugtrekken uit onze afgeschermde plek. Er is geen ander geluid te horen dan het klapperen van de katoenen gordijnen in de bries. Ik kijk sprakeloos naar de blauwe lucht, overweldigd door loomheid en lust. Ik geloof dat ik me nog nooit zo gelukzalig heb gevoeld. Postmassage; preseks.

'Zo.' Ben geeft een kneepje in mijn hand. 'Eindelijk.'

'Eindelijk.' Ik wil me oprichten om hem te kussen, maar hij is te snel. Voordat ik het goed en wel besef zit hij al schrijlings op me met een flesje olie. Dat moet hij stiekem hebben meegebracht. Hij denkt ook aan alles!

'Ik wil niet dat een ander je masseert.' Hij giet olie op mijn schouders. Het ruikt naar muskus, sensueel en heerlijk. Ik snuf de geur genietend op terwijl hij me van top tot teen insmeert, met stevige, lange halen die me laten sidderen.

'U hebt er talent voor, meneer Parr,' zeg ik met een stem die overslaat van opwinding. 'Je zou zo een salon kunnen beginnen.'

'Ik wil maar één klant.' Hij wrijft olie in mijn tepels, over mijn buik, nog lager... Ik kerm het uit van verlangen. Ik heb zo, zo naar hem verlangd...

'Lekker?' Hij kijkt me gespannen aan.

'Ik tintel over mijn hele lijf. Het is ondraaglijk.'

'Ik ook.' Hij buigt naar voren om me te kussen terwijl zijn handen doelbewust naar beneden glijden, tussen mijn dijen...

'O, god,' hijg ik. 'Ik tintel echt.'

'Ik ook.'

'Au!' Ik krimp onwillekeurig in elkaar.

'Ik weet dat je het graag een beetje ruig hebt.' Hij grinnikt, maar ik weet niet of ik mee kan doen. Ik tintel te erg. Er is iets niet goed.

'Kunnen we even ophouden?' Ik duw hem van me af. Mijn huid voelt alsof er mieren over krioelen. 'Het schrijnt een beetje.'

'Het schrijnt?' Zijn ogen twinkelen vrolijk. 'Schat, we zijn nog niet eens begonnen.'

'Het is niet leuk! Het doet pijn!' Ik kijk geagiteerd naar mijn arm. Die is rood geworden. Waarom is hij rood? Ben buigt zich weer over me heen en ik doe mijn uiterste best om waarderend te kreunen terwijl zijn lippen langs mijn hals naar beneden zoenen, maar eerlijk gezegd kreun ik meer van pijn.

'Hou op!' zeg ik ten slotte radeloos. 'Pauze! Het voelt alsof ik in brand sta!'

'Bij mij ook,' hijgt Ben.

'Echt! Ik kan het niet! Kíjk dan naar me!'

Ben richt zich eindelijk op en kijkt naar me met ogen die troebel zijn van begeerte. 'Je ziet er heerlijk uit,' zegt hij. 'Je ziet er geweldig uit.'

'Nee, niet waar! Ik ben helemaal rood.' Ik kijk met stijgende ongerustheid naar mijn armen. 'En het wordt dik! Kijk dan!'

'En of ze dik worden.' Ben omvat waarderend een van mijn borsten. Luistert hij dan niet?

'Au!' Ik wrik zijn hand los. 'Ik meen het. Ik denk dat het een allergische reactie is. Wat zit er in die olie? Toch geen pinda's? Je weet dat ik allergisch ben voor pinda's.'

'Het is gewoon olie.' Ben lijkt mijn vraag te ontwijken. 'Ik weet niet wat erin zit.'

'Dat moet je weten! Je hebt toch wel naar het etiket gekeken toen je het kocht?' Het blijft even stil. Ben pruilt een beetje, alsof ik hem heb betrapt.

'Ik heb het niet gekocht,' bekent hij dan. 'Ik heb het van Nico gekregen, met de complimenten van het hotel. Het is hun eigen recept of zoiets.'

'O.' Ik vecht tegen mijn teleurstelling. 'En je hebt niet gekeken? Hoewel je weet dat ik allergisch ben?'

'Ik ben het vergeten, oké?' zegt hij getergd. 'Ik kan niet elk wissewasje onthouden!'

'De allergie van je vrouw lijkt me niet bepaald een wissewasje!'

zeg ik woedend. Ik krijg zin om hem te slaan, wat niets voor mij is. Het ging allemaal zo goed. Waarom moest hij me nou vol gemene pindaolie smeren?

'Hé, als we de goede houding vinden doet het misschien niet zoveel pijn.' Ben kijkt zoekend om zich heen en trekt de gordijnen open. 'Probeer eens op die rotsen te gaan staan.'

'Oké.' Ik wil net zo graag dat dit lukt als hij. Als we het lichamelijke contact tot een minimum beperken... Ik klauter over de rotsen en probeer niet al te gekweld te kijken. 'Au...'

'Niet zo...'

'Au! Niet doen!'

'Probeer het zo eens...'

'Als je iets zou willen kantelen... Oef!'

'Was dat je neusgat?'

'Dit wordt 'm niet,' zeg ik nadat ik voor de derde keer van de rotsen ben gegleden. 'Ik zou kunnen proberen te knielen als we iets zachts hadden...'

'Of op de rand van het bed...'

'Ik ga wel boven... Nee! Au! Sorry,' zeg ik verkrampt, 'maar dat doet echt zeer.'

'Kun je je been in je nek leggen?'

'Nee, dat kan ik niet,' zeg ik in mijn wiek geschoten. 'Jij wel?'

We proberen het ene acrobatische standje na het andere en de sfeer is helemaal verpest. Ik blijf naar adem snakken, en niet op een goede manier. Mijn huid brandt nu echt. Ik heb dringend behoefte aan verzachtende zalf op waterbasis, maar ik heb ook behoefte aan seks. Het is niet te harden. Ik kan wel janken van frustratie.

'Kom op,' zeg ik kwaad tegen mezelf. 'Ik heb een wortelkanaalbehandeling gehad. Ik kan het.'

'Een wortelkanaalbehandeling?' zegt Ben dodelijk beledigd. 'Seks met mij is te vergelijken met een wortelkanaalbehandeling?'

'Zo bedoelde ik het niet!'

'Je draait je al de hele vakantie onder de seks met mij uit,' grauwt hij plotseling driftig. 'Ik bedoel, wat is dit nou voor pesthuwelijksreis?'

Het is zo'n onterechte beschuldiging dat ik geschrokken achteruitdeins.

'Ik draai me niet onder de seks uit!' roep ik uit. 'Ik wil het net zo graag als jij, maar... het doet zo'n pijn.' Ik kijk wanhopig om me heen. 'Kunnen we tantraseks proberen?'

'Tantraseks?' herhaalt Ben misprijzend.

'Nou, het werkt anders wel voor Sting.' Ik ben bijna in tranen van teleurstelling.

'Doet je mond ook zeer?' zegt Ben met een sprankje hoop in zijn stem.

'Ja, ik heb olie op mijn lippen gekregen. Ze doen echt pijn.' Ik weet waar hij naartoe wil. 'Sorry.'

Ben haakt zijn been uit het mijne en zakt met kromme schouders op het bed. Ondanks alles ben ik opgelucht dat hij niet meer tegen me aan schuurt. Het was een marteling.

We zwijgen een tijdje van doffe ellende. Mijn huid is nog gezwollen en vuurrood. Ik moet eruitzien als een bovenmaatse gekonfijte kers. Er rolt een traan over mijn wang, en dan nog eentje.

Hij heeft niet eens gevraagd of mijn allergie gevaarlijk is. Ik bedoel, niet dus, maar toch. Hij is niet bepaald bezorgd, hè? De eerste keer dat Richard mijn reactie op pinda's zag, wilde hij onmiddellijk met me naar de Spoedeisende Hulp. En hij let angstvallig op menukaarten en de etiketten van kant-en-klaarmaaltijden. Hij is heel attent...

'Lottie?' Ik vlieg een meter de lucht in van schuldgevoel bij het horen van Bens stem. Hoe kan ik aan mijn ex-vriend denken terwijl ik op huwelijksreis ben?

'Ja?' zeg ik snel, voor het geval hij mijn gedachten heeft geraden. 'Ik dacht aan... niets in het bijzonder.'

'Het spijt me.' Ben spreidt in een oprecht gebaar zijn armen. 'Ik meende het niet, ik verlang gewoon zo naar je.'

'Ik ook naar jou.'

'Het is gewoon stomme pech.'

'We lijken buitensporig veel pech te hebben,' zeg ik spijtig. 'Hoe kan één stel zo'n opeenvolging van rampen meemaken?'

'Het is meer een gruwelijksreis dan een huwelijksreis,' grapt hij.

Ik glimlach toegeeflijk om zijn flauwe woordspeling. Hij doet tenminste zijn best.

'Misschien is het het noodlot,' zeg ik. Ik meen het niet echt, maar Ben grijpt het idee gretig aan.

'Misschien heb je wel gelijk. Denk na, Lottie. Morgen gaan we terug naar het pension. Terug naar de plek waar we elkaar hebben gevonden. Misschien zijn we voorbeschikt om ons huwelijk dáár te comsummeren.'

'Het zou best romantisch zijn.' Ik begin ervoor warm te lopen. 'We zouden die plek in die grot weer kunnen opzoeken...'

'Weet je dat nog?'

'Ik zal die nacht nooit vergeten,' zeg ik uit de grond van mijn hart. 'Het is een van mijn onvergetelijkste herinneringen.'

'Nou, misschien kunnen we er nog overheen,' zegt Ben, die weer in een goed humeur is. 'Hoelang ben je buiten bedrijf?'

'Weet niet.' Ik kijk naar mijn gekookte-kreeftenhuid. 'Het is een vrij zware aanval. Waarschijnlijk tot morgen.'

'Oké. Dan drukken we de pauzetoets even in, afgesproken?'

'Afgesproken,' zeg ik dankbaar. 'We drukken bij dezen de pauzetoets in.'

'En morgen wordt het spelen.'

'En dan terugspoelen en weer spelen.' Ik grinnik ondeugend naar hem. 'En nog een keer. En nog een keer.'

Het is duidelijk dat het plan ons allebei opmontert. We staren naar de zee en ik voel dat ik geleidelijk word gesust door het monotone geluid van de golven, onderbroken door kreten van vogels en, heel ver weg, het dreunen van muziek op het grote strand. Er treedt vanavond een band op. Misschien kunnen we er straks naartoe slenteren, een cocktail drinken en luisteren.

Het voelt alsof we er vrede mee hebben. Ben strekt voorzichtig zijn arm achter me en buigt hem alsof hij mijn rug wil omvatten, zonder me echt aan te raken. Alsof ik word omarmd door een geest. Mijn huid reageert met een zachte tinteling, maar ik vind het niet erg. Al mijn onvrede is vervaagd; ik weet zelfs niet meer waar ik me druk om maakte.

'Morgen,' zegt hij. 'Geen pindaolie. Geen butlers. Geen harpen. Alleen wij tweetjes.'

'Alleen wij tweetjes,' zeg ik knikkend. Misschien heeft Ben wel gelijk: misschien is het voorbestemd dat we het bij het pension doen. 'Ik hou van je,' voeg ik er in een opwelling aan toe. 'Nu nog meer.'

'Zo voel ik het ook.' Hij werpt me die scheve glimlach toe en ik word overweldigd door mijn gevoelens. Plotseling voel ik me bijna euforisch, ondanks mijn schrijnende huid, gefrustreerde libido en een verzwikte enkel door het geklauter over de rotsen. Want we zijn hier tenslotte toch maar, terug op Ikonos, na al die jaren. En morgen is de cirkel rond. Morgen keren we terug naar de belangrijkste plek van ons leven: het pension. De plek waar we de liefde hebben gevonden en wereldschokkende dingen hebben beleefd, de plek die ons lot definitief heeft veranderd.

Ben steekt zijn hand uit alsof hij de mijne wil pakken en ik buig mijn vingers eronder zonder hem echt aan te raken (mijn handen zijn ook opgezwollen). Ik hoef hem niet te vertellen hoe belangrijk het bezoek aan het pension voor me is. Hij begrijpt het. Hij begrijpt het zoals niemand anders het kan begrijpen. En daarom zijn we voorbeschikt om bij elkaar te zijn.

18

Fliss

Nee. Nééé! Wat is dit voor gezwatel?

Ben begrijpt me tot in mijn diepste wezen. Hij denkt dat het zo is voorbeschikt en ik ook. We hebben heel veel plannen voor onze toekomst gemaakt. Hij wil dezelfde dingen als ik. Waarschijnlijk komen we in een gîte in Frankrijk terecht...

Ik klik snel en word steeds wanhopiger als door de volgende drie berichten ga.

...ongelooflijke sfeer met witte gordijnen aan de rand van de zee en oké, het werd hem niet, maar dat doet er niet toe...

...raakten elkaar niet aan maar ik vóélde hem, het is net of we een telepathische band hebben, je snapt me wel...

...nooit zo gelukkig geweest...

Ze hebben het niet gedaan, maar ze is nog nooit zo gelukkig geweest. Nou, als ik probeerde die twee uit elkaar te drijven, heb ik jammerlijk gefaald. Ik heb ze juist naar elkaar toe gedreven. Goed gedaan, Fliss. Magnifiek.

'Alles goed?' vraagt Lorcan, die mijn gezicht ziet.

'Helemaal top,' antwoord ik bijna grauwend, en ik blader woest in het in leer gebonden cocktailmenu.

Ik ben niet bepaald in een opperbeste stemming sinds de landing in Sofia, en nu is dan het absolute dieptepunt bereikt. Alles heeft averechts gewerkt en ik ben hondsmoe en er zat geen tonic in mijn minibar en nu zit ik ook nog tussen de Bulgaarse hoeren.

Oké, misschien zijn het niet allemáál Bulgaarse hoeren, geef ik toe als ik nog eens om me heen kijk in de bar op het dak. Er zouden een paar Bulgaarse topmodellen tussen kunnen zitten. Er zouden zelfs een paar zakenvrouwen bij kunnen zijn. Het licht is gedempt, maar het laat de opzichtige diamanten, tanden en Louis Vuitton-gespen schitteren. Niet bepaald de meest onderkoelde plek, dat City Heights. Al moet ik het hotelpersoneel nageven dat ze mijn naam nog wisten en ik ongevraagd een upgrade heb gekregen. Ik heb al een tijd niet meer in zo'n protserige suite gelogeerd, compleet met twee reusachtige slaapkamers, een zitkamer met bioscoopscherm en een immense badkamer in art-decostijl met spiegelwanden. Ik zou me later op de avond genoopt kunnen voelen Lorcan een rondleiding te geven.

Ik voel een verwachtingsvol samentrekken in mijn binnenste. Ik weet niet goed hoe het zit tussen Lorcan en mij. Misschien kom ik er na een paar drankjes achter.

Deze bar is ook best protserig, met ramen van de vloer tot aan het plafond en een smal, zwart betegeld zwembad eromheen waar alle mooie mensen/topmodellen/zakentypes minachtend naar kijken. In tegenstelling tot Noah, die op en neer springt en er per se in wil.

'Je zwembroek is ingepakt,' zeg ik voor de vijfde keer.

'Laat hem dan in zijn onderbroek zwemmen,' zegt Lorcan. 'Waarom niet?'

'Ja!' kraait Noah enthousiast. 'Onderbroek! Onderbroek!' Hij is helemaal hyper na de vlucht en kan geen moment stilstaan. Misschien is zwemmen toch wel een goed idee.

'Oké,' zwicht ik. 'Je mag in je onderbroek zwemmen. Maar rústig. Geen mensen natspatten.'

Noah begint zich gretig uit te kleden en werpt zijn kleren uitbundig van zich af.

'Let jij op mijn portemonnee?' zegt hij met de precisie van een volwassene, en hij reikt me de portemonnee aan die hij in het vliegtuig heeft gekregen. 'En ik wil ook creditcards voor erin,' voegt hij eraan toe.

'Je bent nog net niet oud genoeg voor creditcards,' zeg ik terwijl ik zijn broek opvouw en netjes op een fluwelen bankje leg.

'Hier heb je er een,' zegt Lorcan, en hij geeft hem een Starbuckskaart. 'Verlopen,' voegt hij er tegen mij aan toe.

'Cool!' zegt Noah blij, en hij duwt de kaart met zorg in een vakje van zijn portemonnee. 'Ik wil hem helemaal vol, net als die van pap.'

Ik sta op het punt een stekelige opmerking te maken over paps uitpuilende portemonnee – maar kan mezelf net op tijd inhouden. Het zou verbitterd zijn. En ik doe niet aan verbittering. Ik doe aan liefde en licht.

'Papa werkt hard voor zijn geld,' zeg ik suikerzoet. 'We zouden trots op hem moeten zijn, Noah.'

'Aanvallûh!' Noah rent naar het zwembad. Even later maakt hij een bommetje en het water spat alle kanten op, ook over een blondine in mini-jurk die vlakbij zit en vol afgrijzen achteruitdeinst en de druppels van haar benen slaat.

'Sorry,' roep ik vrolijk. 'Dat risico loop je als je naast een zwembad zit te drinken!'

Noah is aan zijn extreem spetterige versie van de borstcrawl begonnen, wat hem op ontzette blikken van zowel de mooie mensen als het mooie personeel komt te staan.

'Wedden dat Noah de allereerste is die ooit in dit zwembad zwemt?' zegt Lorcan geamuseerd.

Terwijl we kijken komt Richard de bar binnen, samen met een groep passagiers die ik uit het vliegtuig herken. Hij ziet er nog vermoeider uit dan eerst en ik voel een steekje medelijden met hem.

'Ha,' begroet hij ons en hij zakt op een bankje. 'Nog iets van Lottie gehoord?'

'Ja, en het goede nieuws is dat het er nog steeds niet van is gekomen!' zeg ik om hem op te beuren.

'Nog niet?' Lorcan laat ongelovig zijn glas met een dreun op tafel neerkomen. 'Wat mankeert die twee?'

'Allergisch ongelukje,' zeg ik met een achteloos schouderophalen. 'Ze hadden Lottie met pindaolie of zoiets ingesmeerd en toen is ze opgezwollen.'

'Pindaolie?' Richard kijkt bezorgd op. 'Hoe is het nu met haar? Hebben ze er een dokter naar laten kijken?'

'Ik denk dat het wel goed met haar is. Echt.'

'Want zulke reacties kunnen gevaarlijk zijn. Waarom hebben ze in vredesnaam pindaolie gebruikt? Had ze ze niet gewaarschuwd?'

'Ik... weet het niet,' zeg ik ontwijkend. 'Wat is dat?' vervolg ik om van onderwerp te veranderen, en ik knik naar het vel papier in Richards hand.

'Niets bijzonders,' zegt Richard afwerend terwijl Noah met een chique zwarte handdoek om zich heen aan komt rennen. 'Het stelt niets voor.'

'Het moet toch iets zijn.'

'Nou... goed dan.' Richard kijkt fel van Lorcan naar mij, alsof hij ons tart te lachen. 'Ik ben bezig met een Frans gedicht. Voor Lottie.'

'Wat goed van je!' zeg ik bemoedigend. 'Mag ik eens kijken?'

'Het is nog in wording.' Hij geeft me onwillig het vel papier en ik schud het uit en schraap mijn keel.

'*"Je t'aime, Lottie, plus qu'un zloty."*' Ik zoek aarzelend naar woorden. 'Tja, het is een begin...'

'"Ik hou van je, Lottie, meer dan een zloty"?' vertaalt Lorcan ongelovig. 'Dat meen je toch niet?'

'Lottie is moeilijk om op te rijmen!' zegt Richard gekrenkt. 'Probeer maar!'

'Je zou "pottie" kunnen doen,' oppert Noah. '"Ik hou van je, Lottie, als je zit op de pottie."'

'Dank je wel, Noah,' zegt Richard mopperig. 'Het wordt op prijs gesteld.'

'Het is heel goed,' zeg ik haastig. 'Trouwens, het gaat om de bedoeling.'

Richard grist het papier uit mijn hand en reikt naar de kaart. Op de voorkant staat VERRUKKELIJKE BULGAARSE SPECIALITEITEN en binnenin staan lijsten met 'borrelhapjes en lichte maaltijden'.

'Dat is een goed idee. Neem iets te eten,' zeg ik sussend. 'Daar knap je van op.'

Richard werpt een vluchtige blik op de kaart en wenkt dan een serveerster, die glimlachend naar hem toe komt.

'Kan ik iets voor u doen, meneer?'

'Ik heb een paar vragen over uw "verrukkelijke Bulgaarse specialiteiten",' zegt hij met een onbuigzaam gezicht. 'De tricolore salade, is dat een Bulgaarse specialiteit?'

'Ik zal het navragen, meneer,' zegt het meisje nog breder glimlachend.

'En de kip korma. Is dat een Bulgaarse specialiteit?'

'Ik zal het navragen.' Ze noteert het in haar boekje.

'Richard.' Ik geef hem snel een schop onder de tafel. 'Niet doen.'

'Clubsandwich,' vervolgt Richard meedogenloos. 'Is dát een Bulgaarse specialiteit?'

'Meneer...'

'Krulfriet. Uit welke Bulgaarse streek is dat gerecht afkomstig?'

Het meisje is opgehouden met schrijven en gaapt hem perplex aan.

'Hou op!' bijt ik Richard toe, en dan kijk ik glimlachend op naar het meisje. 'Dank je wel. We zijn er nog niet uit.'

'Ik vroeg het maar,' zegt Richard als de serveerster weg is. 'Voor de opheldering. Ik mag toch wel om opheldering vragen?'

'Dat je geen Franse liefdesgedichten kunt schrijven, hoef je niet af te reageren op een onschuldige serveerster,' zeg ik streng. 'Trouwens, kijk. Mezzeschotel. Dat is een Bulgaarse specialiteit.'

'Het is Grieks.'

'En Bulgaars.'

'Alsof jij er alles van weet.' Hij kijkt broeierig naar de kaart en slaat hem dicht. 'Ik geloof eigenlijk dat ik maar naar bed ga.'

'Wil je niets eten?'

'Ik bel de roomservice wel. Tot morgen.'

'Welterusten!' roep ik hem na, en hij knikt zwartgallig over zijn schouder.

'Arme jongen,' zegt Lorcan wanneer Richard uit het zicht is. 'Hij houdt echt van haar.'

'Ik denk het.'

'Zo'n gedicht kun je alleen schrijven als je zo verliefd bent dat je tijdelijk ontoerekeningsvatbaar bent.'

'"Meer dan een zloty",' citeer ik en ik krijg opeens de giechels. 'Een zlóty?'

'"Als je zit op je pottie" was nog beter geweest.' Lorcan trekt zijn wenkbrauwen op. 'Noah, misschien is er een toekomst voor je weggelegd als dichter des vaderlands.'

Noah rent terug naar het zwembad en we kijken allebei een tijdje naar zijn gespetter.

'Leuk joch,' zegt Lorcan. 'Slim. Evenwichtig.'

'Dank je.' Ik kan een glimlach niet bedwingen. Noah is echt slim, al heb ik mijn twijfels over dat 'evenwichtig'. Scheppen evenwichtige kinderen op over hun ingebeelde harttransplantaties?

'Hij maakt een heel blije indruk.' Lorcan pakt een handje pinda's. 'Zijn de afspraken over de voogdij in goede harmonie gemaakt?'

Bij het horen van het woord 'voogdij' komt mijn innerlijke

radar in actie en ik voel dat mijn hart vanzelf begint te bonzen, klaar voor de strijd. De adrenaline giert door mijn lijf. Ik speel nerveus met mijn USB-stick. Ik heb een rits toespraken in mijn hoofd. Lange, erudiete, vernietigende toespraken. En: ik wil iemand stompen.

'Ik vraag het maar, want ik heb vrienden die een verhitte strijd hebben gevoerd om de voogdij,' voegt Lorcan eraan toe.

'Juist.' Ik probeer beheerst over te komen. 'Ja. Vast wel.'

Verhit? wil ik uitroepen. *Zal ik jou eens zeggen wat verhit is?*

Maar op hetzelfde moment hoor ik Barnaby's stem als een noodklok in mijn hoofd galmen. *Je zei dat je nooit bitter zou worden, wat je verder ook deed.*

'Maar daar heb jij niet onder geleden?' vraagt Lorcan.

'Absoluut niet.' Ik tover een meer dan serene, relaxte glimlach uit het niets. 'Het ging allemaal juist heel makkelijk en eenvoudig. En snel,' voeg ik eraan toe om het af te maken. 'Heel snel.'

'Je boft maar.'

'Nou.' Ik knik. 'Ik ben een enorme bofkont!'

'En kun je goed opschieten met je ex?'

'We zijn twee handen op één buik,' zeg ik, en ik leg mijn handen op mijn buik.

'Niet te geloven!' zegt Lorcan bewonderend. 'Weet je wel zeker dat je van hem wilde scheiden?'

'Ik ben gewoon superblij dat hij nu gelukkig is met een andere vrouw.' Ik glimlach nog zoeter. Ik sta zelf te kijken van het gemak waarmee ik lieg. In feite zeg ik precies het tegenovergestelde van de waarheid. Het is bijna een spelletje.

'En kun je goed opschieten met zijn nieuwe vrouw?'

'Een schat van een mens!'

'En Noah?'

'We zijn één grote blije familie!'

'Wil je nog iets drinken?'

'Nee, alsjeblieft niet!' Het schiet me opeens te binnen dat Lorcan niet weet dat het een spelletje is. 'Ik bedoel, heel graag,' verbeter ik mezelf.

Terwijl Lorcan een ober wenkt, eet ik wat nootjes en doe mijn best om meer echtscheidingsgerelateerde leugens te verzinnen, maar terwijl ik bezig ben: *We pingpongen allemaal samen! Daniel vernoemt zijn nieuwe kind naar mij!* begint het te gonzen in mijn hoofd. Mijn vingers prutsen steeds geagiteerder aan de USB-stick. Ik vind het geen leuk spel meer. Mijn innerlijke Goede Fee begint haar glans te verliezen. De Boze Fee komt ongevraagd aanzetten en wil haar zegje doen.

'Zo, die ex van jou moet wel een geweldige vent zijn,' zegt Lorcan nadat hij heeft besteld. 'Als jullie zo fantastisch met elkaar omgaan.'

'Hij is een prins!' knik ik knarsetandend.

'Dat kan niet anders.'

'Hij is zo vriendelijk en attent!' Ik bal mijn vuisten en druk ze in mijn zij. 'Hij is zo'n charismatische, charmante, onbaatzuchtige, zorgzame...' Ik breek hijgend mijn zin af. Ik zie echt sterretjes voor mijn ogen. Daniel ophemelen is slecht voor mijn gezondheid; ik kan het niet meer. 'Hij is een... een... een...' Het is als niezen. Het moet eruit. 'Klóótzak.'

Het blijft even stil. Ik zie een paar mannen aan een andere tafel belangstellend mijn kant op kijken.

'Een klootzak in gunstige zin?' vraagt Lorcan weifelend. 'Of... o.' Hij ziet mijn gezicht.

'Ik heb gelogen. Daniel is de grootste nachtmerrie van iedere gescheiden vrouw en ik ben verbitterd, oké? Ik ben verbitterd!' Alleen al het hardop zeggen is een opluchting. 'Ik ben verbitterd tot op het bot, tot in mijn hart, mijn bloed...' Ik krijg een inval. 'Wacht. Je hebt met me geslapen. Je moet weten dat ik verbitterd ben.'

Hij kan het met geen mogelijkheid niet hebben gemerkt tijdens onze nacht samen. Ik was nogal gespannen. Ik geloof dat ik veel heb gevloekt.

'Ik vroeg het me af.' Lorcan houdt bevestigend zijn hoofd schuin.

'Kwam het doordat ik "sterf, Daniel!" schreeuwde toen ik klaarkwam?' flap ik eruit, en ik steek mijn hand op. 'Sorry. Smakeloze grap.'

'Je hoeft je niet te verontschuldigen.' Lorcan vertrekt geen spier. 'De enige manier om een echtscheiding te overleven is smakeloze grappen maken. Wat doe je als je je ex-vrouw mist? De volgende keer beter richten.'

'Waarom is een scheiding zo duur?' kaats ik automatisch terug.

'Omdat het het waard is.'

'Waarom trouwen gescheiden mannen opnieuw? Geheugen-verlies.'

Hij wacht op mijn lach, maar ik word in beslag genomen door mijn gedachten. De vloedgolf adrenaline is weggeëbd, met achterlating van het bezinksel van oude, vertrouwde gedachten.

'Weet je...' – ik wrijf hard over mijn neus... – '... ik héb mijn scheiding niet overleefd. "Overleven" houdt toch in dat ik nog dezelfde zou zijn als voorheen?'

'Wie ben je dan nu?' vraagt Lorcan.

'Ik weet het niet,' zeg ik na een lange stilte. 'Ik voel me verschroeid vanbinnen. Alsof ik derdegraadsverbrandingen heb, maar niemand kan ze zien.'

Lorcan trekt een pijnlijk gezicht, maar zegt niets. Hij is een van die zeldzame mensen die het geduld hebben om te luisteren.

'Ik begon me af te vragen of ik gek werd,' zeg ik in mijn glas starend. 'Kon Daniel de wereld écht zo zien? Kon hij die verschrikkelijke dingen écht zeggen en konden andere mensen hem geloven? En het ergste is nog wel dat je het helemaal alleen doormaakt. Een scheiding is als een gecontroleerde explosie. De buitenstaanders blijven ongedeerd.'

'De buitenstaanders.' Lorcan knikt geanimeerd. 'Zóú je ze niet? Zoals ze tegen je zeggen dat je er niet aan moet denken.'

'Ja!' Ik herken het en knik. 'En zoals ze zeggen: "Blijf het positief zien! Je bent tenminste niet gruwelijk verminkt door een industrieel ongeluk!"'

Lorcan barst in lachen uit. 'Jij kent dezelfde mensen als ik.'

'Ik zou niets liever willen dan dat hij uit mijn leven verdween,' verzucht ik, en ik laat mijn voorhoofd even in mijn handen steunen. 'Konden ze maar... Weet ik veel. Exen laparoscopisch verwijderen.' Lorcan glimlacht begrijpend en ik neem een grote slok wijn. 'En jij?'

'Mijn scheiding was ook akelig.' Hij knikt. 'Er was geduvel over geld, maar we hadden geen kinderen, wat het simpeler maakte.'

'Je mag blij zijn dat je geen kinderen hebt.'

'Nou, nee,' zegt hij toonloos.

'Nee, echt, wees blij,' hou ik vol. 'Ik bedoel, de strijd om de voogdij is van een heel andere…'

'Nee, echt, ik ben er níét blij om.' Zijn stem heeft iets bijtends en opeens bedenk ik dat ik maar weinig weet van zijn privéleven. 'We konden geen kinderen krijgen,' vervolgt hij even later. 'Het lag aan mij. En ik zou zeggen dat dat feit zo'n tachtig procent van de oorzaak is van onze breuk. Nee, maak er maar honderd van.' Hij neemt een teug whisky.

Ik ben zo beduusd dat ik geen woord kan uitbrengen. Met die paar zinnetjes heeft hij een achtergrondverhaal geschetst dat zo triest is dat ik me prompt schuldig voel over mijn eigen geklaag. Want ik heb Noah nog.

'Wat… wat spijt me dat,' hakkel ik uiteindelijk.

'Ja. Mij ook.' Hij glimlacht wrang, maar vriendelijk naar me en ik besef dat hij weet dat ik me schuldig voel. 'Hoewel het de zaken wel ingewikkelder had gemaakt, zoals je al zei.'

'Ik bedoelde niet…' begin ik. 'Ik had er geen benul van…'

'Het geeft niet.' Hij steekt zijn hand op. 'Het is al goed.'

Ik herken die toon; die hanteer ik zelf ook. Het is niet goed: het is gewoon zoals het is.

'Het spijt me echt,' zeg ik zwakjes.

'Weet ik.' Hij knikt. 'Dank je.'

We zwijgen een tijdje. De gedachten tollen door mijn hoofd, maar ik durf niet aan hem te vertellen wat er in me omgaat. Daarvoor ken ik hem niet goed genoeg. Ik zou hem onbedoeld kunnen kwetsen.

Ten slotte wijk ik maar uit naar het veilige achterland van Lottie en Ben.

'Weet je…' zeg ik met een zucht. 'Ik wil mijn zusje gewoon behoeden voor de pijn die wij hebben gevoeld. Meer niet. Daarom ben ik hier.'

'Mag ik je op een kleinigheid wijzen?' zegt Lorcan. Ik zie aan het trekken van zijn mondhoeken dat hij ons allebei wil opvrolijken. 'Je kent Ben niet eens.'

'Hoeft ook niet,' pareer ik. 'Wat jij niet beseft, is dat het een patroon is. Na elke verbroken relatie maakt Lottie een stom, overhaast, krankzinnig gebaar dat ze vervolgens recht moet zetten. Ik noem het haar Betreurenswaardige Keuzes.'

'"Betreurenswaardige Keuzes". Klinkt goed.' Lorcan trekt een wenkbrauw op. 'Dus jij denkt dat Ben haar Betreurenswaardige Keuze is.'

'Jij niet dan? Ik bedoel, kom op. Binnen vijf minuten trouwen, plannen maken om in een gîte te gaan wonen...'

'Een gîte?' Lorcan kijkt verbaasd op. 'Wie zegt dat?'

'Lottie! Ze is er vol van. Ze gaan geiten en kippen houden en we moeten allemaal komen logeren en baguettes eten.'

'Dat klinkt helemaal niet als Ben,' zegt Lorcan. 'Kippen? Weet je dat zeker?'

'Wat je zegt! Het klinkt als een bespottelijke droom. En die droom valt in duigen en dan wordt ze net zo'n verbitterde gescheiden vrouw als ik...' Ik besef te laat dat ik bijna schreeuw. De mannen aan het tafeltje naast ons kijken weer naar me. 'Net als ik,' herhaal ik zachter. 'En dat zou een ramp zijn.'

'Je oordeelt wel hard over jezelf,' zegt Lorcan. Hij zal het wel goed bedoelen, maar ik ben op dit moment niet in de stemming voor gevlei.

'Je weet best wat ik bedoel.' Ik leun naar voren. 'Zou jij iemand om wie je geeft die onversneden hel van een scheiding toewensen? Of zou je proberen er een stokje voor te steken?'

'Dus je wilt zomaar uit de lucht komen vallen en tegen haar zeggen dat ze haar huwelijk nietig moet laten verklaren en met Richard moet trouwen. Zou ze luisteren, denk je?'

Ik schud mijn hoofd. 'Zo is het niet. Toevallig vind ik Richard geweldig en de ideale man voor Lottie, maar ik speel niet voor *Team Richard*. Richard moet zijn eigen team maar zijn. Ik zit in het team *Verknal je leven niet*.'

Lorcan trekt een wenkbrauw op. 'Bof jij even dat hun huwelijksreis tot nog toe zo'n nachtmerrie is.'

Er valt een korte, geladen stilte waarin ik me afvraag of ik hem over mijn geheime operatie moet vertellen – en ervan afzie.

'Ja,' zeg ik zo achteloos mogelijk. 'Wat een bof.'

Noah komt weer naar ons toe dribbelen. Zijn voeten laten natte afdrukken achter in de hoogpolige grijze vloerbedekking. Hij nestelt zich tegen mijn knie en ik voel me meteen vrolijker. Noah draagt hoop met zich mee als een aura, en telkens wanneer ik hem aanraak, straalt iets van die hoop op mij af.

'Hier!' Hij wuift opeens naar iemand. 'Deze tafel!'

'Daar zijn we dan.' Er verschijnt een serveerster met een zilveren dienblad met een sorbet erop. 'Voor de dappere kleine soldaat.' Ze richt zich tot mij. 'U zult wel heel trots op hem zijn.'

O, god. Niet weer. Ik glimlach terug, met een zorgvuldig neutraal gehouden gezicht, en doe mijn best om mijn gêne te verbergen. Ik heb geen idee waar dit naartoe gaat. Het kan de harttransplantatie weer zijn. Of beenmerg. Of een jong hondje.

'Drie uur per dag trainen!' Ze geeft een kneepje in Noahs schouder. 'Petje af voor je discipline!' Ze wendt zich weer tot mij. 'Uw zoontje vertelde me dat hij turnt. Jullie mikken op de Olympische Spelen van 2024, hè?'

Mijn glimlach bevriest. Hij *turnt*? Oké, ik kan het niet meer voor me uit schuiven. Ik ga het Grote Gesprek voeren, en wel nu, ter plekke.

'Dank u wel,' pers ik eruit. 'Prachtig. Heel erg bedankt.' Zodra de serveerster weg is, kijk ik Noah aan. 'Lieverdje, luister. Dit is belangrijk. Je weet toch wat het verschil is tussen de waarheid en leugens, hè?'

'Ja.' Noah knikt zelfverzekerd.

'En je weet dat we geen leugens mogen vertellen.'

'Alleen uit beleefdheid,' valt Noah me bij. 'Zoals: "Wat een mooie jurk!"'

Dat heeft hij uit een ander Groot Gesprek, een maand of twee geleden, nadat hij rampzalig eerlijk was geweest over de kookkunst van zijn peettante.

'Ja. Maar verder...'

'En: "Wat een heerlijke appeltaart!"' Noah begint op dreef te komen. 'En: "Ik zou graag nog iets willen, maar ik zit vol!"'

'Ja! Goed. Maar waar het om gaat is dat we meestal de waarheid moeten vertellen. En niet, om maar iets te noemen, mogen zeggen dat we een harttransplantatie hebben gehad als dat niet zo is.' Ik let goed op Noahs reactie, maar hij hoort me onbewogen aan. 'Lieverd, je hebt toch geen nieuw hart gekregen?' zeg ik vriendelijk.

'Nee,' geeft hij toe.

'Maar dat heb je wel tegen die stewardess gezegd. Waarom?'

Noah denkt er even over na. 'Omdat het interessant is.'

'Juist. Hm. Voortaan vertellen we alleen interessante dingen die wáár zijn, goed? Ik wil dat je van nu af aan de waarheid spreekt.'

'Oké.' Noah haalt zijn schouders op alsof het hem niets uitmaakt. 'Mag ik nu aan mijn ijs beginnen?' Hij pakt de lepel en zet hem zo enthousiast in de sorbet dat de chocoladevlokken alle kanten op vliegen.

'Goed gedaan,' zegt Lorcan zacht.

'Ik weet het niet.' Ik zucht. 'Ik snáp het gewoon niet. Waarom zegt hij zulke dingen?'

'Een rijke fantasie.' Lorcan haalt zijn schouders op. 'Ik zou me er niet druk om maken. Je bent een goede moeder,' besluit hij zo achteloos dat ik me afvraag of ik het wel goed heb gehoord.

'O.' Ik weet niet goed wat ik erop moet zeggen. 'Dank je.'

'En je bent vast ook als een moeder voor Lottie, vermoed ik?' Hij is best opmerkzaam, die Lorcan.

Ik knik. 'Onze eigen moeder deed het niet zo geweldig. Ik heb altijd een oogje op Lottie gehouden.'

'Ik snap het.'

'Begrijp je het nu?' Ik kijk op. Opeens wil ik horen wat hij er echt van vindt. 'Begrijp je waar ik mee bezig ben?'

'Welk deel?'

'Alles.' Ik spreid mijn armen. 'Dit. Proberen mijn zus te behoeden voor de grootste fout van haar leven. Heb ik gelijk of ben ik krankzinnig?'

Lorcan zwijgt even. 'Ik denk dat je heel loyaal en heel beschermend bent en daar heb ik respect voor,' zegt hij dan. 'En ja, je bent krankzinnig.'

'Hou op.' Ik geef hem een duwtje.

'Je vroeg er zelf om.' Hij duwt terug en ik voel een stroomstootje, samen met een flashback van onze nacht samen, zo levensecht dat ik naar adem snak. Te oordelen naar de manier waarop Lorcan zijn lippen op elkaar klemt ziet hij exact hetzelfde voor zich als ik.

Mijn huid tintelt in een mengeling van herinneringen en verwachting. Daar zitten we dan: wij tweeën, in een hotel. Eitje. Fantastische seks is een godsgeschenk en je moet er ten volle van genieten. Dat is mijn theorie althans.

'Zo, heb je een grote suite?' vraagt Lorcan alsof hij mijn gedachten kan lezen.

'Twee slaapkamers,' antwoord ik nonchalant. 'Een voor mij en een voor Noah.'

'Aha.'

'Ruimte te over.'

'Aha.' Hij kijkt me aan met ogen die meer beloven, en ik huiver onwillekeurig. Niet dat we nu meteen naar boven kunnen rennen en onze kleren van ons af scheuren. We zitten nog met het probleempje van mijn zevenjarige zoontje naast me.

'Zullen we... gaan eten?' stel ik voor.

'Ja!' Noah, die zijn sorbet bijna opheeft, mengt zich op precies het juiste moment in het gesprek. 'Ik wil een hamburger en patat!'

Een uur later hebben we met zijn drieën een clubsandwich, een hamburger, een schaal gewone patat, een schaal patat van zoete aardappelen, een schaal garnalen in tempura, drie chocoladebrownies en een mandje brood soldaat gemaakt. Noah zit naast me op de bank te knikkebollen. Hij heeft zich kostelijk geamuseerd: hij heeft door de bar gerend, vriendschap gesloten met alle Bulgaarse hoeren, glazen cola en zakjes chips gescoord en zelfs wat Bulgaars geld, dat ik hem tot zijn ongenoegen meteen heb laten teruggeven.

Nu speelt er een sextet, iedereen luistert, het licht is nog gedempter dan tevoren en ik voel me redelijk gelukkig. Ik ben mild na mijn drie glazen wijn. Lorcans hand strijkt telkens langs de mijne. We hebben een hele vrije, verrukkelijke nacht voor ons. Ik steek mijn hand uit om het laatste frietje uit de schaal te pakken en zie Noahs gekoesterde portefeuille naast hem liggen. Hij zit zo te zien vol creditcards. Waar heeft hij die in vredesnaam vandaan?

'Noah?' Ik geef hem een porretje. 'Lieverd, wat zit er in je portemonnee?'

'Creditcards,' zegt hij doezelig. 'Gevonden.'

'Je hebt creditcards gevónden?' Het bloed stolt in mijn aderen.

O, god. Heeft hij iemands creditcards gestolen? Ik pak de portemonnee en trek geagiteerd de creditcards eruit, maar dat zijn het helemaal niet. Het zijn...

'Sleutelkaarten!' zegt Lorcan als ik er een stuk of zeven tegelijk pak. De hele portemonnee zit vol sleutelpasjes. Hij moet er wel een stuk of twintig hebben.

'Noah!' Ik schud hem weer wakker. 'Schattebout, hoe kom je aan die kaartjes?'

'Gevonden, zeg ik toch?' antwoordt hij gepikeerd. 'Mensen leggen ze op tafels en zo. Ik wilde creditcards voor in mijn portemonnee...' Zijn ogen vallen alweer dicht.

Ik kijk op naar Lorcan, met mijn handen vol sleutelpasjes, uitgewaaierd als speelkaarten.

'Wat moet ik nu? Ik zal ze moeten teruggeven.'

'Ze zien er allemaal hetzelfde uit,' merkt Lorcan op, en dan schiet hij in de lach. 'Succes ermee.'

'Niet lachen! Het is niet leuk! Als de mensen merken dat ze hun kamer niet in kunnen, wordt het een rel...' Ik kijk weer naar de pasjes en opeens moet ik zelf ook giechelen.

'Leg ze maar gewoon terug,' zegt Lorcan gedecideerd.

'Maar waar?' Ik kijk naar de tafels met duur geklede, mooie mensen, die allemaal van de muziek genieten en geen oog hebben voor mijn agitatie. 'Ik weet niet welk pasje van wie is, en daar kan ik alleen achter komen als ik naar de receptie ga...'

'We doen het volgende,' hakt Lorcan de knoop door. 'We verstoppen ze door de hele zaal, als paaseieren. Iedereen kijkt naar de band. Geen haan die ernaar kraait.'

'Maar hoe weten we dan welk pasje van wie is? Ze zijn niet van elkaar te onderscheiden!'

'We raden het. We gebruiken onze paranormale krachten. Geef mij de helft maar,' zegt hij, en hij plukt wat pasjes uit de portemonnee.

We gaan langzaam, behoedzaam staan. Het licht is gedempt, de band speelt een nummer van Coldplay en er kijkt niemand naar ons. Lorcan loopt zelfverzekerd naar de bar, leunt iets naar links en legt een sleutelpasje op een bartafel.

'Sorry,' hoor ik hem charmant zeggen. 'Ik verloor mijn evenwicht.'

Ik volg zijn voorbeeld, loop naar een ander gezelschap, doe alsof ik naar een lamp kijk en laat drie pasjes op het spiegelende tafelblad vallen. Het geluid waarmee ze neerkomen wordt overstemd door de band en niemand merkt het.

Lorcan legt pasjes op de lange bar, snel lopend en behendig tussen barkrukken door en achter ruggen om reikend.

'Hebt u dit laten vallen?' zegt hij als een meisje hem vragend aankijkt.

'O, dank u wel!' Ze neemt het pasje van hem aan en mijn maag verkrampt. Dit voelt als een immens soort kattenkwaad, en het maakt me half verrukt en half ontsteld. Het kan met geen mogelijkheid de sleutel van haar kamer zijn. Er zullen nog heel wat hotelgasten boos worden in de loop van de avond...

Lorcan is bij het podium aangekomen, leunt over een blonde dame heen en laat brutaal een sleutelpasje op haar tafel vallen. Hij vangt mijn blik en knipoogt naar me, en ik bedwing een lach. Ik loos mijn laatste pasjes zo snel als ik kan en haast me terug naar Noah, die nu echt slaapt. Ik roep een ober, zet snel mijn handtekening op onze rekening, til Noah op en wacht op Lorcan.

'Als dit uitkomt, kom ik hier bekend te staan als de bonte hond,' pruttel ik.

'In Bulgarije,' merkt Lorcan op. 'Zevenenhalf miljoen inwoners. Dat is zoiets als bekendstaan als de bonte hond in Bogota.'

'Nou, ik wil ook niet bekendstaan als de bonte hond in Bogota.'

'Waarom niet? Misschien doe je dat al. Ben je wel eens in Bogota geweest?'

'Toevallig wel,' deel ik hem mee. 'En ik kan je zeggen dat ik daar níét bekendsta als de bonte hond.'

'Misschien deden ze alleen maar beleefd.'

Het is zo'n absurd gesprek dat ik wel moet glimlachen.

'Kom op, dan. Laten we vluchten voordat we worden aangevallen door boze sleutelhouders.'

We lopen weg en Lorcan steekt zijn armen uit.

'Zal ik Noah dragen? Hij ziet er zwaar uit.'

'Nee, hoor.' Ik glimlach werktuiglijk. 'Ik ben het gewend.'

'Dat wil niet zeggen dat hij niet zwaar is.'

'Nou... goed dan.'

Het voelt vreemd om Noah aan Lorcan over te dragen, maar

eerlijk gezegd heb ik een zere schouder en is het wel een opluchting. We komen bij mijn suite en Lorcan draagt Noah regelrecht naar zijn bed. Hij slaapt zo vast dat hij er niets van merkt. Ik trek zijn schoenen uit, maar verder niets. Als hij wil, mag hij morgenavond zijn tanden poetsen en zijn pyjama aantrekken.

Ik doe het licht in Noahs kamer uit en loop naar de deur, waar ik even met Lorcan blijf staan alsof we zijn ouders zijn.

'Zo,' zegt Lorcan uiteindelijk en er welt weer een zinnelijk verlangen in me op. Ik voel dat ik innerlijk warmdraai; dat dansje van spieren die ernaar snakken gebruikt te worden. *Ik tref het beter dan Lottie op het wipfront*, flitst het door me heen, en ik voel me meteen schuldig – maar niet lang. Het is voor haar eigen bestwil. Ze krijgt haar huwelijksreis nog wel, een andere keer.

'Iets drinken?' zeg ik, niet omdat ik zelf nog wat wil drinken maar om het moment nog even te rekken. De suite is het ideale decor voor een orgie, met al die rokerige, sexy spiegels en zachte, sensuele kleden en die flakkerende vlammen (nep) in de open haard. Ik heb ook al een paar bruikbare meubelstukken gespot.

Ik schenk een whisky voor Lorcan in en ga met mijn eigen glas wijn op een waanzinnige creatie van een stoel zitten. Hij is van dieppaars fluweel, met grote ronde armleuningen, een diepe zitting en een erotische krul in de rug. Ik leun achterover in de hoop verleidelijk over te komen, laat mijn jurk opkruipen en leun uitdagend tegen een van de armen. Ik voel een verrukkelijk, gespannen bonzen diep binnen in me, maar ik ga niets overhaasten. We kunnen eerst praten. (Of elkaar radeloos van begeerte aanstaren. Ook leuk.)

'Ik vraag me af wat Ben en Lottie aan het doen zijn,' verbreekt Lorcan de stilte. 'Waarschijnlijk níét...' Hij haalt veelzeggend zijn schouders op.

'Nee.'

'Arme stumpers. Wat je er ook van vindt, ze hebben ongelooflijk veel pech.'

'Tja,' zeg ik vrijblijvend, en ik neem een slokje wijn.

'Ik bedoel, een huwelijksreis zonder seks.'

'Ja, vreselijk.' Ik knik. 'Heel sneu.'

'En ze hadden nog gewacht ook, hè?' herinnert hij zich met een frons in zijn voorhoofd. 'Allemachtig. Je zou denken dat ze het desnoods op een wc hadden willen doen.'

'Dat hebben ze geprobeerd, maar ze zijn betrapt.'

'Dat meen je niet.' Hij kijkt me verbaasd aan. 'Echt?'

'Op Heathrow. In de businessclass lounge.' Lorcan legt zijn hoofd in zijn nek en schatert van het lachen.

'Dat ga ik Ben inpeperen. Dus je zus vertelt je alles? Zelfs over haar seksleven?'

'We zijn best dik met elkaar.'

'Het arme kind. Tot op de wc's op Heathrow gedwarsboomd. Hoeveel pech kun je hebben?'

Ik geef niet meteen antwoord. De wijn die ik drink is koppiger dan die ik in de bar heb gedronken en stijgt me naar het hoofd. Het wordt me te veel. Het is een beetje een draaikolk in mijn hoofd. Lorcan gaat maar door over 'pech', maar hij heeft het mis. Het is geen kwestie van pech. Ben en Lottie hebben hun huwelijk niet geconsummeerd door míjn toedoen. Mijn macht. Plotseling voel ik de drang om het hem te vertellen.

'Het is niet zozeer pech...' Ik laat het woord in de lucht hangen en Lorcan hapt meteen.

'Hoe bedoel je?'

'Het is geen toeval dat Ben en Lottie het nog niet hebben gedaan. Er zit een plan achter. Míjn plan. Ik heb het allemaal zo geregeld.' Ik leun trots achterover met het gevoel dat ik de kampioen huwelijksreis-saboteren-op-afstand ben, almachtig op mijn keizerinnentroon.

'Wat?' Lorcan kijkt me zo perplex aan dat ik me nog trotser voel.

'Ik word geholpen door een zaakwaarnemer ter plaatse,' verduidelijk ik. 'Ik geef bevelen, hij voert ze uit.'

'Waar heb je het in godsnaam over? Een zaakwaarnemer?'

'Een medewerker van het hotel. Hij zorgt ervoor dat Ben en Lottie geen kans krijgen om het te doen tot ik er ben. We werken in teamverband. En het lukt! Het is er nog steeds niet van gekomen.'

'Maar hoe... Wat...' Hij wrijft verbijsterd over zijn hoofd. 'Ik bedoel, hoe voorkom je dat twee mensen het met elkaar doen?'

God, wat is hij traag van begrip.

'Eitje. Met hun bedden hannesen, iets in hun drankje doen, ze overal op de voet volgen. En dan was er nog die massage met pindaolie...'

'Zat jij daarachter?' Hij kijkt me verbluft aan.

'Ik zat overál achter! Ik heb alles geregisseerd.' Ik pak mijn telefoon en zwaai ermee naar hem. 'Het zit er allemaal in. Alle sms'jes. Alle instructies. Ik heb het allemaal gefikst.'

Het blijft lang stil. Ik wacht op een compliment, maar hij lijkt het nog niet te kunnen bevatten.

'Heb jij de huwelijksreis van je eigen zus gesaboteerd?' Iets aan zijn gezichtsuitdrukking geeft me een beetje een onbehaaglijk gevoel. Samen met het woord 'gesaboteerd'.

'Er zat niets anders op! Wat had ik dan moeten doen?' Op de een of andere manier loopt dit gesprek niet lekker. Zijn gezichtsuitdrukking bevalt me niet, net zomin als de mijne. Ik weet dat het lijkt alsof ik me aangevallen voel, en dat is niet flatteus. 'Je begrijpt toch wel dat ik dit een halt moest toeroepen? Als ze hun huwelijk eenmaal hebben geconsummeerd, is het te laat voor een nietigverklaring. Ik moest dus wel iets doen. En dit was de enige manier...'

'Mens, ben je gestoord? Ben je van de pot gerukt?' Lorcan gaat zo tekeer dat ik geschrokken in elkaar krimp. 'Natuurlijk was dat niet de enige manier!'

'Nou, maar wel de beste.' Ik steek mijn kin naar voren.

'Ook niet. Op geen stukken na. Stel dat ze erachter komt?'

'Dat komt ze niet.'

'Het zou kunnen.'

'Nou...' Ik slik. 'Wat dan nog? Ik deed het in haar belang...'

'Haar laten masseren met pindaolie? Stel dat ze zo'n heftige reactie had gehad dat het haar dood was geworden?'

'Hou op,' zeg ik opgelaten. 'Ze is niet dood.'

'Maar je vindt het prima dat ze een nacht pijn moet lijden.'

'Ze heeft geen pijn!'

'Hoe weet jij dat nou? Jezus.' Hij slaat zijn handen even voor zijn gezicht en kijkt dan op. 'Nogmaals: stel dat ze erachter komt? Heb je je relatie met haar ervoor over? Want die ben je dan kwijt.'

Het is stil in de suite, al lijken de woorden nog af te ketsen tegen de rokerige spiegels; scherpe, verwijtende woorden. Er is niets meer over van de erotische sfeer. Ik weet niet hoe ik Lorcans ongelijk kan bewijzen. De woorden zitten wel ergens in mijn hoofd, maar ik voel me traag en een beetje daas. Ik dacht dat hij onder de indruk zou zijn. Ik dacht dat hij het zou begrijpen. Ik dacht...

'Jij hebt het over Betreurenswaardige Keuzes?' zegt Lorcan opeens. 'Nou, wat is dit dan in godsnaam?'

'Hoe bedoel je?' Ik kijk hem kwaad aan. Hij mag niet over Betreurenswaardige Keuzes praten. Dat is míjn ding.

'Je maakt een pijnlijke echtscheiding door, dus besluit je in het wilde weg je zus voor hetzelfde lot te behoeden door haar huwelijksreis te verpesten. Dat klinkt mij als een verdomd Betreurenswaardige Keuze in de oren.'

Ik hap naar adem van schrik. Wat? Wát?

'Hou je kop!' pers ik er woedend uit. 'Je weet niet waar je het over hebt. Ik had het je niet moeten vertellen.'

'Het is haar leven.' Hij beantwoordt mijn blik onvermurwbaar. 'Van háár. En jij begaat een grote vergissing door je ermee te bemoeien. Eentje waar je nog spijt van zou kunnen krijgen.'

'Amen,' zeg ik sarcastisch. 'Klaar met je preek?'

Lorcan kijkt me alleen maar hoofdschuddend aan. Hij slaat zijn whisky in een paar slokken achterover en ik weet dat het voorbij is. Hij gaat weg. Hij loopt naar de deur en blijft staan. Ik zie de spanning in zijn rug. Ik denk dat hij zich net zo ongemakkelijk voelt als ik.

Ik word geplaagd door onaangename gedachten. Ik voel een zeurende pijn in mijn maag. Het lijkt een beetje op schuldgevoel – niet dat ik dat ooit aan hem zal toegeven, maar ik moet wel iets zeggen. Iets heel duidelijk maken.

'Voor het geval je het wilt weten...' Ik wacht tot hij omkijkt. 'Ik geef veel om Lottie. Zielsveel.' Mijn stem beeft verraderlijk. 'Ze is niet alleen mijn zusje, maar ook mijn vriendin. En ik heb het allemaal voor háár gedaan.'

Lorcan kijkt me ondoorgrondelijk aan.

'Ik weet dat je denkt dat het doel de middelen heiligt,' zegt hij uiteindelijk. 'Ik weet dat je veel hebt moeten doorstaan waar je Lottie voor wilt beschermen, maar dit is verkeerd. Ontzettend verkeerd. En dat weet je zelf ook, Fliss. Echt, je weet het.'

Zijn blik is milder nu. Hij heeft medelijden met me, begrijp ik opeens. Medelijden. Met míj. Ik verdraag het niet.

'Nou, slaap lekker,' zeg ik kortaf.

'Slaap lekker,' zegt hij net zo afgemeten, en dan loopt hij zonder nog iets te zeggen de kamer uit.

19

Lottie

Het was voorbeschikt! Dit is mijn volmaakte, goudgerande, complete droomscenario. Ben en ik weer samen op een boot. Scherend over de Egeïsche golven. Op weg naar de totale gelukzaligheid.

Goddank zijn we uit het Amba weg. Ik weet dat het luxueus is en vijf sterren heeft, maar het is niet het echte Ikonos. Het past niet bij ons. Zodra we bij het bedrijvige haventje werden afgezet, voelde ik iets opleven wat diep in me begraven had gelegen. Dít is hoe ik me Ikonos herinner. Oude witte huizen met luiken, beschaduwde straten, bejaarde, in het zwart geklede vrouwen op bankjes en de aanlegsteiger van de veerboot. De haven lag vol vissersboten en watertaxi's, en de vislucht was zo overheersend dat het me duizelde. Ik herinner me die geur. Ik herinner me alles nog.

De ochtendlucht is felblauw en de zon prikt door mijn oogleden, net als vroeger. Ik lig op mijn rug in de watertaxi, net als toen ik achttien was. Mijn voeten liggen op Bens schoot, hij speelt gedachteloos met mijn tenen en we hebben allebei maar één gedachte in ons hoofd.

Mijn huid is helemaal hersteld van de allergische reactie en Ben wilde vanochtend een vluggertje doen, maar ik heb het hem uit het hoofd gepraat. Hoe konden we ons huwelijk consummeren in een saai hotelbed als we de kans hadden om het in de grot te doen waar we het voor het eerst hadden gedaan, al die jaren geleden? Het is zo romantisch dat ik mijn armen om mezelf heen wil slaan. Daar zijn we dan na al die tijd! Op weg terug naar ons pension! Getrouwd! Ik vraag me af of Arthur er nog is. Ik vraag me af of hij ons nog herkent. Ik geloof niet dat ik er zo heel anders uitzie. Ik heb zelfs dat minuscule tie-dyed shortje aan dat ik droeg toen ik achttien was, en ik hoop uit alle macht dat ik er niet uit knap.

Ik krijg stuifwater in mijn gezicht als we een golf nemen en lik de heerlijk zilte druppels van mijn lippen. Ik kijk in het voorbijgaan naar de kustlijn en denk terug aan alle dorpjes die we destijds hebben verkend, met hun smalle klinkerstraatjes en onverwachte schatten, zoals dat half verbrokkelde marmeren standbeeld van een paard dat we ooit midden op een verlaten plein zagen staan. Ik kijk op om Ben eraan te herinneren, maar hij gaat op in zijn iPad. Ik hoor er rapmuziek uit komen en voel een zweempje ergernis. Moet hij daar nú naar luisteren?

'Zou Arthur er nog zijn?' probeer ik zijn aandacht te trekken. 'En die oude kokkin?'

'Dat kan toch niet.' Ben kijkt even op. 'Ik vraag me af hoe het Sarah is vergaan.'

Sarah weer. Ken ik die meid eigenlijk wel?

De muziek lijkt harder te worden en Ben rapt mee. Hij kan eigenlijk niet rappen. Ik bedoel, ik zeg het als zijn objectieve, liefdevolle echtgenote – en hij is waardeloos.

'Is het hier niet heerlijk vredig?' zeg ik met een veelbetekenende ondertoon, maar hij vat de hint niet. 'Kunnen we misschien even zonder muziek?'

'Het is DJ Cram, schat,' zegt Ben, en hij zet de volumeknop verder open. *Fuck yo brudder* schalt het over de prachtige zee, en ik krimp in elkaar.

Egoïstische lul die je bent.

De gedachte dringt zich zonder enige waarschuwing aan me op en maakt me een beetje panisch. Nee. Dat egoïstisch meende ik niet. En dat lul. Het is allemaal goed. Allemaal gelukzalig.

Ik heb ook niets tegen rapmuziek. En we kunnen eroverheen praten.

'Ongelooflijk dat ik terugga naar de plek waar alles anders is geworden,' gooi ik het over een andere boeg. 'Die brand was, zeg maar, het keerpunt in mijn leven.'

'Hou toch eens op over die stomme brand,' zegt Ben korzelig, en ik kijk hem gekwetst en geschrokken aan.

Het zou me niet moeten verbazen. De brand heeft Ben nooit geboeid. Hij was een paar dagen aan het sponsduiken aan de andere kant van het eiland toen het gebeurde, dus hij heeft het allemaal gemist en dat is een teer punt voor hem. Toch hoeft hij niet zo tegen me uit te vallen. Hij weet hoe belangrijk het voor me was.

'Hé!' roept hij plotseling uit. Hij tuurt naar zijn iPad en ik zie dat hij net een sms heeft gekregen. We zijn vrij dicht bij de kust, dus er moet even bereik zijn.

'Van wie is het?'

Ben ziet eruit alsof hij barst van trots en opwinding. Heeft hij iets gewonnen? 'Heb je wel eens van Yuri Zhernakov gehoord? Nou, die wil een gesprek onder vier ogen met me.'

'Yuri Zhernakov?' Ik gaap hem aan. 'Hoe dat zo?'

'Hij wil het bedrijf overnemen.'

'Wauw! En wil jij het verkopen?'

'Waarom niet?'

Mijn gedachten draaien al op volle toeren. Het zou waanzinnig zijn! Ben zou een zak met geld krijgen, we zouden een boerderijtje in Frankrijk kunnen kopen...

'Yuri wil míj spreken.' Ben zwelt van trots. 'Hij heeft speciaal naar mij gevraagd. Hij heeft me uitgenodigd op zijn superjacht.'

'Ongelooflijk!' Ik geef een kneepje in zijn arm.

'Ja. Het is echt ongelooflijk. En Lorcan kan...' Ben bedwingt zich. 'Hij ziet maar,' zegt hij nors.

Er hangt iets vreemds in de lucht en ik begrijp het niet, maar het kan me niet schelen. We gaan in Frankrijk wonen! En we gaan eindelijk seks hebben! Mijn eerdere ergernis is al vergeten. Ik voel me weer superhemels. Ik neem blij een slok cola en herinner me opeens iets wat ik al dagen tegen Ben wil zeggen.

'Hé, ik heb vorig jaar een stel onderzoekers aan de universiteit van Nottingham ontmoet die naar een nieuwe manier zochten om papier te maken. Milieuvriendelijker. Iets met een speciaal filter-proces? Heb jij ervan gehoord?'

'Nee,' zegt Ben schouderophalend, 'maar Lorcan misschien wel.'

'Nou, je zou ze moeten benaderen. Ze wat subsidie geven of zo. Hoewel, als je het bedrijf toch gaat verkopen...' Ik haal mijn schouders ook op.

'Maakt niet uit. Het is een goed idee.' Ben geeft me een porretje. 'Heb je meer van die goede ideeën?'

'Miljoenen.' Ik grinnik naar hem.

'Ik ga het meteen aan Lorcan mailen.' Ben begint op zijn iPad te typen. 'Hij heeft het altijd over onderzoek en ontwikkeling. Hij denkt dat het mij niet boeit. Nou, gelul.'

'Vertel hem ook over je afspraak met Zhernakov,' opper ik. 'Misschien kan hij je goede raad geven.' Bens vingers verstijven en ik zie hem dichtklappen.

'Dacht het niet,' zegt hij, en hij werpt me een dreigende blik toe. 'En jij zegt er ook niets over, tegen niemand. Geen woord.'

20

Fliss

De volgende ochtend is altijd hels. In Sofia, Bulgarije, na te veel glazen wijn, een martelende woordenwisseling en een nacht vol seksuele frustratie bereikt de volgende ochtend ongekende toppen van helsheid.

Aan Lorcans gezicht te zien voelt hij zich net zo. Zodra we de ontbijtzaal in kwamen liep Noah opgetogen naar hem toe om hem te begroeten, en daarom zit ik bij hem aan tafel, níét uit vrije wil. Hij smeert woest boter op een stuk toast en ik verkruimel een croissant. We hebben tijdens ons onsamenhangende gesprek vastgesteld dat we allebei geen oog hebben dichtgedaan, dat de koffie gruwelijk is, dat er 2,4 Bulgaarse leva in een pond gaan en dat de vlucht naar Ikonos van vandaag geen vertraging heeft, voor zover we kunnen zien op de website van de luchtvaartmaatschappij.

Onderwerpen die we níét hebben aangeroerd: Ben, Lottie, hun huwelijk, hun seksuele gedrag, de Bulgaarse politiek, de toestand van de mondiale economie, mijn pogingen de huwelijksreis van mijn zus te saboteren en het daaruit voortvloeiende risico dat ik haar voorgoed kwijtraak. Om maar een paar dingen te noemen.

De eetzaal grenst aan de bar waar we gisteravond zaten, en ik zie een medewerker een filternetje door het ongerepte water van het zwembad halen. Ik begrijp niet waarom ze die moeite nemen. Ik neem aan dat Noah de enige is die het afgelopen jaar in dat zwembad heeft gezwommen. Al moet ik toegeven dat het goed mogelijk is dat hij erin heeft geplast.

'Mag ik zwemmen?' zegt hij alsof hij mijn gedachten kan lezen.

'Nee,' zeg ik kortaf. 'We moeten straks naar het vliegtuig.'

Lorcan heeft zijn BlackBerry weer aan zijn oor. Hij zit al het hele ontbijt te bellen, maar krijgt geen gehoor. Ik denk dat ik wel kan raden wie hij belt, en dat wordt bevestigd wanneer hij zegt: 'Ben, eindelijk,' en zijn stoel achteruit schuift. Ik zie een beetje gebelgd hoe hij zomaar wegloopt, naar de rand van het zwembad, en bij de ingang van de sauna neerstrijkt. Zo kan ik zijn gesprek toch niet afluisteren?

Ik probeer mijn spanning te verdringen door een appel voor Noah in partjes te snijden. Lorcan komt terug en ik verbied mezelf hem bij zijn kraag te vatten en te eisen dat hij me alles vertelt. Ik vraag alleen maar lichtelijk nieuwsgierig: 'En? Hebben ze het al gedaan?'

Lorcan kijkt me stomverbaasd aan. 'Is dat het enige waaraan jij kunt denken?'

'Ja,' zeg ik rebels.

'Nou, het antwoord is nee. Ze zijn net bij het pension aangekomen. Ik neem aan dat ze het daar willen doen.'

Het pension? Ik kijk hem vol afgrijzen aan. Daar kan ik niets beginnen. Daar is Nico niet. Het ligt buiten mijn invloedssfeer. Shit. *Shit.* Ik kom net te laat...

'Je zus is me er een,' vervolgt Lorcan geanimeerd. 'Ze kwam met een prima idee voor het bedrijf. We doen te weinig aan onderzoek en ontwikkeling, weet ik al een tijd, maar zij stelde voor dat we ons verbinden aan een onderzoeksproject in Nottingham waar ze van heeft gehoord. Het is een klein team, vandaar dat ik er niets van wist, maar zo te horen is het onderzoek op ons toegesneden. We zouden ons geld bij elkaar kunnen leggen. Het is geniaal.'

'O, ja,' zeg ik, nog in gedachten verzonken. 'Zulke dingen weet ze wel. Ze werkt bij een farmaceutisch bedrijf. Ze spreekt continu onderzoekers.'

'Wat doet ze precies?'

'Werving en selectie.'

'Werving en selectie?' Ik kijk op en zie dat zijn ogen stralen. 'Wij zoeken een nieuw hoofd werving en selectie! Ideaal!'

'Wat?'

'Zij zou onze afdeling werving en selectie kunnen leiden, zorgen dat de goede ideeën blijven komen, zich bemoeien met het landgoed...' Ik zie hem ingespannen nadenken. 'Dit is precies wat Ben nodig heeft! Een vrouw die ook zijn compagnon kan zijn. Een volwaardige partner. Iemand die aan zijn zij kan staan en...'

'En nu ophouden!' Ik sla met mijn vuist op tafel. 'Je gaat mijn zus níet ronselen voor een potje familiekwartet in Staffordshire.'

'Waarom niet?' zegt Lorcan verontwaardigd. 'Heb je daar een probleem mee?'

'Mijn probleem is dat het onzin is! Het is bespottelijk!'

Lorcan neemt me zwijgend op en ik voel me heel even huiveren onder zijn blik.

'Jij bent echt onverbeterlijk,' zegt hij uiteindelijk. 'Hoe weet je dat je niet bezig bent de grote liefde van je zus te verpesten? Hoe weet je dat dit niet haar kans is op een fantastisch gelukkig leven?'

'O, hou op, zeg.' Ik schud ongeduldig mijn hoofd. Hier ga ik niet eens op antwoorden, zo stom is het.

'Ik geloof dat Ben en Lottie een goede kans hebben om gelukkig te worden,' zegt hij gedecideerd. 'En ik zal in elk geval achter ze staan.'

'Je kunt niet zomaar overlopen naar de andere kant!' Ik kijk hem ziedend aan.

'Ik heb nooit aan jouw kant gestaan,' kaatst Lorcan terug.

'Jouw kant is de geschifte kant.'

'De geschifte kant.' Noah vangt het op en stelt vast dat het hilarisch is. 'De geschifte kant!' Hij valt bijna om van het lachen. 'Mammie staat aan de geschifte kant!'

Ik kijk nog kwader naar Lorcan en roer woest in mijn koffie. Verrader.

'Goedemorgen, allemaal.' Ik kijk op en zie Richard naar ons toe lopen. Hij ziet er net zo vrolijk uit als Lorcan en ik, namelijk suïcidaal.

'Morgen,' zeg ik. 'Lekker geslapen?'

'Vreselijk.' Hij trekt een chagrijnig gezicht, schenkt zichzelf koffie in en werpt dan een blik op mijn telefoon. 'Zo, hebben ze het al gedaan?'

'Godsamme!' reageer ik iets van mijn wrevel op hem af. 'Je bent gewoon geobsedeerd!'

'Moet jij nodig zeggen,' prevelt Lorcan.

'Waarom vragen jullie telkens of ze het hebben gedaan?' zegt Noah opmerkzaam.

'Nou, ben jij niet ook geobsedeerd?' slaat Richard terug.

'Nee, dat ben ik niet. En nee, ze hebben het niet gedaan,' verlos ik hem uit zijn lijden.

'Wat hebben ze niet gedaan?' vraagt Noah.

'De salami in de tompoes verstoppen,' zegt Lorcan, en hij drinkt zijn koffiekop leeg.

'Lorcan!' snauw ik. 'Zulke dingen moet je niet zeggen!' Noah is in lachen uitgebarsten. 'De salami in de tompoes verstoppen!' kraait hij. 'De salami in de tompoes!'

Leuk, hoor. Ik kijk boos naar Lorcan, die onaangedaan terugkijkt. En trouwens, *tompoes*? Zo heb ik het nog nooit horen noemen.

'Dat vind je zeker leuk?' Richard richt zijn toorn op Lorcan. 'Voor jou is het allemaal een grap, zeker?'

'O, hou op, koene ridder.' Lorcans geduld is op. 'Wordt het geen tijd om te nokken? Je moet er zo langzamerhand toch een punt achter willen zetten. Geen vrouw is zoveel rompslomp waard.'

'Lottie is tien keer zoveel "rompslomp" waard, zoals jij het noemt.' Richard steekt zijn kin naar voren. 'En ik ga er niet zes uur voordat ik haar te zien krijg een punt achter zetten. Ik heb het precies uitgerekend.' Hij pakt een stuk toast uit het rek. 'Zes uur.'

'Sorry,' zeg ik, en ik leg een hand op de zijne, 'maar je moet weten dat het iets langer gaat duren. Ze zijn naar het pension.'

Richard zet grote ogen op van ontsteltenis. 'Kut,' zegt hij uiteindelijk.

'Ja.'

'Daar gaan ze het absoluut doen.'

'Misschien niet,' zeg ik net zo goed om mezelf te overtuigen als hem. 'En let op je woorden, alsjeblieft. Kleine potjes.' Ik gebaar naar Noah.

'Echt wel.' Richard laat mistroostig zijn schouders hangen. 'Het is Lotties droomland. Haar deur naar het paradijs. Natuurlijk wil ze daar…' Hij slikt het laatste woord net op tijd in. 'De salami in de poes verstoppen.'

'De tómpoes,' verbetert Lorcan.

'Hou óp!' zeg ik vertwijfeld.

We zitten allemaal somber te zwijgen als er een serveerster naar de tafel komt met een schetsboek voor Noah, dat hij verrukt aanneemt.

'Teken je pappie en je mammie maar,' stelt ze voor, en ze geeft hem ook een doos kleurpotloden.

'Mijn pappie is er niet,' legt Noah beleefd uit, en hij gebaart naar Richard en Lorcan. 'Zij zijn allebei mijn pappie niet.'

Super. Wat zal dat voor indruk wekken?

Ik glimlach. 'Het is een zakenreis,' zeg ik snel.

'Mijn pappie woont in Londen,' zegt Noah spraakzaam, 'maar hij gaat naar Hollywood verhuizen.'

'Hollywood!?'

'Ja. Hij gaat naast een filmster wonen.'

Ik voel mijn maag verkrampen. O, god, hij doet het weer. Zelfs na ons Grote Gesprek. Zodra de serveerster weg is, richt ik me tot Noah. Ik probeer niet te laten merken dat ik overstuur ben.

'Noah, schattebout, weet je nog wat we hebben gezegd over de waarheid spreken?'

'Ja,' zegt hij laconiek.

'Waarom zei je dan dat pappie naar Hollywood gaat verhuizen?' Ik flip, maar ik kan er niets aan doen. 'Zulke dingen mag je niet zeggen, Noah! De mensen geloven je.'

'Maar het is waar.'

'Nee, dat is het niet! Pappie gaat niet naar Hollywood verhuizen!'

'Welles. Kijk, hier is zijn adres. Beverly Hills, staat er. Pappie zegt dat dat hetzelfde is als Hollywood. Hij krijgt een zwembad en daar mag ik dan in zwemmen!' Noah steekt een hand in zijn zak en trekt er een beschreven stuk papier uit. Ik kijk er ongelovig naar. Het is Daniels handschrift.

NIEUW ADRES
Daniel Phipps en Trudy Vanderveer
5406 Aubrey Road
Beverly Hills
CA 90210

Ik knipper een paar keer verbijsterd met mijn ogen. Beverly Hills? Wat? Ik bedoel – *Wat?*

'Wacht even, Noah,' zeg ik met een stem die ik niet herken als de mijne. Ik ben Daniel al aan het bellen en schuif mijn stoel naar achteren.

'Fliss,' neemt hij op met die hemeltergende 'ik heb net yoga gedaan, en jij?'-stem van hem.

'Wat hoor ik allemaal over Beverly Hills?' Mijn woorden buitelen over elkaar heen. 'Ga je naar Beverly Hills?'

'Schat, kalmeer,' zegt hij.

Schat?

'Hoe moet ik kalmeren? Is het waar?'

'Dus Noah heeft het je verteld.'

Mijn hart lijkt een kletterende val te maken. Het is waar. Hij gaat naar Los Angeles verhuizen en hij heeft het me niet eens verteld.

'Het is vanwege Trudy's werk,' zegt hij. 'Je weet toch dat ze mediarecht doet? Ze kreeg een buitenkansje aangeboden, en ik heb toch twee paspoorten...'

Hij praat door, maar zijn woorden vervagen tot betekenisloze geluiden. Om de een of andere reden denk ik terug aan onze trouwdag. We hadden een gave bruiloft. Een en al ironische wendingen en geinige details als gepersonaliseerde cocktails. Ik had het zo druk met zorgen dat mijn gasten het naar hun zin hadden dat ik een kleinigheidje over het hoofd zag: of ik wel met de goede man trouwde.

'... fantastische makelaar, en zij vond dit huis dat ónder het budget zat...'

'Maar Daniel,' kap ik zijn woordenstroom af, 'hoe moet het dan met Noah?'

'Noah?' zegt hij verwonderd. 'Noah kan ons komen opzoeken.'

'Hij is zeven. Hij moet naar school.'

'Dan komt hij maar in de vakanties,' zegt Daniel zorgeloos. 'We vinden er wel iets op.'

'Wanneer vertrek je?'

'Maandag.'

Maandag?

Ik doe zwaar ademend mijn ogen dicht. Het verdriet dat ik namens Noah voel is onbeschrijfelijk. Het doet fysiek zoveel pijn dat ik me het liefst als een balletje zou willen oprollen. Daniel verhuist naar Los Angeles zonder zich af te vragen hoe hij de relatie met zijn enige kind, onze zoon, in stand wil houden. Onze onbetaalbare, charmante, fantasierijke zoon. Hij gaat zonder een spier te vertrekken aan de andere kant van de wereld wonen.

'Juist.' Ik probeer me te vermannen. Het heeft geen zin om nog iets te zeggen. 'Daniel, ik moet ophangen. Tot gauw.'

Ik verbreek de verbinding en draai me om, terug naar de anderen, maar er gebeurt iets vreemds met me. Een onbekende, beangstigende ervaring. Opeens ontsnapt er een geluid aan mijn lippen. Een soort kef, als van een hond.

'Fliss?' Lorcan komt van zijn stoel. 'Gaat het?'

'Mammie?' zegt Noah bezorgd.

De mannen kijken elkaar even aan en Richard knikt.

'Hé, maatje,' zegt Richard vrolijk tegen Noah. 'Zullen we kauwgom gaan kopen voor in het vliegtuig?'

'Kauwgom!' juicht Noah opgetogen, en hij loopt met Richard mee.

Ik kef nog een keer zonder het zelf te willen en Lorcan pakt me bij mijn ellebogen.

'Fliss... zit je te húílen?'

'Nee!' zeg ik meteen. 'Ik huil nooit overdag. Dat is mijn regel. Ik doe niet aan hui-ui-ie...' Het woord lost op in weer zo'n rare, hoge kef. Ik voel iets nats op mijn wang. Is dat een traan?

'Wat zei Daniel?' vraagt Lorcan vriendelijk.

'Hij gaat naar Amerika. Hij gaat bij ons weg...' Ik zie mensen aan andere tafels naar me kijken. 'O, god.' Ik sla mijn handen voor mijn gezicht. 'Ik mag niet... Ik moet ophouden...'

Ik stoot een vierde kef uit, die iets meer van een snik heeft. Het voelt alsof er iets in me opwelt; iets onstuitbaars, hevigs en luids. De laatste keer dat ik me zo voelde, was ik aan het bevallen.

'Je moet ergens alleen zijn,' zegt Lorcan snel. 'Je staat op instorten. Waar zullen we heen gaan?'

'Ik heb al uitgecheckt,' hakkel ik naar adem snakkend. 'Ze zouden een huilruimte moeten hebben. Zoiets als een rokershok.'

'Ik weet het al.' Lorcan pakt me bij mijn arm en loodst me tussen de tafels door naar het zwembad. 'De sauna.' Hij wacht mijn antwoord niet af, maar maakt de glazen deur open en duwt me naar binnen.

Er hangt zoveel stoom dat ik om me heen moet tasten naar een plek om te zitten. De lucht is wit van de damp en ruikt zacht en kruidig.

'Huil maar,' zegt Lorcan door de mist. 'Niemand ziet je. Geen mens kan je horen, Fliss. Huilen.'

'Ik kan het niet.' Ik slik moeizaam. Alles in me verzet zich. Er ontsnapt nog wel zo nu en dan een kefje, maar ik kan me niet laten gaan.

'Vertel het me dan maar. Daniel verhuist naar Los Angeles,' spoort hij me aan.

'Ja. Hij kan Noah niet meer zien en het kan hem niet eens iets schélen...' Mijn schouders schokken. 'Hij had het me niet eens verteld.'

'Ik dacht dat je hem uit je leven wilde hebben? Dat zei je.'

'Ja,' zeg ik in verwarring gebracht. 'Dat is ook zo. Denk ik. Maar dit is zo definitief. Het is zo'n enorme afwijzing van ons allebei...' Er rijst weer iets in me op. Het kolkt en het is sterk. Ik geloof dat het verdriet zou kunnen zijn. 'Dat betekent dat het afgelopen is. Het is voorbij met ons gezi-hi-hin.' En nu dreigt het kolken me mee te sleuren. 'Ons hele gezinnetje is er gewee-hee-heest...'

'Fliss, kom hier,' zegt Lorcan kalm, en hij biedt me zijn schouder aan. Ik deins achteruit.

'Ik kan niet tegen je aan huilen,' zeg ik beverig. 'Kijk de andere kant op.'

'Natuurlijk kun je wel tegen me aan huilen.' Hij lacht. 'We hebben met elkaar geslapen, weet je nog?'

'Dat was maar seks. Dit is véél gênanter.' Ik hap naar adem. 'Kijk de andere kant op. Ga weg.'

'Ik kijk nergens naar,' zegt hij onverstoorbaar. 'En ik ga nergens heen. Kom op.'

'Ik kan het niet,' zeg ik wanhopig.

'Kom op, mal mens.' Hij steekt zijn in pak gestoken arm uit, waarop stoom parelt. En dan kan ik eindelijk dankbaar tegen zijn schouder leunen in een vulkanische uitbarsting van snikken.

We zitten er een poosje – ik sidderend, snikkend en hoestend en Lorcan over mijn rug wrijvend. Om de een of andere reden denk ik telkens terug aan de bevalling van Noah. Ze moesten op het laatste moment een keizersnede doen en ik zweette peentjes, maar Daniel bleef naast me zitten, in groene operatiekleding, en mijn hand vasthouden. Toen twijfelde ik nog niet aan hem. Destijds twijfelde ik nergens aan, geen seconde. En dat maakt dat ik weer van voren af aan wil beginnen met huilen.

Ten slotte kijk ik op en strijk het haar uit mijn bezwete gezicht.

Ik voel dat mijn neus rood is en dat mijn ogen gezwollen zijn. Ik heb waarschijnlijk sinds mijn tiende niet meer zo'n huilbui gehad.

'Sorry...' begin ik, maar Lorcan steekt een hand op.

'Nee. Geen verontschuldigingen.'

'Maar je pak!' Het begint tot me door te dringen wat we eigenlijk aan het doen zijn. We zitten in een sauna, allebei volledig gekleed.

'Bij elke scheiding vallen slachtoffers,' zegt Lorcan bedaard. 'Zie mijn pak maar als een van de slachtoffers van de jouwe. Trouwens,' voegt hij eraan toe, 'stoom is goed voor pakken.'

'Je huid wordt in elk geval gereinigd,' zeg ik.

'Zie je nou? Allemaal voordelen.'

Een verborgen mechanisme in een hoek blaast verse stoom de kleine ruimte in en de mist wordt nog dichter. Ik trek mijn voeten op naar de mozaïektegeltjes van de bank en sla mijn armen stevig om mijn knieën. De stoom is als een beschermingslaag. Het is hier intiem, maar ook afgezonderd.

'Toen ik trouwde, wist ik wel dat het leven niet perfect zou zijn,' zeg ik in de mist. 'Ik verwachtte geen rozentuin. En toen ik ging scheiden, verwachtte ik ook geen rozentuin, maar ik hoopte toch ten minste op... Weet ik veel. Een patio.'

'Een patio?'

'Je weet wel. Een terrasje. Iets kleins met wat planten om te verzorgen. Iets met een beetje optimisme en liefde. Maar wat ik heb gekregen, is het rampgebied van na een kernoorlog.'

'Bof jij even.' Lorcan lacht zacht.

'Wat heb jij gekregen? Ook geen rozentuin?'

'Het is een soort onaards gebied,' zegt hij na een korte stilte. 'Zoiets als een maanlandschap.'

Onze ogen vinden elkaar door de nevel en we hoeven niets meer te zeggen. We snappen het.

De damp blijft ons in wolken hullen. Het voelt helend. Het voelt alsof de stoom de gedachten die me dwarszitten optilt en meevoert en een soort helderheid achterlaat. Hoe langer ik blijf zitten, hoe duidelijker het me wordt. Ik krijg een steeds zwaarder gevoel in mijn maag. Lorcan had gelijk. Niet alleen nu, maar gisteren ook. Hij had het goed gezien. Dit is allemaal een vergissing.

Ik moet deze missie afbreken, nu meteen. Het flitst door mijn brein als nieuws over een tv-scherm: *Geef op. Geef op.* Ik kan er niet mee doorgaan. Ik mag niet riskeren dat ik Lottie kwijtraak.

Ja, ik wil mijn zusje behoeden voor de pijn die ik heb gevoeld, maar het is haar leven. Ik kan niet voor haar beslissen. Als het niets wordt met Ben, dan is dat maar zo. Als ze door een scheiding heen moet, dan is dat maar zo. Als ze zeventig jaar bij elkaar blijven en twintig kleinkinderen krijgen, ook goed.

Ik heb het gevoel alsof een soort waanzin me een krankzinnige richting in heeft gedreven. Ging het wel echt over Lottie, of ging het over Daniel en mij? Heeft Lorcan gelijk? Is dit mijn eigen Betreurenswaardige Keuze? O, god, wat heb ik gedáán?

Opeens dringt het tot me door dat ik de laatste paar woorden hardop heb gepreveld. 'Sorry,' voeg ik eraan toe. 'Ik... ik besefte...' Ik kijk vragend op naar Lorcan. Ik voel me verachtelijk.

'Je hebt je best gedaan om je zusje te helpen,' zegt Lorcan bijna vriendelijk. 'Op een volslagen misplaatste, stompzinnige, obstinate manier.'

'Stel...' Ik sla een hand voor mijn mond. 'O, god. Stel dat ze erachter komt?' De gedachte is zo beangstigend dat het me duizelt. Ik was zo vastbesloten mijn missie te laten slagen dat ik niet eens aan de keerzijde heb gedacht. Ik ben een totale dwaas geweest.

'Ze hoeft er niet achter te komen,' zegt Lorcan. 'Niet als je omkeert, naar huis gaat en er met geen woord over rept. Ik zeg helemaal niets.'

'Nico ook niet. Hij is mijn mannetje in het hotel.' Ik hijg alsof ik op het nippertje aan iets ben ontsnapt. 'Ik denk dat ik wel goed zit. Ze komt er niet achter.'

'Dus de huwelijksreis-sabotagecampagne is van de baan?'

'Met ingang van nu.' Ik knik. 'Ik zal Nico bellen. Het zal een pak van zijn hart zijn.' Ik kijk Lorcan aan. 'Ik zal me nooit meer met het leven van mijn zus bemoeien,' zeg ik nadrukkelijk. 'Hou me daaraan. Hou me aan mijn gelofte.'

'Afgesproken.' Hij knikt plechtig. 'En wat ga je nu doen?'

Ik schud mijn hoofd. 'Geen idee. Naar de luchthaven. Ik zie wel als ik er ben.' Ik pluk aan mijn haar, dat nat is van het zweet, en herinner me weer dat ik in vol ornaat in een sauna zit. 'Ik zal er wel verschrikkelijk uitzien.'

'Ja,' zegt Lorcan ernstig. 'Zo kun je het vliegtuig niet in. Ik zou maar een koud stortbad nemen als ik jou was.'

'Een koud stortbad?' Ik kijk hem ongelovig aan.

'Het sluit de poriën. Brengt de bloedsomloop op gang. Spoelt snotterige traansporen weg.'

Hij plaagt me. Denk ik. Plaagt hij me?

'Als jij meedoet,' daag ik hem uit.

'Waarom niet?' zegt hij schouderophalend. Ik voel een giechel opkomen. Het bestaat gewoon niet dat we dit gaan doen.

'Oké, daar gaat-ie dan.' Ik duw de deur open en laat Lorcan beleefd voorgaan. Ik zie de hotelgasten opkijken en elkaar aanstoten bij het zien van twee volledig geklede mensen, eentje in pak, die uit de sauna komen.

'Na u.' Lorcan gebaart beleefd naar de douche. 'Ik wil de hendel wel overhalen, als je wilt.'

'Toe dan.' Ik ga lachend onder de douche staan. Het volgende moment krijg ik een lading ijskoud water over me heen en slaak een gil.

'Mammie!' roept een schel stemmetje verrukt. 'Je doucht met je kleren aan.' Noah, die met Richard aan tafel zit, kijkt stralend van ongeloof naar me.

Het is Lorcans beurt, en hij heft zijn gezicht naar het water dat naar beneden plenst.

'Zo,' zegt hij als hij klaar is. 'Is dat niet verkwikkend? Ziet het leven er nu niet beter uit?' Hij wringt het water uit zijn mouw.

Ik denk even na, want ik wil een eerlijk antwoord geven. 'Ja,' zeg ik uiteindelijk. 'Stukken beter. Dank je wel.'

21

Lottie

Ik weet niet goed hoe ik moet reageren. Daar zijn we dan. terug bij het pension. En het is nog net als vroeger. Min of meer.

Zodra we uit de watertaxi waren gestapt, nam Ben een gesprek aan van Lorcan, wat me écht ergerde. Ik bedoel, dit is ons grote, romantische, belangrijke moment – en hij neemt een gesprek aan. Het is alsof Humphrey Bogart zegt: 'We zullen altijd... Sorry, schat, ik moet even opnemen.'

Nou ja. Positief denken, Lottie. Geniet van het moment. Ik heb *vijftien jaar* aan deze plek gedacht. En nu ben ik er.

Ik sta op de planken van de steiger te wachten tot ik word over-spoeld door golven weemoed en verlichting. Ik wacht tot ik ga huilen en misschien iets ontroerends bedenk om tegen Ben te zeg-gen, maar het gekke is dat ik helemaal niet hoef te huilen. Ik voel me een beetje blanco.

Vanaf de plek waar ik sta kan ik net een glimp van het pension opvangen, hoog op de berg. Ik zie de vertrouwde stoffige, oker-kleurige stenen en een paar ramen. Het is kleiner dan in mijn her-innering, en een van de luiken hangt scheef. Mijn blik zakt naar de berghelling. Daar zijn de uitgehouwen treden die zich halver-wege vertakken. Het ene stuk leidt naar de steiger, waar we nu staan, en het andere naar het strand. Ze hebben metalen hekken neergezet, wat de aanblik eigenlijk verpest. En een hek langs de rand van het klif. En er staat een waarschuwingsbord. Een *waar-schuwingsbord*? Dat hebben wij nooit gehad.

Enfin. Positief blijven.

Ben komt bij me terug en ik pak zijn hand. Het strand ligt ach-ter een paar uitstekende rotsen, dus ik kan nog niet zien of dat ook is veranderd, maar hoe kan een strand veranderen? Een strand is een strand.

'Wat zullen we het eerst gaan doen?' vraag ik zacht. 'Het pen-sion? Het strand? Of de geheime grot?'

Ben geeft een kneepje in mijn hand. 'De geheime grot.'

En nu, eindelijk, begin ik rimpelingen van opwinding te voelen. De geheime grot. De plek waar we elkaar voor het eerst uitkleedden, bevend van hete, onverzadigbare tienergeilheid. De plek waar we het drie, vier, vijf keer per dag deden. Het idee er weer te komen – in alle betekenissen – is zo opwindend dat ik ervan sidder.

'We zullen een boot moeten huren.'

Hij zal me naar de grot zeilen, net als vroeger, en ik zal met mijn voeten tegen de zijkant van de boot liggen. En dan slepen we de boot op het zand en vinden dat beschutte plekje, en...

'Kom mee, een boot zoeken.' Bens stem is schor en ik weet dat hij net zo opgewonden is als ik.

'Zou die botenverhuur aan het strand er nog zijn?'

'Daar kunnen we maar op één manier achter komen.'

Ik trek hem mee naar de treden, plotseling lichthartig. We gaan regelrecht naar het strand, we huren een boot, het gaat nu allemaal gebeuren...

'Kom op!' Ik storm met bonzend hart van opwinding de stenen treden op. We zijn bijna bij de vertakking. We kunnen nu elk moment die vertrouwde strook schitterend goudgeel zand zien die al die tijd op ons heeft gewacht...

O, mijn god.

Ik kijk vol afgrijzen naar het strand. Wat is daar gebeurd? Wie zíjn al die mensen?

Toen wij in het pension logeerden, leek het strand een enorme, lege vlakte. We waren met een stuk of twintig man, maximaal, en we verspreidden ons zodat niemand last van een ander had.

Wat ik nu beneden me zie, lijkt op een bezetting. Of de ochtend na een festival. Een stuk of zeventig mensen liggen in slordige groepjes op het strand, sommige nog in hun slaapzak gepakt. Ik zie de resten van een vuur. Er staan een paar tenten. Het zijn voornamelijk studenten, meen ik te zien. Of misschien eeuwige studenten.

Terwijl we daar weifelend staan, komt er een jongen met een sikje de treden op en begroet ons met een Zuid-Afrikaans accent.

'Hallo. Jullie zien er verdwaald uit.' Zo voel ik me ook, wil ik terugkaatsen, maar ik glimlach naar hem.

'We... kijken gewoon.'

'We zijn hier een dagje,' zegt Ben ongedwongen. 'We zijn hier jaren geleden geweest. Het is veranderd.'

'O.' Het gezicht van de jongen betrekt. 'Zijn jullie zulke lui. Uit het gouden tijdperk.'

'Het gouden tijdperk?'

'Zo noemen we het.' Hij lacht. 'Er komen continu mensen van jullie leeftijd terug om ons te vertellen hoe het was voordat de jeugdherberg werd gebouwd. De meesten blijven maar mekkeren dat het allemaal verpest is. Komen jullie naar beneden?'

We lopen achter hem aan, maar zijn woorden steken een beetje. *Mekkeren* klinkt best agressief. En *van jullie leeftijd*? Wat wil dat zeggen? Ik bedoel, we zijn natuurlijk wel iets ouder dan hij, maar we zijn nog steeds *jong*, ruim gemeten. Ik val nog steeds in dezelfde categorie als hij.

'Wat voor jeugdherberg?' vraagt Ben als we op het strand aankomen. 'Zit je niet in het pension?'

'Daar zitten een paar mensen,' zegt de jongen schouderophalend. 'Niet veel. Het is een beetje een sjofele boel. Ik geloof dat die ouwe het net heeft verkocht. Nee, we zitten in de jeugdherberg een paar honderd meter erachter. Ik denk dat die er nu een jaar of... tien staat? Er was een grote reclamecampagne voor. Dat werkte echt. Het is hier zo waanzinnig,' zegt hij nog terwijl hij wegloopt. 'De zonsondergangen zijn ongelooflijk. Hou je haaks.'

Ben beantwoordt zijn glimlach, maar ik knap van woede. Ongelooflijk dat ze een jeugdherberg hebben neergezet. Ik ben des duivels. Dit was ons plekje. Hoe durven ze daar reclame voor te maken?

En moet je zien hoe ze ermee omgaan. Het strand ligt bezaaid met afval. Ik zie blikjes, lege chipszakken en zelfs een paar gebruikte condooms. Als ik die zie, keert mijn maag zich om. Ze hebben overal seks gehad. Dat is toch walgelijk?

Ik bedoel, ik weet wel dat wij het ook aan het strand deden, maar dat was anders. Dat was romantisch.

'Waar is de botenman?' zeg ik om me heen kijkend. Er was een hagedisachtige man die elke dag zijn twee boten verhuurde, maar hij lijkt er niet te zijn. Ik zie een lange, gespierde jongen een boot het water in duwen en ren over het zand naar hem toe.

'Hallo! Pardon! Wacht even.' Hij draait zich om, met een witte glimlach in zijn gebruinde gezicht, en ik leg een hand op zijn sloep.

'Weet jij ook of ze hier nog steeds boten hebben? Is dat een huur-boot?'

'Ja.' Hij knikt. 'Maar je moet er vroeg bij zijn. Ze zijn allemaal al weg. Je kunt het morgen proberen. De intekenlijst ligt in de jeugd-herberg.'

'Aha.' Ik zwijg even en vervolg dan smekend: 'Maar we zijn hier alleen vandaag. Mijn man en ik. Het is onze huwelijksreis. En we willen echt graag een boot.'

Ik probeer hem telepathisch zover te krijgen dat hij ons galant zijn boot aanbiedt, maar dat doet hij niet. Hij duwt hem gewoon verder het water in en zegt vriendelijk: 'Balen.'

'Het is heel belangrijk voor ons,' leg ik uit, achter hem aan plonzend. 'We willen echt heel graag gaan zeilen. We willen naar die kleine geheime baai van vroeger...'

'Die baai daar?' De jongen gebaart om de kustlijn heen.

'Ja!' zeg ik. 'Ben je er geweest?'

'Daar hoef je niet naartoe te zeilen,' zegt de jongen verbaasd. 'Je kunt er via de promenade komen.'

'De promenade?'

'Verder landinwaarts.' Hij wijst. 'Een grote houten promenade. Die hebben ze een paar jaar geleden gebouwd. Het hele gebied is ontsloten.'

Ik kijk hem beduusd aan. *Ze hebben een promenade naar de geheime baai gebouwd?* Dat is heiligschennis. Het is een farce. Ik ga een woedende brief schrijven aan... iemand. Het was ons ge-heim. Dat had het moeten blijven. Hoe kunnen we er nu nog seks hebben?

'Dus iedereen komt er?'

'O, ja. Het is heel geliefd.' Hij grinnikt. 'Onder ons gezegd en gezwegen, het is waar ze heen gaan om te blowen.'

Blowen? Ik kijk hem nog ontzetter aan. Onze volmaakte, ro-mantische, idyllische baai is tegenwoordig een coffeeshop?

Ik wrijf over mijn gezicht in een poging aan dit nieuwe, akelige beeld te wennen.

'Dus... er zijn nu ook mensen?'

'O, ja. Er is gisteravond een feest geweest. Al zullen ze nu alle-maal nog wel slapen. Ik zie je.' Hij duwt de boot af en ontrolt het zeil.

Dat was het dan. Ons hele plan, geruïneerd. Ik waad door het ondiepe water terug naar Ben.

'Het was zo volmaakt,' zeg ik radeloos. 'En nu hebben ze het verpest. Ik trek het niet. Ik bedoel, kijk dan.' Ik gebaar wild om me heen. 'Het is niet om aan te zien! Het is hels!'

'Godsamme, Lottie!' zegt Ben kregelig. 'Draaf niet zo door. Wij feestten ook aan het strand, weet je nog? Wij lieten ook afval slingeren. Arthur klaagde er altijd over.'

'Geen gebruikte condooms.'

'Vast wel.' Hij haalt zijn schouders op.

'Nee, echt niet!' zeg ik verontwaardigd. 'Ik was aan de pil!'

'O.' Hij haalt zijn schouders weer op. 'Vergeten.'

Vergeten? Hoe kun je nou vergeten of je condooms gebruikte of niet met de liefde van je leven?

Ik wil zeggen: 'Als je echt van me hield, zou je nog wel weten dat we geen condooms gebruikten,' maar ik hou me in. Een ruzie over condoomgebruik is niet wat je wilt op je huwelijksreis. Ik laat mijn schouders dus zakken en staar mistroostig over de zee uit.

Ik ben zo teleurgesteld dat ik wel kan janken. Dit is zo totaal niet wat ik me ervan had voorgesteld. Als ik heel eerlijk ben, had ik me denk ik helemaal geen mensen voorgesteld aan het strand. Ik had me voorgesteld dat we het helemaal voor ons alleen hadden. We zouden over het ongerepte zand rennen, door de schuimende branding springen en in een perfecte omhelzing neerkomen, begeleid door vioolklanken. Dat was misschien niet helemaal realistisch, maar dit is het andere uiterste.

'Nou, wat gaan we dan doen?' zeg ik uiteindelijk.

'We kunnen er nog steeds een leuke dag van maken.' Ben trekt me naar zich toe en geeft me een zoen. 'Het is hoe dan ook fijn om er weer te zijn, toch? Het is nog steeds hetzelfde zand. Dezelfde zee.'

'Ja.' Ik geef me dankbaar over aan zijn kus.

'Nog steeds dezelfde Lottie. Hetzelfde sexy shortje.' Zijn handen omvatten mijn billen en ik voel opeens de drang om iets van mijn fantasie terug te halen.

'Weet je dit nog?' Ik geef hem mijn tas, haal diep adem om me voor te bereiden, maak een sprongetje en een huppel en begin aan wat een onberispelijke reeks radslagen over het strand had moeten worden.

Au. Oef.

Argh. Shit. Mijn hoofd.

Ik weet niet wat er is gebeurd, behalve dan dat mijn armen doorzakten onder mijn gewicht, en dat er een paar geschrokken kreten opklonken, en dat ik hard op mijn hoofd terechtkwam. Nu lig ik onelegant languit op het zand te hijgen van schrik.

Mijn ene arm bonst pijnlijk en de vernedering doet ook pijn. Kan ik geen radslagen meer maken? Wanneer is dát gebeurd?

'Lieverd.' Ben loopt beteuterd naar me toe. 'Bezeer je niet.' Zijn blik valt op mijn short. 'Een ongelukje, geloof ik?'

Ik volg zijn blik en schrik me weer rot. Er zit een scheur in mijn tie-dyed short. Ik ben eruit geknapt, en wel op de ergst denkbare plaats. Ik wil dóód.

Ben trekt me overeind en ik wrijf met een van pijn vertrokken gezicht over mijn arm. Hij moet verstuikt zijn of zoiets.

'Gaat het?' zegt een meisje in een denim short en een bikinitopje dat eruitziet alsof ze een jaar of vijftien is. 'Je moet iets hoger opspringen voor het afzetten. Zo.' Ze buigt lenig opzij tijdens haar sprong en maakt een perfecte radslag, gevolgd door een flikflak. Trut.

'Dank je,' prevel ik. 'Ik zal erom denken.' Ik neem mijn tas van Ben aan en er valt een onbehaaglijke stilte. 'Dus... wat zullen we gaan doen?' vraag ik uiteindelijk. 'De baai bekijken?'

'Ik moet koffie hebben,' zegt Ben gedecideerd. 'En ik wil het pension zien, jij niet?'

'Natuurlijk!' Ik voel een laatste sprankje hoop. Het strand mag dan verpest zijn, het pension is dat misschien niet. 'Alleen moet jij voor me uit lopen naar boven,' voeg ik eraan toe.

Ik laat hem níét achter me lopen terwijl ik uit mijn short ben geknapt.

Het kan door het radslagfiasco komen, en anders liegt de hartslagmeter op de sportschool, maar ik ben hoe dan ook niet meer zo fit als vroeger. En honderddertien treden is veel. Ik pak zonder erbij na te denken de leuning en trek me eraan op, en ik ben blij dat Ben me niet ziet. Mijn gezicht is rood aangelopen, mijn haar is aan het elastiekje ontsnapt en ik hijg op een diepe, niet-sexy manier. De zon schijnt fel dus ik kijk niet op, maar vlak voordat we boven zijn werp ik een blik omhoog en knipper verbaasd met mijn ogen. Er staat iemand in silhouet afgetekend boven op het klif. Een meisje.

'Hallo daar!' roept ze met een Engels accent naar beneden. 'Komen jullie logeren?'

Ze is oogverblindend mooi, besef ik dichterbij gekomen. Met een buitengewone boezem. Alle clichés dringen zich aan me op. Haar borsten spannen als twee bruine manen onder haar hemdje met spaghettibandjes. Nee, als twee bruine, levendige jonge hondjes. Zelfs ík ben zo gefascineerd dat ik eraan wil voelen. Ze buigt zich naar voren om ons te begroeten terwijl wij naar boven stommelen, en ik kijk recht in de spelonkachtige diepte van haar decolleté.

Wat betekent dat Ben er ook in kan kijken.

'Goed gedaan!' zegt ze vrolijk als we uiteindelijk boven zijn. Ik hijg te hard om iets te kunnen zeggen. Ben ook, maar hij ziet eruit alsof hij me iets duidelijk wil maken – of richt hij zich tot het buitengewoon gevormde meisje?

Hij richt zich tot het buitengewoon gevormde meisje.

'Holy shit!' weet hij ten slotte uit te brengen – en hij klinkt volkomen verbijsterd. 'Sarah!'

22

Lottie

Het duizelt me. Ik weet niet waar ik me op moet richten. Ik weet niet waar ik moet beginnen.

Om te beginnen is daar het pension. Hoe kan het er zo anders uitzien dan ik me herinner? Alles is kleiner en armetieriger en op een bepaalde manier minder *Iconisch*. We zitten op de veranda, die veel minder imposant is dan in mijn herinnering en is voorzien van een laag afstotelijke beige verf, die er in stroken afbladdert. De olijfgaard is niet meer dan een miezerig lapje grond met hier en daar een boom. Het uitzicht is mooi, maar niet anders dan het uitzicht vanaf elk willekeurig Grieks eiland.

En Arthur. Hoe heb ik van hem onder de indruk kunnen zijn? Hoe heb ik aan zijn voeten kunnen zitten om zijn pareltjes van wijsheid voor zoete koek te slikken? Hij is niet wijs. Hij is geen filosoof. Hij is een alcoholistische geile bok van in de zeventig. Hij heeft al twee keer geprobeerd me te betasten.

'Niet terugkomen,' zegt hij zwaaiend met zijn sjekkie. 'Dat zeg ik tegen al jullie jongelui. Niet terugkeren. Je jeugd is nog waar je hem hebt gelaten en daar hoort hij te blijven. Waarom kom je terug? Alles wat het waard was om mee te nemen op je levensreis, heb je al meegenomen.'

'Pa,' zegt Sarah vertwijfeld. 'Zo kan-ie wel weer. Ze zijn nu eenmaal teruggekomen. En ik ben er blij om.' Ze lacht met twinkelende ogen naar Ben. 'Je komt net op tijd. We hebben de boel verkocht. Volgende maand gaan we weg. Hebben jullie trek in nog wat koffie?'

Ze leunt naar voren om koffie in te schenken en ik moet wel staren. Van dichtbij is ze niet minder buitengewoon gevormd. Alles aan haar is zijdezacht en glanzend, en haar borsten spannen onder haar hemdje alsof ze op borstenyoga zitten en trots aan iedereen laten zien wat ze kunnen.

En dat is de andere reden dat het me duizelt. Het zijn er zelfs een aantal. Nummer één: ze is beeldschoon. Nummer twee: het is heel duidelijk dat Ben en zij een hele geschiedenis hadden samen hier in het pension voordat ik er zelfs maar was. Ze blijven er maar op zinspelen en lachen en van onderwerp veranderen. Nummer drie: er is nog steeds een vonk tussen die twee. Als ik het zie, zullen zij het toch zeker ook wel zien? Ze zullen het toch zeker wel voelen? Wat betekent dat?

Wat betékent het allemaal?

Ik neem met bevende handen mijn koffie van Sarah aan. Ik dacht dat de terugkeer naar het pension de luisterrijke bekroning zou zijn van onze huwelijksreis, dat alle draden hier zouden samenkomen in één grote, voldoening schenkende knoop, maar het voelt alsof er allerlei vrolijk gekleurde nieuwe draden bij zijn gekomen en er niets is afgehecht. Ben al helemaal niet. Het voelt alsof hij van me af rafelt. Hij mijdt mijn blik en toen ik een arm om hem heen sloeg, schudde hij die af. Ik weet dat Sarah het heeft gezien, want ze keek tactvol de andere kant op.

'We worden oud,' oreert Arthur door. 'Het leven staat je dromen in de weg. Je dromen staan het leven in de weg. Zo is het altijd al geweest. Iemand een whisky?' Hij klaart plotseling op. 'Elke dag dronken is ook een geregeld leven.'

'Ja, graag,' zegt Ben tot mijn ongenoegen. Wat doet hij nou? Het is elf uur 's ochtends. Ik wil niet dat hij verzinkt in glazen whisky. Ik werp hem een 'schat, is dat wel zo'n goed idee?'-blik toe, en hij kijkt terug met een blik die me het afschuwelijke gevoel geeft dat hij 'pleur op en probeer niet de baas over me te spelen' tegen me wil zeggen.

En weer kijkt Sarah tactvol een andere kant op.

O, god, wat een marteling. Een andere vrouw die tactvol haar blik afwendt terwijl jij giftige blikken wisselt met je man, dat is de vernedering ten top. Samen met uit je tie-dyed shortje knappen terwijl je probeert een radslag te maken.

'Brave borst! Kom een single malt uitkiezen.' Arthur drijft Ben de krochten van het pension in en ik blijf met Sarah op de veranda achter. Er hangt een gespannen sfeer tussen ons en ik weet niet waar ik moet beginnen. Ik wil dolgraag weten... wat, precies?

'Heerlijke koffie,' vlucht ik in beleefdheid.

'Dank je.' Ze glimlacht naar me en zucht dan. 'Lottie. Ik wil alleen maar zeggen...' Ze spreidt in een machteloos gebaar haar armen. 'Ik weet niet of je wist dat Ben en ik...'

'Nee,' zeg ik na een korte stilte. 'Maar nu wel.'

'Het was maar een heel korte flirt. Ik was hier bij pa op bezoek en het klikte gewoon. Het heeft hooguit een paar weken geduurd. Denk alsjeblieft niet...' Ze zwijgt weer. 'Ik wil niet dat je...'

'Ik dacht helemaal niets!' onderbreek ik haar opgewekt. 'Niets!'

'Gelukkig.' Ze lacht haar volmaakte tanden weer bloot. 'Fijn dat jullie zijn teruggekomen. Veel goede herinneringen, hoop ik?'

'Ja, bergen.'

'Het was een ongelooflijke zomer.' Ze neemt een slokje koffie. 'Het was het jaar dat Big Bill er was. Heb je die nog meegemaakt?'

'Ja, ik weet wie het is.' Ik kom een beetje los. 'En Pinky.'

'En de twee Neds? Ze zijn een keer 's nachts gearresteerd toen ik hier was,' vertelt Sarah grinnikend. 'Ze werden in de cel gegooid en pap moest ze vrijkopen.'

'Daar heb ik over gehoord.' Ik ga rechtop zitten, opeens geboeid door het gesprek. 'Heb je gehoord van die gezonken vissersboot?'

'God, ja,' zegt ze knikkend. 'Pa heeft me erover verteld. Met die brand erbij was het een soort rampjaar. Zelfs die arme Ben kreeg griep. Hij was echt ziek.'

Wat zei ze daar? Griep?

'Griep?' herhaal ik met verstikte stem. 'Ben?'

'Het was vreselijk.' Ze trekt haar bruine voeten op haar stoel. 'Ik was heel bezorgd om hem. Hij ijlde. Ik bleef 's nachts bij hem om voor hem te zorgen. Ik zong liedjes van Joni Mitchell voor hem.' Ze lacht.

Mijn gedachten gonzen panisch rond. Sarah was degene die hem verpleegde toen hij griep had. Sarah was degene die voor hem zong.

En hij denkt dat ik het was.

En dat was het moment waarop hij 'wist dat hij van me hield'. Dat heeft hij aan een strand vol mensen verteld.

'Goh!' zeg ik zo rustig mogelijk. 'Wauw. Goed gedaan, hoor.' Ik slik. 'Maar waarom zouden we in het verleden blijven hangen, hè? Dus, eh... hoeveel gasten hebben jullie momenteel?'

Ik wil snel van dit onderwerp af, voordat Ben terugkomt, maar Sarah praat gewoon door.

'Hij zei zulke gekke dingen toen hij ijlde,' vertelt ze. 'Hij wilde vliegen. Ik had iets van: "Ben, je bent ziek! Blijf liggen!" Toen zei hij dat ik zijn reddende engel was. Hij bleef het maar zeggen, achter elkaar door. Ik was zijn reddende engel.'

'Wie is een reddende engel?' klinkt Bens stem. Hij komt met een glas in zijn hand de veranda op. 'Je vader zit aan de telefoon, trouwens. Wie is een reddende engel?' herhaalt hij.

Ik heb een knoop in mijn maag. Ik moet dit gesprek nu afkappen.

'Moet je die olijfboom zien!' snerp ik, maar Ben en Sarah besteden geen aandacht aan me.

'Weet je nog, Ben?' Sarah lacht ongedwongen, met haar hoofd in haar nek. 'Toen jij griep had en ik je 's nachts verzorgde? Je zei dat ik je reddende engel was. Zuster Sarah.' Ze geeft hem plagerig een porretje met haar voet. 'Weet je nog, zuster Sarah? Weet je nog, die liedjes van Joni Mitchell?'

Ben staat er als versteend bij. Hij kijkt van mij naar Sarah en weer terug naar mij. Hij fronst niet-begrijpend zijn voorhoofd.

'Maar... maar jíj zorgde voor me, Lottie.'

Mijn wangen zijn vuurrood geworden. Ik weet niet wat ik moet zeggen. Waarom heb ik net gedaan alsof ik hem had verzorgd, waarom toch?

'Lottie?' zegt Sarah verbaasd. 'Maar die was er niet eens! Ik was het, en ík krijg de punten voor goed gedrag, hoor! Ik ben degene die tot het ochtendgloren je voorhoofd heeft gebet met een nat washandje. Zeg nou niet dat je dat ook vergeten bent,' voegt ze er verwijtend aan toe.

'Ik ben het niet vergéten,' zegt Ben met een stem die plotseling gespannen klinkt. 'Jezus! Natuurlijk ben ik het niet vergeten! Die nacht zal me altijd bijblijven, maar ik herinnerde het me verkeerd. Ik dacht dat het...' Hij kijkt beschuldigend naar mij.

Ik heb overal jeuk. Ik moet iets zeggen. Ze wachten allebei.

'Misschien was ik in de war.' Ik slik moeizaam. 'Met... een andere keer.'

'Wat voor andere keer?' zegt Ben verontwaardigd. 'Ik heb maar één keer griep gehad. En nu blijkt dat jij me niet hebt verpleegd, maar Sarah. Wat ik verwarrend vind.' Zijn stem klinkt streng en onverzoenlijk.

'Het spijt me.' Sarah kijkt van Ben naar mij alsof ze de spanning tussen ons oppikt. 'Het is niet zo belangrijk.'

'Dat is het wel!' Ben stompt tegen zijn voorhoofd. 'Snap je dat dan niet? Jíj hebt me gered. Jíj was mijn reddende engel, Sarah. Dit verandert...' Hij slikt de rest van zijn zin in.

Ik kijk hem verbolgen aan. Wat verandert dit? Tot drie minuten geleden was ík zijn reddende engel. Je kunt niet zomaar van reddende engel wisselen als je daar zin in hebt.

'Niet weer!' Sarah schudt glimlachend haar hoofd. 'Ik zei het toch,' vervolgt ze tegen mij, alsof ze probeert de sfeer wat luchtiger te maken. 'Hij zei allemaal idiote dingen over engelen en weet ik wat. Enfin.' Het is duidelijk dat ze zelf ook graag over iets anders wil praten. 'Dus. Wat voor werk doen jullie?'

Ben kijkt me kwaad aan en neemt een slok whisky. 'Ik maak papier,' begint hij.

Terwijl hij over zijn papierbedrijf vertelt, nip ik nog natrillend van mijn lauwe koffie. Ongelooflijk dat mijn stomme leugentje om bestwil is uitgekomen. Maar dat Ben het zo ernstig opvat, is net zo ongelooflijk. Godallemachtig. Wat maakt het uit wie wie heeft verzorgd? Ik ga zo op in mijn gedachten dat ik het gesprek niet meer hoor, tot ik Ben 'naar het buitenland verhuizen' hoor zeggen. Heeft hij het over Frankrijk?

'Ik ook! Ik ga waarschijnlijk een tijdje in het Caribisch gebied zeilen,' zegt Sarah. 'Wat lesgeven om aan de kost te komen. Zien hoe het gaat.'

'Dat wil ik ook.' Ben knikt verwoed. 'Zeilen is mijn passie. Als ik iets wil de komende twee jaar, is het wel meer tijd op mijn boot doorbrengen.'

'Heb je wel eens over de Atlantische Oceaan gezeild?'

'Nee, maar ik wil het wel.' Bens ogen lichten op. 'Ik wil een bemanning samenstellen. Doe je mee?'

'Zeker weten! En daarna een seizoen over de Caribische Zee?'

'Afgesproken!'

'Dat is dan geregeld.' Ze geven elkaar lachend een high five. 'Zeil jij ook?' vraagt Sarah dan beleefd aan mij.

'Niet echt.' Ik kijk ziedend naar Ben. Tegen mij heeft hij met geen woord gerept over een zeiltocht op de Atlantische Oceaan. En hoe wil hij dat combineren met het kopen van een boerderij in Frankrijk? En wat heeft al dat kameraadschappelijke gehighfive te betekenen? Ik zou het allemaal het liefst nu meteen aankaarten, maar dat kan niet waar Sarah bij is.

Opeens heb ik er spijt van dat we hiernaartoe zijn gegaan. Arthur had gelijk. Niet terugkomen.

'Dus jullie hebben het pension verkocht?' vraag ik aan Sarah.

'Ja.' Ze knikt. 'Het is jammer, maar het feest is geweest. De jeugdherberg heeft onze klanten afgepakt. Ze hebben de grond gekocht. Ze willen uitbreiden.'

'Klootzakken!' zegt Ben kwaad.

'Tja.' Sarah haalt laconiek haar schouders op. 'Eerlijk gezegd is de klandizie nooit meer aangetrokken na de brand. Ik weet niet hoe pa nog zo lang heeft kunnen doorploeteren.'

'De brand was verschrikkelijk,' meng ik me in het gesprek, blij dat ik weer mee kan praten. Ik hoop dat een van beiden iets zal zeggen over de geniale manier waarop ik het heft in handen nam en menig leven heb gered, maar Sarah zegt alleen: 'Ja, wat een drama.'

'Het kwam door een defect gasstel of zoiets, hè?' zegt Ben.

'O, nee.' Sarah schudt haar hoofd en haar oorbellen tinkelen. 'Dat dachten ze eerst, maar toen knobbelden ze uit dat het kaarsen moesten zijn geweest. Je weet wel, in een slaapkamer. Geurkaarsen.' Ze kijkt op haar horloge. 'Ik moet mijn stoofschotel uit de oven halen. Neem me niet kwalijk.'

Terwijl ze wegloopt, neemt Ben een slok whisky en werpt een blik op mij. Zijn gezicht krijgt een bezorgde uitdrukking.

'Wat is er?' Hij fronst zijn voorhoofd. 'Lottie? Gaat het wel?'

Nee, het gaat niet. Er is niets van me over. De waarheid is zo verschrikkelijk dat ik er bijna niet aan durf te denken.

'Het kwam door mij,' fluister ik uiteindelijk. Ik voel me misselijk.

'Hoe bedoel je, het kwam door jou?' Hij kijkt me wezenloos aan.

'Ik had altijd geurkaarsen in mijn kamer!' fluister ik gespannen. 'Weet je nog? Al die kaarsen? Ik moet ze hebben laten branden. Verder had er niemand geurkaarsen. Die brand was mijn schuld!'

Ik ben zo geschokt en overstuur dat de tranen me in de ogen springen. Mijn grote moment van triomf... het is tot stof vergaan. Ik was niet de redster in de nood. Ik was de onnadenkende, stomme boosdoener.

Ik verwacht dat Ben zijn armen om me heen zal slaan, of een kreet zal slaken, of door zal vragen, of wat dan ook, maar het lijkt hem niet te boeien.

'Nou ja, het is lang geleden,' zegt hij alleen maar. 'Het doet er niet meer toe.'

'Hoezo, het doet er niet meer toe?' Ik kijk hem ongelovig aan.

'Natuurlijk doet het ertoe! Ik heb ieders vakantie verpest! Ik heb zijn bedrijf geruïneerd! Het is afschuwelijk!'

Ik voel me ziek van schuldbesef. En bovendien heb ik het gevoel dat ik me al die tijd heb vergist, stommeling die ik ben. Al die jaren. Ik heb de verkeerde herinnering gekoesterd. Ja, ik heb veel goeds gedaan die nacht – maar ook veel slechts. Ik had iemand kunnen vermoorden. Ik had een heleboel mensen kunnen vermoorden. Ik ben niet de vrouw voor wie ik mezelf aanzag. *Ik ben niet de vrouw die ik dacht te zijn.*

Ik snik het opeens uit. Het voelt alsof alles is ingestort.

'Moet ik het vertellen? Zal ik alles opbiechten?'

'Godallemachtig, Lottie,' zegt Ben korzelig. 'Natuurlijk niet. Zet je eroverheen. Het is vijftien jaar geleden. Er zijn geen slachtoffers gevallen. Het kan geen mens wat schelen.'

'Mij wel!' zeg ik aangeslagen.

'Nou, je moet erover ophouden. Je drenst maar door over die stomme brand...'

'Niet waar!'

'O, jawel.'

Er knapt iets in me.

'Nou, en jij drenst maar door over zeilen!' roep ik gekwetst uit. 'Waar kwam dat opeens vandaan?'

We kijken elkaar aan met een soort ontredderde onzekerheid. Het is alsof we elkaar taxerend opnemen voor een wedstrijd, maar de regels niet goed kennen. Uiteindelijk vuurt Ben een nieuwe salvo op me af.

'Waar het op neerkomt, is dat ik geen woord van wat je zegt meer kan geloven,' zegt hij.

'Hè?' Ik krimp geschrokken in elkaar.

'Je hebt me niet verpleegd toen ik griep had, maar je liet me wel in die waan.' Zijn blik is genadeloos. 'Wie doet er nou zoiets?'

'Ik... wist het niet meer.' Ik snak naar adem. 'Het spijt me, oké?' Bens gezicht blijft hard. Huichelachtige klootzak.

'Nou, goed dan,' zet ik de tegenaanval in. 'Als we elkaar dan toch ongezouten de waarheid zeggen, wil ik wel eens weten hoe jij plannen kunt maken om een seizoen in het Caribisch gebied te gaan zeilen terwijl we een nieuw bestaan gaan opbouwen in Frankrijk!'

'We gaan misschíén naar Frankrijk,' antwoordt hij ongeduldig. 'Maar misschien ook niet. We stoeiden alleen maar met ideetjes. Jezus!'

'We "stoeiden" niet met "ideetjes"!' Ik gaap hem vol afgrijzen aan. 'We maakten plannen voor de toekomst! Daar baseerde ik mijn hele leven op!'

'Alles goed?' Sarah voegt zich weer bij ons op de veranda en Ben zet meteen zijn charmante scheve glimlach op.

'Super!' zegt hij, alsof er geen vuiltje aan de lucht is. 'We zaten gewoon te chillen.'

'Willen jullie nog koffie? Of whisky?'

Ik kan niets terugzeggen. De verschrikkelijke waarheid dringt tot me door: ik baseer mijn hele leven op die man tegenover me. Die gozer met zijn charmante glimlach en ongedwongen gedrag die me opeens vreemd, onbekend en gewoon verkeerd voorkomt, als een logeerkamer bij iemand anders thuis. Ik ken hem niet alleen niet, ik begrijp hem ook niet, en ik ben bang dat ik hem niet echt aardig vind.

Ik vind mijn man niet aardig.

Het beiert in mijn oren. Als doodsklokken. Ik heb een monumentale, gigantische, beangstigende fout gemaakt.

In een reflex smacht ik naar Fliss, maar tegelijkertijd weet ik dat ik dit nooit, maar dan ook nooit aan haar kan toegeven. Ik zal tot mijn laatste snik bij Ben moeten blijven en doen alsof alles dik in orde is. Anders is het te gênant. Oké. Dus dat is mijn lot. Ik vat het kalm op. Ik ben met de verkeerde man getrouwd en zal dat domweg tot het eind van mijn ellendige leven moeten dragen. Er zit niets anders op.

'... Fantastische plek voor een huwelijksreis,' zegt Sarah, die gaat zitten. 'Hebben jullie het naar je zin?'

'O, zeker,' zegt Ben sarcastisch. 'Echt geweldig. Super.' Hij werpt me een vijandige blik toe en ik zet mijn stekels op.

'Wat wil je daarmee zeggen?'

'Nou, we hebben niet bepaald de gebruikelijke pleziertjes van de huwelijksreis gehad, hè?'

'Daar kan ik niets aan doen!'

'Wie heeft me dan afgewezen vanochtend?'

'Ik wachtte op de bááí! We zouden het in de baai doen!'

Ik zie dat Sarah zich opgelaten voelt, maar kan me niet meer bedwingen. Het voelt alsof ik overkook.

'Er is altijd wel een smoesje,' sneert Ben.

'Het is geen smoesje!' roep ik woedend uit. 'Wat, denk je soms dat ik niet wil... je weet wel?'

'Ik weet niet meer wat ik moet denken!' kaatst Ben ziedend terug. 'Maar we hebben het nog steeds niet gedaan en jij lijkt er niet mee te zitten! Reken maar uit!'

'Ik zit er wel mee!' gil ik. 'Natuurlijk zit ik er wel mee!'

'Wacht even,' zegt Sarah, die waakzaam van Ben naar mij kijkt. 'Hebben jullie niet...?'

'De gelegenheid heeft zich nog niet voorgedaan,' zegt Ben knarsetandend.

'Wauw,' verzucht Sarah ongelovig. 'Dat is... bijzonder voor een huwelijksreis.'

'Eerst was er gedoe met onze kamer,' leg ik bondig uit, 'en toen werd Ben dronken en werden we achtervolgd door butlers en toen kreeg ik een allergische reactie en eigenlijk...'

'Is het een nachtmerrie.'

'Wat je zegt.'

We zakken allebei somber onderuit, nu we ons kruit hebben verschoten.

'Nou,' zegt Sarah met pretlichtjes in haar ogen, 'we hebben wel lege kamers boven. Bedden. Condooms, zelfs.'

'Echt waar?' Ben kijkt op. 'Heb je een bed boven? Een tweepersoonsbed dat we zouden kunnen gebruiken? Je hebt geen idéé hoe we daarnaar hebben gesnakt.'

'Bedden zat. De helft van de kamers staat leeg.'

'Maar dat is fantastisch! Fantastisch!' Ben is op slag weer vrolijk. 'We kunnen het hier in het pension doen! Waar we elkaar voor het eerst hebben gezien! Kom op, mevrouw Parr, ik ga je in vervoering brengen.'

'Ik zal niet luisteren,' grapt Sarah.

'Je mag wel meedoen als je wilt!' zegt Ben, en dan voegt hij er snel tegen mij aan toe: 'Geintje. Geintje!'

Hij steekt zijn handen naar me uit en zijn glimlach is nog net zo vertederend als altijd, maar de magie werkt niet meer. De vonk is weg.

Het lijkt een eeuwigheid stil te blijven. Mijn geest is een draaikolk. Wat wil ik? Wat wíl ik?

'Ik weet het niet,' zeg ik ten slotte, en ik hoor Ben naar adem snakken.

'Je wéét het niet?' Hij klinkt ten einde raad. 'Je weet het godverdomme niet?'

'Ik... ik ga even lopen.' Ik schuif bruusk mijn stoel naar achteren en loop weg voordat hij nog iets kan zeggen.

Ik loop om het pension heen en ga de met struikgewas begroeide heuvel erachter op. Ik zie de nieuwe jeugdherberg: een gevaarte van glas en beton dat is neergekwakt op de plek waar de jongens vroeger voetbalden. Ik been erlangs en loop de heuvel af tot ik het niet meer zie. Ik ben in een valleitje, omringd door olijfbomen, met een vervallen hut die ik me vaag van vroeger herinner. Hier ligt ook afval: oude blikjes, chipszakken en resten pitabrood. Ik kijk ernaar en voel haat opkomen ten opzichte van degenen die dat hier hebben laten liggen. In een opwelling begin ik alles energiek op te rapen. Er is geen afvalbak, maar ik leg alles bij elkaar naast een grote kei. Mijn leven mag dan een zootje zijn, ik kan in elk geval nog een lapje grond schoonmaken.

Als ik klaar ben, ga ik op de kei voor me uit zitten staren om niet naar mijn gedachten te hoeven kijken. Die zijn te verwarrend en te eng. De zon brandt op mijn hoofd en ik hoor in de verte geiten mekkeren. Ik glimlach er weemoedig om. Sommige dingen zijn bij het oude gebleven.

Na een tijdje hoor ik gepuf, kijk om en zie een blonde vrouw in een roze zomerjurk de heuvel op klimmen. Ze ziet me op de kei zitten, glimlacht en komt dankbaar naar me toe.

'Hoi,' zegt ze. 'Zou ik...'

'Ga je gang.'

'Warm.' Ze veegt het zweet van haar voorhoofd.

'Nou.'

'Kom je de ruïnes bekijken? Uit de Oudheid?'

'Nee,' zeg ik verontschuldigend. 'Ik hang hier maar wat rond.' Dan voeg ik eraan toe, bij wijze van verontschuldiging: 'Ik ben op huwelijksreis.'

Ik herinner me vaag dat er over de ruïnes werd gepraat. We waren allemaal van plan te gaan kijken, maar uiteindelijk namen we geen van allen de moeite.

'Wij zijn ook op huwelijksreis,' zegt de vrouw blij verrast. 'We zitten in het Apollina, maar mijn man heeft me hierheen gesleept om die ruïnes te bekijken. Ik heb gezegd dat ik even moest uitpuffen en dat ik hem straks wel zou inhalen.' Ze pakt een fles water uit haar tas en neemt een teug. 'Zo is hij gewoon. Vorig jaar zijn we naar Thailand geweest en dat is bijna mijn dood geworden. Uiteindelijk ben ik in staking gegaan. Ik zei: "Niet weer zo'n stomme tempel. Ik wil aan het strand liggen." Ik bedoel, wat is er mis met aan het strand liggen?'

'Mee eens,' zeg ik knikkend. 'Wij zijn naar Italië geweest en daar was het kerken en nog eens kerken.'

'Kerken!' Ze wendt haar blik ten hemel. 'Breek me de bek niet open. Dat was die keer in Venetië. Ik zei tegen hem: "Kijk je thuis wel eens naar kerken? Vanwaar opeens die belangstelling, alleen maar omdat we met vakantie zijn?"'

'Dat is precies wat ik ook tegen Richard heb gezegd!' val ik haar bij.

'Mijn man heet ook Richard!' roept de vrouw uit. 'Hoe is het mogelijk! Hoe heet hij van zijn achternaam?'

Ze glimlacht naar me, maar ik kijk ontdaan terug. Wat heb ik gezegd? Waarom moest ik meteen aan Richard denken, niet aan Ben? Wat mankéért me?

'Nou...' Ik wrijf over mijn gezicht in een poging mezelf te kalmeren. 'Eigenlijk heet mijn man niet Richard.'

'O,' zegt de vrouw verbouwereerd. 'Sorry. Ik dacht dat je

zei...' Dan neemt ze me bezorgd van dichtbij op. 'Gaat het wel?' O, god. Wat heb ik toch? De tranen stromen uit mijn ogen. Een zee van tranen. Ik veeg ze weg en probeer te glimlachen.

'Sorry.' Ik slik moeizaam. 'Het is nog niet zo lang uit met mijn vriend. Ik ben er nog niet echt overheen.'

'Je vríénd?' De vrouw kijkt me confuus aan. 'Ik dacht dat je net zei dat je op huwelijksreis was?'

'Ben ik ook,' snik ik. 'Ik ben op huwelijksreis!' En nu huil ik echt, met enorme, uitputtende, kinderlijke snikken.

'Wie is Richard dan?'

'Niet mijn man!' Mijn stem zwelt aan tot een gekweld gejammer. 'Richard is niet mijn man! Hij heeft me nooit gevraagd! Hij heeft me nooit gevraa-haa-haagd!'

'Ik zal je met rust laten,' zegt de vrouw schutterig, en ze klautert van de kei af. Terwijl zij zich haastig uit de voeten maakt, geef ik me over aan de rumoerigste, ongeremdste huilbui die ik mezelf ooit heb toegestaan.

Ik heb heimwee. Heimwee naar Richard. Ik mis hem vreselijk. Het voelt alsof hij een stukje van mijn hart uit me heeft gescheurd toen we uit elkaar gingen. Ik hield het nog een tijdje vol op de adrenaline van de situatie... maar nu besef ik hoe zwaargewond ik eigenlijk ben. Mijn hele lichaam bonst van de pijn en er is nog geen sprake van genezing.

Ik mis hem, ik mis hem, ik mis hem.

Ik mis zijn humor en zijn verstand. Ik mis het gevoel van hem in bed. Ik mis het vangen van zijn blik op een feestje en weten dat we hetzelfde denken. Ik mis zijn geur. Hij ruikt zoals een man hoort te ruiken. Ik mis zijn stem en zijn kussen en zelfs zijn voeten. Ik mis alles.

En ik ben met een ander getrouwd.

Er welt een nieuwe, wanhopige snik op. Waarom ben ik getrouwd? Wat bezielde me? Ik weet dat Ben lekker en grappig en charmant is, maar dat lijkt allemaal opeens niet meer belangrijk. Het voelt hol.

Wat moet ik nu? Ik sla mijn handen voor mijn gezicht en voel mijn ademhaling langzaam weer normaal worden. Ik draai mijn trouwring rond en rond om mijn vinger. Ik ben nog nooit van mijn leven zo bang geweest. Ik heb vaker fouten ge-

maakt, maar nooit van deze orde. Nooit met zulke gevolgen. *Ik kan er niets aan veranderen*, zegt mijn brein tegen me. *Ik zit klem. Gevangen. Het is mijn eigen schuld.*
De zon beukt op mijn hoofd. Ik zou echt van die kei moeten komen, de schaduw opzoeken, maar ik kan me er niet toe zetten. Ik kan geen vin verroeren. Niet voordat ik alles op een rijtje heb. Niet voordat ik een paar beslissingen heb genomen.

Het duurt bijna een uur voordat ik in beweging kom. Ik spring van de kei, sla het stof van mijn kleren en loop snel terug naar het pension. Ben heeft niet de moeite genomen me te gaan zoeken om te zien of het wel goed met me gaat, valt me op, maar het kan me niets meer schelen.

Ik zie hen voordat zij mij zien. Ben zit dicht bij Sarah op de veranda, met zijn hand om haar schouder gekruld, spelend met het bandje van haar hemdje. Het is zo duidelijk wat er speelt dat ik het uit wil schreeuwen, maar in plaats daarvan sluip ik naar het pension, zo stil als een kat.

Zoenen, denk ik hun kant op. *Kus elkaar.* Bevestig wat ik stiekem geloof.

Ik sta daar, met ingehouden adem en mijn blik strak op die twee gericht. Het is alsof ik Ben en mezelf in het restaurant zie, nog maar een paar dagen geleden. Ze doen hun tienerliefde nog eens over. Ze kunnen er niets aan doen. Ze scheiden zoveel hormonen uit dat je ze bijna kunt zien. Sarah lacht om iets wat Ben zegt, en nu speelt hij met haar haar, en ze kijken elkaar op die intieme stelletjesmanier aan en...

Houston, we zijn geland.

Hun lippen zitten aan elkaar geplakt. Zijn hand is op verkenning in haar hemdje. Voordat het verder kan gaan, been ik naar de veranda, als een soapster die net iets te laat opkomt.

'Hoe kún je?' Terwijl ik de woorden gil, besef ik dat er echte pijn achter schuilt. Hoe kón hij me hierheen brengen, naar het toneel van zijn andere tienerliefde, degene die aan mij voorafging, over wie hij me nooit heeft verteld? Hij had kunnen weten dat Sarah hier zou zijn. Hij had kunnen weten dat de tienerhormonen weer op zouden laaien. Heeft hij het allemaal expres gedaan? Is het een spelletje?

Ze zijn hoe dan ook geschrokken. Ze springen uit elkaar en Ben stoot zijn enkel tegen de bank en vloekt.

'Ben, we moeten praten,' zeg ik afgemeten.

'Ja.' Hij kijkt me dreigend aan, alsof het míjn schuld is, en ik steiger. Sarah trekt zich discreet in het pension terug en ik ga bij Ben op de veranda zitten.

'Dus. Dit wordt 'm niet.' Ik wend mijn blik van hem af, naar de zee. Ik sta stijf van ellende. 'En nu zie ik dat je toch liever iemand anders hebt.'

'Christus,' zegt hij geërgerd. 'Eén kus...'

'Het is onze huwelijksreis!'

'Precies!' stuift hij op. 'Je hebt me net afgewezen! Wat moet ik dan?'

'Ik heb je niet afgewezen,' zeg ik vinnig, maar op hetzelfde moment besef ik dat ik hem wel degelijk heb afgewezen. 'Oké dan,' krabbel ik terug. 'Nou, het spijt me. Ik wilde...'

Ik wilde het gewoon niet met jou doen. Ik wilde het met Richard doen. Omdat hij de man is van wie ik hou. Richard, mijn liefste Richard. Maar ik krijg hem nooit meer te zien. En nu moet ik weer huilen...

'Het valt niet mee om dit te zeggen,' breng ik ten slotte uit, en ik knipper nieuwe tranen weg, 'maar ik denk dat we te snel zijn getrouwd. Ik denk dat we onbezonnen zijn geweest. Ik denk...' – ik adem sidderend uit – '... ik denk dat het... niet goed was. En ik verwijt het mezelf. Ik kwam net uit een relatie. Het was te snel.' Ik spreid mijn armen. 'Mijn fout. Sorry.'

'Nee,' zegt Ben meteen. 'Mijn fout.'

In de stilte die valt laat ik zijn woorden bezinken. We denken dus allebei dat het een vergissing was. Een loodzwaar gevoel van mislukking rijst op in mijn borst. Gecombineerd met opluchting. *Fliss had gelijk,* flitst het door me heen en ik krimp in elkaar. Die gedachte is te pijnlijk om nu onder ogen te zien.

'Ik wil helemaal niet in Frankrijk wonen,' zegt Ben plompverloren. 'Ik haat Frankrijk. Ik had je niet mogen laten geloven dat ik het meende.'

'Tja, ik had het je niet moeten opdringen,' zeg ik sportief. 'En ik had je niet mogen dwingen aan de Honeymoonquiz mee te doen.'

'Ik had niet meteen de eerste avond dronken moeten worden.'

'Ik had het met je moeten doen in het pension,' zeg ik berouwvol. 'Dat was bot. Sorry.'

'Geen punt,' zegt Ben schouderophalend. 'Die bedden kraken trouwens.'

'Dus... we zijn klaar?' Ik krijg het amper over mijn lippen. 'Streep eronder, geen verwijten?'

'We kunnen voor de Snelste Echtscheiding gaan,' zegt Ben met een uitgestreken gezicht. 'Misschien vestigen we een wereldrecord.'

'Zullen we Georgios maar sms'en dat hij dat fotoalbum moet afzeggen?' Ik lach snuivend, bijna pijnlijk.

'Hoe zit het met de karaokeavond voor pasgetrouwde stellen? Zullen we daar nog aan meedoen?'

'We hebben de Honeymoonquiz gewonnen,' merk ik op. 'Misschien kunnen we onze scheiding bekendmaken tijdens het prijzengala.' Ik vang zijn blik en opeens barsten we allebei in een onbedaarlijk, hysterisch lachen uit.

Je moet wel lachen. Wat kun je anders doen?

Als we allebei een beetje zijn gekalmeerd, sla ik mijn armen om mijn knieën en kijk Ben recht aan. 'Is dit huwelijk wel ooit écht voor je geweest?'

'O, ik weet niet.' Hij trekt een grimas, alsof ik een gevoelige snaar heb geraakt. 'Niets voelt echt, de laatste paar jaar. De dood van mijn vader, het bedrijf, stoppen met comedy... Ik denk dat ik hier eens orde op zaken moet stellen.' Hij slaat met zijn vuist tegen zijn hoofd.

'Voor mij was het ook niet echt,' geef ik ruiterlijk toe. 'Het was net een droom. Ik voelde me zo rot, en jij was er opeens, en je zag er zo lekker uit...'

Hij ziet er nog steeds lekker uit. Soepel en gebruind en strak. Toch is hij in mijn ogen iets kwijtgeraakt. Hij heeft iets synthetisch, als frisdrank met sinaasappelsmaak in plaats van versgeperste sinaasappels. Het is sinaasappelig en het bruist en het lest je dorst, maar de nasmaak is bitter. En het is niet goed voor je.

'Wat zullen we doen?' Ik ben uitgelachen, en mijn woede is ook weg. Ik voel me vreemd afstandelijk. Dit is onwerkelijk. Mijn huwelijk is al voorbij voordat het goed en wel is begonnen. *En we hebben het niet eens gedaan.* Ik bedoel, hoe lachwekkend is dat?

Wat voor wrede, verwrongen spelletjes heeft het lot met ons gespeeld? Onze huwelijksreis is zo'n ongelooflijke catastrofe dat het is alsof Iemand Daarboven niet wílde dat we bij elkaar zouden blijven.

'Kweenie. De vakantie uitzitten? Zien hoe het gaat?' Ben kijkt naar zijn telefoon. 'Ik heb die bespreking met Yuri Zhernakov nog. Wist je dat hij speciaal voor mij hierheen is gezeild?'

'Wauw!' Ik kijk hem vol ontzag aan.

'Ik weet het.' Hij duwt zijn borst iets naar voren. 'Ik wil verkopen. Het is verstandig. Lorcan vindt dat ik het niet moet doen,' vervolgt hij, 'wat een nog betere reden is om het te doen.'

Zijn gezicht heeft weer die vertrouwde misnoegde uitdrukking. Ik heb al een paar tirades aangehoord: dat Lorcan een controlfreak is, dat hij een cynicus is die mensen gebruikt en één keer, zomaar, dat Lorcan niet kan pingpongen. Ik sta niet te trappelen om er weer een te horen, dus begin ik snel over iets anders.

'Dus je houdt helemaal op met werken?' Het lijkt me een slecht idee, maar wat maakt het uit wat ik vind? Ik ben maar de aanstaande ex-echtgenote.

'Natuurlijk hou ik er niet helemaal mee op,' zegt Ben beledigd. 'Yuri wil me aanhouden als bijzonder adviseur. We gaan samen een paar nieuwe projecten opzetten. Met ideeën stoeien. Yuri is een prima kerel. Wil je zijn jacht zien?'

'Natuurlijk.' Ik kan de voordelen van dit huwelijk maar beter uitbuiten nu het nog kan. 'En daarna? Hoe gaat het verder met jou en je geliefde?' Ik knik bits naar het pension en Bens gezicht wordt berouwvol.

'Ik weet niet wat me bezielde. Het spijt me.' Hij schudt meewarig zijn hoofd. 'Het was net alsof Sarah en ik opeens weer achttien waren, er kwam een stortvloed aan herinneringen boven…'

'Ik begrijp het wel,' zeg ik toegeeflijk. 'Ik weet het. Dat hadden wij ook, weet je nog?'

Ongelooflijk hoeveel schade er is aangericht, alleen maar doordat we onze jeugdliefde terugzagen. Mensen zouden nooit meer contact mogen hebben met hun eerste liefde, stel ik vast. Er zou een officiële vorm van quarantaine moeten zijn. De regel zou moeten luiden: als je het uitmaakt met je jeugdliefde, is het afgelopen. Een van jullie moet emigreren.

'Het kan me niet schelen wat je met haar doet,' zeg ik. 'Ga je te buiten. Doe wat je wilt.'

'Echt?' Hij zet grote ogen op. 'Meen je dat? Maar... we zijn getrouwd.'

Als er iets is wat ik niet ben, is het wel schijnheilig.

'Op papier misschien,' zeg ik. 'Misschien hebben we een handtekening gezet en elkaar een ring gegeven, maar jij hebt niet echt voor mij gekozen en ik niet voor jou. Niet zoals het zou moeten. Niet weloverwogen.' Ik slaak een enorme zucht. 'We hebben zelfs nooit fatsoenlijk verkering gehad. Ik zou niet weten waarom ik iets over je te zeggen zou hebben.'

'Wauw,' zegt hij ongelovig. 'Lottie, je bent geweldig. Je bent de meest ruimhartige... verdraagzame... Je bent ontzagwekkend.'

'Ja, hoor,' zeg ik schouderophalend.

Ik zwijg een tijdje. Ik hou me misschien wel groot waar Ben bij is, maar vanbinnen voel ik me gehavend door alles. Ik wil op iemands schouder hangen en jammeren. Alles wat ik geloofde, staat op zijn kop. Mijn huwelijk is voorbij. Ik heb de brand gesticht. Flop, flop en nog eens flop.

Mijn hele lichaam is verkrampt van spanning. Mijn brein voelt aan als een warrige, wervelende wolk waar maar een paar straaltjes helderheid doorheen prikken. Als porretjes die me een bepaalde kant op duwen. Alleen...

Het zit zo. Ben is ontzettend lekker. En goed in bed. En ik ben echt ten einde raad. En misschien zou het me helpen om even te vergeten dat ik op een haar na twintig onschuldige studenten heb vermoord.

Ben is ook stil. Hij staart naar de dorre olijfgaard tot hij me uiteindelijk aankijkt met een nieuwe fonkeling in zijn ogen.

'Ik had een inval,' zegt hij.

'Ik toevallig ook,' zeg ik.

'Het eerste en laatste wipje? Uit jeugdsentiment?'

'Je haalt me de woorden uit de mond. Maar niet hier.' Ik trek mijn neus op. 'Die matrassen waren altijd walgelijk.'

'In het hotel?'

'Klinkt goed.' Ik knik en voel een tinteling van opwinding door me heen trekken, als een beetje troost in deze hele sneue toestand. We verdienen het. Ik heb het nodig. Ten eerste als afsluiting, ten tweede om me af te leiden van mijn bonzend pijnlijke hart en ten derde wil ik dit nu al bijna drie weken en word ik gek als we het niet doen.

Als we elkaar gewoon suf hadden geneukt na het eerste weerzien, was dit allemaal niet gebeurd. Daar schuilt een les in, ergens.

'Ik zal tegen Sarah zeggen dat we weggaan en afscheid nemen.' Ben loopt het pension in.

Zodra hij weg is, pak ik mijn telefoon. Terwijl Ben praatte, daarnet, dacht ik in een rare, paranormale flits aan Richard. Het was alsof ik voelde dat hij aan me dacht, ergens op de wereld. Het was zo levensecht dat ik verwacht zijn naam op mijn scherm te zien. Ik druk met onhandige vingers toetsen in; mijn hart bonst van plotselinge hoop.

Maar natuurlijk is er niets van hem. Geen oproep, geen bericht, niets, zelfs niet nadat ik twee keer door alles heen heb gescrold. Ik stel me aan. Waarom zou er iets zijn? Richard zit in San Francisco en heeft het druk met zijn nieuwe leven. Ik mag hem dan missen, hij mist mij niet.

De hoop verlaat me zo plotseling dat ik weer tranen achter mijn ogen voel prikken. Waarom denk ik zelfs maar aan Richard? Hij is weg. *Weg.* Hij gaat me niet sms'en. Hij gaat me niet bellen. Laat staan dat hij de wereld over zou vliegen om me zijn eeuwige liefde te verklaren en te zeggen dat hij bij nader inzien toch met me wil trouwen (mijn geheime, stomme zit-er-niet-in-fantasie).

Ik scrol mistroostig nog een keer door mijn andere berichten en zie dat ik bergen sms'jes van Fliss heb. Bij het zien van haar naam alleen al krimp ik in elkaar. Ze heeft me gewaarschuwd voor dit huwelijk. Ze had gelijk. Waarom moet ze altijd gelijk hebben?

Het idee haar de waarheid te vertellen is te folterend. Te vernederend. Ik kan het niet – althans niet nu meteen.

Ik begin aan een nieuw bericht, met een radeloze, kinderlijke opstandigheid, het vaste voornemen haar ongelijk te bewijzen.

Ha Fliss. Alles geweldig hier. Raad eens? Ben gaat zijn bedrijf verkopen aan Yuri Zhernakov en we mogen mee op zijn jacht!

Ik staar naar de woorden, die me lijken te honen. O, wat zijn we opgetogen. Het is allemaal gelogen. Mijn vingers voegen er een nieuwe leugen aan toe: *Ik ben heel blij dat ik met Ben ben getrouwd.*

Er valt een traan op mijn BlackBerry, maar ik typ door alsof er niets is gebeurd. *We zijn zó gelukkig samen; het is volmaakt.*

Er vallen meer tranen op mijn scherm en ik wrijf ruw in mijn ogen. Dan beginnen mijn vingers weer te tikken en nu kan ik niet meer ophouden:

Stel je voor: het beste huwelijk van de wereld. Het mijne is beter. We zijn zo dik met elkaar. Zo vol van de toekomst. Vergeleken met Richard is Ben een wonderbaarlijke man. Ik heb nog niet één keer aan Richard gedacht...

23

Fliss

Ik heb me nog nooit van mijn leven zo gelouterd gevoeld. Ik heb eindelijk het licht gezien. De waarheid. De werkelijkheid. Ik zat fout. Honderd procent, totaal, volkomen, absoluut *fout*. Hoe heeft mijn intuïtie er zo naast kunnen zitten? Hoe heb ik zo'n idioot kunnen zijn?

Ik voel me niet alleen gelouterd; ik voel me verpletterd. Kapot. Ik sta op de luchthaven van Sofia Lotties sms te lezen, kriebelig van top tot teen bij het idee wat ik haar de afgelopen dagen heb laten doorstaan. Haar huwelijksreis is een hel geweest – en toch lijken Ben en zij een hechtere band te hebben dan ooit.

Die hele stomme schijnvertoning ging over Daniel en mij. Ik deed het voor mezelf. Ik had een vertekende kijk op de wereld, en daar is Lottie het onschuldige slachtoffer van geworden. Het enige lichtpuntje is dat ze niet weet wat ik heb gedaan en het nooit zal weten ook. Godzijdank.

Ik kijk weer naar Lotties bericht, zonder me erom te bekommeren dat de vlucht naar Ikonos wordt omgeroepen. Ik ga niet meer naar Ikonos. Ik wil me verre houden van de huwelijksreis van mijn zusje. Ik heb al genoeg aangericht. Ik ga een fijne, veilige vlucht terug naar Londen zoeken voor Noah en mij. Deze hele bespottelijke stunt is afgelopen.

Stel je voor: het beste huwelijk van de wereld. Het mijne is beter. We zijn zo dik met elkaar. Zo vol van de toekomst. Vergeleken met Richard is Ben een wonderbaarlijke man. Ik heb nog niet één keer aan Richard gedacht en ik kan me met de beste wil van de wereld niet meer voor de geest halen wat ik ooit leuk aan hem heb gevonden. Ben heeft allerlei heerlijke plannen voor de toekomst!! Hij gaat met Yuri Zhernakov aan gezamenlijke projecten werken!! We gaan eerst reizen en zeilen in het Caribisch gebied en dan gaan we onze boerderij in Frankrijk kopen!! Ben wil onze kinderen graag tweetalig opvoeden!

Al lezend voel ik een steekje jaloezie. Die Ben klinkt als Superman. Lorcans kijk op hem lijkt volledig onjuist te zijn.

Het enige dieptepunt was in het pension, waar bleek dat ik verantwoordelijk was voor de brand, al die jaren geleden. Het waren mijn geurkaarsen. Dat was wel even schrikken, maar verder is het de perfecte droomhuwelijksreis. Ik bof maar!!!!

Ik kijk onthutst naar mijn telefoon. Heeft zij de brand gesticht? De brand die haar hele leven heeft veranderd? Ik slaak onwillekeurig een gil en Richard kijkt meteen op.

'Wat is er?'

'Niets,' zeg ik werktuiglijk. Ik kan hem niet vertellen wat Lottie mij in vertrouwen heeft geschreven. Nee toch?

O, wat dondert het ook. Ik moet het aan iemand kwijt die het begrijpt.

'De brand was Lotties schuld,' zeg ik bondig. Tot mijn voldoening begrijpt hij het meteen, zoals ik had verwacht.

'Dat méén je niet.' Zijn mond valt open.

'Ik weet het.'

'Maar dat is iets enorms. Hoe voelt ze zich?'

'Goed, zegt ze.' Ik gebaar naar de telefoon, maar hij schudt resoluut zijn hoofd.

'Ze houdt zich groot. Ze moet zich verschrikkelijk voelen.' Zijn gezicht drukt nu een soort beschermende woede uit. 'Beseft die Ben dat wel? Vangt hij haar wel goed op?'

'Ik denk het wel.' Ik haal schutterig mijn schouders op. 'Tot nog toe doet hij het goed.'

'Mag ik dat bericht eens zien?'

Ik aarzel maar heel even. We hebben ons te diep in dit avontuur gestort om nog terughoudend te zijn.

Hij leest de sms zwijgend, maar ik zie aan zijn gekromde schouders hoe diep het hem raakt. Ik zie hem de woorden nog eens lezen, en nog een derde keer. Dan kijkt hij eindelijk op.

'Ze houdt van hem,' zegt hij, en zijn manier van praten heeft iets bruuts, alsof hij zichzelf straft. 'Ja, toch? Ze houdt van die man en ik wilde het gewoon niet onder ogen zien. Ik ben een idioot geweest, verdomme.'

'Richard...'

'Ik had het stomme waanidee dat ik erheen zou gaan, haar vertellen hoe ik me voel, haar overdonderen, en dan zou ze met mij meegaan...' Hij schudt zijn hoofd alsof de gedachte alleen al pijnlijk voor hem is. 'Op welke planeet zit ik eigenlijk? Dit moet ophouden. Nu meteen.'

Ik vind het bijna ondraaglijk hem de handdoek in de ring te zien werpen, al heb ik het zelf ook gedaan.

'Maar je wilde haar toch vertellen hoe je je voelt? Hoe zit het met de wedstrijd?' Ik probeer het vuur in hem weer op te porren, maar hij schudt zijn hoofd.

'Ik denk dat ik de wedstrijd lang geleden al heb verloren, Fliss,' zegt hij. 'Vijftien jaar geleden om precies te zijn. Denk je ook niet?'

'Wie weet,' zeg ik na een korte stilte. 'Misschien heb je wel gelijk.'

'Ze is gelukkig getrouwd met haar grote liefde. Fijn voor haar. Nu moet ik verder met mijn eigen leven.'

'Ik denk dat we allebei verder moeten met ons leven,' zeg ik bedachtzaam. 'Dit is net zo goed mijn schuld. Ik heb je aangespoord.'

Ik kijk hem aan en word opeens verdrietig in het besef dat dit het afscheid is. Als het uit is tussen Lottie en hem, is het ook uit tussen ons. Als vrienden. Of als schoonfamilie.

De vlucht naar Ikonos wordt weer omgeroepen, maar ik besteed er geen aandacht aan.

'Tijd om te gaan,' zegt Lorcan, die opkijkt van zijn BlackBerry. Hij zit op een plastic stoel naast Noah, die vrolijk een folder over veiligheidsmaatregelen in het Bulgaars zit te lezen. 'Wat zijn jullie aan het doen?' Hij ziet Richards verslagen gezicht. 'Wat is er gebeurd?'

'Ik ben een idioot geweest, dát is er gebeurd,' zegt Richard in een plotselinge emotionele uitbarsting. 'Nu besef ik het eindelijk. *Eindelijk*.'

'Ik ook.' Ik zucht. 'Je had het niet beter kunnen zeggen. *Eindelijk* besef ik het.'

'We beseffen het.'

'Allebei.'

'Aha.' Lorcan lijkt de situatie in zich op te nemen. 'Dus... ik ga alleen naar Ikonos?'

Richard denkt even na en tilt dan zijn nieuwe weekendtas van het City Heights Hotel op.

'Ik denk dat ik maar met je meega. Waarschijnlijk is het mijn enige kans om Ikonos te zien. Ik wil de zonsondergang zien. Lottie zei altijd dat het de mooiste zonsondergangen van de wereld waren. Ik zoek een stil plekje om het te zien en dan ga ik terug naar San Francisco. Ze hoeft nooit te weten dat ik er ben geweest.'

'En Noah en jij?' vraagt Lorcan. Ik wil tegen hem zeggen dat ik met geen stok meer naar Ikonos te krijgen ben, maar zijn Black-Berry piept.

'Dat is Ben. Moment.' Hij leest het bericht en trekt een gezicht. 'Ongelooflijk,' prevelt hij dan.

'Wat is er?'

Lorcan kijkt zwijgend naar me op. Hij ziet er perplex uit.

'Lorcan, wat is er?' Ik begin ongerust te worden. 'Is er iets met Lottie?'

'Ik zal Ben nooit begrijpen,' zegt hij langzaam, zonder antwoord te geven op mijn vraag. 'Nooit.'

'Hoe is het met Lottie?' dring ik aan. 'Wat is er gebeurd?'

'Het gaat er niet om wat er is gebeurd...' Er trekt een soort weerzin over Lorcans gezicht. 'Ik ga hem niet beschermen,' zegt hij meer tegen zichzelf dan tegen mij. 'Dit slaat alles.'

'Vertel!' zeg ik dwingend.

'Oké.' Hij zucht. 'Hij is net twee dagen getrouwd en hij regelt al een afspraak met een andere vrouw.'

'Wát?' zeggen Richard en ik in koor.

'Zijn personal assistant is met vakantie, dus hij wil dat de mijne een weekendje in een hotel voor hem boekt in Engeland. Voor hem en de een of andere Sarah. Ik heb die naam zelfs nog nooit gehoord. Hij zegt...' Hij geeft me zijn telefoon. 'Nou ja, kijk zelf maar.'

Ik pak het toestel aan en laat mijn blik over het bericht glijden. Ik ben zo opgefokt dat ik maar één op de drie woorden kan lezen, maar ik begrijp de strekking.

We kwamen elkaar weer tegen na al die jaren... ongelooflijk lijf... je moet haar zien.

'Klootzak!' Mijn verontwaardigde uitroep weergalmt door de

luchthaven. Ik ben zo witheet van woede dat ik spontaan zou kunnen exploderen. 'Mijn kleine zusje houdt van die man! En dit is hoe hij haar behandelt!'

'Dit is zelfs voor Bens doen verachtelijk,' zegt Lorcan hoofdschuddend.

'Ze heeft hem haar hart gegeven. Haar lichaam en haar ziel.' Ik sta te trillen op mijn benen. 'Waar haalt hij het lef vandaan? Waar zijn ze nu?' Ik kijk weer naar het bericht. 'Nog in het pension?'

'Ja, maar naar het schijnt gaan ze na de lunch terug naar het hotel.'

'Oké.' Ik wend me tot Richard. 'Richard. We moeten Lottie uit de klauwen van die lage, afschuwelijke man redden.'

'Wacht even!' bemoeit Lorcan zich ermee. 'Hoe zit het met "ik zal me nooit meer in het leven van mijn zus mengen"? Hoe zit het met "hou me aan mijn gelofte"?'

'Dat was toen,' zeg ik. 'Dat was toen ik fout zat.'

'Je zit nog steeds fout!'

'Nietes!'

'Welles. Fliss, je ziet het niet in de juiste verhoudingen. Het is je vijf minuten gelukt, maar nu kun je het al niet meer.' Lorcan klinkt zo kalm en redelijk dat ik flip.

'Wat ik zie, is dat je beste vriend een gore bedrieger is!' Ik kijk hem beschuldigend aan en hij schudt zijn hoofd.

'Begin nou niet zo. Ik kan er ook niets aan doen.'

'Wil je deze sms'jes lezen?' Ik sla met mijn hand op mijn Black-Berry om mijn woorden kracht bij te zetten. 'Mijn arme, naïeve zusje is helemaal hoteldebotel van Ben. Ze denkt dat ze een bestaan met hem gaat opbouwen in Frankrijk. Ze is zich totaal niet bewust van het feit dat hij iets wil met de een of andere troel van vroeger met een fantastisch lijf.' Het huilen staat me nader dan het lachen. 'Het is haar huwelijksreis, godbetert. Wat voor minderwaardig onderkruipsel gaat er nu vreemd tijdens zijn huwelijksreis, voordat hij zijn huwelijk zelfs maar heeft geconsummeerd?'

'Tja, als je het zo stelt...' geeft Lorcan toe.

'Nou, ik pik het niet. Ik ga mijn zus redden. Richard, doe je mee?'

'Of ik meedoe?' Hij schudt vastbesloten zijn hoofd. 'Ik doe nergens aan mee. Lottie leidt haar eigen leven. Ze wil me niet. Dat heeft ze heel duidelijk gemaakt.'

'Maar haar huwelijk met Ben loopt op de klippen!' roep ik gefrustreerd uit. 'Zie je dat dan niet?'

'Dat weten we niet zeker,' zegt Richard. 'En trouwens, wat verwacht je van me, dat ik de scherven bij elkaar raap? Lottie heeft voor Ben gekozen, en daar zal ik mee moeten leven.' Hij hijst zijn tas over zijn schouder. 'Je doet maar wat je wilt, maar ik ga mijn eigen gang. Ik ga een zonsondergang zoeken en ernaar kijken en proberen wat innerlijke rust te vinden.'

Ik kijk hem ongelovig aan. Wil hij nu opeens de dalai lama uithangen?

'En jij?' vraag ik aan Lorcan, die zijn handen opsteekt en ook nee schudt.

'Het gaat me niets aan. Ik ben hier om zuiver zakelijke redenen. Zodra de papieren voor de reorganisatie zijn getekend, laat ik Ben verder met rust.'

'Dus jullie laten me allebei barsten?' Ik kijk kwaad van de een naar de ander. 'Ook goed. Uitstekend. Ik los het wel in mijn eentje op.' Ik steek mijn hand uit. 'Kom mee, Noah. We gaan toch naar Ikonos.'

'Oké. Hebben ze het al gedaan?' vraagt hij terwijl hij alle Bulgaarse folders bij elkaar raapt die hij heeft verzameld.

'Wat?' Ik kan hem niet volgen.

'Lottie en Ben. Hebben ze de salami al in de taart verstopt?'

'Het gebakje,' verbetert Richard.

'De tompoes,' corrigeert Lorcan.

'Kop dicht, jullie!' zeg ik verhit. Het voelt alsof ik niets meer onder controle heb. Moet ik het gesprek over de bloemetjes en de bijtjes nu meteen houden, op de luchthaven van Sofia?

En, relevanter: het is een goede vraag. Hebben ze het al gedaan?

'Ik weet het niet,' zeg ik uiteindelijk, en ik sla een arm om Noah heen. 'We weten het niet, schat. Geen mens die het weet.'

'Toevallig weet ik het wel.' Lorcan kijkt op van zijn BlackBerry. 'Ik krijg net een nieuwe sms van Ben.' Zijn gezicht trekt een beetje. 'Naar het schijnt is de huwelijksnacht nabij. Ze gaan terug naar het hotel om…' Hij werpt een blik op Noah. 'Laat ik het zo stellen: de salami zet koers naar de tompoes.'

'Néééééé!' Mijn gekwelde kreet stijgt op naar het dak van de luchthaven en een paar passagiers kijken verwonderd naar me om. 'Maar ze heeft geen idee wat een verraderlijke, bedrieglijke rat hij is!' Ik kijk geagiteerd van de een naar de ander. 'We moeten ingrijpen!'

'Fliss, kalmeer,' zegt Lorcan.

'Ingrijpen?' herhaalt Richard geschrokken.

'Ze heeft hun hele huwelijksreis gesaboteerd,' legt Lorcan bondig uit. 'Vroeg je je niet af waarom ze zoveel pech hadden?'

'Jezus christus, Fliss,' zegt Richard verbouwereerd.

'We moeten instappen,' zegt Noah, die aan mijn mouw trekt, maar we letten geen van drieën op hem. Vastbeslotenheid stroomt als vloeibaar staal door mijn aderen. Geen kruisvaarder kan zo heilig in zijn missie geloven als ik.

'Die rotzak gaat het hart van mijn zus níét breken.' Ik bel Nico. 'Richard, geef me nog eens een paar tips. Jij bent een ingewijde; jij kunt me helpen. Waar knapt Lottie op af?'

'We moeten instappen,' zegt Noah weer, en opnieuw luisteren we geen van drieën naar hem.

'Ik ga jou niet vertellen waar ze op afknapt!' zegt Richard gechoqueerd. 'Dat is privé!'

'Ze is mijn zus…' Nico neemt op en ik breek mijn zin af.

'Hallo?' zegt hij waakzaam. 'Fliss?'

'Nico!' roep ik uit. 'Goddank, daar ben je! We moeten een tandje hoger. Ik herhaal, een tandje hoger.'

'Fliss!' Nico klinkt geagiteerd. 'Ik kan me niet meer aan onze afspraak houden! De bedrijfsleiding vraagt zich af waar ik mee bezig ben. We wekken argwaan!'

'Je moet,' zeg ik gedecideerd. 'Ze zijn op de terugweg naar het hotel en ik kom ook gauw. Zorg in de tussentijd dat ze niet met elkaar in bed kruipen. Desnoods houd je Ben met geweld in bedwang. Doe wat nodig is!'

'Maar Fliss…'

'Mammie, we moeten instappen…'

'Doe wat nodig is, Nico! Ga tot het uiterste!'

24

Lottie

Ik geloof het bijna niet. Onze hotelsuite is leeg. Er drentelt geen personeel om ons heen. Geen butlers. Geen harpen. Ik kijk in de stilte naar de gestroomlijnde meubelen en voel het gonzen van verwachting in de lucht. Het is alsof de kamers wachten tot wij ze vullen met rumoer, hitte, gezucht en heerlijke, heerlijke seks. Toen we terugkwamen bij het hotel zijn we regelrecht naar boven gegaan. We zeiden geen van beiden een woord. Ik sluit me af voor al het andere. Alle gedachten over ons huwelijk. Alle gedachten aan Richard. Alle gedachten aan Sarah. Mijn schaamte, mijn verdriet, mijn vernedering... Ik verdring het allemaal. Het enige waar ik me op concentreer is dat aanhoudende pulseren in mijn binnenste dat ik al voel sinds ik Ben in het restaurant zag. Ik wil hem. Hij wil mij. We verdienen het.

Hij loopt op me af, ik zie zijn ogen donker worden en ik weet dat hij zich net zo voelt als ik – waar zullen we beginnen? We hebben de hele ervaring nog voor als, als een doos zalige bonbons.

'Heb je het bordje NIET STOREN opgehangen?' zeg ik zacht terwijl zijn lippen mijn hals vinden.

'Uiteraard.'

'En de deur op slot gedaan?'

'Ben ik stom?'

'Het gebeurt dus echt.' Mijn handen glijden over zijn rug en lager, naar zijn strakke billen, en als ik ze omvat, wens ik vluchtig dat de mijne zo stevig waren. 'Hm.'

'Hm.' Hij bevrijdt zich uit mijn greep en stroopt zijn T-shirt af. God, wat heb ik een zin in die man. En ik weet dat hij onbetrouwbaar is; ik weet dat hij Sarah morgen wil versieren, of zelfs nog een ander meisje. Maar nu, in het heerlijke nu, is hij helemaal van mij.

Hij knoopt langzaam mijn topje open. Goddank heb ik een dure beha met kant aan. Richard lette nooit op mijn ondergoed; hij trok het alleen haastig uit. Tot ik tegen hem zei dat het me kwetste, en

331

hij in het andere uiterste verviel en altijd 'mooie beha' of 'sexy onderbroek' murmelde. Lieve Richard.

Nee. Niet doen, Lottie. Geen gedachten aan Richard. Die zijn verboden.

Ben doet heerlijke dingen met zijn tong in mijn oor en ik kreun gespannen en reik naar zijn riem; ik knoop zijn gulp open. Ik dacht dat ik het lang en uitgebreid en episch wilde; zoals die keren die je onthoudt. Maar nu het zover is, besef ik dat lang en uitgebreid me gestolen kan worden. Ik wil hem nu. Nu. *Nu*. Kort en episch is wat ik wil.

Ben hijgt en ik hijg en ik voel dat hij net zo wanhopig is als ik en ik heb in mijn hele leven nog nooit zo naar iemand verlangd...

'Madame? Iets drinken?'

Wat zullen we nou...?

We maken allebei zo'n sprong dat we op die Ierse dansers lijken die een pas de deux doen.

Ik ben half uitgekleed. Ben is half uitgekleed. En Georgios staat een meter bij ons vandaan met een zilveren dienblad met een fles wijn en een paar glazen erop.

'Hè?' Ben lijkt amper een woord uit te kunnen brengen. 'Wat?'

'Een glaasje wijn? Of water met ijs?' zegt Georgios nerveus. 'Met de complimenten van de bedrijfsleiding?'

'Rot op met je bedrijfsleiding! De bedrijfsleiding kan doodvallen!' barst Ben uit. 'Ik heb het bordje NIET STOREN opgehangen. Kun je niet lezen? Zie je niet wat we aan het doen zijn? Heb je ooit van het concept "privacy" gehoord?'

Georgios is sprakeloos. Hij zet een stap naar voren en houdt ons nerveus het zilveren dienblad voor.

'Ook goed!' De maat lijkt vol te zijn voor Ben. 'Blijf dan maar! Kijk maar!'

'Wát?' Ik kijk hem geschrokken aan.

'Hij wil ons niet alleen laten. Nou, dan kijkt hij maar toe. We gaan ons huwelijk consummeren,' zegt hij over zijn schouder tegen Georgios. 'Dat wordt vast leuk.'

Hij reikt naar de sluiting van mijn beha en ik druk mijn handen tegen mijn borsten. 'Ben!'

'Let maar niet op de butler,' zegt Ben knarsetandend. 'Doe maar alsof hij een zoutpilaar is.'

Meent hij dat? Verwacht hij dat we seks gaan hebben terwijl de butler toekijkt? Is dat niet wettelijk verboden?

Ben wrijft met zijn neus in mijn decolleté en ik werp een blik op Georgios. Hij houdt een hand voor zijn ogen, maar heeft het dienblad nog in zijn andere hand.

'Champagne?' zegt hij radeloos. 'Hebt u liever champagne?'

'Waarom ga je niet gewoon weg?' zeg ik razend. 'Laat ons met rust!'

'Dat kan niet!' Hij klinkt wanhopig. 'Alstublieft, madame. Drink eerst iets, alstublieft.'

'Wat kan jou dat schelen?' Ik wring Bens hoofd tussen mijn borsten vandaan en draai me om naar Georgios. 'Je probeert al de hele huwelijksreis te voorkomen dat we... je weet wel...'

'Madame!' begroet een andere stem ons en ik kijk als door een adder gebeten om. 'Alstublieft! Een dringende boodschap!'

Ik trek dit niet meer. Het is Hermes. Hij staat ook vlak bij ons, met een papiertje in zijn hand. Ik neem het van hem over en lees de woorden *dringende boodschap.*

'Wat voor dringende boodschap?' snauw ik. 'Ik geloof je niet.'

'Lottie, kom hier,' grauwt Ben, die duidelijk buiten zichzelf is van woede. 'Niet op letten! We doen het. We zetten dit door.' Hij scheurt mijn beha van mijn lijf en ik slaak een gil.

'Ben! Niet doen!'

'Madame!' roept Georgios onstuimig. 'Ik kom u redden!' Hij zet het dienblad op een tafeltje en neemt Ben in de houdgreep terwijl Hermes een glas ijskoud water over ons allebei heen gooit.

'We zijn goddomme geen hónden!' schreeuwt Ben. 'Laat me los!'

'Ik bedoelde niet helemaal niets doen,' gil ik net zo woedend, 'ik bedoelde: niet mijn beha uittrekken waar de butlers bij zijn!'

Ben en ik hijgen allebei, maar niet om de goede redenen. We zijn ook allebei druipnat, maar weer niet om de goede redenen. Georgios laat Ben los, die over zijn nek wrijft.

'Waarom proberen jullie ons tegen te houden?' Ik kijk woest naar Georgios. 'Wat is hier aan de hand?'

'Je hebt gelijk.' Ben is opeens waakzaam. 'Het kan geen toeval zijn, al die kinken in de kabel. Zit er soms iemand achter?'

Ik snak naar adem. 'Moeten jullie dit van iemand doen?' Ik denk meteen aan Melissa. Misschien wil zij deze suite hebben. Ze is zo iemand die allerlei smerige trucjes zou uithalen. 'Proberen jullie de hele tijd al welbewust onze huwelijksnacht te verpesten?' vraag ik streng.

'Madame. Meneer.' Georgios kijkt onzeker naar Hermes. Ze staan erbij als een paar betrapte schoolkinderen.

'Zeg op!' zegt Ben.

'Zeg op!' herhaal ik ziedend.

'Meneer Parr,' komt de vertrouwde stem van Nico tussenbeide. Hij is zo soepel de kamer in gegleden dat ik het niet eens heb gemerkt, maar daar is hij dan, en hij vertrekt geen spier bij het zien van mijn ontblote bovenlijf. Hij reikt Ben een envelop aan. 'Een bericht van een zekere meneer Zhernakov.'

'Zhernakov?' Ben draait zich snel om. 'Wat zegt hij?' Hij scheurt de envelop open en we wachten allemaal ademloos, alsof dit alle vragen zal beantwoorden.

'Oké, ik moet weg.' Ben kijkt om zich heen. 'Waar zijn mijn overhemden?' vraagt hij aan Hermes. 'Waar heb je ze gelaten?'

'Ik zal een overhemd voor u pakken, natuurlijk, meneer. Welke kleur?' Het lijkt een opluchting voor Hermes dat hij iets te doen heeft.

'Ga je weg?' Ik gaap Ben aan. 'Je kunt niet weggaan!'

'Zhernakov wil me zo snel mogelijk op het jacht zien.'

'Maar we waren ergens mee bezig!' roep ik gefrustreerd uit. 'Je kunt me niet zomaar laten zitten!'

Ben loopt zonder acht op me te slaan met Hermes naar de kleedkamer. Ik kijk hem sidderend van woede na. Hoe kan hij nu weggaan? We waren het aan het doen. Dat waren we tenminste van plan. Hij is net zo erg als al die butlers die ons telkens onderbreken.

Nu we het er toch over hebben: waar is Nico?

Ik zie hem in de hal van de suite, druk mijn topje weinig doeltreffend tegen mijn borst en haast me achter hem aan. Ik ben van plan hem eens precies te vertellen wat ik van hem vind, maar tot mijn verrassing staat hij in de hoek in zijn telefoon te fluisteren.

'Ze zijn opgehouden, kan ik u verzekeren. Ze zijn uit elkaar.'

Ik verstijf. Bedoelt hij Ben en mij met 'ze'? Tegen wie heeft hij het? *Tegen wie heeft hij het in godsnaam?* Ik denk verwoed na.

Hij heeft het tegen degene die hierachter zit. Degene die probeert ons te torpederen. Ik weet zeker dat het Melissa is.

Ik heb oosterse vechtsporten gedaan op school, en dat komt af en toe nog van pas. Ik sluip stilletjes naar Nico toe en blijf vlak achter hem staan, met mijn hand geheven, klaar om toe te slaan.

'Ik ben in de buurt, en ik kan u verzekeren dat er geen sprake zal zijn van wat voor soort paring of gemeenschap dan ook... Oef!' Nico snakt naar adem als ik hem behendig de telefoon afpak. Ik druk hem zonder iets te zeggen aan mijn oor en luister ingespannen.

'Ik ben er bijna, Nico. Je doet het fantastisch. Als je ze maar uit elkaar houdt, koste wat kost.'

Een kordate, dwingende, volkomen vertrouwde stem dringt mijn oor binnen. Even denk ik dat ik hallucineer. Mijn mond is open gezakt. Mijn hoofd tolt. Dit kan niet. Het kán niet.

Nico probeert zijn telefoon terug te pakken, maar ik draai me net op tijd om.

'Fliss?' zeg ik en ik voel een plotse, withete schicht van woede. '*Fliss?*'

25

Fliss

Shit.

O, shit.

Ik heb het warm en koud tegelijk. Dit heb ik niet zien aankomen. Ik had nooit gedacht dat ze me nu, in dit stadium zou betrappen. We zijn al op het eiland. We zijn er bijna. *We zijn er zo dichtbij.*

We staan buiten het vliegveld van Ikonos naast onze opgestapelde bagage. Lorcan is bij de taxistandplaats aan het onderhandelen over de prijs van de rit naar het Amba Hotel en ik gebaar naar hem dat hij een oogje op Noah moet houden.

'Ha, Lottie,' pers ik eruit, maar mijn stem weigert dienst. Ik slik een paar keer in een poging me te vermannen. Wat moet ik zeggen? Wat kan ik zeggen?

'Dus jij was het.' Haar stem is als een dolksteek. 'Jij hebt geprobeerd Ben en mij uit elkaar te houden, hè? Jij zat achter die butlers en de eenpersoonsbedden en de pindaolie. Wie zou er anders van die pindaolie weten?'

'Ik...' Ik wrijf over mijn gezicht. 'Moet je horen. Ik... Ik wilde alleen...'

'Waarom zou je zoiets doen? Waarom zou iemand zoiets doen? Het is mijn huwelijksreis.' Haar stem zwelt aan tot een woedende, gekwelde kreet. 'Mijn huwelijksreis! En die heb jij verpést!'

'Lottie. Luister.' Ik hap naar lucht. 'Ik dacht... Ik dacht dat ik het voor je bestwil deed. Je beseft niet...'

'Voor mijn bestwil?' gilt ze. 'Je deed het voor mijn *bestwil*?'

Oké. Het wordt pittig om dit uit te leggen in de halve minuut voordat ze weer begint te gillen.

'Ik weet dat je het me waarschijnlijk nooit, maar dan ook nooit zult vergeven,' begin ik snel, 'maar je wilde proberen een huwelijksreisbaby te maken en ik was als de dood dat het een vergissing zou zijn, en ik weet hoe het is om aan de andere kant te staan, na een scheiding, het is absoluut ellendig en ik kon de gedachte niet verdragen dat dat jou zou overkomen...'

'Ik stond op het punt de lekkerste seks van mijn leven te hebben!' krijst ze. 'De lekkerste seks van mijn leven!'

Oké, ze heeft geen woord gehoord, hè?

'Het spijt me,' zeg ik zwakjes terwijl ik wegduik voor een man met een enorme, met raffia dichtgebonden koffer op wieltjes.

'Jij moet je er altijd mee bemoeien, Fliss! Alleen maar omdat je denkt dat jij het beter weet. Zo ben je al mijn hele leven, overal je neus in steken, me commanderen, de baas over me spelen...'

Opeens steken haar woorden. Ik heb dit niet bepaald voor eigen gewin gedaan.

'Hoor eens, Lottie, het spijt me dat je het van mij moet horen,' zeg ik zo kalm mogelijk, 'maar nu we het er toch over hebben, Ben is niet van plan een trouwe echtgenoot te zijn. Hij bedriegt je met iemand die Sarah heet, hoorde ik van Lorcan.'

Er valt een verbouwereerde stilte, maar als ik verwachtte dat dit nieuwtje tot haar overgave zou leiden, had ik het mis.

'Nou en?' slaat ze terug. 'Wat dan nog? Misschien...' Ze aarzelt. 'Misschien hebben we wel een open huwelijk! Daar had je niet aan gedacht, hè?'

Ik ben zo verbijsterd dat ik als een vis op het droge naar lucht hap. Ze heeft gelijk. Daar had ik niet aan gedacht. Een open huwelijk? Jemig. Ik had Lottie nooit als het een openhuwelijktype gezien.

'En trouwens, wat weet Lorcan ervan?' begint Lottie aan een nieuwe tirade. 'Lorcan is een geschifte controlfreak die zich in het bedrijf heeft gewerkt omdat hij het van Ben wil afpakken.'

'Lottie...' Ik ben zo verbluft over deze kijk op Lorcan dat ik niet weet wat ik zeggen moet. 'Weet je dat zeker?'

'Dat heeft Ben me verteld. Daarom gaat hij zijn bedrijf verkopen, omdat Lorcan heeft gezegd dat hij het niet moet doen. Zullen we dus maar niet afgaan op wat Lórcan zegt?' Ze spuugt zijn naam uit alsof het iets walgelijks is.

Er valt weer een stilte. Ik voel me bijna verlamd door alle tegenstrijdige emoties. Ik verbaas me nog over Lotties versie van Lorcan, maar ik voel toch vooral berouw. De ene golf berouw na de andere. Ze heeft gelijk, ik wist niets van de situatie. Ik had nooit zo op mijn vermoedens mogen afgaan.

Misschien ken ik mijn kleine zusje toch niet zo goed als ik dacht. 'Het spijt me,' zeg ik uiteindelijk zacht en onderdanig. 'Het spijt me ontzettend. Ik dacht gewoon dat je misschien nog niet over Richard heen was. En dat je zou kunnen ontdekken dat Ben niet de ware voor je was. Ik dacht dat je er spijt van zou kunnen krijgen dat je met hem was getrouwd. En ik dacht dat als jullie te ver waren gegaan en een kind hadden verwekt, de puinhoop niet te overzien zou zijn. Maar ik had het mis. Dat is nu wel duidelijk. Alsjeblieft, alsjeblieft, vergeef het me. Lottie?' Het blijft stil aan de andere kant van de lijn. 'Lottie?'

26

Lottie

Ik haat haar. Waarom moet ze altijd gelijk hebben? *Waarom heeft ze altijd gelijk?*

Het huilen staat me nader dan het lachen. Ik wil haar het hele sneue verhaal vertellen. Ik wil haar vertellen dat Ben níét de ware voor me is, dat ik nog níét over Richard heen ben en dat ik me nog nooit zo ellendig heb gevoeld als nu.

Toch kan ik haar niet vergeven. Ik kan dit niet ongestraft laten. Ze is de bedillerigste, bazigste zus van de wereld en ze verdient het om boete te doen.

'Laat me met rust!' zeg ik met overslaande stem. 'Laat me voortaan gewoon met rust!'

Ik verbreek de verbinding. Even later belt ze weer, dus schakel ik de telefoon helemaal uit en geef hem terug aan Nico.

'Hier,' zeg ik kortaf. 'En je hoeft geen telefoontjes van mijn zus meer aan te nemen. Je hoeft je niet meer in mijn leven te mengen. Laat ons met rust, verdomme.'

'Mevrouw Parr,' begint Nico gladjes, 'mag ik u namens het hotel excuses aanbieden voor de lichte verwarring die helaas is ontstaan tijdens uw huwelijksreis? Ter compensatie bied ik u een luxueus weekend voor twee aan in een van onze premium suites.'

'Meer heb je niet te zeggen?' Ik kijk hem ongelovig aan. 'Na alles wat we hebben doorstaan?'

'Bij het luxueus weekend voor twee zijn alle maaltijden en een snorkelervaring inbegrepen,' zegt Nico, die me niet lijkt te horen. 'Mag ik u er daarnaast aan herinneren dat uw echtgenoot en u als winnaars van onze Honeymoonquiz zijn uitgenodigd voor het prijzengala vanavond, waar u de Gelukkig Stel van de Week-trofee uitgereikt zult krijgen?' Hij maakt een buiginkje. 'Gefeliciteerd.'

'Gelukkig Stel van de Week-trofee?' krijs ik zo ongeveer. 'Neem je me in de maling? En kijk niet zo naar mijn borsten,' voeg ik eraan toe, want ik besef opeens dat mijn topje is verschoven.

Ik raap mijn beha op en terwijl ik hem omdoe, trekt Nico zich discreet terug. Het is alsof er een orkaan in mijn hoofd woedt. Gedachten en gevoelens wervelen gevaarlijk rond en ik vermoed dat een paar ervan schade kunnen aanrichten. *Mijn huwelijk met Ben is al mislukt voordat het goed en wel begonnen is. Hij kon onze consummering niet eens doorzetten. Fliss is een bemoeizuchtige trut. Ik mis Richard nog steeds. Ik mis Richard echt. Ik heb de brand gesticht. Dat was ik. Die brand was mijn schuld.* Ik snik het uit van ellende. Dat is bijna het ergste van allemaal: dat die brand mijn schuld was. Vijftien jaar lang is die herinnering een troostend steuntje in de rug geweest als alles tegenzat: die keer heb ik tenminste iedereen gered. Maar dat blijkt nu niet waar te zijn. Ik heb het voor iedereen verknald.

'Hoi.' Ben komt de kamer in, volledig gekleed en kwiek, alsof hij net onder de douche vandaan komt.

'Hoi,' zeg ik somber. Het heeft geen zin om hem te vertellen wat ik denk. Hij zou het toch niet begrijpen. 'Dat je het maar weet, we worden geacht vanavond op een prijsuitreiking onze trofee in ontvangst te nemen. We zijn het Gelukkige Stel van de Week.'

'Ik ga naar Zhernakovs jacht,' zegt Ben zonder op mijn woorden in te gaan. 'Ze sturen een boot om me op te halen,' voegt hij er gewichtig aan toe.

'Ik ga mee,' zeg ik plotseling resoluut. 'Wacht op mij.' Ik laat het superjacht van een tycoon niet aan me voorbijgaan. Ik ga met Ben mee, en ik zoek de bar op en daar ga ik al mijn zorgen verdrinken, een voor een, in een reeks mojito's.

'Wil je nog steeds mee?'

'Ik ben je vrouw,' zeg ik bits. 'En ik wil dat jacht zien.'

'Oké,' zegt hij onwillig. 'Je zult wel mee mogen. Maar trek in godsnaam iets aan.'

'Ik was niet van plan in mijn beha te gaan,' zeg ik geërgerd.

We kibbelen als een oud getrouwd stel, maar we zijn nog niet eens met elkaar naar bed geweest. Ronduit fantastisch.

27

Fliss

Een open huwelijk?

Ik ben zo perplex dat ik op mijn koffer ben gezakt, midden op de hete, stoffige stoep, zonder me te bekommeren om de stroom reizigers die om me heen moet manoeuvreren.

'Klaar?' zegt Lorcan, die aan komt benen met Richard en Noah, met zijn ogen half dichtgeknepen tegen de felle Griekse zon. 'Ik heb een ritprijs afgesproken. We moeten gaan.'

Ik ben te beduusd om antwoord te geven.

'Fliss?' probeert hij het nog eens.

'Ze hebben een open huwelijk,' zeg ik. 'Dat geloof je toch niet?'

Lorcan trekt zijn wenkbrauwen op en fluit. 'Dat vindt Ben vast wel leuk.'

'Een *open huwelijk?*' Richard zet grote ogen op. 'Lóttie?'

'Precies!'

'Dat geloof ik niet.'

'Toch is het zo. Ze heeft het me net verteld.'

Richard zwijgt even, zwaar ademend. 'Dat bewijst maar weer dat ik haar niet echt kende,' zegt hij uiteindelijk. 'Ik heb me als een idioot aangesteld. Het is tijd om ermee op te houden.' Hij steekt zijn hand uit naar Noah. 'Tot ziens, manneke. Het was leuk om met je te reizen.'

'Oom Richard, niet weggaan!' Noah slaat zijn armen hartstochtelijk om Richards benen en heel even zou ik hetzelfde willen doen. Ik zal hem missen.

'Het allerbeste.' Ik omhels hem. 'Als ik ooit in San Francisco ben, kom ik je opzoeken.'

'Zeg niet tegen Lottie dat ik dit heb gedaan,' zegt hij met een plotselinge felheid. 'Ze mag het nooit te weten komen.'

'Zelfs niet "ik hou van je, Lottie, meer dan een zloty"?' zeg ik, mijn gezicht met moeite in de plooi houdend.

'Hou op.' Hij geeft een schop tegen mijn koffer.

'Wees maar niet bang.' Ik leg een hand op zijn arm. 'Van mij hoort ze geen woord.'

'Het beste.' Lorcan schudt Richard de hand. 'Leuk je ontmoet te hebben.'

Richard zet koers naar de taxistandplaats en ik bedwing een zucht. Lottie moest eens weten. Maar ik kan er niets aan doen. Het enige wat ik nu wil, is op ongeëvenaarde wijze mijn spijt betuigen. Ik heb mijn kniebeschermers om door het stof te kruipen al om.

'Oké, we gaan,' zegt Lorcan. Hij kijkt naar zijn telefoon. 'Ben reageert niet op mijn berichten. Weet jij waar ze zitten?'

'Geen idee. Ze stonden op het punt het met elkaar te doen toen ik ingreep.' Ik krimp in elkaar bij het besef wat ik heb gedaan. Het waas van krankzinnigheid trekt geleidelijk op. Ik besef nu hoe slecht ik me heb gedragen. Dan hebben ze maar seks, wat dan nog? Dan verwekken ze maar een huwelijksreisbaby, nou en? Het is hún leven.

'Zou ze het me ooit vergeven?' zeg ik als we in de taxi stappen. Ik hoop dat Lorcan iets geruststellends zal zeggen in de trant van: 'Natuurlijk, de band tussen zussen is zo hecht, die is niet door zo'n kleinigheid te verbreken.' In plaats daarvan trekt hij een zorgelijk gezicht en haalt zijn schouders hoog op.

'Is ze het vergevingsgezinde type?'

'Nee.'

'Tja.' Hij haalt zijn schouders weer op. 'Onwaarschijnlijk.'

De moed zinkt me in de schoenen. Ik ben de meest ondoordachte grote zus uit de geschiedenis van de mensheid. Lottie zal nooit meer een woord tegen me willen zeggen. En het is mijn eigen schuld.

Ik bel haar op, maar word meteen doorgeschakeld naar de voicemail.

'Lottie,' zeg ik voor de ziljoenste keer. 'Het spijt me echt ontzettend. Ik moet het uitleggen. Ik moet je zien. Ik ben op weg naar het hotel. Ik bel je zodra ik er ben, goed?' Ik stop mijn telefoon weg en trommel ongeduldig met mijn vingers. We zitten op de grote weg, maar we rijden niet hard, naar Griekse maatstaven. Ik leun naar voren en zeg tegen de chauffeur: 'Kan het wat harder? Ik moet mijn zus zien, en snel een beetje. Kan het wat harder?'

Ik was vergeten hoe ver het is van het vliegveld naar het Amba Hotel. Het lijkt uren te duren (al zijn het er waarschijnlijk nog geen twee) voordat we aankomen, uit de taxi stappen, de portieren dichtslaan en de marmeren treden op rennen.

'Laten we onze bagage afgeven,' zeg ik buiten adem. 'Die halen we later wel op.'

'Prima.' Lorcan wenkt een piccolo met een bagagekarretje en zwaait onze koffers erop. 'Kom mee.'

Hij is bijna nog ongeduldiger dan ik. Tijdens de rit keek hij telkens op zijn horloge en deed de ene poging na de andere om Ben te pakken te krijgen, en hij werd steeds opgefokter en chagrijniger.

'Het loopt tegen vijven,' zegt hij voor de zoveelste keer. 'Ik móét die handtekeningen scannen en verzenden.'

We bereiken de vertrouwde marmeren lobby en hij kijkt me verwachtingsvol aan. 'Waar zijn ze?'

'Weet ik veel!' riposteer ik. 'Hoe moet ik dat weten? In hun suite?'

Door de glazen deuren aan de andere kant van de lobby zie ik het glinsterende, uitnodigende blauw van de zee, en Noah heeft het ook gezien.

'De zee! De zee!' Hij trekt aan mijn hand. 'Kom mee! De zee!'

'Weet ik, lieverd!' Ik trek hem terug. 'Straks.'

'Mag ik een smoothie?' vervolgt hij bij het zien van een ober met een dienblad waarop een paar roze, smoothie-achtige drankjes staan.

'Later,' beloof ik. 'We nemen een smoothie, we gaan naar het buffet en je mag in zee zwemmen, maar eerst moeten we tante Lottie zien te vinden. Hou je ogen open.'

'Ben,' zegt Lorcan weer kortaf in zijn telefoon. 'Ik ben er. Waar zit je?' Hij verbreekt de verbinding en wendt zich tot mij. 'Waar is hun suite?'

'Boven. Ik denk dat ik het nog wel weet...' Ik ga hem snel voor over de marmeren vlakte, een groep gebruinde mannen in lichte pakken ontwijkend, maar een stem houdt me tegen.

'Fliss? Felicity?'

Ik draai me vliegensvlug om en zie een bekende, gezette gestalte op lakschoenen door de lobby naar me toe rennen. Shit.

'Nico!' zeg ik zo blij mogelijk. 'Hallo daar. En bedankt voor alles.'

'"Bedankt voor alles"?' Hij knapt bijna uit zijn vel van woede. 'Besef je wel hoeveel schade mijn pogingen om je te helpen hebben aangericht? Ik heb nog nooit zo'n farce meegemaakt. Ik heb me nog nooit in zoveel bochten moeten wringen.'

'Nee.' Ik slik. 'Eh... sorry. Ik ben je heel dankbaar.'

'Je zus is buiten zichzelf van woede.'

'Ik weet het.' Ik krimp in elkaar. 'Nico, het spijt me, maar ik zal mijn dankbaarheid uiten in de vorm van een groot artikel over jou in het tijdschrift. Heel groot. Heel vleiend. Over een dubbele bladzij.' Ik ga het zelf schrijven, neem ik me heilig voor. Er zal geen kritisch woord in voorkomen. 'Je zou ons alleen nog met één klein dingetje kunnen helpen...'

'Helpen?' Zijn stem schiet verontwaardigd omhoog. 'Jou hélpen? Ik moet het prijzengala voorbereiden! Ik loop al achter op mijn schema. Fliss, ik moet weg. Richt alsjeblieft niet nog meer chaos aan in mijn hotel.'

Hij loopt met grote stappen weg, met al zijn stekels nog overeind, en Lorcan kijkt me met opgetrokken wenkbrauwen aan.

'Je hebt er een vriend bij.'

'Het komt wel goed. Ik zal hem paaien met een lovende bespreking.' Ik kijk gejaagd om me heen in een poging me de weg naar de suite te herinneren. 'Oké, ik geloof dat de Oyster Suite op de bovenste verdieping is. En de liften zijn daar. Kom op!'

In de lift omhoog doet Lorcan weer een poging om Ben te bereiken.

'Hij wíst dat ik kwam,' prevelt hij ontstemd. 'Hij had klaar moeten zitten om te tekenen. Dit schiet niet op.'

'We zijn er zo!' zeg ik geërgerd. 'Hou eens op met dat gestres.'

Op de bovenste verdieping storm ik de lift uit, Noah achter me aan slepend en zonder op bordjes te letten. Ik steven op de deur aan het eind van de gang af en bons er zo hard mogelijk op.

'Lottie! Ik ben het!' Ik zie een belletje en druk daar ook op, voor de zekerheid. 'Kom tevoorschijn! Alsjeblieft! Ik wil mijn excuses aanbieden! Het spijt me! Het spijt me vreselijk!' Ik bons weer op de deur en Noah doet enthousiast mee.

'Kom eruit!' gilt hij terwijl hij op de deur bonkt. 'Kom eruit! Kom eruit!'

Opeens zwaait de deur open en sta ik oog in oog met een onbekende man met een handdoek om zijn middel.

'Ja?' zegt hij korzelig.

Ik ben van mijn stuk gebracht. Hij lijkt niet op de foto van Ben die ik heb gezien. In de verste verte niet.

'Eh... Ben?' probeer ik toch maar.

'Nee,' zegt hij effen.

Mijn gedachten razen door mijn hoofd. Ze heeft een open huwelijk. Wil dat zeggen... O, mijn god. Zijn ze met een triootje bezig?

'Bent u hier met... Ben en Lottie?' vraag ik behoedzaam.

'Nee, met mijn vrouw.' Hij kijkt me kwaad aan. 'Wie bent u?'

'Dit is toch de Oyster Suite?'

'Nee, de Pearl Suite.' Hij wijst naar een discreet bordje bij de deur dat ik compleet over het hoofd heb gezien.

'Aha. Juist. Sorry.' Ik stap achteruit.

'Ik dacht dat je de weg wist hier,' zegt Lorcan.

'Wist ik ook. Weet ik ook. Ik wist zeker...' Mijn blik valt op een raam. Het is smal, met uitzicht op zee, en ik zie net een stukje van een met bloemen versierde pier. Midden op de pier staat een stel dat me heel bekend voorkomt...

'O, mijn god, daar zijn ze! Ze leggen hun geloften opnieuw af! Snel!'

Ik pak Noahs hand weer en we rennen alle drie terug naar de lift. Die is ondraaglijk traag, maar desondanks draven we al snel buiten, over gazons en paden, naar de zee toe. Ik zie de met bloemen en ballonnen versierde pier voor me, en daar, in het midden, staat het gelukkige stel, hand in hand.

'Zwemmen!' roept Noah opgetogen.

'Nog niet,' hijg ik terug. 'We moeten...' Ik tuur nog eens naar het stel op de pier. Ze staan met hun rug naar ons toe, maar ik weet zeker dat het Lottie is. Ik dénk dat het Lottie is. Alleen...

Wacht even. Ik wrijf in mijn ogen om het beter te kunnen zien. Ik moet mijn lenzen eens laten controleren.

'Zijn ze het?' vraagt Lorcan gespannen.

'Ik weet het niet,' beken ik. 'Draaiden ze zich maar om...'

'Dat is tante Lottie niet,' zegt Noah geringschattend. 'Dat is een andere mevrouw.'

'Hij lijkt ook niet echt op Ben,' bevestigt Lorcan, die naar de man tuurt. 'Te lang.'

Op dat moment draait het meisje haar hoofd en besef ik dat ze totaal niet op Lottie lijkt.

'O, god.' Ik laat me op een ligstoel zakken. 'Ze zijn het niet. Ik kan niet meer rennen. Kunnen we niet iets drinken?' Ik kijk naar Lorcan. 'Het zal nu wel te laat zijn voor die handtekeningen. Regel het morgen maar. Neem iets te drinken. Lorcan? Wat is er?'

Ik knipper verbaasd met mijn ogen. Lorcans gezicht is opeens als graniet. Hij staart over mijn schouder naar iets, en ik draai me om om te zien waarnaar. Het is gewoon een strand van een luxe hotel, met ligstoelen, golven die op het strand slaan, mensen die in zee zwemmen en daarachter een paar zeilboten, en ver daarachter een groot jacht dat in diep water voor anker ligt. Daar kijkt hij zo strak naar, besef ik.

'Dat is het jacht van Zhernakov,' zegt hij met vaste stem. 'Wat moet dat hier?'

'O!' Ik schrik als de puzzelstukjes in elkaar vallen. 'Natuurlijk. Dáár zijn ze. Ik was het vergeten.'

'Je was het vergéten?'

Hij klinkt zo kritisch dat ik verbolgen reageer.

'Lottie had het me verteld, maar het was me ontschoten. Ben gaat het bedrijf verkopen. Hij heeft een bespreking met Yuri Zhernakov op zijn jacht.'

'Wát gaat hij doen?' Lorcan trekt wit weg. 'Dat kan niet. We hadden afgesproken dat hij niet zou verkopen. Nog niet. En niet aan Zhernakov.'

'Misschien heeft hij zich bedacht.'

'Hij mag zich niet bedenken!' Lorcan lijkt buiten zichzelf te zijn. 'Wat doe ik hier anders met een herfinancieringsovereenkomst in mijn koffertje? Waarom ben ik hem anders naar de andere kant van Europa gevolgd? We hebben plannen voor de onderneming gemaakt. Spannende plannen. We zijn weken bezig geweest om ze tot in de puntjes uit te werken. En nu gaat hij naar een bespreking met Zhernakov?' Hij kijkt opeens naar mij. 'Weet je dat zeker?'

'Hier.' Ik scrol door mijn berichten tot ik de sms vind waar het in staat en laat hem aan Lorcan zien, wiens gezicht nog meer verstrakt terwijl hij leest.

'Hij gaat in zijn eentje naar Zhernakov. Zonder adviseurs. Hij wordt absoluut te grazen genomen. Die achterlijke stommeling.'

Iets aan zijn reactie steekt me. Hij blijft maar tegen mij zeggen dat ik me niet zo druk moet maken om Lottie, maar zelf gaat hij door het lint vanwege een bedrijf dat niet eens van hem is?

'O, nou ja,' zeg ik welbewust achteloos. 'Zijn bedrijf. Zijn geld. Hij doet maar.'

'Je begrijpt het niet,' zegt Lorcan boos. 'Dit is een complete ramp.'

'Vind je niet dat je een tikkeltje overdrijft?'

'Nee, ik vind niet dat ik overdrijf. Dit is belangrijk!'

'Wie is er nu zijn gevoel voor proporties kwijt?'

'Dit is volkomen anders...'

'Dat is het niet! Als je het mij vraagt, ben jij veel te betrokken bij dat bedrijf, en dat maakt Ben verbitterd en het is een ongezonde situatie die niet goed kan aflopen!'

Zo. Dat is eruit.

'Ben is niet verbitterd.' Lorcan kijkt me stomverbaasd aan. 'Hij heeft me nódig. Ja, we zijn het wel eens oneens...'

'Je weet niet half!' Ik ben zo gefrustreerd dat ik met mijn telefoon naar hem zwaai. 'Lorcan, je hebt geen idee! Ik weet meer van jouw relatie met Ben dan jijzelf! Lottie heeft het me verteld!'

'Wat heeft Lottie je verteld?' Lorcans stem is opeens zacht en zijn gezicht onbeweeglijk. Ik beantwoord zijn blik, zenuwachtig voor wat ik ga zeggen, maar het moet. Hij moet de waarheid weten.

'Ben stoort zich aan je,' zeg ik uiteindelijk. 'Hij vindt je een controlfreak. Hij vindt dat je op rozen zit. Hij denkt dat jij probeert hem te verdringen en zijn bedrijf in te pikken. Heb je een keer zijn telefoon in het openbaar afgepakt?'

'Wát?' Lorcan kijkt me verbluft aan.

'Het schijnt zo.'

Hij fronst even peinzend zijn voorhoofd – en dan klaart zijn gezicht op. 'O, god, dát. Het was na de dood van zijn vader. Ben kwam naar Staffordshire en een van de oudere werknemers hield een toespraak. Ben nam halverwege een telefoontje aan.' Lorcan trekt een grimas. 'Het was monsterlijk onbeschoft. Ik moest zijn telefoon afpakken en de boel gladstrijken. Jezus. Hij zou me juist dankbaar moeten zijn.'

'Nou, hij is er nog steeds boos over.'

Er valt een stilte. Lorcan kijkt sidderend van emotie in het niets. 'Zit ik op rozen?' barst hij dan opeens uit en hij kijkt me verwijtend aan. 'Op rozen? Weet je wel hoeveel ik voor hem heb gedaan? Voor zijn vader? Voor dat bedrijf? Ik heb mijn carrière in de wacht gezet. Ik heb aanbiedingen van grote firma's in de financiële wereld afgeslagen.'

'Dat zal allemaal wel...'

'Ik heb Papermaker opgezet, ik heb de financiën gereorganiseerd, ik heb me voor honderd procent ingezet...'

Ik kan het niet meer aanhoren.

'Waarom?' onderbreek ik hem bot. 'Waarom heb je dat gedaan?'

'Hè?' Hij gaapt me aan alsof hij de vraag niet begrijpt.

'Waarom zou je?' vraag ik nog eens. 'Waarom ben je überhaupt naar Staffordshire gegaan? Waarom ben je zulke dikke maatjes geworden met Bens vader? Waarom heb je banen in de financiële wereld afgeslagen? Waarom ben je zo emotioneel betrokken geraakt bij een bedrijf dat niet van jou is?'

Lorcan lijkt uit het lood geslagen. 'Ik... ik moest te hulp schieten,' begint hij. 'Ik moest het heft in handen nemen...'

'Niet waar.'

'Wel waar! Het was een grote puinzooi...'

'Niet waar!' Ik haal diep adem, zoekend naar woorden. 'Je hoefde het allemaal niet te doen. Je hebt ervoor gekózen. Je was een wrak na het mislukken van je huwelijk. Je had verdriet. Je was boos.' Het valt niet mee om dit te zeggen, maar ik zet door. 'Je probeerde gewoon hetzelfde te doen als Lottie. En ik. Je gebroken hart lijmen. En jij koos ervoor dat te doen door te proberen Bens bedrijf voor hem te redden, maar dat had je niet moeten doen.' Ik vang zijn blik en voeg er mild aan toe: 'Het was jouw Betreurenswaardige Keuze.'

Lorcan ademt hoorbaar. Hij heeft zijn vuisten gebald alsof hij zich schrap zet voor het een of ander. Ik zie pijn over zijn gezicht trekken en het spijt me dat ik die pijn heb veroorzaakt, maar tegelijkertijd... spijt het me niet.

'Ik zie je wel weer,' zegt hij bruusk, en hij beent weg voordat ik iets terug kan zeggen. Ik heb geen idee of hij ooit nog met me wil praten, maar toch ben ik blij dat ik mijn zegje heb gedaan.

Ik kijk vol genegenheid naar Noah, die geduldig heeft gewacht tot we uitgepraat waren.

'Mag ik dan nú gaan zwemmen?' zegt hij. 'Mag het nu eindelijk?'

Ik denk aan zijn zwembroek, dat hele eind terug in zijn koffer in de lobby. Ik denk aan de moeite die het kost om hem te gaan halen. Ik bedenk dat het nog maar een paar uur zonnig blijft.

'Zwemmen in je onderbroek?' Ik trek mijn wenkbrauwen naar hem op. 'Alwéér?'

'Onderbroek!' juicht hij. 'Onderbroek! Yo!'

'Fliss!' Ik kijk op en zie Nico over het strand lopen in zijn witte overhemd, dat zoals altijd kraakt van het stijfsel, op zijn schoenen die glimmend afsteken bij het zand. 'Waar is je zus? Ik moet het protocol van het prijzengala met haar doornemen. Haar man en zij zijn ons Gelukkige Stel van de Week.'

'Nou, sterkte ermee. Ze is daar.' Ik wijs naar het jacht.

'Kun je haar bereiken?' vraagt Nico getergd. 'Kun je haar bellen? We hadden moeten repeteren voor de prijsuitreiking, alles loopt in het honderd...'

'Zwemmen?' jengelt Noah, die al zijn kleren al heeft uitgetrokken en op het strand gegooid. 'Zwemmen, mammie?'

Ik kijk naar zijn smekende gezichtje en voel een steek in mijn hart. Plotseling weet ik waar het om gaat in het leven. Niet om prijzengala's. Niet om huwelijksnachten. Niet om het redden van mijn zus. En al helemaal niet om Daniel. Het staat recht tegenover me.

Mijn ondergoed is simpel en zwart. Het kan best voor een bikini doorgaan.

'Neem me niet kwalijk,' zeg ik vrolijk tegen Nico en ik begin me uit te kleden. 'Ik heb geen tijd. Ik moet met mijn zoontje zwemmen.'

Nadat ik een halfuur met Noah in de blauwgroene Egeïsche golven heb gespat, is er geen vuiltje meer aan de lucht. De namiddagzon bakt mijn schouders, mijn mond smaakt zilt van de golven en mijn ribben doen pijn van het lachen.

'Ik ben een haai!' Noah komt door het ondiepe water op me af. 'Mammie, ik ben een plonzende haai!' Hij spat me nat alsof zijn leven ervan afhangt en ik spat net zo hard terug, en dan tuimelen we samen op het zachte zand van de zeebodem.

Het komt wel goed met hem, denk ik terwijl ik zijn beweeglijke lijfje tegen me aan druk. Het komt met ons allebei wel goed. Daniel moet maar in Los Angeles gaan wonen als hij dat leuk vindt. Het is zelfs een goede plek voor hem. Ze zijn daar dol op plastic mensen.

Ik kijk stralend naar Noah, die naast me dobbert.

'Leuk, hè?'

'Waar is tante Lottie?' vraagt hij op zijn beurt. 'Je zei dat we naar tante Lottie gingen.'

'Ze heeft het druk,' zeg ik sussend, 'maar we zien haar vast nog wel.'

Telkens wanneer ik opkijk naar het jacht, dat kolossaal opdoemt in de baai, vraag ik me gedachteloos af wat er zich aan boord afspeelt. Het bizarre is dat toen ik nog in Engeland was, alles wat er met Lottie gebeurde heel dichtbij en belangrijk voelde, maar nu ik hier ben, lijkt het ver van me af te staan.

Niet mijn leven. Níét mijn leven.

Opeens hoor ik iets wat klinkt als mijn naam. Ik kijk onwillekeurig om en zie Lorcan aan de rand van het water staan, in zijn pak dat hier uit de toon valt.

'Ik moet je iets zeggen!' roept hij onduidelijk.

'Kan je niet verstaan!' gil ik terug zonder in beweging te komen.

Ik ga niet meer van hot naar her rennen. Al wil hij me vertellen dat Lottie een tweeling heeft gekregen van Ben, die een terrorist blijkt te zijn, dan is er nog geen haast bij.

'Fliss!' roept hij weer.

Ik maak een handgebaar om aan te geven dat ik het druk heb met Noah en dat we later wel kunnen bijpraten, maar ik weet niet of het duidelijk overkomt.

'Fliss!'

'Ik ben aan het zwémmen!'

Er lijkt een emotie te rijpen op Lorcans gezicht. In een plotselinge beweging laat hij zijn koffertje op het zand vallen en loopt de zee in, zijn schoenen en zijn pak nog aan. Hij waadt met flinke stappen door de golven naar Noah en mij toe en blijft staan. Het water reikt tot aan zijn dijen. Ik ben met stomheid geslagen.

Noah, die Lorcan met open mond heeft zien naderen, krijgt nu een lachbui.

'Nooit van zwembroeken gehoord?' zeg ik met een uitgestreken gezicht.

'Ik moet je iets zeggen.' Hij kijkt me verwijtend aan, alsof het allemaal mijn schuld is.

'Vooruit dan maar.'

Het blijft heel lang stil, afgezien van het geluid van de golven, het geroezemoes aan het strand en de roep van een meeuw. Lorcans ogen hebben een extra intense lading en hij harkt telkens met een hand door zijn haar alsof hij zijn gedachten wil ordenen. Hij haalt diep adem, en dan nog een keer, maar zegt niets.

Een rubberbootje vol kinderen drijft naar ons toe en dobbert weer weg. En Lorcan zegt nog steeds niets. Ik geloof dat ik het voor hem zal moeten opknappen.

'Laat me raden,' zeg ik vriendelijk. 'In willekeurige volgorde: je beseft dat ik gelijk heb. Je vindt dit moeilijk. Je wilt er graag een keer over praten. Je vraagt je af wat je hier doet, waarom je achter Ben aan zit terwijl hij alles verloochent wat jou dierbaar is. Je ziet je leven opeens met andere ogen en vindt dat er dingen moeten veranderen.' Ik zwijg even. 'En je baalt omdat je je zwembroek niet bij je hebt.'

Het blijft weer lang stil. Er trekt een spiertje in Lorcans wang en opeens word ik ongerust. Ben ik te ver gegaan?

'Niet slecht,' zegt hij dan eindelijk, 'maar je bent een paar dingen vergeten.' Hij zet weer een stap vooruit door het om zijn benen klotsende water. 'Geen mens heeft het ooit zo goed begrepen als jij. Geen mens heeft me ooit zo uitgedaagd als jij. Je had gelijk met betrekking tot Ben. Je had gelijk met betrekking tot de foto op mijn website. Ik heb er nog eens naar gekeken en weet je wat ik zag?' Hij zwijgt even. '"Wie ben jij in vredesnaam? Wat valt er te zien? Hier zit ik niet op te wachten."'

Ik kan een glimlach niet onderdrukken.

'En je hebt gelijk, Dupree Sanders is niet mijn bedrijf,' vervolgt hij en ik zie zijn kaak verstrakken. 'Dat zou ik misschien wel willen, maar het is nou eenmaal niet zo. Als Ben echt wil verkopen, moet hij verkopen. Zhernakov zal het hele bedrijf binnen een halfjaar platleggen, maar het zij zo. Niets blijft eeuwig duren.'

'Zou het je niet verbitterd maken als dat gebeurde?' tart ik hem tegen wil en dank. 'Je hebt er zoveel in gestopt.'

'Misschien.' Hij knikt bedachtzaam. 'Een tijdje. Maar zelfs verbittering slijt uiteindelijk. Dat moeten we allebei geloven. Ja, toch?' Hij kijkt me aan en ik word overspoeld door een golf medeleven. Emotionele investering is het moeilijkst van allemaal.

'Toch zat je er op één punt naast,' vervolgt Lorcan plotseling geanimeerd. 'Je zat er finaal naast. Ik ben juist blíj dat ik mijn zwembroek niet bij me heb.'

Met die woorden trekt hij zijn jasje uit en smijt het in de richting van het strand. Het komt in de golven terecht en Noah duikt er vrolijk op af.

'Hier!' Hij houdt het omhoog. 'Ik heb het!' Hij giechelt verrukt als Lorcan eerst zijn ene schoen uittrekt, dan de ander, en die ook van zich af smijt. 'Ze zijn gezonken! Je schoenen zijn gezonken!'

'Noah, wil jij Lorcans schoenen opduiken,' zeg ik giechelend, 'en ze aan het strand leggen? Ik denk dat hij in zijn onderbroek gaat zwemmen.'

'Onderbroek!' gilt Noah. 'Onderbroek!'

'Onderbroek.' Lorcan grinnikt naar hem. 'Daar gaat niets boven.'

28

Lottie

Als ik naar de kust kijk, zie ik zwemmende mensen als minuscule figuurtjes in zee dobberen. De namiddagzon werpt lange schaduwen op het strand. Kinderen gillen, stelletjes omhelzen elkaar en gezinnen spelen samen. En opeens zou ik niets liever willen dan een van die mensen zijn. Mensen die gewoon met vakantie zijn, zonder een ingewikkeld leven, zonder een grillige, egocentrische echtgenoot, zonder rampzalige beslissingen die op de een of andere manier ongedaan gemaakt moeten worden.

Ik haatte het jacht zodra ik voet aan boord zette. Jachten zijn afschuwelijk. Alles is met wit leer bekleed, ik ben doodsbang om vlekken te maken, en Yuri Zhernakov nam me alleen even op met een blik die zei: nee, jij bent niet goed genoeg om mijn vijfde vrouw te worden. Ik werd meteen verbannen naar het gezelschap van twee Russische vrouwen met opgespoten lippen en tieten. Ze zitten zo vol siliconen dat ze me aan ballondieren doen denken, en ze hebben niets tegen me gezegd, behalve dan: 'In wat voor spiegeltje in een beperkte oplage van een dure ontwerper kijk jíj hoe je eruitziet?'

Het mijne komt van de Body Shop, dus we waren snel uitgepraat.

Ik nip van mijn mojito en wacht tot mijn zorgen erin verdrinken, maar in plaats van sputterend weg te zakken, blijven ze door mijn hoofd cirkelen, en ze worden steeds groter. Het is allemaal een ramp. Het is allemaal verschrikkelijk. Ik kan wel janken, besef ik, maar ik mag niet. Ik zit op een superjacht. Ik moet sprankelend en vrolijk zijn en op de een of andere manier een dieper decolleté zien te krijgen.

Ik leun over de reling van het dek en vraag me af hoe ver het is naar de zee. Zou ik kunnen springen?

Nee, ik zou gewond kunnen raken.

God mag weten waar Ben uithangt. Hij is niet te harden sinds we hier zijn, met zijn gebral en zijn grootdoenerij. Hij heeft nu al een keer of vijftien tegen Yuri Zhernakov gezegd dat hij ook een jacht wil kopen.

Mijn hand glipt mijn zak in. In mijn achterhoofd zit een idee dat geduldig wacht en weigert zich te laten verjagen. Steeds hetzelfde, simpele idee. Het zit er nu al uren. *Ik zou Richard kunnen bellen. Ik zou Richard kunnen bellen.* Ik probeer de hele tijd er geen aandacht aan te besteden, maar ik kan me al die redenen waarom het een slecht idee is niet meer herinneren. Het lijkt een opwindend idee. Een vreugdevol idee. Ik zou hem gewoon kunnen bellen. Nu.

Ik weet dat Fliss zou zeggen dat ik het niet moet doen, maar het is niet haar leven, toch?

Ik weet niet precies wat ik tegen hem wil zeggen. Ik geloof zelfs dat ik helemaal niets wil zeggen. Ik wil gewoon even contact maken. Zoals wanneer je iemands hand pakt en er een kneepje in geeft. Dat is het: ik wil door de ether een kneepje in zijn hand geven. En als hij zijn hand wegtrekt, nou, dan weet ik genoeg.

Ik zie de twee Russische vrouwen het dek op komen en ren snel de hoek om, zodat ze me niet zien. Ik pak mijn telefoon, kijk er even naar en kies dan zijn nummer. Terwijl de telefoon overgaat, begint mijn hart te bonzen en ik voel me misselijk.

'Hallo, met Richard Finch.'

Het is de voicemail. Mijn maag verkrampt van paniek en ik verbreek de verbinding. Ik kan niets inspreken. Een voicemail is geen kneepje in een hand, maar een envelop die erin wordt gelegd. En ik weet niet wat ik in die envelop wil stoppen. Niet precies.

Ik probeer me voor te stellen wat hij nu aan het doen is, maar ik heb geen beeld van zijn leven in San Francisco. Misschien staat hij op? Neemt hij een douche? Ik weet niet eens hoe zijn appartement eruitziet. Hij is van me vervreemd. Opeens prikken de tranen in mijn ogen en ik kijk triest naar mijn telefoon. Kan ik het nog eens proberen? Zou dat voor stalken doorgaan?

'Lottie! Daar ben je!' Het is Ben, samen met Yuri. Ik stop mijn telefoon weer in mijn zak en draai me naar ze om. Ben is rood aangelopen van de drank en de moed zinkt me in de schoenen. Hij ziet er manisch uit, als een klein kind dat te lang is opgebleven. 'We

gaan de deal beklinken met een glas champagne,' zegt hij opgewonden. 'Yuri heeft nog wat Krug van een goed jaar. Zin om mee
te doen?'

29

Arthur

Jonge mensen! Altijd maar haasten en piekeren, en ze willen op alles antwoord, nú. Ze maken me doodmoe, die arme, gekwelde wezens.

Niet terugkomen, zeg ik altijd tegen ze. *Kom niet terug.* Je jeugd is nog waar je hem hebt achtergelaten, en daar hoort hij te blijven. Alles wat het waard was om mee te nemen op je levensreis heb je al meegenomen.

Ik zeg het al twintig jaar, maar denk je dat ze luisteren? Mooi niet. Daar komt er weer een. Hijgend en puffend bereikt hij de top van het klif. Achter in de dertig, schat ik. Best aantrekkelijk, zo afgetekend tegen de blauwe lucht. Hij heeft iets van een politicus. Meen ik dat? Misschien een filmster.

Ik herinner me zijn gezicht niet van vroeger. Niet dat dat iets zegt. Ik herken mijn eigen gezicht tegenwoordig amper wanneer ik er een glimp van opvang in de spiegel. Ik zie zijn blik over de omgeving glijden en dan ziet hij mij zitten, op mijn stoel onder mijn geliefde olijfboom.

'Ben jij Arthur?' vraagt hij bruusk.

'Ik beken.'

Ik neem hem taxerend op. Hij zit er zo te zien warmpjes bij. Hij heeft zo'n polo met een duur logo aan. Waarschijnlijk goed voor een paar dubbele whisky's.

'Je zult wel aan een borrel toe zijn,' zeg ik joviaal. Het is altijd handig om het gesprek bijtijds in de richting van de bar te sturen.

'Ik hoef geen borrel,' zegt hij. 'Ik wil weten wat er is gebeurd.'

Ik moet wel een geeuw bedwingen. Zó voorspelbaar. Hij wil weten wat er is gebeurd. Weer een handelsbankier met een midlifecrisis die terugkeert naar het toneel van zijn jeugd. De plek van het misdrijf. Laat het toch waar het was, wil ik zeggen. Draai je om. Ga terug naar je problematische volwassen leven, want hier vind je geen oplossing.

Maar hij zou me toch niet geloven. Dat doen ze nooit.

'Beste jongen,' zeg ik beminnelijk, 'je bent volwassen geworden. Dát is er gebeurd.'

'Nee,' zegt hij ongeduldig en hij veegt het zweet van zijn voorhoofd. 'Je begrijpt het niet. Ik ben hier niet zomaar. Luister naar me.' Hij doet een paar stappen in mijn richting, een imposant lange, brede gestalte tussen mij en de zon, met een vastberaden uitdrukking op zijn knappe gezicht. 'Ik ben hier niet zomaar,' zegt hij nog eens. 'Ik wilde er niet bij betrokken raken, maar ik kan het niet helpen. Ik moet dit doen. Ik wil precies weten *wat er is gebeurd, de nacht van de brand.*'

30

Lottie

Wanneer ik mijn 'Laat je baan voor je werken!'-seminar geef voor medewerkers van Blay Pharmaceuticals, is een van mijn thema's: *Je kunt van alles iets opsteken*. Ik neem een situatie op de werkplek als voorbeeld en dan brainstormen we en stellen een lijst op van dingen die we hebben geleerd.

Na twee uur op het jacht van Yuri Zhernakov zou mijn lijst er zo uitzien:

- Ik ga nooit iets aan mijn lippen laten doen.
- Ik zou eigenlijk best een jacht willen hebben.
- Krug is een godendrank.
- Yuri Zhernakov is zo rijk dat de tranen me in de ogen springen.
- Bens tong hing zo ongeveer uit zijn mond. En hoe zit het met al die gênante kruiperige grapjes?
- Wat Ben ook mag denken, Yuri is níét geïnteresseerd in 'gezamenlijke projecten'. Het enige waar hij over wilde praten, was het huis.
- Als je 't mij vraagt, wil Yuri de papierfabriek helemaal opdoeken. Ben lijkt dit niet door te hebben.
- Ik krijg de indruk dat Ben behoorlijk dom is.
- We hadden nooit, maar dan ook nooit via het strand terug moeten komen.

Dat was onze grote fout. We hadden ons anderhalve kilometer verderop moeten laten afzetten, want zodra we aan wal kwamen, werden we door Nico aangeklampt.

'Meneer en mevrouw Parr! Net op tijd voor het prijzengala!'

'Hè?' Ben staarde hem vrij onbeleefd aan. 'Waar heb je het over?'

'Je weet wel.' Ik gaf hem een porretje. 'Het Gelukkige Stel van de Week.'

We konden met geen mogelijkheid ontsnappen. Nu drentelen we met een stuk of twintig andere hotelgasten rond, drinken cocktails en luisteren naar een bandje dat 'Some Enchanted Evening' speelt. Iedereen roddelt over Yuri Zhernakovs jacht dat in de baai ligt aangemeerd. Ik heb Ben aan minstens vijf andere stellen horen vertellen dat we er vanmiddag Krug hebben gedronken, en elke keer kromp ik weer in elkaar. En nu kunnen we elk moment het podium op worden geroepen om de trofee voor het Gelukkige Stel van de Week in ontvangst te nemen. Wat krankzinnig is.

'Zouden we eronderuit kunnen komen, denk je?' fluister ik Ben toe zodra er even niemand met ons praat. 'Laten we eerlijk zijn, we zijn niet bepaald het Gelukkige Stel van de Week.'

Ben kijkt me niet-begrijpend aan. 'Waarom niet?'

Waarom niet? Meent hij dat? 'Omdat we het al over een scheiding hebben!' bijt ik hem toe.

'Maar toch zijn we gelukkig,' zegt hij schouderophalend.

Gelukkig? Hoe kan hij in hemelsnaam gelukkig zijn? Ik werp hem een boze blik toe. Opeens kan ik hem wel slaan. Hij heeft zich nooit voor dit huwelijk ingezet. Nooit. Het was gewoon een verzetje. Een bevlieging. Zoals die keer dat ik in de ban raakte van Noorse truien en een breimachine kocht.

Maar het huwelijk is geen breimachine! zou ik hem bijna voor de voeten willen gooien. Dit is allemaal één grote grap. Ik wil hier weg.

'Ha, mevrouw Parr.' Nico stort zich weer op me alsof hij al vermoedde dat ik wilde ontsnappen. 'We zijn bijna klaar voor de uitreiking van de trofee.'

'Super.' Mijn sarcasme is zo bijtend dat hij in elkaar krimpt.

'Madame, mag ik me nogmaals verontschuldigen voor het ongemak dat u tijdens deze vakantie te verduren hebt? Zoals ik al zei wil ik u ter compensatie graag een luxueus weekend voor twee aanbieden in een van onze premium suites, inclusief alle maaltijden en een snorkelervaring.'

'Dat lijkt me niet bepaald toereikend.' Ik kijk hem boos aan. 'Je hebt onze huwelijksreis verpest. Ons hele huwelijk.'

Nico slaat zijn ogen neer. 'Madame, ik ben ontroostbaar, maar ik moet u zeggen dat het niet mijn eigen idee was, niet mijn eigen wil. Het was een grote fout mijnerzijds en die zal ik altijd betreuren, maar het oorspronkelijke idee was afkomstig van…'

'Ik weet het,' kap ik hem af. 'Mijn zus.'

Nico knikt. Hij staat er zo mistroostig bij dat ik medelijden met hem krijg. Ik weet hoe Fliss is. Wanneer zij een kruistocht begint, kan niemand haar trotseren.

'Hoor eens, Nico,' zeg ik uiteindelijk, 'het is al goed. Ik neem het je niet kwalijk. Ik ken mijn zus. Ik weet dat ze daar in Londen als een poppenspeelster aan de touwtjes heeft getrokken.'

'Ze was heel vasthoudend.' Hij buigt zijn hoofd weer.

'Ik vergeef het je.' Ik reik hem de hand. 'Háár niet,' voeg ik er snel aan toe, 'maar jou wel.'

'Madame, ik ben het niet waard.' Nico brengt mijn hand naar zijn lippen. 'Ik wens u duizendvoudig geluk.'

Hij loopt weg en ik vraag me af wat Fliss nu uitspookt. Ze zei in haar voicemail dat ze naar het hotel kwam. Misschien komt ze morgen. Nou, misschien weiger ik haar te zien.

Ik neem nog een paar slokjes van mijn cocktail en voer een gesprek met een vrouw in het blauw over welke beautybehandeling de meeste waar voor zijn geld levert terwijl ik intussen probeer Melissa te mijden. Ze probeert telkens uit me te peuteren wat Ben en ik nu precies voor de kost doen, en is het niet een beetje gevaarlijk, met een pistool in mijn handtas rondlopen? Dan verstomt de muziek plotseling, en Nico staat op het podium. Hij tikt een paar keer tegen de microfoon en kijkt stralend naar het verzamelde publiek.

'Welkom!' zegt hij. 'Fijn dat u allemaal naar ons Cocktail- en Prijzengala bent gekomen. Zoals Afrodite de godin van de liefde is, is het Amba het huis van de liefde. En vanavond huldigen we een heel bijzonder stel. Ze zijn hier op hun huwelijksreis en hebben onze onderscheiding voor het Gelukkige Stel van de Week gewonnen: Ben en Lottie Parr!'

Om ons heen breekt applaus los en Ben geeft me een zetje. 'Toe dan.'

'Ik ga al!' zeg ik humeurig. Ik loop over het zand naar het podium, klim erop en tuur tegen het licht van een schijnwerper in.

'Gefeliciteerd, lieve dame!' roept Nico uit terwijl hij me een grote, hartvormige zilveren trofee geeft. 'Laat ik u allebei uw kroon geven...'

Een kroon?

Voordat ik kan tegenstribbelen, zet Nico ons allebei een zilverkleurige plastic kroon op. Hij maakt behendig een satijnen sjerp over mijn schouder vast en stapt achteruit. 'Het winnende koppel!'

Het publiek klapt weer en ik grijns star tegen de lichten in. Dit is afgrijselijk. Een trofee, een kroon en een sjerp? Ik voel me net een schoonheidskoningin, maar dan zonder de schoonheid.

'En nu een paar woorden van ons gelukkige stel!' Nico geeft de microfoon aan Ben, die hem prompt aan mij doorgeeft.

'Hallo, allemaal!' schalt mijn stem en ik trek een grimas. 'Heel hartelijk bedankt voor deze... eer. Nou, we zijn natuurlijk een heel gelukkig stel. O, wat zijn we gelukkig.'

'Heel gelukkig,' voegt Ben eraan toe.

'In de wolken.'

'Wat een ideale huwelijksreis.'

'Toen Ben me ten huwelijk vroeg, had ik geen idee dat ik zo... gelukkig zou worden. Zo ontzettend gelukkig.'

Opeens, zonder enige waarschuwing, biggelt er een traan over mijn gezicht. Ik kan er niets aan doen. Wanneer ik terugkijk op mezelf in dat restaurant, opgetogen ja tegen Ben zeggend, is het alsof ik naar iemand anders kijk. Een krankzinnig, misleid, gestoord iemand. Wat bezielde me? Met Ben trouwen was als vier dubbele wodka's drinken. Het nam heel even de pijn weg en ik voelde me fantastisch, maar dit is de kater en die is niet mis.

Ik glimlach nog breder en houd mijn gezicht bij de microfoon. 'We zijn heel gelukkig,' herhaal ik nadrukkelijk. 'Alles is heel soepel en geweldig gegaan, en er is geen moment spanning tussen ons geweest, nee toch, schat?'

Er rollen nog twee tranen over mijn gezicht. Ik hoop dat ze voor tranen van geluk kunnen doorgaan.

'Wat een verrukkelijke, hemelse tijd hebben we,' vervolg ik terwijl ik de tranen van mijn gezicht veeg. 'Wat een heerlijke, idyllische tijd. Het is in alle opzichten perfect en we zouden niet gelukkiger...' Mijn oog valt op drie silhouetten die uit de zee het strand op lopen en ik breek mijn zin af. Ze zijn allemaal in handdoeken gewikkeld, maar toch...

Is dat...?

Nee. Dat kan niet.

Ben, naast me, kijkt ook en ik zie zijn mond openvallen van verbijstering.

'Lorcan?' Hij trekt de microfoon naar zich toe en roept hard: 'Lorcan? Wat krijgen we nou? Hoelang ben je hier al?'

'Tante Lottie!' roept het kleinste figuurtje in een handdoek, dat me plotseling in het vizier krijgt. 'Tante Lottie, je hebt een kroon op!'

Maar het is de derde gestalte waar ik naar staar, met een verslapte onderkaak.

'*Fliss?*'

31

Fliss

Ik ben verstijfd. Ik kan alleen maar sprakeloos terugkijken. Dit is níét hoe ik Lottie wilde laten weten dat ik hier op Ikonos was.

'*Fliss?*' zegt ze weer en nu heeft haar stem iets scherps, zodat ik in elkaar krimp. Wat zal ik zeggen? Wat kan ik zeggen? Waar kan ik zelfs maar beginnen?

'Fliss!' zegt Nico voordat ik van de schrik bekomen ben, en hij grist de microfoon uit Bens hand. 'En hier hebben we de zus van het gelukkige stel!' zegt hij tegen het publiek. 'Mag ik u voorstellen: Felicity Graveney, de hoofdredacteur van *Pincher Travel Review*. Ze is hier om het hotel een speciale vijfsterrenbeoordeling te geven!' Hij straalt verrukt. 'Zoals u kunt zien, heeft ze net van de Egeïsche Zee genoten.'

De toeschouwers lachen beleefd. Ik moet het Nico nageven: hij laat geen marketingkans onbenut.

'Goed, laat de rest van de familie ook op het podium komen!' Hij jaagt Lorcan, Noah en mij de treden op. 'Een familiekiekje voor jullie speciale huwelijksreisalbum. Bij elkaar staan!'

'Wat kom jij hier in godsnaam doen?' Lottie kijkt me aan met ogen die donker zijn van woede.

'Het spijt me,' zeg ik zwakjes. 'Het spijt me ontzettend. Ik dacht... Ik wilde...'

Mijn mond is droog. Ik heb geen woorden meer. Het is alsof ze aanvoelen dat ik schuldig ben en naar de andere kant zijn overgelopen.

'Hallo, tante Lottie!' begroet Noah haar enthousiast. 'We zijn je komen opzoeken!'

'Zo, dus je hebt Noah ook gemobiliseerd,' bijt Lottie me toe. 'Leuk.'

'Lach eens naar het vogeltje!' roept de fotograaf. 'Hierheen kijken!'

Ik moet me vermannen. Ik moet me verontschuldigen. Op de een of andere manier.

'Oké, luister,' begin ik snel, bijna verblind door de flits. 'Het spijt me echt ontzettend, Lottie. Ik wilde je huwelijksreis niet verpesten, ik wilde alleen... Ik weet het niet. Op je passen. Maar ik besef dat ik moet ophouden. Je bent volwassen, je hebt je eigen leven en ik heb een enorme vergissing begaan, en ik hoop maar dat je het me kunt vergeven. En jullie zijn een schitterend stel.'

Ik wend me tot Ben. 'Hallo, Ben, leuk je te zien. Ik ben Fliss, je schoonzus.' Ik steek onhandig een hand uit. 'Ik neem aan dat we elkaar nog heel vaak met Kerstmis zullen zien, of weet ik veel...'

'Hierheen!' roept de fotograaf weer, en we kijken allemaal gehoorzaam in de lens.

'Dus jij zat achter álles? Ook de lounge op Heathrow?' Lottie draait haar hoofd en ziet mijn schuldbewuste gezicht. 'Hoe kón je? En die pindaolie! Ik crepeerde bijna!'

'Ik weet het, ik weet het,' zeg ik bijna huilend. 'Ik weet niet wat me bezielde. Het spijt me heel erg. Ik wilde je gewoon beschermen.'

'Je wilt me altijd beschermen! Je bent mijn móéder niet!'

'Ik weet het.' Mijn stem slaat onverwacht over. 'Ik weet het.'

Ik kijk Lottie aan en opeens is het alsof er geluidloos een exclusieve reeks zusterlijke herinneringen tussen ons wordt overgedragen. Onze moeder. Ons leven. Waarom we zijn wie we zijn. Dan klapt er iets dicht in Lotties ogen en is het voorbij. Haar gezicht is weer ongenaakbaar en onverzoenlijk.

'En breed lachen, allemaal...' De fotograaf zwaait met zijn armen. 'Hierheen kijken!'

'Lotje, kun je het me ooit vergeven?' Ik wacht ademloos haar antwoord af. 'Alsjeblieft?'

Er valt een lange, martelende stilte. Ik weet niet hoe dit gaat aflopen. Lottie tuurt in het niets en ik ben wel zo wijs haar niet te haasten.

'Glimlachen! Mooi breed glimlachen allemaal!' blijft de fotograaf ons aansporen. Alleen kan ik niet glimlachen en Lottie ook niet. Ik bal mijn vuisten, merk ik. En ik krom mijn tenen.

Ten langen leste draait Lottie haar hoofd mijn kant op. Haar gezicht staat laatdunkend, maar de haat lijkt iets te zijn gezakt. Mijn handdoek glijdt weg en ik grijp mijn kans om hem weer om me heen te slaan. 'Dus,' zegt ze en haar ogen flitsen over me heen, 'Heb je echt in je óndergoed gezwommen?'

Ik juich vanbinnen. Ik wil haar in mijn armen sluiten. In onze geheimtaal heeft ze me vergeven. Ik weet dat ik nog niet helemaal uit de nesten ben – maar er is tenminste hoop.

'Bikini's zijn zó passé,' zeg ik net zo afstandelijk als zij. 'Wist je dat niet?'

'Leuke onderbroek.' Ze haalt onwillig haar schouders op.

'Dank je.'

'Onderbroek!' schreeuwt Noah. 'Onderbroek! Hé, tante Lottie, ik wil wat vragen,' babbelt hij door. 'Heb je de salami al in de tompoes verstopt?'

'Wát?' zegt ze als door een adder gebeten. 'Bedoelt hij...' Ze kijkt me ongelovig aan.

'Heb je de salami al in de tompoes verstopt?'

'Noah! Dat... dat gaat je niets aan! Waarom zou ik dat niet hebben gedaan? Trouwens, waarom vraag je dat?' Ze doet zo geagiteerd dat ik haar plotseling waakzaam aankijk. Ze gedraagt zich bijna alsof – bíjna alsof...

'Lotje?' zeg ik met opgetrokken wenkbrauwen.

'Hou op!' zegt ze overstuur.

O, mijn god. Ze had niet doorzichtiger kunnen zijn.

'Niet?' Mijn gedachten draaien op volle toeren. Ze hebben het dus nog niet gedaan? Waarom niet? Waarom in vredesnaam niet?

'Hou erover op!' Zo te zien is ze bijna in tranen. 'Bemoei je gewoon niet met mijn huwelijk! Bemoei je niet met mijn huwelijksreis! Bemoei je er niet mee!'

'Lottie?' Ik kijk nog eens goed naar haar. Haar ogen zijn vochtig en haar lippen trillen. 'Gaat het wel?'

'Natuurlijk wel!' schiet ze opeens uit haar slof. 'Waarom zou het niet gaan? Ik heb het gelukkigste huwelijk van de wereld! Ik ben de gelukkigste vrouw op aarde, en ik ben finaal, volkomen, extatisch...' Ze breekt haar zin af en wrijft in haar ogen alsof ze niet gelooft wat ze ziet.

Ik tuur langs haar heen in de verte en zie opeens waar ze naar kijkt. Een gestalte. Een man. Hij komt over het strand op ons af, met een onmiskenbare, zware, zekere tred. Lottie is zo bleek geworden dat ik bang ben dat ze flauw zal vallen – en geen wonder.

Ik kijk ongelovig naar de vertrouwde figuur terwijl mijn geest jachtig de mogelijkheden doorneemt. Hij had gezworen weg te blijven. Wat doet hij hier dan in vredesnaam?

32

Lottie

Ik geloof dat ik een hartaanval krijg. Of een paniekaanval. Of een ander soort aanval. Het bloed zoeft van mijn hoofd naar mijn voeten en weer terug naar mijn hoofd alsof het zich geen raad weet met zichzelf. Ik kan niet ademen. Ik kan me niet bewegen. Ik kan... helemaal niets.

Het is Richard. Hier.

Geen ziljoenen kilometers verderop met een compleet nieuw leven waarin hij is vergeten dat ik besta, maar hier, op Ikonos. Hij loopt over het strand naar me toe. Terwijl ik naar hem kijk, knipper ik snel met mijn ogen, alsof mijn oogleden stuiptrekkingen hebben; ik kan geen woord uitbrengen. Ik snap het niet. Hij zit in San Francisco. Hij hoort in San Francisco te zitten.

Nu baant hij zich vastbesloten een weg tussen de toeschouwers door. Ik beef over mijn hele lijf. De laatste keer dat ik hem heb gezien, was in dat restaurant, toen ik hem vertelde dat ik zijn nietgedane aanzoek niet aannam. Dat lijkt wel een miljoen jaar geleden. Hoe wist hij waar ik was?

Ik werp een priemende blik op Fliss, maar die lijkt net zo perplex te zijn als ik.

En nu heeft hij het podium bereikt en kijkt naar me op met die donkere ogen waar ik zo gek op ben, en ik denk dat ik op instorten sta. Ik kon mezelf nog net overeind houden, maar nu hij zomaar uit het niets opduikt...

'Lottie,' zegt hij met die stem die nog net zo sonoor en geruststellend is als altijd. 'Ik weet dat je ge... ge...' – hij lijkt moeite te hebben met het woord – '...getróúwd bent. Ik weet dat je getrouwd bent. En daar wens ik je alle geluk mee.' Hij zwijgt, zwaar ademend. Het geroezemoes rondom hem is verstomd. Het publiek kijkt gespannen naar ons. 'Gefeliciteerd.' Zijn ogen flitsen naar Ben en weer weg, alsof Ben een weerzinwekkend wezen is waarvan hij de aanblik niet verdraagt.

'Dank je,' breng ik moeizaam uit.

'Ik zal je niet langer ophouden, maar ik vond dat je iets moest weten. Jij hebt die brand niet gesticht.'

'Hè?' Ik kijk hem aan, niet in staat zijn woorden te verwerken.

'Jij hebt die brand niet gesticht,' herhaalt hij. 'Het was een ander meisje.'

'Maar wat... Hoe...' Ik slik iets weg. 'Hoe wist je...'

'Ik hoorde van Fliss dat je dacht dat de brand jouw schuld was. Ik wist dat je er kapot van zou zijn en ik geloofde niet dat het waar was, dus heb ik uitgezocht hoe het zat.'

'Ben je naar het pension gegaan?' zeg ik ongelovig.

'Ik heb je vriend Arthur gesproken,' zegt Richard knikkend. 'Ik heb hem de onderzoeksverslagen van de politie laten pakken. Ik mocht ze over zijn tafel uitspreiden en ik heb ze allemaal gelezen. En het was heel duidelijk. De brand is niet in jouw kamer begonnen. Het was boven de keuken.'

Mijn gedachten zijn zo verward dat ik niets terug kan zeggen. Iedereen is muisstil. Het enige geluid komt van de vlaggetjes, die wapperen in de wind.

'Be-ben je naar het pension gegaan?' stamel ik uiteindelijk nog eens. 'Heb je dat allemaal gedaan? Voor míj?'

'Natuurlijk,' zegt Richard op een toon alsof het de normaalste zaak van de wereld is.

'Ook al ben ik met iemand anders getrouwd?'

'Natuurlijk,' zegt hij weer.

'Waarom?'

Hij kijkt me ongelovig aan, alsof hij wil zeggen: moet je dat echt vragen?

'Omdat ik van je hou,' zegt hij laconiek. 'Sorry,' vervolgt hij tegen Ben.

33

Fliss

Van alles wat ik in mijn leven heb meegemaakt, zal dit me het langst bijblijven. Ik hou mijn adem in. Je kunt een speld horen vallen. Lottie kijkt als gehypnotiseerd naar Richard, met ogen als schoteltjes. Haar Gelukkige Stel van de Week-sjerp glanst onder de verlichting en haar kroontje is scheefgezakt.

'Nou... nou...' Ze lijkt de woorden niet uit haar mond te kunnen krijgen. 'Nou, maar ik hou nog steeds van je!' Ze trekt de kroon van haar hoofd. 'Ik hou van jou!'

Richard schrikt zichtbaar. 'Maar?' Hij gebaart naar Ben.

'Het was een vergissing!' Ze snikt nu bijna. 'Het was allemaal een vergissing! En ik moest steeds aan je denken, maar je was naar San Francisco, maar nu ben je hier...' Opeens kijkt ze naar mij en ik zie de tranen op haar wangen. 'Fliss? Heb jij Richard hierheen gebracht?'

'Eh... zoiets,' zeg ik voorzichtig.

'Dan hou ik ook van jou.' Ze slaat haar armen om me heen. 'Fliss, ik hou van je.'

'O, Lotje.' Nu wellen de tranen ook in mijn ogen op. 'Ik hou van je. Ik wil alleen maar dat je een heel gelukkig leven krijgt.'

'Weet ik toch.' Ze drukt me stevig tegen zich aan, draait zich om en springt het podium af, recht in Richards armen en de innigste omhelzing die ik ooit heb gezien. 'Ik dacht dat je voorgoed weg was!' zegt ze tegen zijn schouder. 'Ik dacht dat je voorgoed weg was. Het was ondraaglijk! Ik kon het niet verdrágen.'

'Ik ook niet,' zegt Richard, die waakzaam naar Ben kijkt. 'Alleen ben je getrouwd.'

'Ik weet het,' zegt ze verdrietig. 'Ik weet het. Maar ik wíl het niet.'

Mijn voelsprieten slaan alarm. Dit is mijn moment! Ik spring van het podium en tik Lottie hard op haar schouder.

'Lotje! Zeg op. Het is belangrijk.' Ze draait zich om en ik pak haar bij haar schouders. 'Heb je...' Ik werp een blik op Noah. 'Heb je de salami in de poes verstopt? Heb je het gedaan? Eerlijk zeggen! Het is belangrijk!'

34

Lottie

Waarom zou ik er nog om liegen?

'Nee!' zeg ik bijna opstandig. 'We hebben het niet gedaan! We zijn grote bedriegers. We zijn geen gelukkig stel; we zijn zelfs niet eens een stel! Hier.' Ik kijk naar Melissa, die alles geboeid heeft gevolgd. 'Neem mijn kroon maar. En mijn sjerp.' Ik ruk hem af en gris de trofee uit Bens handen. 'Neem alles maar! We hebben aan één stuk door gelogen.' Ik stop haar alles toe en ze kijkt me wantrouwig aan, haar ogen tot spleetjes geknepen.

'Dus, jullie eerste afspraakje in het mortuarium?'

'Gelogen,' zeg ik knikkend.

'Seks op het bureau van de officier van justitie?'

'Compleet gelogen.'

'Ik wist het!' zegt ze triomfantelijk tegen haar man. 'Had ik het niet gezegd?' Ze zet de zilverkleurige kroon op haar hoofd en houdt de trofee in de lucht. 'Die is voor ons, lijkt me. Wij zijn het Gelukkige Stel van de Week, dank u wel, allemaal...'

'Godsamme, Melissa,' snauwt Matt. 'Nee, dat zijn we om de donder niet.'

Intussen kijkt Richard me gespannen aan. 'Dus jullie hebben echt niet...?'

'Niet één keer.'

'Yesss!' Ik heb nog nooit iemand zo extatisch in de lucht zien stompen. 'Pak aan. Resultaat! Yesssss!' Ik heb hem nog nooit zo strijdlustig gezien. God, wat hou ik van hem.

'Je bent de halve wereld overgevlogen om me te zien.' Ik nestel me weer tegen zijn schouder.

'Natuurlijk.'

'En toen ben je nog eens naar Griekenland gevlogen.'

'Uiteraard.'

Hoe heb ik ooit kunnen denken dat Richard niet romantisch is? Waarom zijn we ooit uit elkaar gegaan? Mijn oor drukt tegen zijn borst en ik hoor het vertrouwde, sussende kloppen van zijn hart. Hier wil ik voor eeuwig blijven. Ik sluit me af voor de rest van de wereld, al ben ik me vaag bewust van de stemmen van de anderen.

'Je kunt je huwelijk nietig laten verklaren,' zegt Fliss telkens. 'Snap je, Lottie? Het is geweldig! Je kunt je huwelijk nietig laten verklaren.'

'Het is de salami in de tómpoes verstoppen,' zegt Lorcan keer op keer. 'De tómpoes.'

35

Fliss

Nou, wat die zonsondergangen betreft had ze gelijk. Ik heb nog nooit van mijn leven zo'n spectaculair schouwspel gezien. De zon zakt langzaam naar de horizon, maar hij zakt niet alleen, hij werpt ook roze en oranje stralen af, met zo'n dramatische kracht dat ik aan Noahs superhelden moet denken. *Zonsondergang* klinkt als een nederlaag; een beetje nikserig. Dit is meer een *zonneslag*! *Zon-power*!

Ik kijk naar Noahs gezichtje, dat rozig is in het licht, en denk weer: het komt wel goed met hem. Voor het eerst in tijden voel ik geen levensangst, stress of woede. Hij redt het wel. Hij komt er wel uit. Ik kom er wel uit. Alles is goed.

Het was een vreemde maaltijd. Cathartisch en onbehaaglijk, gênant en vreugdevol, schutterig en heerlijk, allemaal tegelijk. Nico had een tafel voor ons geregeld in het restaurant aan het strand en we hebben alle vijf mezze gegeten waarvan je smaakpapillen gingen jubelen, en langzaam gegaard lam waarvan je ingewanden kreunden van extase.

Het eten hier is écht goed. Niet vergeten er uitgebreid over te schrijven.

Er waren veel vragen. Er waren veel verhalen. Er werd veel gezoend.

Tussen Lottie en mij gaat het... wel goed. Denk ik. Er is nog sprake van beurse plekken en oud zeer tussen ons, maar er is ook een soort openbaring geweest. Langzamerhand gaan we begrijpen wat we voor elkaar betekenen, en misschien gaan we daar later nog eens beter naar kijken. (Of niet; het is waarschijnlijker dat we gewoon doorgaan met ons leven.)

Lorcan was de onopvallende ster. Telkens wanneer het gesprek pijnlijk dreigde te worden, gaf hij er een draai aan, en hij bestelde fantastische wijn, en hij stootte telkens stiekem met zijn knie tegen de mijne en lachte dan naar me, wat ik leuk vond.

Ik vind hem leuk. Ik val niet alleen op hem, ik vind hem echt leuk.

Wat Ben betreft: die is verdwenen. Wat begrijpelijk is. Toen duidelijk werd dat zijn kersverse bruid in het openbaar de voorkeur gaf aan een andere man, is hij hem gesmeerd. Ik kan het hem niet kwalijk nemen. Ik denk dat hij zijn heil ergens in een bar heeft gezocht.

Richard en Lottie zijn een strandwandeling gaan maken en Noah laat steentjes over het water scheren, dus Lorcan en ik zitten alleen op een lage muur, met onze blote voeten in het zand. De etensgeuren van het restaurant vermengen zich met de zilte zeelucht en het zwakke aroma van zijn aftershave, dat allerlei herinneringen oproept.

Ik vind hem niet alleen leuk, ik val ook op hem. En niet zo'n beetje ook.

'O, wacht. Ik heb iets voor je,' zegt hij opeens.

'Je hebt iets voor me?'

'Een kleinigheidje. Ik had het opzijgezet... Wacht even.' Hij loopt naar het restaurant en ik kijk hem nieuwsgierig na. Even later komt hij terug met een plant in een pot. Een olijfboompje in een pot, om precies te zijn.

'Voor je patio,' zegt hij en ik kijk hem ongelovig aan.

'Heb je dat voor mij gekocht?' Ik ben zo ontroerd dat de tranen me in de ogen springen. Ik kan me niet heugen wanneer iemand voor het laatst iets voor me heeft gekocht.

'Je moet iets hebben,' zegt hij ernstig. 'Je bent toe aan... een nieuw begin.'

Hij had het niet beter kunnen verwoorden. Ik ben toe aan een nieuw begin. Ik kijk op en zie zijn ogen, die zo warm zijn dat er iets in me wankelt.

'Ik heb niets voor jou.'

'Je hebt me al iets gegeven. Duidelijkheid.' Hij zwijgt even. 'Ik wilde jou vrede geven.' Hij voelt aan de blaadjes van de olijf. 'Gebeurd is gebeurd.'

Gebeurd is gebeurd. De woorden weergalmen door mijn hoofd, als een mantra. En opeens sta ik op. Ik moet iets doen, nu meteen. Ik maak de USB-stick los van de ketting om mijn nek en kijk ernaar. Al mijn pijn en woede ten opzichte van Daniel lijken in dat kleine stukje metaal te zitten. Het voelt schadelijk. Het vergiftigt me. Het moet weg.

Ik loop kordaat naar de zee en leg een hand op Noahs schouder. Hij kijkt naar me op en ik glimlach naar hem.

'Hallo, schattebout. Ik heb iets voor je om over de golven te laten scheren.' Ik geef hem de USB-stick.

'Mammie!' Hij kijkt met grote, geschrokken ogen naar me op. 'Dat is een computerding!'

'Ik weet het,' zeg ik knikkend, 'maar het is een computerding dat ik niet meer nodig heb. Gooi het maar in zee, Noah. Zo ver als je kunt.'

Ik kijk hoe hij richt en gooit. Het stickje stuitert drie keer en dan is het verdwenen, in de Egeïsche Zee. Weg, weg, écht weg.

Ik loop langzaam over het strand terug naar Lorcan, genietend van het gevoel van zand onder mijn blote voeten.

'Dus.' Hij steekt zijn hand uit en verstrengelt zijn vingers met de mijne.

'Dus.' Net als ik een strandwandeling wil voorstellen, ketst Bens stem op mijn achterhoofd af.

'Lorcan. Daar ben je. Dat werd tijd.'

Ik hoef niet naar hem te kijken om te weten dat hij dronken is, en ik voel medelijden opkomen. Het kan niet makkelijk voor hem zijn.

'Ha, Ben,' zegt Lorcan, die gaat staan. 'Alles goed?'

'Ik ben vandaag bij Zhernakov geweest. Op zijn jacht.' Ben kijkt ons allebei verwachtingsvol aan, alsof hij een reactie verwacht. 'Op zijn jacht,' herhaalt hij. 'Wat Krug gedronken, wat gekletst, je weet wel...'

'Leuk.' Lorcan glimlacht beleefd. 'Dus je gaat toch verkopen.'

'Misschien. Ja.' Ben klinkt agressief. 'Waarom niet?'

'Jammer dat je me dat niet hebt laten weten voordat ik weken spendeerde aan die herfinancierings- en reorganisatieovereenkomsten. Die kan ik nu wel weggooien, hè?'

'Nee. Ik bedoel... ja,' zegt Ben confuus. 'Weet je...' Hij is klaar met snoeven. 'Yuri en ik hebben een akkoord gesloten. Een herenakkoord. Maar nu...' Hij veegt over zijn gezicht. 'Hij heeft me al een e-mail gestuurd waar ik niets van begrijp...' Hij reikt Lorcan zijn BlackBerry aan, maar Lorcan blijft Ben strak aankijken, met een ondoorgrondelijk gezicht.

'Je wilt dus echt verkopen,' zegt hij zacht. 'Het bedrijf dat je vader in jaren en jaren heeft opgebouwd. Je laat het gewoon gaan.'

'Zo is het niet.' Ben kijkt hem verbolgen aan. 'Yuri zegt dat alles bij het oude blijft voor het bedrijf.'

'Alles blijft bij het oude?' Lorcan barst in lachen uit. 'En daar ben jij in getrapt?'

'Hij wil graag nieuwe projecten ontwikkelen!' stuift Ben op. 'Hij vindt het een fantastisch bedrijfje!'

'Denk jij dat Yuri Zhernakov zin heeft om een nieuwe aspirationele papierlijn te ontwikkelen voor consumenten uit de middenklasse?' zegt Lorcan hoofdschuddend. 'Als je dat gelooft, ben je nog naïever dan ik al dacht. Hij wil het huis, Ben. Verder niets. Ik hoop dat je een goede prijs van hem los hebt gekregen.'

'Nou, ik weet niet precies... Ik weet niet goed wat we...' Ben, die het duidelijk moeilijk heeft, veegt weer over zijn gezicht. 'Je moet ernaar kijken.' Hij reikt Lorcan zijn BlackBerry weer aan, maar Lorcan steekt afwerend zijn handen op.

'Ik moet helemaal niets op dit moment,' zegt hij bedaard. 'Mijn werkdag zit erop.'

'Maar ik weet niet wat ik heb afgesproken.' Bens bravoure smelt als sneeuw voor de zon. 'Kijk nou even, Lorcan, oké? Maak het in orde.'

Het blijft lang stil en net als ik me afvraag of Lorcan door de knieën zal gaan, schudt hij zijn hoofd.

'Ben, ik heb genoeg voor je in orde gemaakt.' Hij klinkt vermoeid en een beetje triest. 'Ik moet ermee ophouden.'

'Wat?'

'Ik dien mijn ontslag in.'

'Wát?' zegt Ben verbouwereerd. 'Maar... dat kun je niet maken!'

'Beschouw dit maar als mijn ontslagaanzegging. Ik ben al veel te lang bij je. Je vader is er niet meer en... nou ja, het is tijd dat ik ook vertrek.'

'Maar... dat kan niet! Je kent het bedrijf door en door!' Bens ogen zijn groot van paniek. 'Jij weet er meer van dan ik! Je bent eraan verknocht!'

'Ja. En dat is het probleem.' Lorcans stem heeft iets wrangs en ik geef een kneepje in zijn hand. 'Ik zal je helpen tot mijn opzegtermijn is verstreken en dan ga ik. En dat is voor iedereen het beste.'

'Maar wat moet ík dan?' Ben klinkt overstuur.

'Je neemt het heft in handen.' Lorcan zet een stap naar hem toe. 'Ben, je hebt een keus. Je kunt het bedrijf aan Yuri verkopen als je wilt. Het geld opstrijken en lol maken. Maar weet je wat je ook zou kunnen doen? De teugels in handen nemen. De leiding nemen. Het is jouw bedrijf. Jouw erfgoed. Maak er wat van.'

Ben staat paf.

'Je kunt het,' voegt Lorcan eraan toe. 'Maar het zal een grote uitdaging worden. Je moet het wel wíllen.'

'Ik heb een herenakkoord gesloten met Yuri.' Bens ogen flitsen verwilderd heen en weer. 'O, jezus. Ik weet het niet. Wat moet ik doen?'

'Yuri Zhernakov is geen heer,' zegt Lorcan sardonisch, 'dus wat dat betreft zit je veilig, denk ik.' Hij zucht en woelt met zijn vingers door zijn haar. Zijn gezicht verraadt niets. 'Hoor eens, Ben. Ik heb de reorganisatieovereenkomsten bij me en ik zal ze morgen met je doornemen. Ik zal je uitleggen wat je opties zijn, zoals ik het zie.' Hij zwijgt even. 'Maar ik ga je niet zeggen wat je moet doen. Wel verkopen, niet verkopen, het is jouw beslissing. Jóúw keus.'

Ben doet zijn mond een paar keer open en dicht, kennelijk niet bij machte iets te zeggen. Dan draait hij zich op zijn hakken om en loopt weg, intussen zijn BlackBerry in zijn zak stoppend.

'Goed gedaan.' Ik geef nog een kneepje in Lorcans hand en we gaan weer op het muurtje zitten. 'Daar was moed voor nodig.' Lorcan zegt niets terug, maar knikt kort.

'Zou hij het aandurven?' vraag ik aarzelend.

'Wie weet,' verzucht Lorcan. 'Maar het is nu of nooit.'

'En wat ga jij doen na je ontslag?'

'Weet niet,' zegt hij schouderophalend. 'Misschien neem ik dat aanbod in Londen wel aan.'

'Londen?' zeg ik tegen wil en dank opfleurend.

'Of Parijs,' vervolgt hij plagerig. 'Ik spreek vloeiend Frans.'

'Parijs is waardeloos,' zeg ik. 'Dat weet iedereen.'

'Quebec, dan.'

'Leuk, hoor.' Ik geef hem een speelse klap.

'Ik ben jurist.' Lorcan plaagt me niet meer; zijn gezicht wordt ernstig. 'Daar heb ik voor gestudeerd. Dat was mijn carrière. En misschien ben ik een tijdje van mijn pad afgedwaald. Misschien heb ik echt de verkeerde keus gemaakt.' Zijn ogen flitsen mijn kant op en ik knik begrijpend. 'Maar nu is het tijd om weer op koers te komen.'

'De zeilen te hijsen.'

'Op volle kracht vooruit,' kaatst hij terug.

'Zie jij het leven als een boottocht?' zeg ik ongelovig. 'Het is een *roadtrip*. Dat weet iedereen.'

'Het is een boottocht.'

'Nee, een roadtrip.'

We zitten een tijdje te kijken hoe het roze en oranje van de zonsondergang overgaan in mauve en indigo met vuurrode strepen erdoor. Het is echt verbazingwekkend.

Dan komen Lottie en Richard over het strand aangeslenterd, en ze gaan naast ons op de muur zitten. Ze zijn een mooi stel, denk ik onwillekeurig, voor de zoveelste keer. Het past gewoon.

'Zo, ik zit zonder werk,' zegt Lorcan op luchtige toon tegen Lottie, 'en het is helemaal de schuld van je zus.'

'Het is mijn schuld niet!' roep ik prompt uit. 'Hoezo, mijn schuld?'

'Als jij me niet met andere ogen naar mijn leven had laten kijken, had ik nooit ontslag genomen.' Zijn mondhoeken trekken. 'Je hebt heel wat goed te maken.'

'Ik heb je een dienst bewezen.'

'Het blijft jouw schuld.' Zijn ogen twinkelen.

'Tja...' zeg ik koortsachtig nadenkend. 'Nee. Ik vecht het aan. Het is eigenlijk Lotties schuld. Als zij niet halsoverkop was getrouwd, had ik je nooit ontmoet en hadden we dat gesprek dus ook nooit gevoerd.'

'Hm,' zegt Lorcan knikkend. 'Daar zeg je wat. Dus, ik geef jou de schuld.' Hij kijkt naar Lottie.

'Het is mijn schuld niet!' spreekt ze hem tegen. 'Het is Ben zijn schuld! Dat stomme huwelijk was helemaal zijn idee. Als hij me niet had gevraagd, was ik nooit hierheen gegaan en dan had je Fliss nooit ontmoet.'

'Dus Ben is de slechterik van het stuk?' Lorcan trekt vragend een wenkbrauw op.

'Ja,' zeggen Lottie en ik in koor.

'Ja,' beaamt Richard met klem.

De lucht is nu dieppaars, doorspekt met nachtblauw. De zon is een flintertje vurig oranje aan de horizon. Ik stel me voor dat hij afglijdt naar een ander stuk van de wereld, een andere lucht; dat hij andere Lotties en Flissen beschijnt, met al hun vreugde en verdriet.

'Wacht even,' zeg ik en ik schiet overeind bij het idee. 'Ben is niet de slechterik van het stuk, dat is Richard. Als hij Lottie om te beginnen gewoon een aanzoek had gedaan, was dit allemaal niet gebeurd.'

'O,' zegt Richard, en hij wrijft langs zijn neus. 'Aha.'

Een vreemd, stil moment lang speel ik met het vergezochte idee dat Richard door zijn knie zal zakken en het alsnog zal doen, maar het moment gaat voorbij zonder dat iemand iets zegt. Toch hangt er nu iets vreemds in de lucht; het is best gênant; ik had het niet moeten zeggen...

'Nou, daar weet ik wel iets op.' Lottie heeft een vreemd vuur in haar ogen. 'Wacht hier. Ik moet mijn tas hebben.'

We kijken allemaal verwonderd hoe ze zich terughaast naar het restaurant, regelrecht naar onze tafel loopt en in haar tas begint te wroeten. Wat voert ze in hemelsnaam in haar schild?

Dan snak ik opeens naar adem. O, god. Ik weet het. Ik wil mijn armen om mezelf heen slaan van blijdschap, van de zenuwen, van verwachting. Dit zou geweldig kunnen zijn, dit zou briljant kunnen zijn...

Verpest het níét, Richard.

Nu komt ze weer naar ons toe, met haar kin fier vooruit maar trillend, en ik weet precies wat ze gaat doen en ik ben zo ontzettend blij dat ik dit mag meemaken.

Ik hou mijn adem in. Lottie loopt langzaam en doelbewust op Richard af. Ze knielt tegenover hem en houdt hem een ring voor.

Het is best een mooie ring, zie ik tot mijn opluchting. Heel mannelijk.

'Richard,' zegt ze en dan blaast ze hoorbaar uit, alsof ze haar zenuwen de baas wil worden. 'Richard...'

36

Lottie

Ik heb tranen in mijn ogen. Ik kan niet geloven dat ik dit doe. Ik had het meteen moeten doen.

'Richard,' zeg ik voor de derde keer. 'Ook al ben ik momenteel met iemand anders getrouwd... wil je met me trouwen?'

Er valt een gespannen, roerloze stilte. Het laatste flintertje licht van de zon glipt weg, de zee in, en boven ons beginnen sterretjes te flonkeren aan de donkerblauwe hemel.

'Natuurlijk. Natuurlijk. Natúúrlijk.' Richard geeft me een berenknuffel.

'Echt?'

'Natuurlijk. Het is wat ik wil. Trouwen. Met jou. Verder niets. Ik ben een idioot geweest.' Hij slaat zich voor zijn hoofd. 'Ik was een dwaas. Ik was een...'

'Al goed,' zeg ik vriendelijk. 'Ik weet het. Dus... zeg je ja?'

'Natuurlijk zeg ik ja! O, god.' Hij schudt zijn hoofd. 'Natuurlijk zeg ik ja. Ik laat je niet nog eens ontsnappen.' Hij houdt mijn hand zo stevig vast dat ik bang ben dat hij iets breekt.

'Gefeliciteerd!' Fliss slaat haar armen om me heen terwijl Lorcan Richard energiek de hand schudt. 'Je bent verloofd! Maar nu echt! Dat vraagt om champagne!'

'En een nietigverklaring,' voegt Lorcan er droog aan toe.

Ik ben verloofd! Met Richard! Ik voel me licht in mijn hoofd van euforie en verbijstering over mezelf. Heb ik een aanzoek gedaan? Heb ík een aanzoek gedaan? Waarom heb ik dit niet eerder gedaan? Het was een eitje!

'Goed werk!' zegt Lorcan en hij geeft me een zoen. 'Gefeliciteerd!'

'O, wat ben ik blij.' Fliss slaat haar armen om zichzelf heen. 'Zo ontzettend blij. Dit is precies waar ik op hoopte.' Ze schudt ongelovig haar hoofd. 'Na alles.' Ze pakt mijn hand en geeft er een kneepje in.

'Na alles.' Ik knijp terug. Er loopt een ober langs en Fliss houdt hem staande.

'Champagne, alstublieft! We hebben een verloving te vieren!'

En nu, nu we allemaal eindelijk ademhalen, is het stil. Iedereen kijkt naar de ring in mijn open hand. Richard heeft hem nog steeds niet van me aangenomen. Moet ik hem om zijn vinger schuiven? Of gewoon aan hem geven? Of... wat? Wat hoor je te doen met mannenverlovingsringen?

'Lieverd, even over die ring,' zegt Richard uiteindelijk. Ik zie dat hij zijn gezicht van 'bedenkelijk' naar 'enthousiast' probeert te wringen, maar het lukt niet.

'Mooie ring,' merkt Lorcan op.

'Beeldig,' zegt Fliss bemoedigend.

'O, zeker,' zegt Richard snel. 'Heel... glimmend. Heel chic. Alleen...'

'Je hoeft hem niet óm,' zeg ik snel. 'Hij is niet om te drágen. Je kunt hem op je nachtkastje leggen of zo... in een la misschien... of in een kluis...'

De opluchting straalt zo van Richards gezicht dat ik wel moet lachen. Hij slaat zijn armen weer stevig om me heen en ik laat de ring in mijn zak glijden. We vergeten hem gewoon stilletjes.

Ik wist dat die ring een vergissing was.

Lees ook van Sophie Kinsella:

Lara denkt dat ze gek wordt. Haar onlangs overleden oudtante Sadie zoekt contact met haar. Daar heeft Lara helemaal geen zin in. Ze heeft al genoeg problemen. Maar de sprankelende Sadie laat zich niet zomaar afschepen.

ISBN 978 90 443 4079 2

Lees ook van Sophie Kinsella:

Poppy Wyatt is haar antieke verlovingsring kwijt. Over tien dagen is de bruiloft! Tot overmaat van ramp wordt haar mobieltje gestolen. Nu is de crisis compleet. Wat moet ze zonder telefoon beginnen?

Je kunt niet anders dan deze super originele en verrassende romans in één ruk uitlezen. Humor en charme op elke bladzijde.

ISBN 978 90 443 3933 8